LORD JOHN ET

LE PRISONNIER
ÉCOSSAIS

DE LA MÊME AUTEURE

Le Chardon et le Tartan, Libre Expression, 1997, réédition 2014

Le Talisman, Libre Expression, 1997, réédition 2015

Le Voyage, Libre Expression, 1998, réédition 2015

Les Tambours de l'automne, Libre Expression, 1998, réédition 2015

La Croix de feu, parties 1 et 2, Libre Expression, 2002

Un tourbillon de neige et de cendres, parties 1 et 2, Libre Expression, 2006

Lord John – Une affaire privée, Libre Expression, 2008 ; réimprimé sous le titre *Lord John et une affaire privée*, 2012

Lord John – La Confrérie de l'épée, Libre Expression, 2008 ; réimprimé sous le titre *Lord John et la Confrérie de l'épée*, 2012

L'Écho des cœurs lointains, partie 1 : *Le prix de l'indépendance*, Libre Expression, 2010

L'Écho des cœurs lointains, partie 2 : *Les fils de la liberté*, Libre Expression, 2011

Lord John et la Marque des démons, Libre Expression, 2012

DIANA GABALDON

LORD JOHN ET

LE PRISONNIER ÉCOSSAIS

Roman

Traduit de l'anglais (États-Unis)
par Philippe Safavi

Libre Expression

Une société de Québecor Média

Catalogage avant publication de Bibliothèque et Archives nationales du Québec et Bibliothèque et Archives Canada

Gabaldon, Diana
    [Scottish prisoner. Français]
    Lord John et le prisonnier écossais
    (Lord John ; t. 4)
    Traduction de : The Scottish prisoner.
    Suite de : Lord John et la marque des démons.

    ISBN 978-2-7648-0899-3

    I. Safavi, Philippe. II. Titre. III. Titre : Scottish prisoner. Français. IV. Collection : Gabaldon, Diana. Lord John ; t. 4.

PS3557.A22L66614 2015   813'.54   C2015-940823-7

Titre original : *The Scottish Prisoner*
Traduction : Philippe Safavi
Édition : Johanne Guay
Correction : Sabine Cerboni
Couverture et mise en pages : Clémence Beaudoin
Photo de l'auteure : Barbara Schnell

© 2011, Diana Gabaldon
Publié avec l'accord de l'auteure, c/o BAROR INTERNATIONAL, INC., Armonk, New York, États-Unis
© 2014, Presses de la Cité, un département de Place des éditeurs, pour la traduction en langue française
© 2015, Les Éditions Libre Expression pour l'édition française au Canada

Les Éditions Libre Expression
Groupe Librex inc.
Une société de Québecor Média
La Tourelle
1055, boul. René-Lévesque Est
Bureau 300
Montréal (Québec) H2L 4S5
Tél. : 514 849-5259
Téléc. : 514 849-1388
www.edlibreexpression.com

Dépôt légal – Bibliothèque et Archives nationales du Québec et Bibliothèque et Archives Canada, 2015

ISBN : 978-2-7648-0899-3

Distribution au Canada
Messageries ADP inc.
2315, rue de la Province
Longueuil (Québec) J4G 1G4
Tél. : 450 640-1234
Sans frais : 1 800 771-3022
www.messageries-adp.com

*Aux défenseurs et amoureux
de cette belle langue gaélique
qui m'ont si généreusement aidée au fil des ans
avec leurs traductions :*

*Ian MacKinnon Taylor
(et les membres de sa famille) (gaélique / gàidhlig) :
Le Talisman, Les Tambours de l'automne,
La Croix de feu et Un tourbillon de neige et de cendres.*

*Catherine MacGregor et Catherine-Ann MacPhee
(gaélique / gàidhlig) : L'Écho des cœurs lointains,
Lord John et le Prisonnier écossais.*

*Kevin Dooley (irlandais / gaeilge) :
Lord John et le Prisonnier écossais.*

Moran taing !

Préface

Une chronologie des romans : lequel lire et quand ?

Les nouvelles[1] et les romans de lord John se suivent mais sont construits de façon à être indépendants ; on peut les lire dans n'importe quel ordre.

Pour ce qui est de leur lien avec la saga *Outlander* : ils en font partie, tout en se concentrant principalement sur des aventures de lord John lorsqu'il n'est pas « en scène » dans les autres romans. Ce roman-ci traite également d'une partie de la vie de Jamie Fraser qui ne figure pas dans la série principale.

Tous les romans de lord John se déroulent entre 1756 et 1766 (celui-ci se situe en 1760). Pour les replacer dans le contexte de la saga *Outlander*, cette période correspond au milieu du troisième tome. Vous pouvez donc les lire dans n'importe quel ordre sans vous perdre après avoir lu *Le Voyage*.

---

1. Il existe également plusieurs nouvelles (il y en aura d'autres) traitant d'événements mineurs, de personnages secondaires ou de lacunes dans les autres livres. Elles sont parues dans différentes anthologies, mais seront un jour rassemblées sous un même volume. *A Leaf on the Wind of All Hallows* est parue en 2011 dans l'anthologie *Songs of Love and Death* (dirigée par George R. R. Martin et Gardner Dozois). Située pendant la Seconde Guerre mondiale, elle raconte ce qui est réellement arrivé aux parents de Roger MacKenzie, Jerry et Dolly. *The Space Between* est parue en mars 2013 dans une anthologie intitulée *The Mad Scientist's Guide to World Domination* (dirigée par Joseph Adams). Située principalement à Paris, on y retrouve Joan McKimmie (la jeune sœur de Marsali), Michael Murray (le frère aîné de petit Ian), le comte Saint-Germain (mais non bien sûr, il n'est pas mort, qu'est-ce que vous croyiez ?) et mère Hildegarde.

Prologue

Quand vous traitez quotidiennement avec la mort, deux possibilités s'offrent à vous.

Soit cela devient une routine, auquel cas vous risquez de tuer gratuitement et ainsi de perdre votre âme (car si les vies que vous détruisez ne valent rien, la vôtre non plus).

Soit vous prenez conscience de la valeur de l'existence et devenez beaucoup plus réticent à tuer sans que ce soit indispensable. Vous risquez alors d'y laisser votre peau (il y a les vivants et il y a les morts ; je ne l'entends pas ici de la même manière que saint Paul), mais pas votre âme.

Les soldats règlent le problème en se dédoublant. Une partie tue, l'autre reste à la maison. L'homme qui fait sauter son enfant sur ses genoux n'a rien à voir avec celui qui écrase la gorge de l'ennemi sous sa botte. Du moins, c'est ce qu'il se dit, et il parvient parfois à s'en convaincre.

Cependant, tuer vous change ; peu importe les circonstances.

C'est une marque au fer rouge sur votre cœur. Elle peut s'estomper, mais la trace ne s'en va pas, sauf à l'aide d'une lame. Le mieux que vous puissiez espérer, c'est une cicatrice plus propre.

PREMIÈRE PARTIE

LA MÈCHE
EST ALLUMÉE

—◆—

1

Poisson d'avril

Helwater, Lake District, 1ᵉʳ avril 1760

Avec un froid pareil, sa verge allait lui rester dans la main… si elle ne s'était pas recroquevillée jusqu'à disparaître complètement. Cette pensée se faufila dans son esprit endormi comme un des petits courants d'air glacé qui s'infiltraient dans le fenil. Il ouvrit les yeux.

Il n'eut aucun mal à la trouver : il s'était réveillé en la tenant fermement. Le désir lui picotait la peau telle une nuée de moucherons, le faisant frissonner. Il était toujours habité par son rêve, mais ce dernier se dissiperait rapidement, anéanti par les ronflements et les pets des autres palefreniers. Il avait besoin d'elle, de jouir pendant qu'il sentait encore ses mains sur lui.

Hanks remua dans son sommeil, gloussa, marmonna quelques paroles incohérentes, puis sombra à nouveau dans l'inconscience en murmurant :

— Merde, merde, merde…

Jamie grommela une expression similaire en gaélique et repoussa sa couverture. Tant pis pour le froid.

Il descendit l'échelle. L'air, plus bas dans l'écurie, sentait le renfermé et les chevaux. Dans son empressement, il faillit rater un échelon et ne prêta pas attention à l'écharde qui s'enfonça dans son pied nu. Il hésita un instant dans l'obscurité, tenaillé par l'urgence. Les bêtes n'y verraient pas d'objection, mais sa présence pouvait les agiter, ce qui risquait de réveiller les autres.

Une rafale ébranla l'édifice, mugit autour du toit. Un courant glacé fleurant la neige agita la torpeur ambiante, faisant s'ébrouer plusieurs chevaux. À l'étage, il y eut un nouveau « Merde », accompagné du bruissement d'un corps. L'un des hommes s'était retourné en hissant sa couverture jusque sous ses oreilles, se calfeutrant contre la réalité.

Claire était encore avec lui, vivante dans son esprit, son corps ferme entre ses mains. Il sentait le parfum de ses cheveux dans l'odeur du foin frais. Le souvenir de sa bouche, de ses dents blanches… Son mamelon durci le démangeait sous sa chemise. Il le frotta doucement et déglutit.

Ses yeux s'étaient depuis longtemps accoutumés à l'obscurité. Il entra dans la stalle vide au bout de la rangée et s'adossa à la cloison, son sexe déjà dans sa main, son corps et son esprit appelant son épouse disparue.

Il aurait aimé faire durer le plaisir mais il fallait faire vite avant que le rêve ne s'évapore. Le souffle court, il se plongea dans son souvenir en gémissant. Puis, quand ce fut fini, ses genoux cédèrent et il se laissa glisser lentement le long des planches dans le foin éparpillé, sa chemise retroussée autour de ses cuisses et le cœur battant comme un tambour.

Avant de se rendormir, il eut une dernière pensée : *Seigneur, faites qu'elle soit en sécurité. Elle et l'enfant.*

Il sombra dans un sommeil si profond et voluptueux que, lorsqu'une main lui secoua l'épaule, il ne sursauta pas. Il s'étira paresseusement, s'étonna un instant de sentir du foin chatouiller ses jambes nues. Puis son instinct reprit le dessus. Dans un même mouvement, il fléchit les jambes et se redressa, le dos plaqué contre la paroi.

La petite silhouette sombre qui se tenait devant lui lâcha un faible cri étranglé. Il reconnut un son féminin et se retint juste à temps de frapper.

— Qui est là ? chuchota-t-il d'une voix éraillée.

La forme dans le noir recula d'un pas, semblant hésiter.

Il n'était pas d'humeur à supporter ces atermoiements et la rattrapa par le bras. Cette fois, elle brailla comme un goret. Il la lâcha aussitôt, comme s'il s'était brûlé la main. Il se maudit intérieurement en entendant des grognements surpris et les mouvements des autres palefreniers au-dessus de leurs têtes.

— C'est quoi, ce raffut ? maugréa Crusoe, comme s'il parlait dans un tuyau bouché.

Il se racla la gorge, cracha dans son pot de chambre à moitié plein puis beugla :

— Qui est en bas ?

La femme dans l'obscurité fit des mouvements affolés, implorant Jamie de se taire. À demi réveillés, les chevaux renâclèrent. Ils étaient perturbés mais pas effrayés, étant habitués aux vociférations nocturnes de Crusoe. Cela lui prenait chaque fois qu'il avait assez d'argent en poche pour boire. Il s'endormait ivre, faisait des cauchemars puis se réveillait en nage et en hurlant après ses démons.

Jamie se passa une main sur le visage, essayant de réfléchir. Si Crusoe et Hanks n'avaient pas déjà remarqué son absence, cela ne tarderait pas.

— C'est moi, répondit-il. Des rats dans le fourrage. J'en ai tué un.

Ce n'était guère crédible. Les rats étaient omniprésents et personne n'aurait levé le petit doigt en les entendant courir dans le foin, et encore moins pour descendre les chasser en pleine nuit.

Hanks émit un son de dégoût et se retourna sur sa paillasse.

— C'est encore l'Écossais qui essaie de grimper une jument, bougonna-t-il d'une voix assez forte pour que tous entendent. Tu devrais en parler à monsieur le baron…

— Je ne sais pas ce que tu fabriques, MacKenzie, mais fais-le en silence ! aboya Crusoe avant de se laisser retomber sur son matelas.

Le cœur de Jamie s'était remis à battre à toute allure, mais cette fois d'énervement. Il reprit le bras de la jeune femme (elle était forcément jeune, une vieille bique n'aurait pas poussé un tel cri) et, cette fois, elle se laissa faire. Il l'entraîna entre les stalles de l'écurie jusqu'à l'extérieur et referma derrière eux la porte coulissante.

Le vent glacé qui plaqua sa chemise contre son torse lui coupa le souffle. La lune était partiellement cachée par les nuages mais diffusait suffisamment de lumière pour lui permettre d'identifier l'intruse.

— Que me voulez-vous ? demanda-t-il sèchement. Et comment saviez-vous où me trouver ?

Elle n'était pas tombée sur lui par hasard. Qu'est-ce qu'une femme de chambre viendrait faire dans une écurie au beau milieu de la nuit ? Elle le cherchait.

Betty releva dignement le menton.

— Un homme veut vous parler. Il m'a envoyée vous prévenir. Et je vous ai vu descendre du fenil.

Cette dernière phrase resta en suspens dans l'air glacé, chargé comme une bouteille de Leyde… Avait-elle vu ce qu'il faisait ?

Il la vit esquisser un sourire narquois avant qu'un nuage obscurcisse à nouveau ses traits. Il sentit le feu lui monter au visage.

— Quel homme ? demanda-t-il. Où est-il ?

— Il est irlandais, mais c'est un gentleman. Il m'a chargée de vous dire que la branche verte refleurirait. Il vous attendra sur la lande, près de l'ancienne cabane du berger.

La stupeur lui fit presque oublier le froid, même s'il grelottait au point d'avoir du mal à parler sans chevroter. Or, il avait besoin de tout son aplomb.

— Je ne connais pas d'Irlandais, rétorqua-t-il. S'il revient, vous n'aurez qu'à le lui dire. Je retourne me coucher. Bonne nuit.

Il allait saisir la poignée de la porte quand il sentit une main lui caresser le dos et se poser juste au-dessus de ses fesses. Tous ses poils se hérissèrent et, cette fois, ce n'était pas à cause du froid.

— Votre couche doit être froide comme une tombe, susurra Betty.

Elle s'était approchée et il sentait la chaleur de son corps derrière lui, son souffle traversant le lin de sa chemise. Elle descendit légèrement sa main avant d'ajouter :

— La mienne sera plus chaude.

Par tous les saints ! Il serra les fesses et s'écarta d'elle pour ouvrir la porte.

— Bonne nuit, répéta-t-il sans se retourner.

Il l'entraperçut l'espace d'un instant avant de refermer le panneau devant elle. Elle le fixait en plissant des yeux mauvais, telle une chatte en colère.

Il monta à l'échelle sans chercher à être discret. Hanks et Crusoe ne dormaient probablement pas, mais ni l'un ni l'autre ne pipa. Dieu seul savait ce qu'ils raconteraient le lendemain. Peu importait, il avait d'autres soucis, et bien plus importants.

Le premier s'appelait Betty. Si quelqu'un sur le domaine de Helwater connaissait son secret, ce devait être elle. Elle avait été la femme de chambre de lady Geneva jusqu'à sa mort, avant d'entrer au service de sa sœur. Avait-elle été sa confidente ?

Il sentait encore la pression de sa main sur ses fesses et s'agita nerveusement sur son matelas, les brins de paille lui piquant la peau. Foutue bonne femme ! Trois ans plus tôt, lorsque, fraîchement sorti de la prison d'Ardsmuir, il avait été conduit à Helwater en tant que traître jacobite en liberté conditionnelle, elle lui avait fait les yeux doux. Toutefois, la femme de chambre d'une lady ne s'acoquinait pas avec un palefrenier et il n'avait eu aucun mal à ignorer ses œillades lorsqu'elle venait lui annoncer que sa maîtresse voulait son cheval. Éviter les avances de lady Geneva avait été moins facile.

Il grimaça en songeant à Geneva. Bien que n'étant pas d'humeur charitable, il se signa et récita une brève prière pour le salut de son âme, comme chaque fois qu'il pensait à elle. La malheureuse, il lui devait bien ça en dépit de ce qu'elle lui avait fait.

À quoi jouait cette gourgandine de Betty, à présent ? Geneva était morte en couches depuis plus de deux ans. Betty était revenue à Helwater peu après son décès. Elle ne lui avait pas adressé la parole depuis six mois. Pourquoi courir le risque de venir dans l'écurie en pleine nuit ? D'autre part, qu'avait-elle espéré ? Monter sur l'échelle grinçante et se glisser dans sa couche sans prévenir, avec Hanks et Crusoe enroulés dans leur couverture à moins de deux mètres, les oreilles grandes ouvertes ? L'entraîner dans le quartier des domestiques, sous les combles du manoir ?

Elle ne pouvait avoir projeté d'attendre sous le fenil au cas où il se manifesterait. D'ailleurs, elle avait dit l'avoir vu descendre mais ne l'avait pas approché à ce moment-là. Pourquoi?

La réponse, logique, lui vint soudain. Il n'était pas la raison principale de sa venue.

Il se redressa brusquement avant d'avoir achevé sa pensée, son corps comprenant avant son esprit. Elle était venue en retrouver un autre et son apparition inopportune avait contrarié son rendez-vous.

Un intrus n'aurait pu se cacher dans une stalle déjà occupée. Or, une seule était vide, près de la porte.

Ses doigts se crispèrent sur le bord de la couverture.

Voilà pourquoi elle m'a réveillé… Elle voulait m'attirer à l'écart afin que l'autre puisse s'enfuir… Bon sang, il était dans la stalle avec moi!

Un mélange de honte et de fureur lui embrasa la peau. L'idée que… Était-ce possible… S'il y avait eu quelqu'un, il aurait sûrement senti sa présence, non?

Non. Il avait été tellement pressé de s'isoler pour rejoindre Claire et soulager son désir qu'il n'aurait pas remarqué un ours tapi dans un coin à moins que celui-ci ne lui ait bondi dessus.

Un des coqs de la basse-cour se mit à chanter, rapidement imité par deux autres. Il entendit un grognement exaspéré accompagné d'un « Meeeerde » provenant de la paillasse voisine. Puis les raclements de gorge et les reniflements commencèrent. Hanks fumait comme une cheminée (quand il en avait les moyens), et il lui fallait un bon quart d'heure avant de pouvoir respirer normalement le matin.

Jamie prit une profonde inspiration à son tour, rejeta sa couverture et se leva pour affronter ce qui s'annonçait comme une journée pour le moins intéressante.

———◀◦▶———

2

L'erse

Lord John Grey lorgnait le paquet attaché avec un ruban rouge sur ses genoux comme s'il s'agissait d'une bombe. De fait, il n'aurait pas été plus explosif s'il avait été rempli de poudre noire et équipé d'une mèche.

Son opinion devait se lire sur son visage car, quand il le tendit à son frère, celui-ci lui lança un regard perçant en arquant un sourcil. Il dénoua le ruban sans un mot et se débarrassa de l'emballage avec des gestes impatients avant de se pencher sur l'épaisse liasse couverte d'une écriture dense.

Grey ne supportait pas de le voir lire la dénonciation post mortem de Charles Carruthers. Il se remémorait chaque phrase dévastatrice à mesure que Hal en prenait connaissance. Il se leva, se planta devant la fenêtre de la bibliothèque et contempla le jardin derrière la maison tout en s'efforçant de ne pas entendre les pages qui tournaient et les blasphèmes marmonnés derrière lui.

Les trois fils de Hal jouaient aux tigres et aux chasseurs, bondissant hors des buissons en feulant, puis poussant des cris. L'un d'eux lui parvint distinctement :

— Bang ! Prends ça, espèce de saloperie à rayures !

Assise au bord du bassin et tenant fermement la petite Dottie par sa robe, la nurse tressaillit et leva les yeux au ciel avec un air de martyre. « La chair et le sang ont leurs limites », disait clairement son expression. Puis elle se remit à remuer l'eau de sa main, attirant l'un des gros poissons rouges afin que l'enfant puisse lui lancer des miettes de pain.

John aurait aimé les rejoindre. C'était une journée exceptionnelle pour un début avril, et il sentait battre en lui l'appel du grand air, l'invitant à l'extérieur, à courir pieds nus dans l'herbe tendre. Courir nu jusqu'à la rivière… Le soleil était haut dans le ciel, diffusant sa chaleur à travers les portes-fenêtres. Il ferma les yeux et orienta le visage vers lui.

Siverly.

Le nom flotta dans les ténèbres derrière ses paupières, plaqué sur le visage neutre de la caricature d'un major en uniforme. Il brandissait une épée démesurée et des sacs d'argent débordaient des poches arrière de sa culotte en formant des bosses obscènes sous les pans de sa veste. Deux d'entre eux étaient tombés au sol en répandant leur contenu : des pièces pour l'un, des petites poupées pour l'autre, chacune avec un minuscule couteau planté dans le cœur.

Il entendit Hal jurer en allemand. Il avait dû atteindre le passage concernant les fusils. Les jurons allemands étaient réservés aux occasions les plus graves ; les français aux contrariétés mineures, tel un dîner trop cuit, et les latins à des insultes formelles couchées sur le papier. Minnie avait interdit à Hal et à John de jurer en anglais dans la maison, ne voulant pas que ses fils prennent de mauvaises habitudes. John aurait pu lui dire qu'il était déjà trop tard.

Quand il se retourna, Hal était debout, blême de rage, une feuille de papier froissée dans la main.

— Comment ose-t-il ? Comment ose-t-il ?!

Un petit nœud dont il n'avait pas pris conscience se dénoua dans la poitrine de John. Son frère avait créé son propre régiment d'infanterie, le 46ᵉ, à la sueur de son front. Personne n'était moins enclin que lui à tolérer ou à pardonner des méfaits au sein de l'armée. La réaction de Hal le rassurait.

— Tu crois donc Carruthers ? lui demanda-t-il.

Hal lui lança un regard torve.

— Pas toi ? Tu le connaissais…

Effectivement, Charles Carruthers avait été une relation de John… et un peu plus.

— Oui, je l'ai cru quand il m'a parlé de Siverly au Canada, et ceci, dit-il en indiquant les papiers éparpillés sur le bureau, achève de me convaincre. C'est à croire qu'il était juriste.

Il revoyait le visage de Carruthers dans la faible lumière de sa chambre sous les combles, dans la petite ville de garnison de Gareon, près de Québec. Pâle, les traits tirés par la maladie et figés par sa détermination à vivre assez longtemps pour que justice soit faite. La mort l'avait emporté avant, mais il avait eu le temps de consigner par écrit les moindres détails de son enquête sur le major Gerald Siverly et de les confier à Grey.

C'était l'amorce qui ferait exploser cette bombe. Or, Grey était bien placé pour savoir ce qui se passait, une fois la mèche allumée.

— Qu'est-ce que c'est que ça? demanda Hal.

Il examinait l'un des documents en fronçant les sourcils. Grey déposa le livre qu'il tenait et s'approcha. Comme le reste, la feuille portait l'écriture appliquée de Carruthers. Sachant qu'il rédigeait des preuves pour une cour martiale, ce dernier s'était efforcé d'être le plus lisible possible.

Lisible, il l'était. Grey distinguait clairement toutes les lettres qui composaient les mots. Toutefois, les mots eux-mêmes ne ressemblaient à rien.

Éistigí, Fir na dtrí náisiún.
Éistigí, le glór na hadhairc ag caoineadh san goath.
Ag teácht as an oiche.

Tá sí ag teacht
Tá an Banrion ag teacht.
Sé na deonaigh, le gruaig agus súil in bhfiainne,
Ag leanúint lucht mhóir an Bhanríon.

Que signifiait ce charabia ? Cela n'avait aucun sens, pourtant les mots avaient quelque chose de… civilisé. Était-ce vraiment le terme adéquat ? Les lettres portaient d'étranges accents et cela ne ressemblait à aucune langue de sa connaissance. Le texte était ponctué d'une manière qui semblait cohérente. Il était organisé comme un poème, avec des strophes et ce qui paraissait être un refrain… Peut-être était-ce une chanson ?

— Ça te dit quelque chose ? demanda-t-il à Hal.

— Non. On dirait une translittération du grec en caractères latins. Mais ce n'est pas du grec, c'est certain.

— Ce n'est pas de l'hébreu non plus. Du russe, peut-être ? Ou du turc ?

Grey fouilla dans sa mémoire, cherchant tout ce qu'il savait au sujet de Carruthers. Il ne lui connaissait aucun lien avec une quelconque langue exotique. En outre, Charlie ne lui avait jamais paru particulièrement instruit. Lorsqu'il l'avait rencontré, il avait un mal fou à faire ses comptes car il était incapable de faire une simple addition correctement. Son français était acceptable mais limité.

— Tous les autres papiers traitent de Siverly et de ses exactions. Donc, logiquement, ce texte aussi.

— Carruthers te paraissait-il être un homme logique ? demanda Hal en examinant à nouveau le feuillet. Il a une belle écriture, je dois au moins lui accorder ça. Tu le connaissais beaucoup mieux que moi. Qu'en penses-tu ?

Grey pensait de nombreuses choses, dont la plupart ne pouvaient se dire à voix haute. Il avait relativement bien connu Charlie Carruthers, notamment dans le sens biblique du terme, même si cela n'avait duré que peu de temps et remontait à plus de dix ans. Leurs retrouvailles au Canada, un an plus tôt, avaient été brèves. D'un autre côté, Charlie connaissait bien Grey, lui aussi. Ce n'était pas pour rien qu'il lui avait confié son testament incendiaire.

— Non, il n'était pas particulièrement logique, répondit-il lentement. En revanche, il était déterminé. Une fois qu'il avait un objectif en tête, rien ne pouvait l'arrêter.

Il avait bien failli réussir. En dépit de son cœur malade, Carruthers s'était accroché à la vie, compilant cette masse de documents incriminants, résolu à faire traduire le major Gerald Siverly devant la justice.

« Bénis soient ceux qui ont faim et soif de justice », avait-il chuchoté à l'oreille de son ami lors de leur dernière rencontre.

Grey ramassa les documents épars sur le bureau et les rangea en une pile ordonnée. En sentant l'odeur des papiers, il fut à nouveau projeté dans la chambre sous les combles, avec ses effluves oppressants : la térébenthine du plancher en pin, le lait aigre, le moisi douceâtre des crottes de souris, la peau de Charlie, rendue moite par la chaleur et la fièvre. Il sentit à nouveau sa main déformée se poser sur son visage, à peine une caresse mais bien présente dans son souvenir.

« Je suis la faim, John, avait-il haleté. Tu es la soif. Tu ne me laisseras pas tomber. »

Grey n'en avait pas l'intention. Il tapota doucement le bord de la liasse sur le bureau, puis la déposa délicatement, parfaitement alignée.

— Tu crois que ce sera suffisant ? demanda-t-il à son frère.

Suffisant pour convoquer une cour martiale, pour inculper Siverly de corruption et d'abus de pouvoir, de conduite indigne ayant entraîné le massacre de ses propres hommes… Siverly ne faisait pas partie du régiment de Hal, mais il appartenait à l'armée à laquelle Hal, tout comme Grey, avait consacré le plus clair de sa vie.

— Ce sera plus que suffisant, répondit Hal en se frottant le menton.

Il était tard dans la journée et les poils drus de sa barbe faisaient un léger bruit de râpe. Il ajouta :

— Si on parvient à retrouver les témoins et s'ils acceptent de coopérer…

Il parlait sur un ton détaché, toujours penché d'un air perplexe sur le message mystérieux. Il le lut lentement à voix haute :

Do chuir siad na Róisíní Bhán ar an bealach go bua.
Agus iad toilteannach agus buail le híobáirt an teannta ifrinn.
Iad ag leanúint le bealach glór an Bhanríon.

— Tu crois qu'il s'agit d'un message chiffré ou codé ? demanda-t-il.

— Il y a une différence ? s'étonna Grey.

— Oui, répondit Hal d'un air absent.

Il leva la feuille dans la lumière de la fenêtre, sans doute pour vérifier si une image apparaissait par transparence, puis il la tendit au-dessus du feu.

Grey se retint de la lui arracher des mains. Bon nombre de messages secrets se révélaient à la chaleur. Cela étant, pourquoi aurait-on rédigé un message en code sur un papier portant déjà une écriture invisible, attirant ainsi l'attention… ?

Les coins du feuillet commençaient à roussir et à se recroqueviller, mais rien n'apparaissait au-delà du texte original, toujours aussi énigmatique. Hal le retira et le laissa tomber, fumant, sur le bureau avant de secouer ses doigts.

Grey reprit délicatement la page chaude.

— Je ne comprends pas pourquoi Carruthers se serait donné la peine d'encoder ce document, compte tenu de la teneur des autres.

Hal acquiesça en pinçant les lèvres.

Les « autres » incluaient des dénonciations sans ambiguïté d'une série d'hommes, dont plusieurs fort puissants, impliqués dans les agissements de Siverly. Si Carruthers avait eu suffisamment confiance en Grey pour lui transmettre des informations aussi explosives, pourquoi alors lui compliquer la tâche ?

Grey déposa la feuille roussie sur la pile et mit à nouveau celle-ci en ordre.

— En outre, il se savait mourant, reprit-il. S'il m'a laissé cette liasse de documents, c'était pour que je m'en serve. Pourquoi m'aurait-il caché une partie de ses découvertes ?

— Dans ce cas, que fait ce texte dans le lot ? A-t-il été inclus par accident ?

Tout en émettant cette suggestion, Hal secoua la tête. La liasse avait été soigneusement assemblée, les documents classés dans l'ordre chronologique. Elle contenait les témoignages de Carruthers lui-même, des déclarations signées par des témoins, des documents originaux de l'armée, ou peut-être des copies réalisées par un clerc. C'était impossible à vérifier, à moins que les originaux n'aient porté un cachet. Le paquet tout entier témoignait d'un souci de précision, reflétant la méticulosité et la passion qui avaient poussé Carruthers au-delà de ses dernières forces pour détruire Siverly.

— C'est bien de la main de Carruthers ? demanda Hal.

Incapable de laisser une énigme irrésolue, il avait repris la feuille sur le haut de la pile.

— Oui.

Cela ne faisait aucun doute. Carruthers avait une écriture claire, inclinée, avec des queues bizarrement incurvées. Grey vint se placer derrière son frère pour regarder par-dessus son épaule, cherchant un indice qui lui aurait échappé.

— Le texte semble composé de strophes, observa-t-il.

Sa propre remarque fit naître un début d'idée au fond de son esprit, sans qu'il puisse la formuler clairement. Il s'efforça de se concentrer, mais elle lui fila entre les doigts comme une coulée de sable.

— En effet, convint Hal en laissant glisser un doigt le long de la page. Mais regarde la manière dont certains mots sont répétés. Finalement, je pencherais pour un message chiffré. Si c'est le cas, on devrait pouvoir isoler une différente série de lettres dans chaque ligne, même si elles se ressemblent toutes.

Il se redressa en secouant la tête.

— Je ne sais vraiment pas quoi penser. Ce pourrait être un message chiffré que Carruthers a trouvé dans les affaires de Siverly mais dont il n'avait pas la clé. Il l'aura donc simplement recopié et placé dans le tas dans l'espoir que tu parviendrais à le déchiffrer…

— Oui, c'est une possibilité, opina Grey.

Il se balança sur ses talons puis dévisagea son frère d'un air soudain suspicieux.

— Comment se fait-il que tu t'y connaisses autant en chiffrement et en messages secrets ?

Hal hésita, puis sourit. Cela lui arrivait rarement et son visage s'en trouvait transformé.

— Minnie, répondit-il simplement.

— Minnie ? répéta Grey sans comprendre.

Sa belle-sœur était une jolie femme au cœur d'or qui parvenait à gérer son mari avec un aplomb remarquable, mais que venait…

— Elle est mon arme secrète, admit Hal sans se départir de son sourire mystérieux. Son père était Raphael Wattiswade.

— Je n'ai jamais entendu parler de ce monsieur.

— C'est normal, personne d'autre non plus, l'assura Hal. Wattiswade était un marchand de livres rares. Il se rendait régulièrement sur le continent sous le nom d'Andrew Rennie. Il vendait également des renseignements. C'était un maître espion… qui n'avait pas de fils.

Grey dévisagea fixement son frère quelques instants. Puis :

— Ne me dis pas qu'il utilisait sa fille pour soutirer des informations…

— Eh bien, si, la vieille ordure scrofuleuse… répondit Hal. J'ai surpris Minnie dans mon bureau un soir durant une réception. Elle était en train de crocheter un de mes tiroirs. C'est ainsi que nous nous sommes rencontrés.

Grey ne demanda pas à son frère ce que contenait le tiroir en question. Il sourit à son tour, saisit la carafe de xérès sur le plateau de thé.

— Laisse-moi deviner : tu ne l'as pas fait arrêter sur-le-champ ni conduire devant un magistrat…

Hal saisit un verre et le lui tendit.

— Non, je l'ai prise là, sur le tapis devant la cheminée.

Grey lâcha la carafe et la rattrapa de justesse, en renversant dans le mouvement un peu de xérès.

— Tu m'en diras tant…

— Donne-moi ça, maladroit, dit Hal en lui prenant la carafe.

Il remplit leurs verres sans quitter des yeux le niveau du liquide ambré.

Déconcerté, Grey se demanda soudain si Minnie était vierge au moment des faits ; une question qu'il chassa aussitôt de son esprit.

— Ensuite, je l'ai mise dans un fiacre et lui ai demandé son adresse, poursuivit Hal, imperturbable. Je lui ai dit que je passerais chez elle le lendemain matin pour prendre de ses nouvelles.

Il tendit son verre à Grey.

— Prends ça et, cette fois, tiens-le bien. Tu m'as l'air d'en avoir besoin.

C'était le cas. Grey vida le xérès en quelques gorgées. Il s'éclaircit la gorge et s'efforça de ne pas lancer un regard vers le tapis devant la cheminée. Il lui semblait qu'il avait toujours été là. Petit et élimé, avec des traces de brûlures ici et là et les bords roussis, il portait le blason familial. Il croyait se souvenir qu'il avait été offert à Hal par sa première épouse à l'occasion de leur mariage.

— Elle... elle ne t'a pas vraiment donné son adresse, n'est-ce pas ? demanda-t-il.

— Non, pas plus qu'au cocher. Elle s'est fait déposer devant Kettrick's Eel-Pye House, puis a disparu dans une allée. J'ai mis près de six mois à la retrouver.

Hal but rapidement son verre puis saisit à nouveau la feuille sur le haut de la pile et annonça :

— Je vais lui montrer ça. Elle manque de pratique, depuis le temps, mais elle saura peut-être nous dire s'il s'agit d'un code.

Laissé seul avec la carafe et le tapis, Grey se servit un autre verre et sortit sur le balcon. Dans le jardin, le calme était revenu. Le ciel s'était couvert et les garçons étaient rentrés pour le goûter. Il les entendait chahuter dans la nursery à l'étage au-dessus. Dottie et sa nurse étaient profondément endormies dans l'herbe au bord du bassin, la jeune femme tenant toujours fermement la robe de la petite fille.

Il n'aurait su dire si l'histoire de son frère l'avait choqué ou pas. Il savait depuis longtemps que Hal établissait ses propres règles. En outre, s'il avait eu provisoirement le dessus sur Minerva Wattiswade, ce n'était plus le cas depuis longtemps. Hal lui-même en était conscient.

Il entendit un bruit sourd, comme celui d'une chaise renversée, suivi de cris aigus. Il leva les yeux vers le plafond. Quel âge avait son neveu Benjamin ? Il lança un regard vers le tapis. Il s'était trouvé à l'étranger au moment de sa naissance, mais sa mère lui avait écrit pour le lui annoncer. Il se souvenait d'avoir lu la lettre sous une tente, la pluie tambourinant sur la toile au-dessus de sa tête. Il avait perdu trois hommes la veille et se sentait démoralisé. La nouvelle l'avait réconforté.

Elle avait sans doute fait le plus grand bien à Hal. Récemment, et de manière fortuite, Grey avait appris qu'Esmé, sa première épouse morte en couches en emportant leur enfant avec elle, avait eu une liaison avec l'un des amis de Hal, Nathaniel Twelvetrees. Hal l'avait défié en duel et tué. À l'époque, il devait être fou de douleur. Combien de temps après avait-il rencontré Minnie ?

Un éclat blanc apparut à la porte du jardin d'hiver, au fond du parc. Minnie, justement. Il recula instinctivement, même si elle ne pouvait le voir. Elle leva les yeux vers le ciel, puis regarda vers la maison. Constatant qu'il ne pleuvait toujours pas, elle rentra à nouveau dans la serre. Quelques instants plus tard, Hal sortit par la porte de la cuisine et alla la rejoindre, la feuille à la main.

Grey était plus surpris par la teneur de l'aveu de son frère que par le fait qu'il se soit confié à lui. Hal était en effet secret et maître de lui jusqu'à l'excès. Toutefois, même une bouilloire bien fermée doit libérer de la vapeur quand elle atteint le point d'ébullition. À la connaissance de Grey, Hal n'avait que trois confidents, leur mère n'en faisant pas partie.

En dehors de Grey lui-même, les deux autres étaient Harry Quarry, un des colonels du régiment, et Minnie.

Mais alors, pourquoi paraissait-il si préoccupé dernièrement ? Cela avait-il un rapport avec Minnie ? Pourtant, lorsque Grey avait parlé à sa belle-sœur en entrant, elle ne lui avait donné aucune indication qu'ils étaient en froid.

En entendant un crépitement contre la fenêtre et des cris en contrebas il se tourna à nouveau vers le jardin. La nurse courait vers la maison, surprise par l'averse. Dottie roucoulait de plaisir sous les gouttes en agitant les bras. Il sortit la tête et sourit en sentant l'air frais et embaumé. Laissant l'eau ruisseler sur son visage, il ferma les yeux et s'abandonna au simple plaisir de respirer, oubliant momentanément ses interrogations.

— Qu'est-ce que tu fiches ?

Il rentra à contrecœur, referma la porte-fenêtre. Hal le dévisageait d'un air réprobateur, la feuille toujours à la main. Un camélia rose foncé pendait mollement à sa boutonnière.

— Je savoure la pluie, répondit John.

Il s'essuya le visage d'une main et secoua la tête. Ses cheveux étaient mouillés, tout comme son col et les épaules de sa veste.

— Minnie a pu t'être utile ? demanda-t-il.

— Oui, répondit Hal, comme s'il était surpris lui-même de cette découverte. Selon elle, le message n'est ni chiffré ni codé.

— Et tu trouves ça utile ? Qu'est-ce que c'est, alors ?

— De l'erse, d'après elle.

De l'erse. Grey ressentit une étrange sensation. L'erse était parlé dans les Highlands écossaises et ne ressemblait à aucune autre langue de sa connaissance. Il était surpris qu'il existe sous forme écrite.

Hal le dévisageait d'un air songeur.

— Tu as dû souvent l'entendre parler, à Ardsmuir.

— En effet, c'était la langue de la plupart des détenus.

Grey avait été brièvement gouverneur de la prison d'Ardsmuir ; une charge qu'il avait acceptée comme un exil après avoir évité de justesse un scandale. Il n'aimait pas se remémorer cette période, pour toute une série de raisons.

— Fraser le parlait-il ?

Pitié, pas ça ! Tout, mais pas ça.

— Oui, répondit-il malgré lui.

Il avait souvent entendu James Fraser s'adresser à ses codétenus dans sa langue maternelle, débitant des mots fluides et mystérieux.

— Quand l'as-tu vu pour la dernière fois ?

— Cela fait un certain temps.

Les réponses de Grey étaient brèves et prudentes. Il ne lui avait pas parlé depuis plus d'un an.

Pas assez prudentes, toutefois. Hal vint se placer devant lui et l'examina de près comme une potiche chinoise à la forme rare.

— Il se trouve toujours à Helwater, n'est-ce pas ? Pourquoi n'irais-tu pas l'interroger au sujet de Siverly ?

— Non.

— Non ?

— Je ne lui pisserais pas dessus même s'il était en train de se consumer dans les flammes de l'enfer, déclara Grey d'un ton affable.

Hal tiqua.

— Ah, je vois, dit-il sèchement. La question est plutôt de savoir si Fraser serait enclin à te rendre le même service.

Grey reposa délicatement son verre au milieu du bureau.

— Uniquement s'il était convaincu de me noyer, rétorqua-t-il avant de sortir.

3

Un Irlandais et un gentleman

Helwater, le 2 avril

Jamie s'habilla et descendit du fenil afin de rentrer du foin pour les chevaux. Il travailla sans se soucier de l'obscurité ni du froid qui gelait ses mains et ses pieds. « Un Irlandais. » « Un gentleman. »

De qui s'agissait-il ? Si cet Irlandais existait réellement, quel était son lien avec Betty ? Il connaissait plusieurs Irlandais. Parmi eux, les gentlemen étaient tous des jacobites venus en Écosse avec Charles Stuart. Cette pensée acheva de le glacer.

La cause jacobite était morte, et avec elle la partie de sa vie qui y avait été associée.

Qui pouvait le chercher ? Il était prisonnier de guerre en liberté conditionnelle, asservi et n'ayant même pas le droit de porter son vrai nom. Il ne valait guère mieux qu'un esclave noir, si ce n'était qu'on ne pouvait le vendre et que personne ne le battait. Il lui arrivait de souhaiter que quelqu'un essaie, lui donnant ainsi une excuse pour libérer la colère accumulée en lui. Ce n'était qu'un fantasme futile.

Qui, jacobite, irlandais ou hottentot, pouvait savoir où il se trouvait ? Il avait reçu une lettre de sa sœur une semaine plus tôt. Celle-ci vivait toujours dans les Highlands. Si quelqu'un était venu la trouver à son sujet, elle le lui aurait dit. Surtout un Irlandais.

Dans l'écurie, l'atmosphère commençait à changer. Une lueur grise s'immisçait dans les fentes des murs. Le jour levant dissipait l'impression d'espace et de liberté, faisant apparaître peu à peu les limites crasseuses de sa prison.

Parvenu au bout de la rangée, il posa sa fourche et, après avoir lancé un regard derrière lui pour s'assurer que ni Hanks ni Crusoe n'étaient encore descendus, entra dans la stalle vide.

Il respirait lentement, comme lorsqu'il chassait, dilatant ses narines en humant l'air. Il ne sentait rien d'autre que l'odeur sèche du vieux foin de l'été précédent et, plus ténues, celles du fumier frais, du mash et de l'haleine des chevaux. La paille était retournée et piétinée par endroits. Il pouvait voir là où il s'était endormi la veille et, avec un léger malaise, distingua un autre lieu, dans le coin au fond, où quelqu'un d'autre aurait pu se tenir.

Il espérait se tromper mais compte tenu des circonstances, s'il y avait vraiment eu quelqu'un, il n'était pas étonnant que cet individu ait préféré rester discret.

« Un Irlandais. » « Un gentleman. » Le seul lien qui lui venait à l'esprit… Il serra les poings en faisant craquer ses articulations. Lord John Grey. Il avait autrefois retrouvé pour lui les traces d'un Irlandais. Non, Grey ne pouvait avoir un rapport avec cette histoire.

Il ne l'avait pas revu depuis plus d'un an et, avec un peu de chance, ne le reverrait jamais. Grey avait été gouverneur d'Ardsmuir à l'époque où il y était emprisonné. C'était lui qui avait organisé sa libération conditionnelle à Helwater, les Dunsany étant des amis de longue date. Il avait pris l'habitude de venir à Helwater une fois par trimestre pour contrôler son prisonnier et, au fil du temps, leurs relations étaient devenues plus courtoises.

Puis, un beau jour, Grey lui avait proposé un marché : si Jamie écrivait à ses relations jacobites réfugiées à l'étranger concernant une affaire qui l'intéressait, il demanderait à lord Dunsany de l'autoriser à correspondre librement avec sa famille dans les Highlands. Jamie avait accepté, rédigé les missives demandées et reçu des réponses soigneusement formulées indiquant que l'homme que Grey recherchait pourrait être un jacobite irlandais, un de ces partisans des Stuarts qui se faisaient appeler les « oies sauvages ».

Il ignorait ce qu'avait fait Grey de cette information et même il s'en était servi. Lors de leur dernière rencontre, ils avaient échangé des propos… Il chassa ce souvenir et reprit sa fourche, l'enfonçant rageusement dans l'amas de foin. Qui que soit l'Irlandais de Betty, il n'avait sûrement rien à voir avec John Grey.

Avec les caprices habituels du printemps, le jour ne s'était jamais vraiment levé ; il avait simplement cessé de faire nuit. Le brouillard s'étirait sur la lande au-dessus de Helwater en formant d'immenses traînées jaunâtres. Le ciel était couleur de plomb. La main droite de Jamie lui faisait mal. Elle avait été brisée en une douzaine de fragments des années plus tôt, et chacun le lançait à présent, l'informant plus qu'il n'était nécessaire de l'arrivée de la pluie.

Il n'avait pas besoin d'être prévenu : outre la lumière grisâtre, l'air était chargé d'humidité et sa peau couverte d'un voile de sueur froide qui ne séchait pas. Il travaillait comme un automate, l'esprit en deux lieux différents, dont aucun ne correspondait à celui où se trouvait son corps.

Une partie de ses pensées étaient concentrées sur Betty. Il devait parler avec cette petite garce, de préférence dans un lieu où elle ne pourrait pas lui échapper.

Les femmes de chambre prenaient leurs repas avec la gouvernante dans le salon de cette dernière, plutôt qu'avec les domestiques subalternes au sous-sol. Lui-même, il n'était pas autorisé à aller au-delà de la cuisine. Il s'arrêta un instant, sa fourche en suspens. Que risquait-il s'il s'aventurait dans la maison et se faisait surprendre ? Que ferait lord Dunsany ? Après tout, il ne pouvait pas le congédier.

Cette idée saugrenue le fit sourire et il reprit son travail de meilleure humeur.

Il y avait toujours la messe. Anglicans, les Dunsany fréquentaient Saint Margaret, l'église du village d'Ellesmere. Ils s'y rendaient en voiture. Généralement, Betty accompagnait lady Dunsany et lady Isobel, sa maîtresse. En tant que prisonnier de guerre, il n'avait pas le droit de sortir du domaine de Helwater sans la permission du maître des lieux. Cependant, le coche nécessitait un équipage de quatre chevaux et deux cochers. Or, Jamie était le seul palefrenier à savoir conduire un véhicule plus grand qu'un cabriolet.

Oui, c'était une bonne solution. S'il parvenait à s'approcher de Betty, il pourrait peut-être lui glisser un billet lui demandant de venir le rejoindre. Dieu seul savait ce qu'il lui dirait, mais il aurait bien une idée.

Naturellement, il aurait pu confier le billet à l'une des filles de cuisine pendant le petit-déjeuner, mais mieux valait ne mêler personne d'autre à cette histoire. Il se débrouillerait seul.

Sa décision plus ou moins prise, il s'interrompit pour s'essuyer le visage avec le chiffon crasseux accroché à un clou au-dessus de la mangeoire, puis revint en pensée à l'Irlandais de Betty.

Existait-il vraiment? Si oui, que voulait-il à Alex MacKenzie? À moins qu'il ne recherche pas Alex MacKenzie mais Jamie Fraser, et qu'il…

Ce début de raisonnement fut interrompu par un cliquetis suivi d'un bruit de chute. Hanks venait d'apparaître au pied de l'échelle, le teint jaune et dégageant une odeur fétide.

— Salut, Mac, lança-t-il sur un ton faussement jovial. Tu me rendrais pas un petit service?

— Si tu veux.

Hanks parvint à esquisser un sourire plus effrayant qu'autre chose.

— Tu ne me demandes pas ce que c'est?

— Non.

Ce qu'il voulait avant tout, c'était que Hanks disparaisse. Il empestait comme s'il renfermait une charogne. Les chevaux près de lui s'ébrouaient, incommodés.

— Ah, fit Hanks en passant des doigts tremblants sur son visage. C'est pas grand-chose, juste… tu pourrais pas sortir mes bêtes? Je ne suis pas…

Il laissa retomber mollement sa main dans un geste qui exprimait tout ce qu'il n'était pas.

Une rafale glacée s'infiltra sous la porte de l'écurie, chargée d'une odeur de pluie et soulevant des brins de paille sur les dalles entre les stalles. Jamie hésita. Il tomberait bientôt des cordes. Il entendait l'orage gronder dans les hauteurs.

Ce n'était pas la pluie qui gênerait les chevaux; ils adoraient ça. Quant au brouillard, il se dissiperait avec les premières gouttes. Ils ne risquaient pas de se perdre.

« Il veut que vous le retrouviez sur la lande, là où se trouve l'ancienne cabane du berger », avait dit Betty.

— C'est bon, je m'en occupe, répondit-il.

Il lui tourna le dos et commença à doser le son et la linette pour préparer le mash. Au bout de quelques instants, il entendit Hanks tituber vers l'échelle. Il se retourna légèrement pour le regarder grimper, se demandant s'il allait tomber et se briser le cou. Ce ne fut pas le cas.

Le 3 avril

Finalement, il avait plu trop fort pour qu'il grimpe haut dans la montagne avec les bêtes. Il les avait conduites sur la piste boueuse qui bordait le Grasmere, puis dans les eaux peu profondes du lac, avant de les ramener à l'écurie pour les bouchonner et les panser. Il avait lancé un regard vers la lande, mais le rideau de pluie masquait les hauteurs où se trouvaient les ruines de la cabane du berger.

Aujourd'hui, il faisait toujours aussi froid, mais le ciel était dégagé. Cette fois, il n'était qu'avec Augustus, dont le pelage fumait sous l'effort. Parvenu au sommet du sentier rocailleux, Jamie arrêta sa monture pour la laisser souffler et examina les environs. À cette altitude, le paysage portait encore sa parure d'hiver, des plaques de neige perdurant entre les rochers et des stalactites gouttant sous les corniches. Néanmoins, il sentait la chaleur du soleil sur ses épaules et il apercevait un vague tapis vert sur White Moss, à peine visible au loin en contrebas.

Il s'était approché de la cabane en ruine par-derrière et par le haut afin de se donner le temps d'inspecter les alentours. Il n'avait aucune raison de craindre un piège. Toutefois, son instinct l'avait maintenu en vie jusque-là et il s'efforçait toujours d'écouter la petite voix qui murmurait dans son oreille.

Il n'était pas monté aussi haut depuis des mois. Quelle que soit la saison, la lande ne changeait guère, hormis pour la couleur du ciel. Il y avait un petit lac plus bas, bordé d'un mince croissant de glace. Les tiges noires des roseaux de l'année précédente pointaient vers le ciel, attendant d'être remplacées par les nouvelles pousses. La cabane du berger se trouvait juste derrière. Elle était tellement délabrée que depuis le bord du lac on la voyait à peine. Elle se confondait avec les autres amas de cailloux couverts de lichen. En revanche, vue de haut, on distinguait clairement son plan carré. Un objet claquait au vent dans un coin. Une toile? Il était presque certain de voir une sorte de ballot.

Rien ne bougeait, hormis le bout de toile et les herbes d'hiver ondoyant dans le vent. Il descendit de selle et entrava Augustus, laissant le hongre brouter ce qu'il pourrait trouver entre les pierres. Il longea la crête pour obtenir une meilleure vue et, émergeant de l'autre côté d'un promontoire rocheux, il aperçut l'homme assis sur un rocher, une dizaine de mètres en contrebas. Il fixait lui aussi la cabane en ruine.

Il était maigre. Jamie distinguait les os de ses épaules qui saillaient sous sa veste. Il portait un chapeau mou. Lorsqu'il le souleva pour se gratter le crâne, Jamie vit des cheveux châtains et bouclés striés de gris. Cette tête lui disait quelque chose. Il fouillait sa mémoire à la recherche d'un nom quand son pied fit rouler un caillou. Le bruit fut infime mais suffisant. L'inconnu se retourna et se leva, son visage émacié s'illuminant. Il avait perdu une canine supérieure, mais cela n'enlevait rien au charme de son sourire.

— Tiens, si ce n'est pas sa seigneurie en personne! Ravi de te revoir, mon cher Jamie. Ravi!

— Quinn? demanda Jamie, incrédule. C'est bien toi?

L'Irlandais baissa les yeux vers ses jambes, se tapota le torse puis se redressa.

— Oui, ou du moins ce qu'il en reste. Aucun d'entre nous n'est plus ce qu'il était, après tout, même si je te trouve plutôt bonne mine.

Il inspecta Jamie des pieds à la tête d'un air approbateur.

— Le grand air te réussit. Tu t'es remplumé, depuis la dernière fois que je t'ai vu.

— Possible, répondit brièvement Jamie.

Leur dernière rencontre remontait à 1746. Il avait alors vingt-cinq ans et crevait la faim, comme le reste de l'armée jacobite. Jamie était plutôt consterné par les cheveux gris et les rides de Quinn, qui avait un an de moins que lui. Si l'Irlandais le trouvait lui aussi vieilli, il n'en dit rien.

— Tu aurais pu donner ton nom à Betty, déclara Jamie en descendant vers lui.

Parvenu à sa hauteur, il lui tendit la main. Quinn le prit dans ses bras et le serra contre lui. Jamie en fut décontenancé et embarrassé de sentir les larmes lui monter aux yeux devant une telle effusion. Il l'étreignit à son tour, le temps de se ressaisir.

— Elle me connaît, répondit Quinn. Mais je n'étais pas sûr que tu viendrais si tu savais que c'était moi.

Il recula d'un pas et s'essuya les yeux sans la moindre gêne.

— Bon sang, ce que je suis heureux de te revoir, Jamie !

— Moi aussi.

Il était sincère. Il se garda toutefois de répondre à la question de savoir s'il serait venu ou pas. Il s'assit lentement sur un rocher, histoire de gagner du temps.

Ce n'était pas qu'il n'appréciait pas Quinn ; bien au contraire. Toutefois, de voir cette période de son passé resurgir tel un spectre bondissant hors d'un champ imbibé de sang faisait remonter en lui des émotions qu'il s'était efforcé d'oublier… et des souvenirs qu'il préférait enfouis. Au-delà… son instinct ne se contentait plus de chuchoter à son oreille, il braillait. Bien que n'ayant jamais été soldat, Quinn avait été un intime de Charles-Édouard Stuart. D'après ce que Jamie avait entendu dire, il avait fui en France après la bataille de Culloden. Que venait-il faire ici, à présent ?

— C'est sûr que la Betty est un beau brin de fille, déclara l'Irlandais. Elle a des yeux noirs coquins.

Il dévisagea Jamie de biais en inclinant la tête avant d'ajouter :

— J'ai l'impression que tu lui plais bien.

Jamie se retint de se signer pour conjurer cette idée.

— Tu as le champ libre, répondit-il. Je t'assure que je n'ai aucune intention de marcher sur tes plates-bandes.

Quinn cligna des yeux et Jamie se rendit subitement compte que « marcher sur les plates-bandes de quelqu'un » était l'une des expressions de Claire. Ce devait appartenir à son époque.

Surpris ou pas, Quinn comprit ce qu'il avait voulu dire.

— Je ne dirais pas non, si la Betty en question n'était pas la sœur de ma défunte épouse. Je suis sûr qu'il est écrit quelque part dans la Bible qu'il est mal de badiner avec son ancienne belle-sœur.

Jamie avait lu la Bible de la première à la dernière page plusieurs fois, par pure nécessité car c'était le seul livre disponible, et il ne se souvenait pas d'un tel interdit.

— Je suis désolé pour ta femme, se contenta-t-il de répondre. Elle est décédée depuis longtemps ?

Quinn fit une moue.

— Enfin, quand je dis « défunte », ça ne signifie pas nécessairement qu'elle est morte, tu me suis ?

Devant l'air perplexe de Jamie, il poussa un soupir et expliqua :

— Après la débâcle de Culloden, j'ai dû me carapater en France. Ma femme a réfléchi longuement à mes perspectives, puis a décidé que son avenir résidait ailleurs. Tess a toujours eu la tête bien plantée sur les épaules. Aux dernières nouvelles, elle se trouvait à Leeds, où elle a hérité une taverne de son dernier mari. Quand je dis « dernier », je veux dire le plus récent, car je ne crois pas qu'elle compte s'arrêter là.

— Ah oui ?

— D'ailleurs, cela m'amène au sujet dont je voulais te parler…

Quinn agita une main devant lui, écartant le chapitre désormais clos de la « défunte » Tess.

— Quel sujet ? Leeds, les tavernes ? demanda Jamie.

Il espérait qu'il ne s'agissait pas d'épouses. Il n'avait parlé de Claire à personne depuis des années et aurait préféré se faire arracher un à un les ongles des orteils avec une pince plutôt que d'aborder le sujet.

— Culloden, répondit Quinn.

— Dieu ferait mieux de se chercher quelqu'un d'autre, Quinn. Que sainte Bride et saint Michel te protègent. Au revoir.

Il tourna les talons et s'éloigna. Augustus était là où il l'avait laissé, paissant paisiblement les touffes d'herbe racornies entre les pierres. Il ôta ses entraves, grimpa en selle et reprit la direction du sentier. Malgré lui, il lança un dernier regard par-dessus son épaule vers la cabane.

Quinn se tenait toujours au même endroit. Tel un pantin articulé, sa silhouette sombre se détachait à contre-jour sur le soleil de la fin d'après-midi. Il agita une longue main et lança :

— On se reverra à Dublin ! *Stuart go bragh !*

Son rire jovial poursuivit Jamie tandis qu'il entamait la pente raide vers Helwater.

Il descendit le flanc de montagne en proie à des émotions conflictuelles. Il était à la fois abasourdi par le plan absurde de Quinn, consterné d'apprendre que la cause jacobite était toujours vivante, même moribonde, et irrité qu'on veuille l'embringuer dans cette affaire. Pour être sincère, il était également un peu inquiet. D'un autre côté, il était heureux d'avoir revu son vieux compagnon. Cela faisait longtemps qu'il n'avait pas vu un visage ami.

— Bougre d'Irlandais, grommela-t-il en souriant malgré lui.

Quinn allait-il s'évanouir dans la nature ? Il était aussi têtu que la plupart de ses compatriotes et n'abandonnerait pas son projet uniquement parce que Jamie refusait d'y être mêlé. Il n'avait qu'à se chercher un autre candidat sans cervelle. Si Jamie espérait de tout son cœur son départ, il aurait également aimé une autre occasion de s'entretenir avec lui afin d'apprendre ce qui était arrivé aux autres survivants de Culloden.

Un muscle de sa cuisse se contracta brusquement et un frisson le parcourut comme s'il venait d'apercevoir un spectre marchant à ses côtés. En percevant sa nervosité, Augustus renâcla.

Il fit claquer sa langue pour le rassurer puis relâcha la bride pour laisser le hongre négocier librement le sentier escarpé. Son cœur battait à toute allure et il s'efforça d'inspirer profondément pour se calmer. Ce maudit Quinn avait réveillé ses vieux démons. Sa nuit serait encore troublée par des rêves, ce qui faisait naître en lui un mélange d'effroi et d'espoir. Quel visage viendrait le hanter, cette fois ?

Comble de malchance, il rêva de Charles-Édouard Stuart. Ivre comme à l'accoutumée, toujours aussi affable, le prince titubait à ses côtés dans une ruelle obscure, lui donnant des petites tapes sur l'épaule, débitant toutes sortes de sottises, lui agrippant le bras et pouffant de rire en lui montrant une rangée de têtes perchées au bout de piques alignées le long d'un mur.

— *Coimhead*, répétait-il. *A Dhia coimhead am fear ud' seall an dealbh a th'air aodann !* Regarde-moi celle-ci ! Non mais, tu as vu sa tête !

— Qu'est-ce que vous racontez ? s'énerva Jamie. Vous savez bien que vous ne parlez pas le gaélique…

— *Bheil e gu diofair ?* rétorqua le prince Tearlach. Quelle importance ?

Quinn, soudain surgi de nulle part, attrapa le bras de Jamie avec une force surprenante, le forçant à s'arrêter.

— *Coimhead nach ann oirre tha a ghruag aluiinn ?* Regarde, tu ne trouves pas qu'elle a une belle chevelure ?

Jamie, qui s'était efforcé de ne pas relever les yeux jusque-là, ne put s'empêcher de regarder et constata, stupéfait, que toutes les têtes appartenaient à des femmes. Il leva sa torche et reconnut le visage de Geneva Dunsany, pâle et serein, le fixant de ses orbites vides et noires. Du coin de l'œil, il devina une masse de boucles châtain clair sur la tête voisine. Il laissa aussitôt tomber sa torche sur les pavés mouillés pour ne pas la voir et se réveilla en sursaut, le cœur palpitant, le rire aviné de Charles-Édouard résonnant encore dans ses oreilles.

En réalité, c'était celui de Hanks qui ricanait dans son sommeil, une odeur âcre de bière et d'urine flottant au-dessus de sa paillasse. Il s'était encore pissé dessus. La lune était haute et les souris s'affairaient dans le fenil. Le clair de lune les rendait aventureuses. Jamie entendait leurs allées et venues dans la paille, ainsi que le cliquetis de leurs griffes minuscules sur le plancher.

Il rejeta sa couverture, résolu à ne pas fermer les yeux avant que son rêve ne se soit dissipé. Cependant, la journée avait été longue et, en dépit du froid, la fatigue l'emporta.

Dormir transi lui donnait toujours des cauchemars. Cette fois, il rêva de Betty et se réveilla couvert d'une sueur froide. Il fouilla dans la boîte qui contenait tous ses biens et en sortit son rosaire. Il se rallongea sur sa paillasse et se raccrocha aux perles en bois comme à un radeau au milieu de l'océan.

4

« *Je ne suis pas bon* »

Bureau du 46ᵉ régiment d'infanterie, Londres

M. Beasley était perturbé. L'âge du clerc du 46ᵉ régiment d'infanterie était un mystère insondable. Depuis que Grey l'avait rencontré pour la première fois, un quart de siècle plus tôt, il n'avait pas changé d'un iota (de fait, il avait toujours eu l'air vieux). Toutefois, ceux qui le connaissaient bien pouvaient détecter de légères fluctuations derrière sa façade grise et austère lorsqu'il était nerveux. Grey remarquait un nombre croissant de spasmes dans sa mâchoire et de battements nerveux des paupières à mesure qu'il tournait délicatement les pages du brûlot de Charles Carruthers du bout de ses doigts tachés d'encre.

Le vieux clerc était chargé de dresser une liste des hommes mis en cause dans les documents, tous ceux qui, selon Carruthers, avaient eu, ou étaient soupçonnés d'avoir eu, des relations, financières ou autres, avec le major Gerald Siverly. Grey était venu trouver son frère et Harry Quarry, un des colonels du régiment et le plus vieil ami de Hal, pour mettre sur pied un plan d'action. Ni l'un ni l'autre n'étant encore arrivé, il était entré dans la tanière de M. Beasley afin de lui emprunter un livre. Le vieil homme possédait une remarquable collection de romans français cachée dans un de ses placards.

Il saisit un exemplaire de *Manon Lescaut* de l'abbé Prévost et le feuilleta négligemment tout en surveillant Beasley du coin de l'œil. Il était inutile de l'interroger : le clerc était une tombe. C'était l'une des qualités qui le rendaient si précieux aux yeux de Hal, tout comme il l'avait été à ceux du premier comte de Melton, leur père.

Le trouble du clerc s'accentua. Il allait tremper sa plume dans l'encrier quand il se figea, puis il la reposa lentement. Il venait de tourner une page, il la retourna à nouveau et l'examina attentivement, pinçant ses lèvres minces au point qu'elles disparurent totalement.

— Lord John ? demanda-t-il en ôtant ses lunettes.

Grey remit *Manon Lescaut* à sa place.

— Oui, monsieur Beasley ?

— Je suppose que vous avez déjà lu ces documents ?

— En effet, répondit prudemment Grey. Je ne les ai pas étudiés en détail mais…

— Je sais que monsieur le duc les a lus, lui aussi. Si ce n'est pas indiscret, comment a-t-il réagi ?

Grey réfléchit un instant.

— Il n'a rien cassé, mais il a juré profusément en allemand.

— Ah, fit Beasley.

Il pianota sur le bureau avec ses doigts spatulés. Il était décidément très perturbé.

— Je… euh… diriez-vous qu'il était fou de rage ?

— Oui, répondit Grey.

— Mais il n'a rien mentionné de particulier ?

— Non.

Ils avaient longuement discuté du poème en erse, s'il s'agissait bien d'un poème, mais il ne faisait pas partie des documents transmis à M. Beasley. Ce n'était donc pas ce qui le tracassait autant.

— Vous avez remarqué quelque chose ? demanda John.

Le clerc fit une grimace et poussa la page vers lui.

— Ceci, déclara-t-il en posant l'index vers le milieu de la feuille. Lisez la liste des associés connus du major Siverly, je vous prie.

Grey s'assit docilement et se pencha sur le document. Trois secondes plus tard, il redressa brusquement la tête en s'exclamant :

— Nom de nom !

— En effet, commenta sobrement M. Beasley. C'est aussi ce que je me suis dit. Vous pensez que monsieur le duc ne l'a pas vu ?

— J'en suis certain.

Ils se dévisagèrent, incertains, en entendant des bruits de pas dans le couloir. Grey rassembla son courage.

— Laissez-moi m'en occuper, déclara-t-il.

Il saisit la feuille de papier, la plia rapidement et la glissa dans sa poche avant de se lever pour accueillir son frère.

Hal avait commandé un fiacre qui les attendait devant la porte.

— Nous retrouvons Harry à l'Almack, annonça-t-il.

— Pourquoi là-bas ? Il n'est pas membre, que je sache.

Harry était un être éminemment social, mais on le trouvait plus généralement à la White's Chocolate House, le café préféré de Hal, ou à la Society for the Appreciation of the English Beefsteak, un club que Grey appréciait particulièrement. Il y avait parfois des escarmouches entre les clients du White's et ceux de Boodle's ou de l'Almack ; les cafés de Londres inspiraient une loyauté farouche.

— Il ne l'est pas, mais Bartholomew Halloran, si.

— Et qui est Bartholomew Halloran ?

— L'adjudant du 35e.

— Ah, fit Grey. Et donc une source d'information sur le major Gerald Siverly, qui appartient au même régiment...

— Effectivement. Harry le connaît vaguement. Il leur arrive de jouer aux cartes ensemble.

— J'espère que Harry est assez malin pour perdre d'une manière convaincante.

Le fiacre roula dans un nid-de-poule et fit une embardée, les projetant violemment sur le côté. Hal se protégea en calant un pied contre la banquette d'en face, entre les jambes de son frère. Ce dernier, dont les réflexes étaient aussi bons, se rattrapa en lui agrippant la cheville.

Le fiacre tangua dangereusement quelques instants puis retomba sur ses quatre roues, les basculant de l'autre côté.

— Nous aurions mieux fait d'y aller à pied, bougonna Hal.

Il se pencha par la fenêtre pour parler au cocher mais Grey le retint par la manche.

— Non, attends...

Hal le regarda, surpris, puis se rassit sur la banquette.

— Qu'y a-t-il? demanda-t-il, tout à coup méfiant.

— Ça.

Grey sortit le papier plié de sa poche et le lui tendit en ajoutant:

— Lis les noms au milieu de la liste.

Hal s'exécuta en fronçant les sourcils. Il ne lisait pas aussi vite que lui. Grey compta à rebours dans sa tête: *Cinq... quatre... trois... deux... un...*

— Bon sang!

— Je ne te le fais pas dire.

Ils se dévisagèrent en silence pendant quelques secondes, puis Hal soupira.

— De tous les hommes avec qui Siverly pouvait s'acoquiner...

Il secoua violemment la tête, comme s'il était gêné par des mouches.

— C'est forcément lui, déclara Grey. Il ne peut pas y en avoir deux, ou si?

— J'en doute. Edward Twelvetrees n'est pas un nom répandu.

— Il était une fois trois frères, murmura Grey. Reginald, Nathaniel... et Edward.

Hal avait fermé les yeux. Il les rouvrit et esquissa un sourire.

— C'est toujours le plus jeune qui repart avec la princesse, tu l'as remarqué? Les petits frères sont une véritable plaie.

À cette heure matinale, les salons de l'Almack étaient bondés. Harry Quarry discutait aimablement avec un homme mince à l'air préoccupé, que Grey reconnut comme étant un agent de change. Quand il les aperçut, Harry prit congé et vint vers eux. Il salua Hal d'un signe de tête et serra la main de Grey.

— J'ai réservé un salon de jeux privé, annonça-t-il. Symington, Clifford et Bingham nous rejoindront bientôt.

Grey acquiesça aimablement tout en se demandant ce qu'il mijotait. Hal, lui, ne parut pas surpris.

— Je ne voulais pas qu'on sache qu'une enquête était en cours, expliqua Harry.

Il lança un dernier regard vers la grande salle, puis referma la porte du petit salon.

— Nous avons quelques minutes pour discuter avant l'arrivée des autres. Après quoi, nous ferons quelques parties de piquet. Vous pourrez prétexter avoir d'autres engagements et filer. Personne n'y prêtera attention.

Harry semblait si fier de son stratagème pour ne pas éveiller les soupçons que Grey n'eut pas le courage de lui signaler qu'il lui aurait suffi de venir à Argus House pour leur faire part de ce que lui avait appris Halloran. Il se contenta donc de hocher la tête d'un air impressionné.

— Très astucieux, approuva-t-il. Mais nous n'avons pas beaucoup de temps et...

Il fut interrompu par un valet qui entra avec un plateau chargé d'une cafetière, de tasses, d'une assiette de biscuits et de plusieurs jeux de cartes, déjà battus et coupés pour la partie de piquet.

Une fois le serviteur ressorti, Hal demanda d'une voix tendue :

— Puisque nous avons peu de temps, tu pourrais peut-être nous dire ce que Halloran t'a appris ?

— Pas mal de choses, répondit Harry en s'asseyant. Un peu de café ?

Le visage carré et taillé à la serpe de Harry inspirait confiance aux hommes et provoquait des émois considérables chez les femmes, ce qui apparaissait à Grey comme l'un des grands mystères de la nature. D'un autre côté, il ne prétendait pas savoir ce qui attirait les femmes. Quoi qu'il en soit, l'adjudant Halloran semblait avoir succombé au charme de Harry avec la même facilité que n'importe quelle dame de la bonne société.

— Il y a eu beaucoup de blabla, des commérages de régiment, déclara Harry en les chassant d'un geste de la main.

Il renversa du café dans sa soucoupe et souffla sur le liquide noir, faisant s'élever des volutes de vapeur aromatique.

— J'ai quand même fini par le faire parler de Siverly, poursuivit-il. Il le respecte, même s'il ne l'apprécie pas beaucoup. Il a la réputation d'être un bon soldat et un bon commandant. Il ne sacrifie pas ses hommes inutilement... Quoi ?

Les deux Grey avaient émis un bruit de protestation.

— Je t'expliquerai plus tard, répondit Hal en lui faisant signe de continuer. A-t-il parlé de la mutinerie au Canada?

— Non. Mais c'est normal, non? L'affaire n'a pas été jugée par une cour martiale générale; elle a été réglée au sein du régiment.

Grey acquiesça. Les cours martiales régimentaires étaient généralement tenues secrètes, leurs dirigeants ne tenant pas à laver leur linge sale en public. De fait, l'opinion publique ne s'y intéressait guère car ce genre de tribunal traitait principalement de délits militaires courants: ivresse, vol, bagarre, insubordination, absence sans permission ou vente d'uniformes. Les cours martiales générales étaient une autre histoire, même si Grey ne savait pas trop où résidaient les différences, n'y ayant jamais participé. Il supposait qu'elles impliquaient la présence d'un juge assesseur.

— Il n'a pas « encore » été traîné devant une cour martiale générale, rectifia Hal.

Harry lui lança un regard surpris, puis crispa les lèvres et avala une gorgée de café. Il sentait divinement bon et Grey s'en servit une tasse.

— C'est donc ça que tu projettes? demanda Harry.

Hal lui avait envoyé un billet pour l'informer qu'ils s'intéressaient à Siverly et lui demander de découvrir ce qu'il pourrait au sujet de cet individu. Toutefois, connaissant le style épistolaire laconique de son frère, Grey devinait qu'il ne lui avait pas donné beaucoup de détails.

— Absolument, répondit Hal. Qu'as-tu appris d'autre?

Il saisit un biscuit et l'examina d'un œil critique avant de l'engouffrer.

— Siverly n'est pas franchement populaire au sein de son régiment, sans être détesté non plus, reprit Harry. Sociable sans être mondain. Invité dans de bonnes maisons, s'y rend de temps à autre. Il a une épouse, avec laquelle il ne vit pas. Elle lui a apporté un peu d'argent, mais pas une fortune ni beaucoup de relations.

— Et lui, en a-t-il de son côté? demanda Grey, la bouche à moitié pleine. De la famille?

Les biscuits au gingembre étaient tout frais sortis du four.

— Ah ! fit Harry avec une petite lueur dans le regard. Pour ce qui est de sa famille, elle n'avait pas beaucoup d'entregent. Le père était un capitaine du 11e régiment de dragons, tué à Culloden. La mère venait d'une riche famille irlandaise, mais de la campagne, sans influence…

Son regard n'avait pas échappé à Hal.

— Mais… ? l'encouragea-t-il. Il a des amis haut placés ?

Harry prit une profonde inspiration, qui fit gonfler son gilet, puis se cala dans son fauteuil.

— Oh oui ! Le duc de Cumberland te paraît-il suffisamment important ?

— Il fera l'affaire pour le moment, répondit Hal, intéressé. Quel est leur lien ?

— La chasse. Siverly possède un domaine en Irlande, où il a reçu le duc en plusieurs occasions, ainsi que des intimes de ce dernier.

— Un domaine ? demanda Grey. Dont il a hérité ?

— Non, qu'il a acheté récemment.

Hal émit un son satisfait. Siverly n'avait pu faire l'acquisition d'un domaine, même en Irlande, avec sa seule solde. D'après les comptes de Carruthers, ses opérations au Canada lui avaient permis d'amasser une jolie somme dépassant les trente mille livres.

— Excellent, déclara-t-il. Voilà qui devrait intéresser une cour martiale.

— Encore faudrait-il que tu parviennes à le faire comparaître devant une d'entre elles…

— Si nécessaire, je le ferai arrêter et l'y traînerai de force.

Harry fit une moue dubitative.

— Quoi, tu crois que je n'oserais pas ? demanda Hal. Cette crapule déshonore sa profession et salit l'armée tout entière avec ses agissements.

Il s'interrompit un instant, l'air songeur, puis ajouta :

— En outre, John doit s'assurer que justice sera faite. Il a donné sa parole.

— Oh, je ne doute pas un instant de ta détermination, ni de celle de John, l'assura Harry. Sauf que Siverly se trouve en Irlande, ce qui risque de te compliquer singulièrement la tâche, tu ne crois pas ?

— Ah, dit Hal, pris de court.

— Pourquoi, que fait-il là-bas ? demanda Grey.

— Va savoir ! Tout ce que m'a dit Halloran, c'était qu'il avait demandé un congé de six mois pour régler des affaires personnelles.

— Il n'a donc pas renoncé à sa commission ?

Inquiet, Grey se pencha en avant. Il n'en était pas certain, mais il lui semblait qu'une cour martiale ne pouvait juger un homme par contumace. Tenter de poursuivre Siverly en recourant aux tribunaux civils serait une entreprise beaucoup plus laborieuse.

— Je ne le pense pas, répondit Harry avec un haussement d'épaules. Halloran m'a simplement parlé d'un congé.

Hal reposa sa tasse d'un air décidé et se tourna vers son frère :

— Fort bien. Tu n'auras qu'à te rendre en Irlande et nous le ramener.

L'arrivée des trois joueurs de piquet interrompit la discussion. Grey eut pour partenaire Leo Clifford, un charmant jeune capitaine qui avait rejoint le régiment depuis peu. Clifford n'ayant pas particulièrement la main heureuse, cela lui laissait amplement le temps de méditer sur la conversation récente.

« Tu n'auras qu'à te rendre en Irlande et nous le ramener. » Il aurait dû être flatté que son frère lui confie une telle mission ; toutefois, il le connaissait suffisamment pour savoir que c'était un simple ordre et non un compliment.

Une cour martiale pouvait-elle juger un officier en son absence ? Il devrait le demander à Minnie. Elle avait épluché de nombreux rapports de cour martiale pour crime de sodomie lorsque leur frère par alliance, Percy Wainwright, avait été arrêté. L'armée l'avait rapatrié d'Allemagne pour le procès, ce qui signifiait sans doute qu'on ne pouvait juger quelqu'un sans qu'il soit physiquement présent.

— *Repique*[2], annonça-t-il, l'air absent.

Clifford soupira et inscrivit le score.

Grey était parvenu à oublier Percy. Du moins le pensait-il la plupart du temps. Cependant, de temps à autre, il apercevait la silhouette svelte d'un jeune homme aux cheveux noirs et bouclés, et son cœur faisait un bond.

Comme en ce moment, en se rendant compte que c'était l'allusion à l'Irlande plutôt qu'à la cour martiale qui l'avait fait penser à son ancien amant. Il était parvenu à faire passer Percy en Irlande, puis le jeune homme avait fait son chemin, parvenant jusqu'à Rome. Il n'avait aucune raison de revenir en Irlande… ou si ?

— *Sixième !* annonça Clifford d'un ton joyeux.

Grey sourit, chassa résolument Percy de son esprit, et, constatant que sa main ne pouvait faire mieux que l'annonce, répondit :

— *Je ne suis pas bon.*

Harry avait suggéré qu'ils jouent une partie puis s'éclipsent. Cependant, il savait déjà que cela ne se passerait pas ainsi. Hal était un joueur invétéré et, une fois qu'il était chauffé, il était impossible de l'arracher à la table de jeu. Comme le piquet se jouait par équipes de deux, Grey ne pouvait partir sans lui, autrement il leur manquerait un joueur.

Ils changeaient d'adversaires après chaque partie, les deux joueurs ayant réalisé les meilleurs scores s'affrontant pour la finale. Grey s'efforça de se concentrer sur le jeu. Il y parvint si bien qu'il sursauta quand son frère, contre lequel il jouait, se raidit sur sa chaise et tourna brusquement la tête vers la porte.

Il y avait des bruits de voix dans la pièce voisine, où plusieurs personnes venaient d'entrer. Au milieu du brouhaha, il reconnut le timbre haut perché et guindé du duc de Cumberland. Il lança un regard à Hal, qui pinçait les lèvres. Il détestait cordialement Cumberland, qui le lui rendait bien. La révélation que le duc était un intime de Siverly ne risquait pas d'améliorer son sentiment à son égard.

---

2. En français dans le texte original, comme toutes les références au jeu de piquet. *(Toutes les notes sont du traducteur.)*

Hal croisa son regard et Grey lut dans ses pensées : ils devaient agir dans le plus grand secret. Si Cumberland avait vent de l'affaire avant que celle-ci parvienne devant une cour martiale, il mettrait son gros derrière en travers de leur chemin.

Puis Grey distingua une autre voix répondant à celle du duc, plus grave, rendue âpre par l'âge et le tabac.

— *Scheisse*[3] ! lâcha Hal.

Les autres le regardèrent, surpris. Clifford se pencha vers Grey et chuchota :

— N'est-on pas censé dire « *carte blanche* » quand on a une main sans aucune figure ?

— Oui, en effet.

Grey lança un regard noir à Hal. Il avait lui-même failli lâcher un juron plus corsé encore, se retenant de justesse pour ne pas attirer l'attention. Harry, de l'autre côté de la pièce, avait identifié la voix lui aussi et fixait ses cartes d'un air exagérément concentré.

Lord John n'avait pas entendu Reginald Twelvetrees depuis un certain temps, mais il en conservait un vif souvenir. Deux ans plus tôt, le colonel Twelvetrees avait dirigé une commission d'enquête sur l'explosion d'un canon. Il avait été à deux doigts de ruiner la carrière de Grey à cause de la longue inimitié entre leurs deux familles, qui datait du duel entre Hal et Nathaniel, le jeune frère du colonel.

— Alors, quand dit-on *Scheisse* ? demanda Clifford.

— Quand il se passe quelque chose de fâcheux, chuchota Grey.

Il réprima une envie de rire, puis annonça à voix haute à son frère :

— *Septième* !

— *Je ne suis pas bon*, grommela Hal.

---

3. « Merde » en allemand.

5

« *Pourquoi ne suis-je pas en paix ?* »

Helwater

Il avait passé une mauvaise nuit. Sa journée ne s'annonçait guère meilleure.

En chemin vers le manoir pour prendre leur petit-déjeuner, Hanks et Crusoe évitèrent soigneusement son regard, ce qui lui laissa deviner qu'il avait crié dans son sommeil. Son ventre était noué. Il avait l'impression d'avoir une boule de plomb en fusion dans l'estomac, comme s'il avait avalé un boulet tout droit craché de la gueule d'un canon.

Il avait encore rêvé. Il s'était réveillé avant l'aube, tremblant et trempé de sueur. Il avait dû s'agir de Culloden car il se souvenait de la sensation d'une épée pénétrant sa chair, de la brève résistance de la peau juste avant qu'elle ne cède, de la lame s'enfonçant dans le muscle et ripant sur l'os. Il en ressentait encore la vibration dans son bras gauche. Il ne cessait de fléchir la main et de la frotter contre sa cuisse.

Il ne put rien avaler, hormis une tasse de thé brûlant d'une couleur terreuse. Cela l'apaisa, tout comme sa marche jusqu'au paddock le plus éloigné du domaine, une bride à la main. L'air était toujours frisquet, mais les dernières plaques de neige sur la montagne étaient en train de fondre. Il entendait le gargouillis des ruisseaux se faufilant entre les rochers. Les tourbières au pied des collines, ou les *mosses*, comme les appelaient les gens du coin (White Moss, Threaland Moss, Leighton Moss…), ne tarderaient pas à verdir. Le terrain deviendrait spongieux et chaque jour un peu plus traître.

Il y avait une longue baguette de sureau vert flottant dans l'abreuvoir du paddock. Pourtant, pas un arbre ne poussait aux alentours et le sureau le plus proche se trouvait près du manoir. Jamie lâcha un juron et repêcha la branche dégoulinante. Ses bourgeons résineux avaient commencé à se fendre, laissant apparaître des feuilles froissées d'un vert vif et tendre.

« Il m'a chargée de vous dire que la branche verte refleurirait. » Il lança la tige hors de l'enclos. Ce n'était pas la première. Il en avait trouvé une autre en travers de son chemin trois jours plus tôt en ramenant ses chevaux de leur promenade, et une autre encore la veille, coincée dans la clôture du manège.

Il mit ses mains en porte-voix et hurla :

— NON !

Son cri résonna contre l'amas de rochers au pied de la montagne. Il ne s'attendait pas à être entendu, encore moins à être obéi, mais cela le défoula. Il secoua la tête, attrapa le cheval qu'il était venu chercher et reprit le chemin de l'écurie.

La vie avait repris son cours normal depuis sa rencontre avec Quinn. Néanmoins, l'influence pernicieuse de l'Irlandais perdurait sous la forme de cauchemars. Le renouveau de la végétation elle-même semblait le narguer.

Et il y avait Betty. À l'heure du thé, il prit la direction du manoir, le ventre dans les talons car il n'avait rien mangé de la journée. Elle traînait devant l'entrée du potager. Une femme de chambre n'avait rien à faire là. Il y avait des massifs de fleurs non loin et elle tenait un bouquet de jonquilles. Elle les porta à son nez pour les humer tout en lui lançant une œillade aguicheuse. Il allait passer sans un regard quand elle se planta devant lui et effleura son torse avec les fleurs.

Il les écarta d'un geste en déclarant :

— Elles ne sentent rien.

— Non, mais elles sont si jolies, vous ne trouvez pas ?

— Si ça ne se mange pas, ça ne m'intéresse pas. À présent, si vous voulez bien me laisser…

Il s'interrompit. Elle venait de lui glisser dans la main une ramille de saule parsemée de longs chatons jaunes et duveteux.

Un billet était enroulé autour de la tige, attaché avec un bout de ficelle.

Il le lui rendit aussitôt et poursuivit son chemin.

— MacKenzie !

Même s'il savait commettre une erreur, sa courtoisie l'obligea à se retourner malgré lui.

— Oui, mademoiselle Betty ?

— Je le dirai.

Elle pointait son menton d'un air pugnace, une lueur menaçante brillant dans ses yeux noirs.

— Faites donc, si cela vous fait plaisir.

Il allait repartir, puis hésita et demanda :

— Vous direz quoi à qui ?

Elle fut d'abord prise de court, puis répliqua avec une mine sournoise :

— À qui croyez-vous ?

Là-dessus, elle tourna les talons en faisant gonfler ses jupons.

Il s'efforça de remettre un peu d'ordre dans ses idées. De quoi voulait-elle parler ? Cette peste avait-elle fait allusion à ce qu'il pensait ?

Il avait présumé qu'elle menaçait de dire à lord Dunsany qu'il avait rencontré un jacobite irlandais en secret dans la montagne. Toutefois, en y réfléchissant bien, ce n'était guère logique.

Quinn était son ex-beau-frère, après tout. Elle devait avoir des sentiments pour lui. Autrement, pourquoi accepterait-elle de transmettre ses messages ? Prendrait-elle le risque qu'il soit arrêté ?

Le message qu'elle avait voulu lui faire passer était-il vraiment de Quinn ? C'était ce qu'il avait pensé d'emblée, en raison de la brindille de saule, mais peut-être n'était-ce qu'un billet doux, auquel cas il l'avait profondément offensée. Il inspira profondément.

Quand bien même… Il aurait peut-être quelques ennuis si elle révélait qu'il avait vu Quinn, mais l'un des avantages de sa situation était qu'on pouvait difficilement l'aggraver. Il n'était pas le prisonnier de Dunsany. Le baron n'avait pas le pouvoir de l'enfermer, de le mettre aux fers ou de le condamner à l'eau et au pain sec, ni de le faire fouetter. Au pire, il pouvait en informer lord John Grey.

Cette idée lui arracha un ricanement. Il doutait que ce petit pervers ose lui faire des remontrances après ce qu'ils s'étaient dit lors de leur dernière entrevue. La perspective de revoir Grey lui remua néanmoins les tripes. Il préféra ne pas se demander pourquoi.

Il sentit un délicieux parfum de levure chaude et hâta le pas vers le manoir. Grâce à Dieu, il y aurait du gâteau pour le thé des domestiques.

S'il rêva cette nuit-là, il eut la chance de ne pas s'en souvenir. Il se tint sur ses gardes mais ne vit aucune branche verte en travers de son chemin ni cachée dans ses vêtements lorsqu'il s'habilla. Betty avait peut-être raconté à Quinn sa réaction au billet et ce dernier avait capitulé.

— Peuh ! Ce n'est pas demain la veille, grommela-t-il.

Sa journée s'annonçait donc plutôt bien… jusqu'à ce qu'on lui annonce que lady Isobel désirait qu'un palefrenier la conduise en ville. Hanks était tombé de l'échelle et s'était cassé un bras (du moins, c'était ce qu'il avait prétendu avant de remonter dans le fenil en geignant pour y attendre le passage du médecin). Quant à Crusoe, il évitait de se montrer en ville depuis une altercation avec l'apprenti du maréchal-ferrant qui lui avait valu un nez en compote et les deux yeux au beurre noir.

« Vas-y, toi, MacKenzie, avait-il déclaré en faisant semblant d'être occupé à réparer un harnais. Je me chargerai de tes chevaux. »

Jamie n'était pas fâché de sortir de Helwater pendant quelques heures. Même si le domaine était vaste, ne pas pouvoir le quitter quand bon lui semblait l'oppressait. En outre, cela faisait des mois qu'il n'était pas allé en ville. L'escapade était donc la bienvenue, même malgré la présence de lady Isobel.

Isobel Dunsany n'était pas aussi bonne cavalière que feu sa sœur Geneva. Ce n'était pas qu'elle eût peur des chevaux, mais elle ne les aimait pas et ils le sentaient. Elle n'aimait pas Jamie non plus, et il le savait également : elle ne faisait rien pour le cacher.

Cela n'a rien d'étonnant, pensa-t-il en l'aidant à grimper dans le cabriolet. *Si Geneva s'est confiée à elle, elle me considère probablement comme responsable de la mort de sa sœur.*

Les deux sœurs avaient été proches. Geneva lui avait sans doute raconté qu'il était venu la retrouver une nuit dans sa chambre ; en revanche, il était peu probable qu'elle lui ait avoué qu'elle l'avait attiré dans son lit en exerçant un chantage.

Isobel ne lui adressa pas un regard et libéra son bras d'une secousse dès qu'elle fut à bord de la voiture. Cela n'avait rien d'inhabituel de sa part. Puis elle tourna brusquement la tête vers lui et le dévisagea d'un air étrange et pénétrant avant de détourner les yeux en se mordant la lèvre.

Il grimpa à ses côtés et agita les rênes au-dessus du dos du poney. Durant tout le trajet, il fut conscient qu'elle l'épiait du coin de l'œil.

Quelle mouche la pique ? se demanda-t-il.

Betty lui avait-elle parlé ? L'avait-elle accusé de lui avoir fait des avances ? Était-ce ce que cette petite garce avait voulu dire par « Je le dirai » ?

Il se remémora une réplique dans une pièce de William Congreve : « La fureur des cieux n'est rien comparée à l'amour mué en haine, / et les enfers ne recèlent pire furie que la femme bafouée… » Miséricorde ! Était-il donc impossible de refuser de coucher avec une femme sans qu'elle se sente outragée ? Probablement. Il se souvint soudain de Laoghaire MacKenzie et de son maléfice, un petit bouquet d'herbes nouées avec un fil de couleur. Il repoussa cette image.

Il avait lu *L'Épouse en deuil* de Congreve à la prison d'Ardsmuir et se souvenait de ses dîners hebdomadaires avec lord John Grey. Il entendait encore son hôte déclamer d'une voix théâtrale :

Prends garde à ta réponse
Car cet esclave pourrait se faire violence.
J'ai été trompée. La sécurité publique

Exige qu'il soit mis à l'écart et que nul,
Pas même les princes, ne s'entretienne avec lui.
Je t'abandonne donc au roi.
Vil ingrat ! Tu regretteras trop tard
L'infâme affront fait à mon amour :
Oui, tu l'apprendras, en dépit de ta détresse d'autrefois,
Et des mille maux dont tu souffris,
La fureur des cieux n'est rien
Comparée à l'amour mué en haine,
Et les enfers ne recèlent pire furie
Que la femme bafouée…

— Quoi ? demanda lady Isobel.
— Je vous demande pardon, milady ?
— Vous marmonnez.
— Je vous prie de m'excuser, milady.
— Hmmph.

La musique a des charmes
Qui apaisent le cœur sauvage,
Font fondre la pierre ou ployer le chêne noueux.
J'ai lu que des objets inanimés furent émus
Et, telles des âmes vivantes, transformés
Par la magie des chiffres et la persuasion du son.
Que suis-je donc ? Suis-je devenue plus insensible
Que l'arbre ou le silex ?
O puissance du chagrin éternel !
Même les harmonies ne peuvent calmer ma peine.
Anselmo dort et est en paix ; la nuit dernière,
La tombe silencieuse a accueilli le bon vieux roi ;
Ses souffrances et lui reposent à l'abri
Dans son sein glacé mais hospitalier.
Pourquoi ne suis-je pas en paix ?

La musique soulageait-elle vraiment ? Lui-même ne pouvait distinguer une mélodie d'une autre. Toutefois, il était content de constater qu'il se souvenait aussi bien de la pièce et passa le restant de la journée à se réciter des passages tout en veillant à ne pas marmonner.

Isobel lui demanda de la déposer devant une imposante demeure en pierre, avec l'ordre de venir la chercher trois heures plus tard. Il hocha la tête, ce qui lui valut un regard noir. Elle le trouvait insolent car il ne s'inclinait pas devant elle avec la déférence qu'elle attendait d'un serviteur. Il poursuivit son chemin jusqu'à la place centrale, où il détela le poney et le fit boire.

Les gens se retournaient sur son passage, surpris par sa taille et ses cheveux roux. Il y était habitué et n'y prêtait pas attention. N'ayant pas un sou en poche, il se contenta d'errer dans les rues étroites, savourant le fait que, pendant quelques heures au moins, personne au monde ne savait où il se trouvait. Il faisait beau et frais. Les jardins commençaient à se colorer de perce-neiges, de tulipes et de jonquilles. Ces dernières lui rappelèrent Betty, mais il était de trop bonne humeur pour la laisser lui casser le moral.

C'était une petite ville et, au fil de sa promenade, il passa plusieurs fois devant la demeure où il avait laissé Isobel. Lors de son quatrième passage, il aperçut les plumes de son chapeau derrière un écran de buissons. Elle se tenait dans le jardin situé de l'autre côté de la bâtisse. Intrigué, il fit le tour du pâté de maisons. Depuis la rue parallèle, il eut une vue dégagée sur le charmant jardin derrière sa grille en fer forgé... et sur lady Isobel engagée dans une étreinte passionnée avec un homme.

Il s'éclipsa rapidement avant d'être vu et retourna vers la place, déconcerté. En posant quelques questions discrètes aux badauds se trouvant près de l'abreuvoir, il apprit que la maison aux grilles noires sur Houghton Street appartenait à un notaire, maître Wilberforce. D'après la description qu'on lui fit de ce dernier, il s'agissait bien de l'homme qui tenait Isobel enlacée dans sa gloriette.

Cela expliquait sans doute l'attitude de la jeune femme un peu plus tôt : fébrile et pressée de retrouver son amant, tout en craignant que son secret ne soit découvert. Elle avait tenu un paquet

sous le bras : des documents attachés par un ruban et probablement destinés à l'avocat. Lord Dunsany était souffrant ; il avait eu
un hiver difficile, après un rhume qui avait évolué en pleurésie.
Sa fille s'était souvent rendue en ville à sa place pour régler des
affaires de famille. De fil en aiguille…

*Finalement, je n'ai pas trop à m'inquiéter de ce que Betty pourrait
lui dire*, pensa-t-il en souriant.

Tout en sifflotant un air atrocement faux, il entreprit d'atteler
le poney.

Au cours des jours suivants, il ne vit aucune branche verte sur
son chemin et Betty ne montra pas le bout de son nez. Il commença à se détendre. Puis, le jeudi, une belle journée ensoleillée,
lord Dunsany se présenta devant le paddock où Jamie répandait
du fumier. Il était accompagné de la vieille nourrice Elspeth portant William dans ses bras.

Lord Dunsany lui fit signe d'approcher et Jamie s'exécuta, sentant sa poitrine se resserrer comme si l'air s'était soudain épaissi.

— Milord.

Il ne s'inclina pas, ne porta pas sa main à son front ni ne montra
le moindre signe de servilité. La nourrice crispa les lèvres d'un air
réprobateur. Il la regarda droit dans les yeux et eut la satisfaction
de voir ses joues creuses rougir. Elle tourna la tête.

Il était assailli par toutes sortes d'émotions. La plupart du
temps, il parvenait à confiner William dans un petit recoin de
son esprit, même si pas un seul jour ne passait sans qu'il pense à
lui. Il le voyait rarement et, le cas échéant, n'apercevait qu'un petit
paquet de laine dans les bras de la nourrice Elspeth ou de Peggy,
sa nurse, prenant l'air sur l'un des balcons. Il s'était habitué à se
représenter son fils sous la forme d'une petite lumière brillant au
fond de lui, telle la flamme d'un cierge devant la statue d'un saint
dans une chapelle obscure. Il ne pouvait s'offrir ce cierge et n'était
pas autorisé à entrer dans la chapelle de Helwater, mais il s'imaginait en allumant un lorsqu'il récitait ses prières le soir. Il regardait la flamme grandir, osciller légèrement, puis se dresser haute

et immobile. Il pouvait alors s'endormir en la sentant brûler dans son cœur, telle une veilleuse apaisante.

— MacKenzie ! lança Dunsany sur un ton jovial. Il est temps que mon petit-fils fasse connaissance avec les chevaux. Allez chercher Bella.

— Tout de suite, milord.

Bella était une brave jument âgée. Elle ne servait plus à la reproduction depuis longtemps, mais Dunsany la gardait en raison de leur longue accointance : elle était la première poulinière qu'il avait achetée lorsqu'il avait créé les écuries de Helwater. Elle avait l'œil doux et le cœur bon. Le baron n'aurait pu mieux choisir.

Jamie sentit monter en lui une vague de panique. Une crampe lui tordit le ventre, comme s'il avait avalé de la viande avariée.

La vieille nourrice l'observait d'un air soupçonneux, promenant son regard critique de ses pieds nus dans ses sandales à son menton mal rasé. Elle rechignait visiblement à abandonner sa charge à un individu aussi peu fréquentable. Quand il lui adressa un sourire, elle eut un mouvement de recul, comme si elle était menacée par un sauvage. Le fait était qu'il se sentait sauvage.

Il cueillit le garçonnet dans ses bras en prenant soin de ne pas la toucher. L'enfant poussa un petit cri de surprise et tourna la tête de droite à gauche, telle une chouette, stupéfait de se retrouver soudain si haut perché.

Jamie fut soulagé en regardant dans ses grands yeux ronds. Son sentiment de culpabilité l'avait convaincu que William serait une version miniature de lui-même et que quiconque les verrait ensemble remarquerait aussitôt leur ressemblance. En réalité, le visage rond et le petit nez retroussé de l'enfant n'avaient rien à voir avec ses propres traits. Il avait les yeux bleus comme lui, mais les siens tiraient vers le gris, couleur d'un ciel nuageux.

Il ne l'examina qu'un instant avant de le tourner pour le déposer sur le dos du cheval. Tout en guidant ses petites mains potelées vers le bord de la selle, il expliquait ce qu'il faisait d'une voix calme pour apaiser le cheval et l'enfant. Les cheveux de ce dernier n'étaient pas roux (Dieu merci !), mais châtain clair, coupés au bol à la manière des Têtes rondes de Cromwell. Ils s'enroulaient au sommet de son crâne en formant un épi. Certes, au soleil, on apercevait des reflets auburn, mais, après tout, la chevelure de Geneva avait été d'un beau châtain cuivré.

Il ressemble à sa mère, constata-t-il en remerciant la Vierge.

— Accroche-toi bien, Willie, déclara lord Dunsany. MacKenzie va te faire faire le tour du paddock.

Ledit Willie parut dubitatif et enfonça le menton dans le col de son sarrau.

— Mo! dit-il.

Il lâcha la selle et balança maladroitement ses jambes en arrière pour descendre, en dépit de la hauteur.

Jamie le rattrapa avant qu'il ne tombe.

— Mo! répéta Willie en se débattant. Momomomomo!

— Il veut dire « non », déclara la nourrice d'un air satisfait. Je vous avais bien dit qu'il était encore trop jeune!

Elle tendit les bras pour le récupérer.

— Viens là, mon chou. Nous allons rentrer à la nursery et préparer un bon goûter…

— Mo! cria Willie.

Avec une grimace capricieuse, il pivota et enfouit sa tête dans la chemise de Jamie.

— Voyons, voyons, dit son grand-père. Viens avec moi, mon garçon. Nous allons…

— MOMOMOMOMO…

Jamie posa une main sur la bouche de l'enfant pour étouffer son raffut.

— Si nous allions parler aux chevaux, hein? proposa-t-il.

Avant que Willie ait pu décider s'il allait se remettre à brailler, il le hissa sur ses épaules. Ravi de ce nouveau perchoir, l'enfant se mit à gazouiller et s'accrocha fermement à la tignasse de sa nouvelle monture. Sans attendre d'éventuelles objections, Jamie lui attrapa les genoux et se dirigea vers l'écurie.

Il s'accroupit pour baisser l'enfant à la hauteur d'un vieil hongre qui redressa la tête et dilata ses naseaux d'un air intrigué.

— Je te présente Deacon, déclara-t-il. Nous l'appelons Deke. Tu peux dire ça? Deke?

Willie poussa un cri perçant et tira de plus belle sur ses cheveux, mais il ne tenta pas de s'enfuir. Au bout de quelques instants, encouragé par son grand-père, qui les avait suivis, il tendit une main et osa une brève caresse.

— Deke, répéta-t-il.

Il éclata de rire, aux anges.

— Deke !

Jamie prit soin de ne lui présenter que des chevaux dont l'âge et le tempérament s'accommodaient avec les réactions imprévisibles d'un enfant de deux ans. Il fut soulagé, tout comme lord Dunsany, de constater que le garçonnet n'avait pas peur des énormes bêtes. Il surveillait attentivement le vieillard tout comme l'enfant. Le baron avait le teint grisâtre, des mains squelettiques, et émettait un léger sifflement à chaque respiration. En dépit de sa situation, Jamie l'aimait bien et espérait qu'il n'allait pas mourir d'une attaque au milieu de l'écurie.

— Ah ! Voici mon beau Phil, déclara Dunsany avec un sourire en approchant d'une stalle.

En entendant sa voix, Philemon, un superbe cheval bai de huit ans, releva la tête et les observa quelques instants avec des yeux francs bordés de longs cils avant de se remettre à mâchonner l'avoine éparpillée sur le sol.

Dunsany tenta maladroitement de repousser la clenche et Jamie se hâta de l'aider et d'ouvrir la porte. L'animal ne broncha pas quand ils entrèrent dans son box, se contentant de pousser sa croupe massive sur le côté en balançant sa longue queue.

— Il ne faut jamais se mettre derrière un cheval, expliqua Jamie à Willie. S'il prend peur, il pourrait te donner un coup de pied.

L'enfant hocha gravement la tête puis demanda à descendre.

Jamie interrogea Dunsany du regard. Ce dernier acquiesça et il déposa précautionneusement l'enfant sur le sol, se tenant prêt à intervenir s'il se mettait à crier. Toutefois, William resta parfaitement immobile, la bouche entrouverte, fasciné par l'immense tête qui s'approchait de lui, ses grosses lèvres humides mâchonnant des épillets. Lors d'un instant étrange, Jamie se retrouva lui-même sur le sol d'une écurie, des craquements graves et baveux de mastication retentissant juste au-dessus de lui, fixant d'immenses sabots brillants, baigné dans des effluves de foin, d'avoine, et dans l'enivrante odeur âcre et chaude du cuir de cheval. Il y avait une présence derrière lui, deux grandes jambes dans des bas de laine. Il entendit son père rire et dire quelque chose, mais il n'avait d'yeux que pour le cheval, cette belle créature massive et douce, si merveilleuse qu'il avait envie de l'étreindre.

Willie eut la même pulsion. Subjugué, il tituba en avant et enlaça la tête de Philemon dans un élan d'amour pur. Surpris, le cheval écarquilla les yeux et souffla fort par les nasaux, mais il se contenta de redresser légèrement la tête, soulevant l'enfant quelques centimètres au-dessus du sol avant de le reposer doucement et de reprendre son repas.

William émit un gloussement de bonheur. Jamie et lord Dunsany échangèrent un regard ému et sourirent, avant de détourner les yeux, gênés.

Plus tard, Jamie les regarda s'éloigner. William avait tenu à marcher seul et son grand-père le suivait clopin-clopant, telle une vieille grue noire, se reposant lourdement sur sa canne. Ils disparurent tous les deux dans la lumière pâle et dorée du soleil printanier.

Dunsany est-il au courant ? se demanda-t-il.

Il était presque sûr que lady Isobel l'était. Betty peut-être aussi. Si lady Dunsany savait, elle le gardait pour elle et n'en parlerait probablement pas à son mari, de peur de le choquer ou de lui causer de la peine.

Toutefois, le vieux baron était loin d'être idiot.

Dunsany s'était trouvé dans le petit salon à Ellesmere, le lendemain de la naissance de son petit-fils, lorsque, fou de rage, le comte d'Ellesmere, l'époux de Geneva, avait accusé son fils d'être un bâtard et sa femme tout juste décédée une putain. Puis, tenant le bébé par un pied, il avait menacé de le laisser tomber par la fenêtre pour qu'il s'écrase sur les pavés, dix mètres plus bas.

Appelé à la rescousse pour tenter de le calmer, Jamie avait saisi le pistolet chargé de Jeffries, le cocher, et avait abattu le comte lorsque celui-ci s'était tourné vers lui, tenant toujours le bébé.

Pour ça, ça l'a calmé tout net, et j'espère que ce vieux bouc rôtit en enfer !

Aucun reproche n'avait été adressé à Jamie. Aucun. Après la détonation, alors qu'il se tenait devant la cheminée, tremblant des pieds à la tête et tenant l'enfant dans ses bras (il l'avait rattrapé il ne savait trop comment, avant qu'il ne heurte le sol), lord Dunsany s'était calmement penché sur le corps d'Ellesmere et avait pressé ses doigts sur sa gorge flasque. Ayant constaté son décès, il avait pris l'enfant des bras de Jamie et avait demandé à Jeffries de conduire le palefrenier aux cuisines pour qu'on lui donne un peu de cognac.

Avec ce sens pratique si typiquement anglais, lord Dunsany avait prévenu le médecin légiste local que lord Ellesmere avait été victime d'un regrettable accident, duquel Jeffries se porta témoin. Jamie ne fut jamais cité, ni même interrogé. Quelques jours plus tard, le comte avait été enterré, avec sa jeune épouse Geneva. La semaine suivante, Jeffries avait pris sa retraite et était parti s'installer dans le comté de Sligo, en Irlande.

Naturellement, tous les domestiques savaient. Cela rendait Jamie encore plus redoutable à leurs yeux. Aucun ne le dénonça. C'était une affaire de famille, qui ne regardait personne en dehors. Il n'y aurait pas de scandale.

Lord Dunsany n'aborda jamais le sujet avec Jamie, et ne le ferait sans doute jamais. Toutefois, il y avait entre eux une sorte de… non pas d'amitié, cela était inconcevable, mais d'estime réciproque.

Jamie envisagea un instant de parler à Dunsany de lady Isobel et de maître Wilberforce. Si elle avait été sa fille, il aurait voulu savoir. Puis il chassa cette idée et se replongea dans son travail. Là aussi, c'était une affaire de famille, qui ne regardait personne en dehors.

Au réveil le lendemain, Jamie était toujours de bonne humeur. Il brida les chevaux pour leur sortie matinale, l'esprit rempli d'agréables souvenirs et le cœur content. Les hauteurs étaient drapées dans un amoncellement de nuages duveteux, annonçant de la pluie pour plus tard dans la journée. L'air était frais et limpide. Les chevaux s'ébrouaient, impatients de faire un bon galop.

— MacKenzie!

Il n'avait pas entendu les pas sur la sciure du paddock et se retourna, surpris. Il fut encore plus étonné en voyant George Roberts, l'un des valets de chambre. D'ordinaire, c'était Sam Morgan qui venait lui demander de seller un cheval ou d'atteler une voiture. Roberts appartenait à la catégorie supérieure des domestiques; ce genre de tâche était indigne de lui.

— Je veux vous parler.

Roberts portait sa culotte de livrée et avait endossé une veste ample par-dessus sa chemise. Il serrait les poings contre ses flancs et quelque chose dans son expression et son ton mit Jamie sur ses gardes.

— Je suis occupé pour le moment, répondit-il.

Il lui indiqua les quatre chevaux attachés au bout de leurs brides, et Augustus, qui attendait d'être sellé.

— Pourquoi ne revenez-vous pas après le dîner? proposa-t-il. J'aurai plus de temps.

— Vous prendrez le temps maintenant, rétorqua Roberts d'une voix légèrement étranglée. Je n'en ai pas pour longtemps.

Jamie ne s'attendait pas au coup. Heureusement, Roberts ne fut pas très subtil. Il prit appui sur ses talons et balança son bras en arrière, comme s'il s'apprêtait à lancer une pierre. Jamie l'esquiva par réflexe. Roberts bascula en avant et, déséquilibré, percuta la clôture. Les chevaux qui y étaient attachés prirent peur et se mirent à piaffer, n'appréciant pas ce remue-ménage de si bon matin.

— Qu'est-ce qui vous prend? demanda Jamie, plus intrigué que furieux. Ou plutôt, qu'est-ce que j'ai fait?

Roberts s'écarta de la clôture, le visage congestionné. Il n'était pas aussi grand que Jamie mais plus trapu.

— Tu sais très bien ce que tu as fait, salaud d'Écossais !

Jamie le dévisagea en arquant un sourcil.

— Ah, on joue aux devinettes ? D'accord. Allons-y : quelqu'un a pissé dans vos chaussures ce matin et le cireur de bottes m'a accusé ?

Roberts le regarda, déconcerté.

— Ou quelqu'un a chipé la cire à cacheter de monsieur le baron ? poursuivit Jamie.

Il glissa une main dans sa poche et en sortit un morceau de cire noire.

— C'est milord lui-même qui me l'a donné. Vous n'avez qu'à le lui demander.

Roberts devint écarlate. Les membres du personnel n'appréciaient guère que Jamie soit autorisé à rédiger des lettres et faisaient leur possible pour l'en empêcher. À la décharge du valet, il ravala sa rage et, après quelques profondes respirations, déclara :

— Betty… Ce nom vous dit quelque chose ?

Et comment ! Qu'est-ce que cette peste avait raconté ?

— Je la connais, en effet, répondit-il prudemment.

Il surveillait les pieds de Roberts d'un œil et la bride d'Augustus de l'autre. Le valet retroussa les lèvres. Il était bel homme, avec des traits virils, mais sa moue méprisante ne le flattait pas.

— Tu la connais, hein ! Tu as même tenté d'abuser d'elle, raclure !

« Je le dirai », l'avait-elle défié. Elle n'avait pas précisé à qui, ni en quoi consistait ce qu'elle allait dire.

Il passa calmement les rênes d'Augustus autour de la barrière, puis s'écarta des chevaux pour regarder Roberts en face.

— Non, répondit-il. Je n'ai jamais rien fait de la sorte. Lui avez-vous demandé quand et où ? Parce que je ne me suis pratiquement pas éloigné des écuries depuis un mois, hormis pour promener les bêtes. Quant à elle, elle ne peut avoir quitté le manoir pour me retrouver sur la lande.

Roberts parut hésitant et Jamie en profita pour enfoncer le clou :

— Vous devriez vous demander pourquoi c'est à vous plutôt qu'à un autre qu'elle est allée raconter ces sornettes.

— Comment ça ? aboya le valet, piqué au vif. Pourquoi ne se serait-elle pas adressée à moi ?

— Si elle avait voulu me faire arrêter ou fouetter, elle se serait plainte au baron ou au constable, indiqua Jamie sur un ton courtois. Si son but était qu'on me flanque une raclée, elle l'aurait dit à Morgan ou Billings, car, sauf votre respect, je doute que vous parveniez à me maîtriser seul.

Une lueur de doute avait traversé le regard de Roberts.

— Mais elle…

— Donc, l'interrompit Jamie, elle cherche à vous monter contre moi, en espérant provoquer une bagarre qui nous nuirait à tous les deux, ou parce qu'elle voulait vous exciter…

— M'exciter ? répéta Roberts, en pleine confusion.

— Oui. Elle ne vous a pas dit que je l'avais violée, n'est-ce pas ? Non, bien sûr.

— Non… Elle m'a dit que vous l'aviez tripotée, que vous lui aviez peloté les seins, ce genre de choses…

— C'est bien ce que je pensais. Elle cherchait à vous rendre jaloux en pensant que cela vous inciterait à agir. À moins qu'elle n'ait simplement voulu vous attirer des ennuis. J'espère qu'elle ne détient pas d'informations susceptibles de vous compromettre.

Les traits de Roberts s'assombrirent.

— Je n'avais pas l'intention de vous frapper, s'excusa-t-il sur un ton plutôt formel. Je voulais juste vous demander de la laisser tranquille.

— C'était très raisonnable de votre part, répondit Jamie tout aussi solennel. Cette demoiselle ne m'intéresse absolument pas. Vous pouvez lui dire qu'elle n'a rien à craindre de ma part.

Roberts le salua d'un signe de tête puis tendit la main. Jamie la serra, ressentant une impression très étrange, puis le regarda s'éloigner, le dos raide, en direction du manoir.

Au cours du petit-déjeuner le lendemain, Jamie apprit que le comte resterait alité. Il fut déçu. Il avait espéré qu'il ramènerait William à l'écurie.

À sa surprise, William vint quand même, fier comme Artaban dans ses premières culottes, et cette fois accompagné de sa nurse, Peggy. La femme, jeune et costaude, lui expliqua qu'Elspeth, lord et lady Dunsany souffraient tous d'une grippe intestinale, mais que William avait tant tempêté pour revenir voir les chevaux que lady Isobel lui avait demandé de l'y emmener.

— Et vous-même, vous vous sentez bien ? lui demanda Jamie.

Elle avait le teint verdâtre et la peau moite. Elle se tenait légèrement voûtée, semblant souffrir de crampes d'estomac.

— Je… oui, bien sûr, dit-elle d'une voix faible.

Puis elle se ressaisit et se redressa.

— Willie, je crois que nous ferions mieux de rentrer…

— Mo !

Willie courut dans l'allée centrale, ses petites bottes claquant sur le sol en brique.

— William !

— MO !

Il se tourna vers elle, son teint virant au rouge vif, et répéta :

— Mo, mo, mo !

Peggy inspira profondément, tiraillée entre ses douleurs et le besoin de rattraper le galopin. Une goutte de sueur glissa le long de son cou dodu et forma une tache sombre sur son fichu.

— Madame, vous ne voulez pas vous asseoir un moment ? lui proposa Jamie. Pourquoi ne pas faire couler un peu d'eau fraîche sur vos poignets ? Je m'occupe du garçon, il ne lui arrivera rien.

Sans attendre sa réponse, il appela Willie :

— Viens avec moi. Tu pourras m'aider à préparer leur repas.

La mine renfrognée de Willie s'illumina aussitôt et il revint en courant, avec un sourire radieux. Jamie le souleva, le percha sur ses épaules en le faisant crier de plaisir et sourit à Peggy.

— Tout ira bien.

— Je… vraiment… c'est que… d'accord. Juste pour un moment.

Elle tourna brusquement les talons et s'éloigna au petit trot. Jamie eut de la peine pour elle, tout en espérant que ses troubles intestinaux la retiendraient éloignée le plus longtemps possible.

Il demanda brièvement à Dieu de lui pardonner cette pensée peu charitable.

Willie, fermement agrippé à ses cheveux, pressa ses genoux contre les oreilles de sa monture.

— Hue !

La cuve de mash se trouvait dans la sellerie. Il déposa l'enfant sur un tabouret et lui donna une bride avec un mors pour qu'il joue avec, faisant cliqueter les parties articulées pour l'amuser.

Tout en dosant l'avoine avec une louche en bois avant de la verser dans la cuve, il demanda :

— Tu te souviens du nom des chevaux ?

William interrompit son jeu et fronça les sourcils.

— Mo.

— Mais si. Bella ? Tu la connais. Tu es monté sur son dos…

— Bella !

— Ah, tu vois. Et Phil ? C'est le gentil cheval que tu as embrassé.

— Pil !

— C'est ça. Et à côté de Phil, il y a…

Ils énumérèrent ainsi tous les chevaux, stalle après stalle, William répétant chacun des noms que Jamie prononçait tout en versant dans les mangeoires une mélasse épaisse et noire comme du goudron.

— Je vais chercher de l'eau chaude, annonça-t-il. Reste ici et ne bouge pas. Je reviens tout de suite.

Il prit un seau et passa la tête dans le bureau du régisseur. M. Grieves était en train de discuter avec M. Lowens, un fermier dont les terres jouxtaient le domaine de Dunsany. Grieves lui fit signe d'entrer et il alla puiser de l'eau chaude dans le chaudron qui frémissait au fond de la cheminée. Le bureau était la seule pièce chauffée de l'écurie, et donc celle où l'on recevait les visiteurs.

En revenant dans la sellerie chargé de son seau lourd et fumant, il trouva William toujours assis sur le tabouret, mais la tête et les bras emmêlés dans la bride. Il avait dû essayer de s'attacher.

— Aïe ! gémit-il en se trémoussant. Aïe, aïe, aïe !

— Attends, je vais t'aider, petit nigaud…

Jamie posa son fardeau et tenta de le délivrer, remerciant son ange gardien qu'il ne soit pas parvenu à s'étrangler. Il comprenait maintenant pourquoi il fallait deux nurses pour le surveiller.

Comment un enfant qui ne savait pas encore s'habiller seul pouvait-il faire de tels nœuds? Il démêla patiemment la sangle et la raccrocha. Puis, ordonnant fermement à Willie de se tenir à l'écart, il versa l'eau bouillante dans la cuve de son.

— Tu veux m'aider à touiller? demanda-t-il.

Il lui montra la grande palette usée, qui faisait à peu près la taille de l'enfant, puis ils remuèrent le mash, William tenant fermement le bas de l'ustensile et Jamie le haut. La mixture était dense et le garçonnet capitula au bout d'un moment, laissant Jamie finir le travail.

Lorsqu'il eut transféré le mélange dans des seaux pour le répartir dans les mangeoires, il remarqua que l'enfant suçait un objet.

— Qu'est-ce que tu manges là?

Willie ouvrit la bouche et en sortit un clou de fer à cheval humide qu'il contempla avec intérêt. Jamie blêmit en songeant à ce qui serait arrivé s'il l'avait avalé et, dans sa panique, parla plus sèchement qu'il ne l'aurait voulu:

— Donne-moi ça!

— Mo! glapit Willie, qui repoussa sa main en lui lançant un regard noir.

Jamie se pencha vers lui et lui retourna son regard.

— Non! Tu ne fais pas ça.

Willie parut suspicieux et indécis.

— Mo... répéta-t-il, moins sûr de lui.

— On dit «non», crois-moi. Tu as sûrement déjà entendu ta ·tante Isobel le dire?

Il espérait qu'Isobel, ou quelqu'un, le disait parfois à l'enfant. Pas assez, sûrement.

Willie sembla réfléchir, tout en portant à nouveau le clou à sa bouche. Jamie lança un coup d'œil vers la porte. Heureusement, personne ne les voyait.

— C'est bon? demanda-t-il soudain.

La question n'avait pas traversé l'esprit de Willie. Il parut surpris, puis examina le clou en fronçant les sourcils, comme s'il se demandait d'où il venait.

— Ou-oui, hésita-t-il.

— Fais-moi goûter.

Jamie se pencha vers lui et sortit la langue. Willie cligna des yeux, puis lui tendit le clou. Jamie referma très doucement sa main autour du petit poignet et lécha délicatement la tige. Comme il fallait s'y attendre, elle avait un goût de métal et de sabot, mais il devait reconnaître que ce n'était pas si désagréable.

— Ce n'est pas mauvais, dit-il.

Il se redressa sans lâcher la main de Willie et reprit :

— Mais tu pourrais te casser les dents en voulant le mâcher.

Cela fit glousser l'enfant.

— C'est également dangereux pour les chevaux, tu vois ? C'est pourquoi on ne laisse jamais traîner ce genre d'objet dans l'écurie.

Il lui montra l'allée centrale de l'autre côté de la porte, où deux ou trois têtes d'équidés pointaient hors des box, se demandant sans doute où en était leur repas.

— Euh-val, dit Willie.

— C'est ça, cheval, répéta Jamie en souriant.

— Euh-val manger ça ?

Willie était penché au-dessus de la cuve, l'air intrigué, humant les vapeurs.

— Oui, c'est délicieux. Bien meilleur que les clous. Personne ne mange de clous.

Willie avait totalement oublié le clou, même s'il le tenait toujours. Il lui lança un regard et le laissa tomber. Jamie le ramassa rapidement et le glissa dans sa poche. Pendant ce temps, l'enfant avait posé sa petite main sur la mixture et, appréciant sa texture poisseuse, se mit à rire en battant la surface tremblotante de sa paume. Jamie le retint par le poignet.

— Allons, allons, que dirais-tu si Deke mettait son sabot dans ton assiette ?

— Hihihihi...

— Essuie-toi la main et aide-moi plutôt à nourrir les bêtes.

Il sortit un mouchoir relativement propre de sa manche mais Willie n'en voulut pas, préférant lécher ses doigts enduits de la substance sucrée et poisseuse.

Après tout, il lui avait dit qu'il s'agissait de nourriture et la mixture était saine. Il fallait espérer que Peggy ne choisirait pas ce moment pour réapparaître, autrement ils se retrouveraient tous les deux dans de sales draps.

Peggy ne revenait pas. Ils passèrent un quart d'heure agréable à verser la mixture puis à fourcher la paille fraîche de la meule au-dehors et à la rentrer dans l'écurie à l'aide d'une brouette. Sur le chemin du retour, ils croisèrent M. Lowens. Ce dernier affichait un air satisfait. Quelle qu'ait été sa transaction avec Grieves, il semblait convaincu d'avoir fait une bonne affaire.

— MacKenzie! lança-t-il sur un ton cordial.

Il sourit à William qui, Jamie le remarqua avec une certaine consternation, avait de la mélasse plein sa chemise et des brins de paille dans les cheveux.

— Ah, ce doit être votre fils?

L'espace d'un instant, Jamie crut que son cœur allait s'arrêter. Il prit une grande inspiration et répondit, le plus naturellement possible:

— Non, monsieur. C'est le jeune comte d'Ellesmere.

— Ah, vraiment?

Lowens se mit à rire et s'accroupit pour se mettre à la hauteur de l'enfant.

— J'ai bien connu votre père. Un sacré chaud lapin! Cela mis à part, il s'y connaissait en chevaux. Vous aussi, vous voulez être un grand cavalier?

— Oui!

Il lui ébouriffa les cheveux, ce qui eut l'effet d'horripiler William.

— Brave garçon! s'exclama Lowens. Vous êtes déjà monté en selle? Encore un peu jeune, non?

Il huma l'air.

— Dites donc, ça sent un peu fort. Vous ne vous seriez pas chié dessus, milord?

Il s'esclaffa, ravi de son humour.

William plissa les yeux, d'un air qui rappela à Jamie l'expression de sa propre sœur Jenny quand elle était sur le point d'exploser. Il remercia à nouveau le ciel que le garçon ait un petit nez retroussé et des traits ronds, et se tint prêt à le retenir s'il tentait de donner un coup de pied dans le tibia de Lowens.

Au lieu de cela, le jeune comte toisa le fermier et rétorqua, haut et fort :

— Nnnnnon !

— Ah, fit Lowens sans cesser de rire. Je me suis donc trompé. Toutes mes excuses, milord.

— Nous devons y aller, déclara précipitamment Jamie.

Il pouvait lire sur le visage du garçonnet toute une série d'idées qui n'auguraient rien de bon. Il souleva l'enfant et le retourna la tête en bas, le tenant par les chevilles.

— C'est l'heure de la collation de monsieur le comte.

◄o►

6

Convocation

Peggy ne réapparut pas. Jamie porta William (dûment redressé la tête en haut) jusqu'au manoir, où il le confia à l'une des filles de cuisine. Cette dernière lui expliqua que Peggy était souffrante et qu'elle conduirait elle-même le petit lord à lady Isobel.

William objecta avec une telle virulence que lady Isobel en personne vint voir d'où provenait le raffut. Seule la promesse qu'il pourrait se rendre à l'écurie à nouveau le lendemain parvint à le calmer. Jamie évita soigneusement de croiser le regard d'Isobel et prit congé le plus rapidement possible.

Il se demanda si William reviendrait vraiment. Il était sûr qu'Isobel ne l'amènerait pas. Toutefois, si Peggy se sentait mieux et que William continuait d'insister… Le garçon paraissait particulièrement têtu, surtout pour un enfant de deux ans. Cela le fit sourire.

Je ne vois vraiment pas de qui il tient ça, pensa-t-il avec un sourire. Il se demanda si son autre fils était pareil. Le fils de Claire.

Comme chaque fois qu'il pensait à eux, il pria : *Seigneur, faites qu'ils soient en sécurité.*

Sa gorge se noua. Quel âge avait leur enfant, à présent ? Claire était enceinte de deux mois lorsqu'elle avait traversé les pierres pour retourner auprès de Frank.

— Que Dieu te bénisse, maudit bâtard d'Anglais, marmonna-t-il.

C'était sa prière habituelle lorsqu'il pensait à Frank Randall, ce qu'il s'efforçait d'éviter. Néanmoins, cela lui arrivait de temps à autre.

— Veille bien sur eux.

Cela s'était passé le 16 avril, *anno domini* 1746. On était à présent en avril 1760. Si le temps se déroulait normalement (il ne voyait pas pourquoi il en irait autrement), l'enfant allait bientôt avoir quatorze ans.

— Fichtre ! C'est presque un homme ! murmura-t-il.

Son poing se referma sur la barrière de la clôture et il la serra si fort qu'il sentit le grain du bois contre sa paume.

Il évitait généralement d'invoquer Claire et l'enfant d'une manière trop précise. Cela faisait trop mal, lui rappelant tout ce qu'il avait eu, et perdu.

Les premières années après Culloden, lorsqu'il vivait caché dans la grotte sur son domaine de Lallybroch, ils avaient habité toutes ses pensées. Il n'y avait eu rien d'autre pour lui occuper l'esprit. Sa famille revenait sans cesse le hanter, scintillant dans la fumée de son petit feu, quand il osait en allumer un, ou brillant à la lueur des étoiles lorsqu'il s'asseyait au-dehors la nuit, observant les cieux, contemplant les mêmes astres qu'ils devaient regarder, puisant un réconfort dans cette lumière éternelle qui les illuminait doucement, lui et les siens.

Puis il imaginait tenir son fils, son petit corps solide sur ses genoux, et sentir son cœur battre contre le sien.

Ses mains se recroquevillèrent malgré lui, car il se souvenait désormais de la sensation de William dans ses bras.

Le lendemain matin, alors qu'il portait un gros panier de fumier dans le jardin potager, Morgan, l'un des valets de pied, apparut soudain de derrière un mur et lança :

— Hé, MacKenzie ! On te demande !

Il fut surpris. Il était encore tôt pour des visites ou des courses en ville. Il allait devoir attraper cette petite garce de Venus qui était actuellement en train de folâtrer dans le pré au fond du domaine. L'idée de conduire le cabriolet, le regard noir de lady Isobel lui transperçant la peau, n'était guère alléchante. Toutefois, il n'avait pas le choix. Il posa son panier à l'écart du sentier puis se redressa en s'essuyant les mains sur les cuisses.

— Je vais préparer la voiture, annonça-t-il. J'en ai pour un quart d'heure…

— Non, pas la voiture, s'impatienta Morgan. C'est toi qu'on demande.

— Qui donc ? demanda-t-il, surpris.

— Pas moi, je t'assure.

Morgan fronça son long nez d'un air dégoûté en regardant les taches vert-brun sur les vêtements de Jamie, puis ajouta :

— Si on avait le temps, je te dirais bien d'aller te changer, mais il a dit « tout de suite » et il était sérieux.

— Lord Dunsany ?

— Qui d'autre ?

Morgan tournait déjà les talons. Il lança un regard par-dessus son épaule et lui fit un signe de tête.

— Allez, presse-toi !

C'était une situation étrange. Le parquet poli craquait sous ses pas. L'air sentait la cendre, les livres et les fleurs, tandis que lui-même empestait le crottin et la sueur. Depuis son arrivée à Helwater, il ne s'était aventuré que deux fois au-delà de la cuisine où il prenait ses repas.

Ce premier jour, lord Dunsany l'avait accueilli dans la bibliothèque avec John Grey. Cette fois, c'était le majordome, le dos raide et réprobateur, qui le guidait le long du couloir vers la même porte. Les panneaux en bois étaient sculptés de petites rosettes. Il les avait remarquées lors de sa première visite et de les revoir lui rappela les émotions qu'il avait ressenties alors. Il eut soudain l'impression d'avoir raté la dernière marche d'un escalier.

En apprenant qu'il était convoqué devant le maître des lieux, il avait immédiatement pensé que lady Isobel l'avait surpris en train de l'épier dans le jardin avec Wilberforce et, plutôt que d'attendre qu'il la dénonce, avait décidé de dévoiler à son père la vérité sur la paternité de William. Son cœur battait à se rompre et son esprit grouillait d'idées à moitié formées, allant de la panique à… autre chose. Dunsany renierait-il l'enfant ? Dans ce cas… Il eut une vision de lui-même quittant Helwater avec son fils dans les bras… une vision qui s'évanouit dès que la porte s'ouvrit.

Trois hommes l'attendaient dans la bibliothèque de Dunsany. Des soldats en tenue militaire. Un lieutenant et deux première classe, pour autant qu'il pouvait en juger. Il n'était plus habitué à reconnaître les uniformes de l'armée anglaise.

Dunsany l'accueillit avec un léger signe de tête.

— Voici MacKenzie, déclara-t-il. Ou plutôt Fraser.

L'officier l'examina des pieds à la tête sans que son visage trahisse quoi que ce soit. C'était un homme d'âge mûr à la mine aigrie. Il ne se présenta pas.

— Fraser, vous suivrez ces hommes, ordonna Dunsany sur un ton étrangement distant. Faites ce qu'ils vous diront.

Jamie ne broncha pas. Ils ne devaient pas s'attendre à ce qu'il se fende d'un « Bien, milord », ou d'un geste de soumission tel un vulgaire domestique. L'officier lui lança un regard courroucé, puis se tourna vers Dunsany, attendant une réprimande ou une punition de sa part. Ne voyant rien venir, sinon un air las, il haussa les épaules et fit un signe à ses subalternes.

Ils avancèrent d'un pas décidé vers Jamie et chacun le prit par un bras. Il résista à l'envie de se libérer et se laissa entraîner dans le couloir. En passant devant l'office, il aperçut le majordome, qui esquissait un sourire narquois. Lorsqu'ils furent dans l'allée où une voiture les attendait, il vit deux servantes, les yeux écarquillés et la bouche grande ouverte, derrière des fenêtres à l'étage.

— Où m'emmenez-vous ? demanda-t-il le plus calmement possible.

Les hommes échangèrent un regard, puis l'un d'eux répondit :

— À Londres.

— Tu vas voir la reine, ajouta l'autre en ricanant.

Il dut baisser la tête pour rentrer dans le fiacre. Au même moment, il jeta un coup d'œil derrière lui. Lady Isobel se tenait devant une fenêtre, l'air ébahie. Elle portait William dans ses bras, sa petite tête nichée contre son épaule. Derrière eux, Betty lui adressa un sourire malveillant et satisfait.

————◄O►————

DEUXIÈME PARTIE

FORCE MAJEURE

7

Qui se lasse de Londres n'a plus le goût de vivre

Les soldats lui fournirent une cape convenable, et de la nourriture dans les tavernes et les auberges où ils s'arrêtèrent. Ils poussaient les plats vers lui depuis l'autre côté de la table, discutant entre eux sans lui prêter beaucoup d'attention, hormis pour quelques regards de temps à autre afin de vérifier qu'il ne préparait pas un mauvais coup. Que s'imaginaient-ils? S'il avait voulu s'évader, il lui aurait été beaucoup plus simple de le faire à Helwater.

Leurs conversations ne lui apprirent rien. Ils échangeaient principalement des ragots de régiment, des commentaires salaces sur les femmes et des plaisanteries de bas étage. Ils ne dirent pas un mot sur leur destination.

Lors de leur seconde halte, ils eurent droit à du vin, et du bon. Il but à petites gorgées. Il n'avait rien goûté de plus alcoolisé que de la bière légère depuis des années. Le bouquet capiteux chatouillait son palais et s'élevait telle une fumée dans son cerveau. Les soldats sifflèrent trois bouteilles, dont il profita pleinement, accueillant le lent engourdissement de ses pensées à mesure que l'alcool se diffusait dans son sang. De toute manière, réfléchir ne lui vaudrait rien de bon sans un objectif sur lequel se concentrer.

Il s'efforçait de ne pas se demander où ils le conduisaient, mais c'était comme de ne pas penser à un...

— *Rhinocéros, déclara Claire, avec un petit rire qui fit frémir la toison sur son torse. Tu en as déjà vu un?*

— *Oui, répondit-il.*

Il la poussa légèrement sur le côté afin qu'elle puisse nicher sa tête dans le creux de son épaule.

— Dans le zoo de Louis. C'est sûr que c'est un animal qu'on n'oublie pas.

Elle disparut aussi brusquement qu'elle était apparue, le laissant hébété, fixant le fond de son verre.

Cette scène s'était-elle vraiment passée? Ou était-ce son imagination qui créait ces instants volés, la faisant apparaître avec une netteté qui le laissait en proie à un désir insatiable, mais étrangement réconforté, comme si elle l'avait touché brièvement?

Il se rendit compte que les soldats avaient cessé de parler et l'observaient, et qu'il souriait. Il releva les yeux vers eux sans modifier son expression.

Ils détournèrent le regard, mal à l'aise, et il retourna auprès de sa femme, l'esprit provisoirement apaisé.

Ils le conduisirent effectivement à Londres.

Il s'efforçait de ne pas lancer des regards ahuris autour de lui. Les soldats l'épiaient, guettant ses réactions et s'attendant à ce qu'il soit impressionné. Il l'était, mais ne voulait pas leur donner cette satisfaction.

Alors c'était donc ça, Londres! Il y régnait la même puanteur que dans n'importe quelle grande ville, avec ses ruelles obscures, ses immondices et ses cheminées crachant une fumée noire. Pourtant, Londres était très différente de Paris ou d'Édimbourg. Paris était secrète et arrogante; Édimbourg débordante d'activité, une cité marchande. Mais Londres… elle était chahuteuse, grouillante comme une fourmilière, vibrante d'une énergie qui semblait sur le point d'exploser et de déborder sur la campagne, sur le reste du monde. En dépit de ses appréhensions et du voyage pénible, il était excité.

Au début du Soulèvement, les soldats jacobites avaient parlé de Londres. Ils étaient victorieux, alors, et la capitale leur apparaissait comme un fruit mûr à leur portée. La plupart d'entre eux n'avaient jamais vu une grande ville avant d'entrer dans Édimbourg. Ils racontaient des histoires extravagantes de tavernes où les plats étaient en vermeil, de rues fourmillant de carrosses dorés…

Il se souvenait de Murdo Lindsay roulant des yeux émerveillés en parlant de gargotes souterraines où les pauvres s'entassaient, noyant leur misère dans le gin.

« Des familles entières ! s'était-il exclamé. Tous ivres morts ! Là-bas, même les pauvres ont les moyens de se saouler des jours durant. Tu imagines ce que ça doit être chez les riches ? »

Il avait souri, amusé. À présent, son sourire était teinté d'amertume.

Le vent avait tourné et la campagne s'était enlisée. Pendant qu'ils campaient, transis, à Derby, attendant que leurs généraux décident s'il fallait avancer ou non, les soldats avaient continué de parler de Londres. Cette fois, ils chuchotaient. Ils n'évoquaient plus des plats en vermeil ni des rivières de gin, mais la potence, le fameux pont sur lequel les têtes décapitées des traîtres étaient exposées… ou la Tour.

Ce souvenir fit naître une nouvelle crainte dans le cœur de Jamie. Bigre, était-ce là où ils l'emmenaient ? Il avait été condamné pour trahison, bien qu'en liberté conditionnelle depuis quatre ans. En outre, il était le petit-fils de lord Lovat, qui avait été exécuté après avoir été enfermé dans cette même tour. Bien qu'il n'ait jamais eu beaucoup d'estime pour son grand-père, il se signa et murmura « *Fois air Anam…* ». Que son âme repose en paix.

À quoi diable cette célèbre Tour de Londres ressemblait-elle ? Il se l'était imaginée, naturellement. Elle était forcément immense. Il l'apercevrait donc de loin et aurait le temps de se préparer.

Se préparer à la prison ? Son cœur se serra à l'idée de murs suintants et d'espaces confinés ; de jours, de mois, d'années s'écoulant, interminables, dans une cage tandis que la vie et le corps s'étiolaient inexorablement. Et William ? Il ne le reverrait probablement jamais. D'un autre côté, ils avaient peut-être l'intention de le pendre. C'était encore ce qu'il pouvait espérer de mieux.

Pourquoi? Sa libération conditionnelle avait-elle été révoquée? Lors de sa dernière conversation avec John Grey... Il crispa les mâchoires et l'un des gardes lui lança un regard surpris. Il s'efforça de se détendre, glissa ses mains sous sa cape et se pinça les cuisses si fort qu'il en garderait des marques.

Il n'avait plus eu de nouvelles de Grey depuis ce fameux jour. Lui en avait-il voulu durant tout ce temps et avait-il décidé de lui régler son compte une fois pour toutes? C'était l'explication la plus plausible. Ils s'étaient dit des choses impardonnables, et le pire était qu'ils les avaient pensées. Ils ne pouvaient prétexter avoir parlé sous l'empire de la colère, même si, en toute sincérité, il avait été hors de lui et...

La voilà! Il ne put s'empêcher de tressaillir, interrompant la conversation des soldats, qui se tournèrent vers lui.

Avec son allure de prison, ce ne pouvait être qu'elle. D'immenses tours rondes se dressaient derrière un haut rempart sinistre au pied duquel coulait un fleuve aux eaux boueuses. Un bras d'eau s'engouffrait dans une ouverture fermée d'une herse. La porte des Traîtres? Il en avait entendu parler.

Son escorte le regardait en ricanant, se gaussant de sa stupeur. Il déglutit et banda ses muscles. Ils ne le verraient pas blêmir. Il ne lui restait plus que sa fierté, mais il en avait à revendre.

Toutefois, leur voiture ne ralentit pas. Ils filèrent à bonne allure devant la masse menaçante de la forteresse, les sabots des chevaux claquant sur les pavés. Le vacarme était bienvenu car personne ne l'entendit soupirer lorsqu'il se rendit compte qu'il retenait son souffle et le libéra enfin.

Il était couvert d'une sueur froide et remarqua que le soldat assis à ses côtés fronçait le nez en lui lançant des regards incommodés. Il empestait la peur et pouvait la sentir lui-même.

Ç'aurait pu être pire, a bhalaich, pensa-t-il, le fixant jusqu'à ce que l'autre détourne les yeux. *J'aurais pu me chier dessus, et tu aurais été obligé de traverser Londres dans ma puanteur.*

Entre la circulation des piétons, des charrettes à bras, des fiacres et des chevaux qui se pressaient dans les rues étroites, il leur fallut plus d'une heure pour arriver à destination. Enfin, la voiture s'arrêta devant une imposante demeure ceinte d'un mur et se dressant en bordure d'un immense parc. Il était perplexe. Il s'était attendu à ce qu'on le mène dans une prison. Qui vivait ici? Et, surtout, qu'attendait-on de lui?

Les soldats ne lui dirent rien et il ne s'abaisserait pas à leur poser la moindre question.

Stupéfait, il gravit avec eux l'escalier en marbre qui menait à la porte d'entrée, puis attendit pendant que le lieutenant actionnait le heurtoir. Un majordome vint ouvrir. C'était un petit homme à la tenue impeccable. En apercevant Jamie, il cligna des yeux incrédules puis se tourna vers l'officier d'un air courroucé.

— Monsieur le duc nous a dit de le lui amener, se défendit le lieutenant. Laissez-nous entrer!

Un duc? Qu'est-ce qu'un duc lui voulait? Le seul duc qu'il connaissait était… Seigneur!… Cumberland? Il avait déjà la gorge nouée; à présent, il pouvait à peine respirer. Il n'avait vu le duc de Cumberland qu'une seule fois, lorsqu'il avait quitté le champ de bataille de Culloden, blessé, caché dans une carriole remplie de foin. Il était passé juste devant les lignes ennemies et avait aperçu la grande tente. Devant elle, un personnage trapu agitait vigoureusement son chapeau orné de dentelle dorée pour chasser la fumée… la fumée des bûchers où se consumaient les cadavres des jacobites.

Soudain, sa peur s'évanouit, chassée par une rage sourde. Il redressa le dos.

Les battements frénétiques de son cœur étaient douloureux. Pour une fois, son avenir prenait forme. Il ne se contenterait plus de survivre. Il avait désormais un but qui rougeoyait en lui, illuminant son âme.

Le majordome battit en retraite, toujours réticent mais incapable de résister. Parfait. Il n'avait plus qu'à bien se tenir jusqu'à ce qu'il se trouve face au duc. Il fléchit les doigts. Peut-être parviendrait-il à mettre la main sur un couteau, ou un coupe-papier… peu importait.

Le lieutenant lui fit signe de passer et il entra rapidement avant que les soldats aient pu lui attraper les bras. Le majordome baissa les yeux vers ses pieds et esquissa une moue de dégoût. Une porte s'ouvrit dans le vestibule et le visage d'une femme apparut. Elle le vit, eut un mouvement de recul, puis referma la porte.

Il aurait bien nettoyé ses sandales s'ils lui en avaient laissé le temps. Salir la maison et avoir l'air d'un barbare ne l'enchantait guère. Les hommes l'encadraient et il n'avait aucune envie de leur donner une occasion de le toucher. Il avança donc, laissant des empreintes de boue sèche et de fumier sur le parquet lustré.

Une porte était ouverte au bout d'un couloir. On le poussa dans la pièce sans ménagement. Il regardait partout à la fois, évaluant les distances, cherchant des objets pouvant lui servir d'arme, au point qu'il lui fallut quelques instants pour remarquer l'homme assis derrière le bureau.

Pendant quelques secondes, son esprit refusa d'enregistrer la réalité. Il cligna des yeux. Non, ce n'était pas Cumberland. Même le passage des ans ne pouvait transformer un prince allemand corpulent en l'homme élancé et aux traits fins qui le dévisageait depuis l'autre côté de la surface polie.

— Monsieur Fraser.

Ce n'était pas une question, ni même une salutation, même si l'inconnu inclina courtoisement la tête.

Jamie soufflait comme s'il avait couru un marathon. Ses mains tremblaient légèrement, son corps tentant de consumer sa colère maintenant qu'elle n'avait plus d'exutoire.

— Qui êtes-vous ? demanda-t-il sèchement.

L'homme lança un regard surpris vers le lieutenant.

— Comment, vous ne lui avez rien dit, Gaskins ?

Gaskins. De connaître le nom de ce manant lui fut un léger soulagement. Il eut également le plaisir de voir ledit Gaskins rougir, puis pâlir.

— Je… euh… non, monsieur.

— Laissez-nous, lieutenant.

L'homme n'avait pas haussé la voix, mais son ton était tranchant comme un rasoir.

C'est un militaire, devina Jamie. *Je le connais… mais d'où ?*

Son hôte se leva sans prêter plus d'attention au lieutenant Gaskins, qui s'éclipsa d'un air penaud.

— Toutes mes excuses, monsieur Fraser. Avez-vous été maltraité durant le voyage ?

— Non, répondit Jamie machinalement.

Il étudiait le visage en face du sien. Il lui paraissait familier et, pourtant, il ne lui disait toujours rien.

— Pourquoi suis-je ici ?

L'homme prit une profonde inspiration et ses traits se détendirent légèrement. Beau et racé, on devinait qu'il n'avait pas eu une vie facile. Soudain, le déclic se fit.

— Bon sang, souffla Jamie. Vous êtes le frère de John Grey.

Il chercha frénétiquement un nom dans sa mémoire, finit par le trouver :

— Lord… Melton.

— Oui, c'est bien moi, confirma son hôte. Même si je n'utilise plus ce titre. Depuis notre dernière rencontre, je suis devenu duc de Pardloe.

Il esquissa un sourire ironique avant de l'inviter :

— Je vous en prie, asseyez-vous, monsieur Fraser.

——◄o►——

8

Dettes d'honneur

Jamie était tellement abasourdi qu'il resta planté sur place, le dévisageant comme un idiot. Melton, ou plutôt Pardloe, l'examina des pieds à la tête, plissant le front d'un air concentré.

Se ressaisissant, Jamie se laissa tomber sur une chaise en bois doré qui craqua sous son poids. Sans le quitter des yeux, Pardloe s'assit à son tour en criant :

— Pilcock !

Un valet apparut. Jamie ne se retourna pas, mais il entendit ses pas obséquieux derrière lui, puis son murmure :

— Vous m'avez appelé, milord ?

— Apportez-nous du whisky, Pilcock. Et des biscuits. Non, pas de biscuits, quelque chose de plus nourrissant.

Pilcock émit un son interrogateur et le duc se tourna vers lui avec agacement.

— Qu'est-ce que j'en sais ? Des tourtes à la viande, du rôti de bœuf, du paon farci, nom de nom ! Demandez au cuisinier, ou demandez à madame !

— Oui, milord.

Pardloe leva les yeux au ciel puis se tourna à nouveau vers Jamie et lança sur un ton parfaitement calme, comme s'il reprenait le fil d'une conversation interrompue :

— Vous me remettez, à présent ?

— Oui.

Le souvenir était presque aussi déstabilisant que d'avoir découvert Pardloe à la place de Cumberland.

C'était deux jours après la bataille. La fumée des bûchers planait encore au-dessus de la lande, formant un brouillard graisseux qui s'infiltrait dans la chaumière où les officiers jacobites blessés s'étaient réfugiés. Transis et chancelants, ils avaient traversé ensemble le champ sanglant… se soutenant les uns les autres jusqu'à cet abri temporaire et parfaitement illusoire.

Il avait vécu ce moment comme dans un cauchemar. Il s'était réveillé sur le champ de bataille, se croyant mort, soulagé de constater que tout était fini… la douleur physique et morale, la lutte. Puis sa conscience avait repris le dessus. Le cadavre de Jack Randall était couché sur lui. Le poids mort du capitaine avait coupé la circulation dans sa jambe blessée et lui avait évité de se vider de son sang… un dernier mauvais coup du sort, une ultime indignité.

Ses amis l'avaient trouvé, l'avaient forcé à se relever et l'avaient conduit jusqu'à la chaumière. Il n'avait pas protesté. Après avoir vu ce qu'il restait de sa jambe, il savait qu'il n'en avait plus pour longtemps.

Plus longtemps qu'il ne l'avait cru, toutefois. Après deux jours de douleur et de fièvre, Melton était apparu. Les uns après les autres, ses amis avaient été traînés à l'extérieur et abattus. Lui, il avait été renvoyé chez lui, à Lallybroch.

Il dévisagea Harold, lord Melton, désormais duc de Pardloe, sans grande amitié.

— Oui, je me souviens.

Pardloe se leva et, d'un geste de l'épaule, l'invita à le suivre vers deux bergères placées devant le feu. Il lui fit signe de s'asseoir. Jamie s'installa délicatement sur la soie damassée à rayures roses et blanches. Cette fois, le siège était robuste et ne gémit pas sous son poids.

Pardloe se tourna vers la porte ouverte et beugla :

— Pilcock ! Qu'est-ce que vous fichez ?

Ce ne fut pas un valet ni le majordome qui apparut mais la femme qu'il avait aperçue dans le vestibule au rez-de-chaussée.

Elle entra dans un froufrou de jupe. Cette fois, il eut le temps de la regarder et crut que son cœur allait s'arrêter.

— Pilcock est occupé, répondit-elle au duc. Que veux-tu?

Elle avait pris quelques années, mais elle était toujours aussi jolie, avec un ravissant teint rose.

— Occupé? Et à quoi donc?

— Je lui ai demandé de monter au grenier, répondit-elle d'une voix posée. Puisque tu envoies ce pauvre John en Irlande, il lui faut au moins une malle de voyage.

Elle adressa à peine un regard à Jamie avant de se tourner à nouveau vers Pardloe en arquant un sourcil interrogateur.

Il reconnut dans sa mimique ainsi que dans la brève grimace d'assentiment du duc la communication silencieuse des couples établis.

Fichtre, ils sont mariés.

Les motifs du papier peint vert derrière Pardloe se mirent soudain à zigzaguer et il sentit ses mâchoires se glacer. Avec une lointaine sensation d'horreur, il comprit qu'il était sur le point de s'évanouir.

Le duc lâcha une exclamation de surprise et la femme pivota vers lui. Des points noirs dansaient devant ses yeux, mais il eut néanmoins le temps de voir l'expression alarmée sur son visage.

— Vous ne vous sentez pas bien, monsieur Fraser?

La voix froide du duc transperça le bourdonnement dans ses oreilles. Il sentit une main se poser sur sa nuque et le forcer à se pencher en avant.

— Mettez votre tête entre vos genoux. Minnie…

— Je m'en occupe.

Il entendit un cliquetis de verre et perçut une odeur chaude de cognac.

— Non, plus tard. Ma boîte à priser… Elle est sur la cheminée.

Le duc le tenait par les épaules, l'empêchant de tomber. Le sang remontait lentement vers son cerveau, même si sa vision était toujours obscurcie. Ses doigts et son visage étaient glacés.

Il entendit des pas précipités sur le parquet puis sur le tapis. *L'ouïe est toujours le dernier sens à disparaître*, pensa-t-il. Les pas se rapprochèrent. Le duc murmura quelque chose. Il y eut un léger *pop !* puis une puissante odeur d'ammoniaque lui envahit les narines.

Il sursauta et tenta de détourner la tête, mais le duc le tint fermement, l'obligeant à inspirer. Puis il le lâcha et le laissa se redresser, toussant et crachant. Il larmoyait tant qu'il distinguait à peine la silhouette de la femme devant lui, tenant un flacon de sels.

— Mon pauvre, dit-elle. Vous devez être exténué par le voyage. Et je suis sûre que vous n'avez rien avalé depuis des heures. Enfin, Hal, à quoi penses-tu ?

— Mais j'ai envoyé chercher à manger, se défendit le duc. J'allais justement réclamer quand il est devenu tout blanc et a tourné de l'œil...

— Eh bien, qu'attends-tu pour aller trouver le cuisinier ? lui demanda sa femme. En attendant, je m'occuperai de monsieur...

Elle interrogea Jamie du regard.

— Fraser, répondit-il en essuyant son visage moite sur sa manche. James Fraser.

Son propre nom sonnait étrangement. Cela faisait des années qu'il ne l'avait pas prononcé.

— Fort bien, pendant que je donne un remontant à M. Fraser, demande au cuisinier de préparer des sandwichs, un gâteau et du thé bien fort. Et qu'il se dépêche.

Le duc lâcha un juron en français puis s'exécuta. La femme avait déjà versé un verre de cognac qu'elle approcha des lèvres de Jamie. Il le lui prit et but tout en l'observant. Elle était pâle et pinçait les lèvres. Puis elle déclara à voix basse :

— Par égard pour la cause que nous avons partagée autrefois, ne dites rien. Je vous en prie. Pas encore.

Il était profondément gêné, et encore plus troublé. Il lui était déjà arrivé de s'évanouir, de douleur ou à la suite d'un choc violent, mais jamais dans de telles conditions. Or, il était à présent assis, buvant du thé dans une tasse en porcelaine bordée d'un liseré doré, partageant des sandwichs et des petits gâteaux avec ce même ennemi. Il était déconcerté, agacé et en position de faiblesse. Cela ne lui plaisait pas du tout.

D'un autre côté, il était mort de faim et la nourriture était délicieuse. Depuis qu'ils étaient entrés dans les faubourgs de Londres, il avait eu le ventre tellement noué qu'il n'avait rien pu avaler.

Pardloe eut l'élégance de ne pas profiter de sa faiblesse. Il n'y fit aucune allusion, se contentant de demander « Encore un peu de jambon ? » ou « Pourriez-vous me passer la moutarde ? ». Il mangeait avec l'efficacité d'un soldat, ne cherchant pas à croiser le regard de Jamie, sans le fuir non plus.

La femme s'était éclipsée sans un mot de plus et n'était pas réapparue. C'était déjà ça.

Lorsqu'il l'avait connue, elle s'appelait Mina Rennie. Dieu seul savait quel était son vrai nom. À l'époque, elle avait dix-sept ans et était la fille d'un libraire parisien qui vendait des renseignements. C'était avant le soulèvement, quand Jamie œuvrait dans l'ombre. À plusieurs reprises, elle avait acheminé des messages entre son père et lui. Aujourd'hui, Paris lui paraissait aussi éloignée que la planète Jupiter. La distance entre une jeune espionne et une duchesse semblait encore plus grande.

« Par égard pour la cause que nous avons partagée autrefois… » Vraiment ? Il ne s'était bercé d'aucune illusion au sujet du vieux Rennie. Le libraire ne connaissait qu'une seule loyauté : l'or. Sa fille s'était-elle réellement considérée comme une jacobite ? Il engloutit une tranche de gâteau, savourant le craquement des noix sous ses dents et l'arôme délicieusement exotique du cacao. Il n'avait pas mangé de chocolat depuis Paris.

C'était possible, après tout. Comme toutes les causes perdues, le mouvement jacobite avait séduit des esprits romantiques. Il songea soudain à Quinn et sentit les poils de sa nuque se hérisser. Fichtre, avec les événements des derniers jours, il avait oublié ce foutu Irlandais et ses projets insensés. Que penserait-il en apprenant qu'il avait été emmené par des soldats anglais ?

Il ne pouvait rien faire au sujet de Quinn ni de la duchesse de Pardloe pour le moment. Chaque chose en son temps. Il vida sa tasse et la reposa sur sa soucoupe avec un bruit sec pour indiquer qu'il était prêt à discuter.

Le duc fit de même, s'essuya délicatement les lèvres avec sa serviette puis demanda sans préambule :

— Estimez-vous avoir une dette envers moi, monsieur Fraser ?

— Non, répondit Jamie sans hésiter. Je ne vous ai pas demandé de m'épargner.

— En effet. Vous avez même exigé que je vous achève, si mon souvenir est bon.

— Il l'est.

— M'en voulez-vous de ne pas l'avoir fait ?

Il parlait sur un ton des plus sérieux, et Jamie lui répondit pareillement :

— C'était le cas, cela ne l'est plus.

Pardloe hocha la tête.

— Parfait.

Il leva ses mains fermées et déplia un pouce.

— Vous avez épargné la vie de mon frère.

Il déplia l'autre pouce.

— J'ai épargné la vôtre.

Il déplia un index.

— Vous avez protesté contre mon geste.

L'autre index.

— Mais, après y avoir réfléchi, vous n'y voyez plus d'objection ? Nous sommes d'accord ?

Il le dévisageait en haussant les sourcils. Jamie réprima le sourire qui lui montait aux lèvres et se contenta d'acquiescer.

— Donc, reprit Pardloe, vous êtes d'accord également qu'il ne reste plus de dettes entre nous ? Il ne subsiste plus non plus le moindre ressentiment ?

— Je n'irais pas jusque-là, répondit sèchement Jamie. Disons simplement qu'il ne reste plus de dettes… entre *nous*.

Sa légère accentuation sur le « nous » n'avait pas échappé au duc. L'homme était malin.

— Quels que soient vos désaccords avec mon frère, ils ne me concernent pas... Tant qu'ils n'entravent pas l'affaire que je m'apprête à vous présenter.

Jamie se demanda ce que John Grey avait raconté à son frère au sujet de leurs « désaccords ». Toutefois, s'ils ne concernaient pas Pardloe, ils ne le concernaient pas non plus.

— Je vous écoute, dit-il.

Il se rendit soudain compte qu'il avait prononcé exactement les mêmes mots au début de sa désastreuse conversation avec John Grey. Il pressentit que celle qui s'annonçait ne finirait pas mieux.

Pardloe prit une profonde inspiration comme s'il rassemblait ses forces. Puis il se leva et dit :

— Suivez-moi.

Ils se rendirent dans un petit bureau au fond du couloir. Contrairement à l'élégante bibliothèque qu'ils venaient de quitter, il était sombre, exigu, plein à craquer de livres et de papiers, jonché de vieilles plumes qui semblaient avoir été mâchouillées. Jamie en déduisit qu'il s'agissait de l'antre du duc, auquel apparemment les domestiques n'avaient pas accès. Étant lui-même ordonné plus par nécessité que par tempérament, il trouva l'endroit réconfortant.

Pardloe lui fit signe de prendre une chaise puis sortit une clé et déverrouilla un tiroir de son bureau. Il devait contenir quelque chose de bien délicat ou d'important pour nécessiter de telles précautions.

Il en extirpa une liasse de papiers retenus avec un ruban, qu'il dénoua, avant de repousser d'un geste impatient le fourbi sur la table pour faire de la place et déposer une seule feuille de papier devant Jamie.

Jamie la saisit, l'inclina vers la petite fenêtre pour mieux voir et la lut lentement.

Le duc l'observait attentivement.

— Vous y comprenez quelque chose ?

— Plus ou moins, oui, répondit Jamie en reposant le document. Vous voudriez que je vous dise de quoi il s'agit ?

— En effet. C'est de l'erse ? La langue des Highlands écossaises ?

— Non, bien que cela y ressemble. C'est du gaeilge, de l'irlandais, même si certains l'appellent aussi de l'erse.

Une telle ignorance lui arracha une moue de dédain.

Le duc se releva, l'air enthousiaste.

— De l'irlandais ? Vous en êtes sûr ?

— Oui, je ne prétends pas le parler couramment, mais c'est assez proche du gàidhlig, ma langue natale, pour que je le comprenne. C'est un poème, du moins un fragment de poème.

— Quel poème ? De quoi parle-t-il ?

Jamie étudia à nouveau le texte en se passant pensivement un doigt sur l'arête du nez.

— Ce n'est pas un poème que je connais. Il n'a pas de titre, mais il s'agit de la légende de la Chasse fantastique. Vous la connaissez, n'est-ce pas ?

Maintenant, le duc faisait une drôle de tête.

— La Chasse fantastique ? répéta-t-il lentement. Oui... j'en ai entendu parler, mais en Allemagne, pas en Irlande.

Jamie repoussa la feuille. Il flottait dans le petit bureau une odeur de renfermé familière... un remugle de moisi qui lui donnait envie de tousser.

— On raconte des histoires de fantômes et des contes de fées partout, non ?

— De fantômes ?

Pardloe prit la feuille et la scruta en plissant les traits comme s'il voulait la contraindre de lui révéler son secret.

Jamie attendit patiemment. Il se demanda si le poème avait un rapport avec ce qu'avait dit la femme : « Puisque tu envoies ce pauvre John en Irlande... » John Grey pouvait aller se faire voir en enfer. Néanmoins, en ajoutant à cela Quinn et ses projets, toutes ces allusions à l'Irlande commençaient à lui donner froid dans le dos.

Soudain, Pardloe froissa le papier en boule et le lança contre le mur avec un horrible juron. Puis il se tourna vers Jamie.

— Mais quel est le rapport avec Siverly ?

— Siverly ? répéta Jamie, surpris. Gerald Siverly ?

En voyant la tête de Pardloe, il regretta aussitôt ses paroles.

— Vous le connaissez donc ?

Il avait parlé à voix basse, comme à un compagnon de chasse partageant le même affût.

Il ne servait plus à grand-chose de nier.

— J'ai connu un homme répondant à ce nom, admit Jamie. Et alors ?

— Pouvez-vous me relater les circonstances dans lesquelles vous l'avez rencontré ?

Jamie se demanda un instant s'il devait répondre ou pas. Après tout, il ne devait rien à Siverly. En outre, ignorant toujours pourquoi le duc l'avait fait venir à Londres, il était sans doute trop tôt pour faire de l'obstruction. Il pourrait toujours y songer plus tard. Et après tout, le duc l'avait nourri.

Comme s'il avait lu dans ses pensées, Pardloe ouvrit un placard et en sortit une grosse bouteille brune ainsi que deux gobelets en étain.

— Je n'essaie pas de vous acheter, précisa-t-il avec un léger sourire. Dès que je pense à Siverly, je ne parviens pas à garder mon calme sans le secours d'un petit remontant. Or, je ne peux pas boire seul devant quelqu'un sans me sentir comme un ivrogne.

Se souvenant des effets du vin après une longue abstinence, Jamie avait quelques réserves quant au whisky (il le sentit dès que le bouchon eut été ôté). Il acquiesça néanmoins. Tout en saisissant son gobelet, il se demanda comment Pardloe avait su qu'il connaissait Siverly. La réponse lui vint presque aussitôt : Mina Rennie, également connue comme la duchesse de Pardloe. Il repoussa provisoirement cette pensée et inhala le bouquet puissant du whisky.

— Siverly… commença-t-il. L'homme que j'ai connu n'était pas un vrai Irlandais, même s'il possédait des terres là-bas. Il se peut que sa mère l'ait été. C'était un ami d'O'Sullivan, qui devint plus tard l'intendant militaire du… de Charles-Édouard Stuart.

Pardloe releva brusquement la tête, ayant perçu son hésitation. Jamie avait failli dire « du prince Charles ».

— Il avait donc des relations parmi les jacobites, observa le duc. Sans en être un lui-même ?

Jamie fit non de la tête et but prudemment une petite gorgée. L'alcool lui brûla le fond de la gorge et étendit ses volutes dans tout son corps telle une goutte d'encre dans un verre d'eau. Seigneur ! Rien que pour ça, avoir été traîné jusqu'à Londres comme un forçat valait la peine.

— Il tâtait le terrain, répondit-il. Il dînait assez souvent chez les Stuarts à Paris, et on le voyait régulièrement avec O'Sullivan ou l'un des autres amis irlandais du prince… cela n'allait pas plus loin. Je l'ai rencontré une fois dans un salon en compagnie de lord George Murray, mais il se tenait à l'écart de Mar ou de Tullibardine…

Il eut un léger pincement au cœur en songeant au petit comte de Tullibardine, toujours si joyeux. À l'instar de son grand-père, il avait été exécuté sur Tower Hill, après le Soulèvement. Il leva son gobelet à sa mémoire et but une autre gorgée avant de poursuivre :

— Puis il a disparu. Il a eu peur ou, après avoir bien réfléchi, a décidé que ce n'était pas dans son intérêt. Je ne l'ai pas assez connu pour connaître ses raisons. Toujours est-il qu'il n'était pas aux côtés du prince à Glenfinnan, ni après.

Une nouvelle gorgée. Il était mal à l'aise. Les souvenirs du Soulèvement étaient trop vifs. Il lui semblait sentir Claire à ses côtés et n'osait pas tourner la tête.

— « Pas dans son intérêt », répéta Pardloe songeur. Cela lui ressemble bien.

Il paraissait amer. Il fixa son gobelet un moment en silence, puis le vida d'un trait, toussa, et saisit la liasse de documents.

— Lisez ceci… S'il vous plaît.

Jamie lança un regard vers les papiers et hésita. Il n'avait aucune raison de refuser et, malgré sa réticence, prit le premier de la pile. Il commença à lire.

Le duc semblait ne pas tenir en place. Il se tortillait sur son siège, toussotait, se levait pour allumer une chandelle, revenait s'asseoir… toussait plus fort. Jamie soupira, essayant de se concentrer.

Siverly avait passé le plus clair de sa carrière militaire au Canada. Si Jamie désapprouvait son comportement en vertu de principes généraux et admirait l'éloquente passion de celui qui avait rédigé ces accusations, il ne se sentait pas particulièrement concerné. Puis il parvint au passage concernant les pillages et la persécution des villageois et sentit le feu lui monter au visage. Certes, Siverly était un scélérat, mais son comportement n'avait rien d'inhabituel.

C'était la manière d'agir de la couronne, sa manière de traiter les autochtones qui lui résistaient. Le vol, les viols, les meurtres… les incendies.

C'était ce qu'avait fait Cumberland, « purifiant » les Highlands après Culloden. James Wolfe en avait fait autant, afin de priver la citadelle de Québec du soutien de la campagne. Ils avaient confisqué le bétail, massacré les hommes, brûlé les maisons… laissant les femmes mourir de faim et de froid.

Seigneur, faites qu'elle soit en sécurité! pria-t-il en fermant les yeux un instant. *Elle et l'enfant.*

Il lança un regard au duc, qui toussait toujours et était occupé à bourrer une pipe. Lord Melton avait commandé un bataillon à Culloden. Cet homme, pour l'heure assis devant lui, et ses troupes avaient probablement pris part à la « purification » des Highlands.

« Il ne subsiste plus le moindre ressentiment », avait-il dit. Tiens donc! Jamie marmonna un juron très cru en gàidhlig et reprit sa lecture, bien qu'il eût toujours du mal à se concentrer.

« Une montée de tension artérielle »… C'était l'expression de Claire. Cela avait un rapport avec les battements du cœur et la force avec laquelle il propulsait le sang dans le reste du corps. Quand le cœur vous lâchait et que le sang ne parvenait plus au cerveau, vous vous évanouissiez, avait-elle expliqué. Quand il battait très fort, sous l'effet de la peur ou de la passion, vous sentiez le sang fourmiller dans vos tempes et gonfler votre poitrine, vous préparant pour la bataille ou le lit.

Sa propre tension grimpait en flèche et il n'avait aucune intention de coucher avec Pardloe.

Le duc puisa une longue allumette dans un pot, la tint au-dessus de la flamme de la chandelle puis alluma sa pipe. Dehors, la nuit tombait. Une odeur de pluie pénétrait par la fenêtre entrouverte, se mêlant au parfum musqué du tabac. Les joues de Pardloe se creusèrent quand il inspira ; la lumière qui tombait sur ses arcades sourcilières et son nez plongeait ses orbites dans l'obscurité, lui donnant une allure de tête de mort.

Jamie reposa brusquement les papiers.

— Qu'attendez-vous de moi ?

Pardloe extirpa la pipe de sa bouche et souffla lentement un rond de fumée.

— Que vous traduisiez ce texte irlandais et m'en disiez plus… Tout ce dont vous vous souvenez sur les origines et les relations de Gerald Siverly. Au-delà…

La pipe menaçait de s'éteindre et il s'interrompit pour la ranimer.

— Vous croyez qu'il vous suffit de me le demander pour que j'obéisse ? demanda Jamie.

— De fait, pourquoi refuseriez-vous ?

Il leva à nouveau sa main et déplia son majeur en ajoutant :

— Je le considérerais comme une dette que je vous dois.

— Rangez ce doigt avant que je vous l'enfonce dans le fondement.

Les lèvres du duc se contractèrent brièvement, mais il replia son doigt, abaissa sa main et déclara :

— Je tenais également à vous voir en personne afin de déterminer si vous pourriez m'aider à conduire le major Siverly devant un tribunal. Je pense que c'est le cas. Ce que je cherche avant tout, c'est que justice soit faite.

La justice…

Jamie inspira et retint son souffle quelques secondes, ne voulant pas répondre hâtivement.

— Quel genre d'aide ?

Le duc souffla un autre nuage de fumée bleutée. Jamie reconnut soudain l'odeur âcre et sucrée. Il ne fumait pas du tabac mais du chanvre. Il en avait déjà senti plusieurs fois à Paris. Un médecin en prescrivait à un ami pour soigner une affection pulmonaire. Le duc était-il souffrant ? Il n'en avait pas l'air.

— Siverly a demandé une permission à son régiment et s'est volatilisé dans la nature. Nous le soupçonnons d'être sur son domaine en Irlande. Je veux qu'on le trouve et qu'on le ramène.

Mon frère a été chargé de cette mission, mais il aura besoin d'assistance. Il…

— C'est lui qui vous a demandé de me faire venir ? l'interrompit Jamie sur un ton agressif. Il s'imagine que…

— J'ignore ce qu'il s'imagine et, non, il ne sait pas que je vous ai fait venir. Je doute que cela lui fera plaisir. Néanmoins, comme je vous l'ai dit, vos différends ne me concernent pas.

Il posa sa pipe, croisa les doigts et regarda Jamie dans le blanc des yeux.

— Je regrette d'avoir été contraint d'agir ainsi ; cela ne me plaît pas plus qu'à vous.

Jamie sentit la moutarde lui monter au nez.

— Je connais la chanson, rétorqua-t-il. Je me suis déjà fait mettre par un Anglais, alors épargnez-moi les préliminaires.

Pardloe tiqua, respira profondément, puis posa les mains à plat sur la table avant de répondre :

— Vous accompagnerez le lieutenant-colonel Grey en Irlande, où vous l'aiderez à retrouver le major Siverly et à le ramener en Angleterre, par la force si nécessaire. En outre, vous l'assisterez dans tout ce qu'il jugera bon d'entreprendre pour obtenir des preuves utiles pour le procès qui s'ensuivra.

Jamie resta de marbre. Il entendait le sifflement de sa propre respiration. Pardloe poursuivit :

— Autrement, votre libération conditionnelle sera révoquée. Vous serez conduit à la Tour, aujourd'hui même, où vous serez emprisonné aussi longtemps qu'il plaira à Sa Majesté.

Il marqua une pause, puis s'enquit poliment :

— Souhaitez-vous prendre un moment pour réfléchir ?

Jamie se leva brusquement. Pardloe se raidit.

— Quand ? demanda Jamie, surpris lui-même par le calme de son ton.

Les épaules de Pardloe se détendirent imperceptiblement.

— Dans quelques jours.

Il le regarda de haut en bas, avant d'ajouter :

— Il vous faudra des vêtements. Vous voyagerez comme le gentleman que vous êtes. Sous liberté conditionnelle, bien entendu. Et je me considérerai vraiment comme vous étant redevable, monsieur Fraser.

Jamie lui adressa un regard dédaigneux et tourna les talons.

— Où allez-vous ?

— Je sors.

Une main sur la poignée de la porte, il lui jeta un regard par-dessus son épaule et ajouta :

— En liberté conditionnelle, bien entendu.

Alors qu'il était déjà dans le couloir, il entendit Pardloe lancer derrière lui :

— Le dîner est servi à vingt heures. Tâchez de ne pas être en retard, voulez-vous ? Cela contrarierait notre cuisinier.

———◄O►———

9

Le réveil d'Éros

Il tombait des cordes et les gouttières débordaient. John Grey était trempé jusqu'à la moelle. Il descendait Monmouth Street d'un pas martial, indifférent au déluge, aux flaques où il s'enfonçait jusqu'aux chevilles et aux pans dégoulinants de sa redingote qui claquaient contre ses cuisses.

Il marchait depuis ce qui lui semblait des heures. Il avait espéré que l'exercice émousserait sa colère afin de pouvoir ensuite parler à son frère sans le frapper. C'était une erreur. Sa fureur augmentait à chaque pas.

Même de la part de Hal, chez qui l'autoritarisme était aussi naturel que la respiration, c'était un peu fort! John lui avait pourtant déclaré sans ambiguïté sa position vis-à-vis de Jamie Fraser. Non content de l'avoir fait venir à Londres sans le consulter, outrepassant son autorité en tant que contrôleur judiciaire, ce tyran enfonçait le clou en le sommant (il ne lui avait même pas demandé son avis!) de se rendre en Irlande en compagnie du prisonnier. Ah, il lui aurait volontiers tordu le cou!

La seule chose l'en empêchant était la présence de Fraser à Argus House.

En toute sincérité, il ne pouvait en vouloir à Fraser. Ce dernier n'était sans doute pas plus ravi que lui. Toutefois, la justice n'avait rien à voir avec les sentiments qui, pour l'heure, bouillonnaient en lui.

La pluie s'était soudain transformée en grêle, de minuscules boules de glace rebondissant sur son crâne et ses épaules. Il croisa un groupe de marchandes d'oranges qui couraient se mettre à l'abri en poussant des cris à la fois consternés et excités, laissant un délicieux parfum d'agrumes dans leur sillage. L'une d'elles laissa tomber un des fruits de son panier et il roula aux pieds de Grey, sa couleur vive se détachant sur le gris de la chaussée. Il le ramassa et se tourna pour le leur rendre, mais elles avaient déjà disparu.

Le poids et la fraîcheur de l'orange étaient agréables dans sa main. Il la lança en l'air et la rattrapa, légèrement calmé.

Il n'avait pas frappé Hal sur un coup de sang depuis ses quinze ans. Cela ne s'était pas bien terminé. Il s'en sortirait sans doute mieux à présent. Hal était toujours vif et un excellent épéiste, mais il approchait de la quarantaine, et ses années de campagne avaient laissé leurs marques. D'un autre côté, à quoi bon se battre avec son frère, ou même lui lancer une orange à la figure ? Cela n'y changerait rien. Il glissa le fruit dans sa poche et reprit son chemin dans la rue inondée, donnant des coups de pied dans les feuilles de chou qui flottaient.

— Lord John !

Il redressa la tête juste à temps pour être aspergé par une grande gerbe d'eau sale projetée par les roues d'un fiacre. Crachotant, il essuya la boue et les détritus sur son visage et aperçut une jeune femme qui riait aux éclats dans la voiture.

— Oh, milord, mais vous êtes trempé jusqu'aux os ! lança Nessie en reprenant son souffle.

Elle avait ouvert son éventail et le tenait au-dessus des fleurs en velours rouge qui ornaient son élégant chapeau.

— Ah, vous avez remarqué, répliqua-t-il, acerbe.

Agnès de son vrai prénom, une jeune putain écossaise qu'il avait rencontrée trois ans plus tôt. Visiblement, elle avait fait du chemin depuis.

— C'est votre voiture ? demanda-t-il.

— Hélas, non. Si c'était le cas, je vous proposerais de monter. Je m'en vais chez un nouveau micheton plein aux as. C'est lui qui me l'a envoyée.

— Je ne voudrais pas abîmer les banquettes de votre client…

— Vous allez attraper la mort, sous la pluie, comme ça. Vous êtes à deux pas de ma nouvelle maison, au fond de Brydges Street.

Allez-y donc, Mme Donoghue vous servira quelque chose pour vous réchauffer… et elle vous donnera peut-être une serviette.

— Vous êtes trop aimable, madame.

Elle lui adressa un sourire éclatant et agita son éventail.

— Tout ça à l'œil, naturellement. Allez, filez, vilain sodomite, avant que je me noie sur place.

Elle lança un ordre au cocher puis referma rapidement la fenêtre.

Il bondit en arrière, mais pas assez vite pour éviter une nouvelle gerbe d'eau froide et de crottin mouillé en travers de ses jambes quand la voiture démarra.

Il resta un moment planté là à pester, puis se rendit compte que la proposition de Nessie n'était pas si saugrenue. Il devait s'abriter s'il ne voulait pas mourir d'une pleurésie ou d'une grippe. Si se rendre en Irlande accompagné de Jamie Fraser serait une épreuve, ce serait encore pire de voyager malade.

Il ne voulait pas d'un bordel, où un alcool et une serviette seraient hors de prix, sans compter qu'on tenterait de lui imposer la présence d'une fille. Sa rencontre avec Nessie avait chassé sa mauvaise humeur et lui avait fait prendre conscience de son environnement. Il n'était qu'à quelques rues du Beefsteak, son club préféré. Il pourrait y prendre une chambre, peut-être un bain chaud, et y trouverait des vêtements secs, sans parler d'un bon verre.

Il pivota et remonta Coptic Street d'un pas déterminé, des rigoles d'eau lui coulant dans le dos.

Une heure plus tard, lavé, vêtu d'un costume sec, quoique légèrement trop grand, et ayant ingurgité deux grands cognacs, il se sentait de bien meilleure composition.

L'essentiel était de trouver Siverly et de le ramener. Son honneur était en jeu, tant en raison de sa promesse à Carruthers qu'en sa qualité d'officier de l'armée de Sa Majesté. Il avait déjà accompli des missions pénibles dans l'exercice de son devoir. Celle-ci n'en serait qu'une de plus.

En outre, il était rassurant de se dire que Fraser serait aussi mal à l'aise que lui ; cela les retiendrait de tenir des propos indélicats.

Cette nouvelle façon d'aborder la situation commençait à lui convenir, mais il lui parut qu'un peu de sustentation améliorerait encore son ouverture d'esprit. Après sa conversation animée avec Hal, il n'avait rien pu avaler et il commençait à ressentir les effets de l'alcool sur son estomac vide. Il vérifia dans le miroir s'il ne restait pas quelques fragments de crottin dans ses cheveux encore humides, tenta d'ajuster sa veste trop grande puis descendit au rez-de-chaussée.

Il était tôt dans la soirée et le Beefsteak était presque désert. Il n'y avait personne dans le fumoir et un seul membre dans la bibliothèque : ce dernier était avachi dans un fauteuil en train de ronfler, un journal déplié sur le visage.

Il aperçut toutefois quelqu'un dans le salon d'écriture, le dos voûté d'un air concentré. Il faisait tourner une plume entre ses doigts en quête d'inspiration.

Harry Quarry. Ce dernier se redressa, le regard vague, puis aperçut soudain Grey dans le couloir. Il glissa aussitôt un buvard sur la feuille posée devant lui sur le bureau.

— Un nouveau poème, Harry ? demanda Grey en s'approchant.

Harry s'efforça de prendre un air à la fois innocent et surpris, échouant lamentablement.

— Pardon ? Un poème, moi ? Pas du tout, j'écrivais à une dame.

— Vraiment ?

Grey avança la main pour soulever le buvard et Quarry retira précipitamment les deux feuilles, les plaquant sur son torse.

— Mais de quel droit ? s'indigna-t-il. La correspondance privée d'un homme est sacrée !

— Rien n'est sacré pour un homme qui fait rimer angélus avec cunnilingus.

Il regretta aussitôt ses paroles, qu'il ne pouvait que mettre sur le compte du cognac. Néanmoins, en voyant les yeux de Harry sortir de leurs orbites, il fut pris d'une forte envie de rire.

Quarry bondit sur ses pieds, se précipita vers la porte et lança des regards dans le couloir avant de se tourner à nouveau vers Grey.

— J'aimerais te voir en faire autant. Qui te l'a dit ?

— Combien de personnes sont au courant ? rétorqua Grey. Je l'ai deviné. Après tout, c'est toi qui m'as donné ce recueil pour Diderot, non ?

Il n'avait rien deviné, mais ne voulait pas révéler sa source, qui n'était autre que sa propre mère.

— Tu l'as lu ?

Le sang commençait à refluer vers le visage de Quarry, lui rendant son teint rougeaud habituel.

— Euh, pas personnellement, admit Grey. Mais M. Diderot en a lu quelques passages à voix haute.

Il sourit malgré lui en revoyant l'homme de lettres, passablement éméché, déclamant des poèmes puisés dans *Quelques couplets au sujet d'Éros*, l'ouvrage publié anonymement par Harry, tout en urinant derrière un paravent dans le salon de lady Jonas.

Harry le fixait en plissant des yeux.

— Hmm… Tu n'y connais rien et confondrais un dactyle avec ton pouce gauche. C'est Benedicta qui te l'a dit.

Grey sursauta, choqué. Ce n'était pas parce que Harry mettait en doute son jugement littéraire (ce en quoi il n'avait pas tort), mais parce qu'il avait appelé sa mère par son prénom. Il n'avait jamais imaginé qu'ils se connaissaient si intimement.

Il s'était toujours demandé comment sa mère avait su que Harry écrivait des poèmes érotiques. Il lui retourna son regard suspicieux, au centuple.

En se rendant compte qu'il s'était trahi, Harry prit l'air le plus innocent possible, ce qui était une prouesse de la part d'un colonel âgé de trente-huit ans, amateur de bonne chère et libertin notoire. Grey se demanda brièvement s'il devait s'en offusquer. Cela étant, sa mère était désormais dignement mariée avec le général Stanley et ni elle ni son époux ne lui seraient reconnaissants d'avoir provoqué un scandale. En outre, il ne se voyait pas provoquer Harry en duel.

Il opta donc pour un ton sévère :

— Je te rappelle que cette dame est ma mère.

Harry eut l'élégance de paraître contrit.

Au même instant, la porte d'entrée s'ouvrit. Un puissant courant d'air s'engouffra dans la pièce, faisant voler les papiers sur le bureau et les éparpillant aux pieds de Grey. Il les ramassa rapidement avant que Harry ait pu réagir.

Il en parcourut un et écarquilla des yeux ahuris.

— Rends-moi ça! grogna Harry en tentant de lui arracher la feuille.

— Franchement, tu pousses un peu, là, Harry! répliqua Grey en le maintenant à distance à bout de bras.

Il lut à voix haute:

— «Les cuisses ruisselantes et le con écumant»... Enfin, Harry. «Écumant»?!

— Ce n'est qu'un premier jet!

— Dieu nous préserve du suivant!

Il recula dans le couloir, poursuivi par Quarry, et percuta de plein fouet le gentleman qui venait d'entrer.

— Lord John! Je vous demande pardon. Je vous ai fait mal?

Affalé contre la boiserie, Grey cligna des yeux vers le grand blond penché sur lui avec sollicitude, puis se releva précipitamment de sa posture peu digne.

— Von Namtzen!

Il prit la main que le Hanovrien lui tendait, sincèrement ravi de le voir.

— Qu'est-ce qui vous amène à Londres? Et dans ce club? Dînons ensemble, voulez-vous?

Le beau visage sévère du capitaine von Namtzen était tout sourire. Néanmoins, Grey remarqua ses traits tirés. Les lignes sous son nez et autour de sa bouche étaient plus marquées. Ses yeux étaient profondément enfoncés dans leurs orbites et, sous ses hautes pommettes saillantes, ses joues s'étaient creusées. Il serra chaleureusement la main de Grey, au point que ce dernier sentit quelques os craquer, même si aucun ne lui sembla brisé.

— J'en serais ravi, répondit von Namtzen, mais j'ai déjà un engagement...

Il se tourna et indiqua un homme élégant qui se tenait légèrement à l'écart.

— Vous connaissez M. Frobisher? Frobisher, je vous présente lord John Grey.

Le gentleman s'inclina courtoisement.

— Pourquoi ne pas vous joindre à nous, lord John ? demanda-t-il. Cela me ferait grand plaisir. J'ai commandé deux perdrix, un saumon fraîchement pêché et un diplomate en dessert. Le capitaine von Namtzen et moi ne parviendrons jamais à avaler tout ça.

Grey, qui connaissait l'appétit de von Namtzen, pensait plutôt le Hanovrien capable d'engloutir tout le repas à lui seul, puis de demander un en-cas pour clore l'affaire. Avant qu'il ait pu décliner l'invitation, Harry lui arracha les papiers des mains et il fut bien obligé de le présenter à Frobisher et à von Namtzen. Dans le concert d'amabilités qui s'ensuivit, ils décidèrent de dîner tous les quatre, non sans avoir commandé un salmigondis et quelques bouteilles de bon bourgogne pour compléter leur menu.

Grey commençait à se prendre au jeu. Pendant qu'ils dégustaient le saumon, il avait orienté la conversation vers le sujet de la poésie afin de taquiner Harry. Cela avait entraîné la récitation enthousiaste d'un poème de Brockes, *Irdisches Vergnügen in Gott*, par M. Frobisher, suivie d'une discussion animée entre ce dernier et von Namtzen concernant une structure poétique allemande particulière et sa relation avec le sonnet anglais.

Quand on lui demanda son avis, Harry adressa un sourire malicieux à Grey et répondit d'un air ingénu :

— Moi ? Je ne suis pas qualifié pour répondre. Mes connaissances en poésie s'arrêtent à « Maître Corbeau sur un arbre perché »... Grey, en revanche, est le roi de la rime. Demandez-lui.

Grey démentit avec véhémence, ce qui déclencha un jeu entre les convives. Il s'agissait de trouver des rimes, chacun à tour de rôle, jusqu'à ce que l'un d'entre eux soit à court d'idées et qu'un nouveau mot soit choisi.

Ils démarrèrent avec des rimes simples telles que plume / rhume / volume / posthume... pour en arriver à la question plus délicate de savoir si tique pouvait s'accoupler avec pélagistique, dans la mesure où ce terme existait réellement. Le jeu, associé à la vue de von Namtzen assis en face de lui, avec son beau visage animé par la conversation et ses cheveux blonds bouclant légèrement derrière ses oreilles, inspirait à Grey d'autres rimes plus secrètes, d'abord avec des mots salaces, puis formant un petit couplet, si l'on pouvait l'appeler ainsi.

Il était surpris. Était-ce ainsi que procédait Harry? Laissant les mots venir d'eux-mêmes et mener la danse?

Les vers se répétaient dans sa tête en un refrain entêtant : « Tu ne seras pas mon maître/mais me laisseras-tu te mettre ? »

C'était d'autant plus déconcertant que rien dans ses rapports avec von Namtzen ne s'y prêtait. Il se rendit vite compte que cela avait plutôt trait à la présence de Jamie Fraser à Argus House.

Vas-tu me laisser tranquille ? Je ne suis pas prêt.

Il faisait soudain très chaud dans la pièce et il sentait la sueur perler sur son cuir chevelu. Heureusement, l'arrivée du second plat détourna la conversation. Les convives oublièrent la poésie et il s'abandonna au plaisir de la pâte brisée et des saveurs mélangées du gibier, du canard et des truffes.

Alors qu'ils en étaient à la salade, Harry demanda à von Namtzen :

— Qu'est-ce qui vous amène à Londres, capitaine ?

C'était une question de pure politesse, mais les traits du Hanovrien s'assombrirent soudain. Il baissa les yeux vers son assiette sans toucher aux feuilles de laitue arrosées de vinaigrette.

— Je m'occupe d'acquérir plusieurs propriétés pour le capitaine, se hâta d'intervenir M. Frobisher. Il y a tout un tas de paperasse à signer, vous savez ce que c'est…

Il agita une main pour indiquer le vaste univers des démarches juridiques.

Grey lança un regard intrigué à von Namtzen, qui n'était pas seulement capitaine de son propre régiment mais également le landgrave von Erdberg. Il savait déjà qu'il employait un homme d'affaires en Angleterre, comme la plupart des riches étrangers, et avait déjà rencontré son agent immobilier.

Von Namtzen releva enfin la tête et poussa un profond soupir.

— Mon épouse est morte le mois dernier, expliqua-t-il. Je… ma sœur vit à Londres. Je lui ai amené… mes enfants… pour les lui confier.

Harry posa une main sur son bras.

— Mon cher, je suis sincèrement désolé.

— *Danke*, murmura von Namtzen.

Là-dessus, il se leva et quitta brusquement la pièce en émettant un son qui pouvait être une excuse marmonnée ou un sanglot étouffé.

— Bigre, murmura Frobisher. Le pauvre, je ne m'étais pas rendu compte qu'il était affecté à ce point.

Grey non plus.

Après un silence gêné, ils se concentrèrent à nouveau sur leur salade et Grey fit signe au serveur de retirer l'assiette du capitaine. Frobisher ne put rien leur apprendre de plus sur le deuil récent de von Namtzen, et la conversation tourna sur divers thèmes politiques.

Grey, que le sujet n'intéressait pas le moins du monde, se contentait d'émettre des sons d'assentiment selon le rythme de la conversation, tout en songeant à Stephan von Namtzen.

Il eut une pensée pour Louisa von Löwenstein, une femme pleine de vivacité (il lui serait venu quelques épithètes moins flatteuses si la malheureuse n'était pas morte). La princesse saxonne avait épousé von Namtzen trois ans plus tôt. Il était navré pour elle, mais plus préoccupé pour Stephan.

Il aurait juré que leur mariage avait été de pure convenance et que les goûts de Stephan le portaient dans d'autres directions. Il y avait eu quelques moments entre eux où… Certes, il ne s'était rien passé d'explicite et aucune déclaration n'avait été faite. Néanmoins, il ne pouvait s'être totalement trompé. Un courant était passé…

Il se souvint d'un soir en Allemagne où il avait aidé Stephan à retirer sa chemise. Ils se trouvaient à l'extérieur. Il avait examiné, puis embrassé le moignon de son bras récemment amputé. Dans la lumière magique du crépuscule, sa peau cuivrée luisait… Il sentit le feu lui monter aux joues et plongea le nez dans son assiette.

Peut-être Stephan avait-il été sincèrement attaché à Louisa, indépendamment de la vraie nature de leur mariage. Après tout, certains hommes ressentaient une attirance physique pour les deux sexes. En outre, Grey connaissait plusieurs femmes dont la disparition l'aurait profondément affligé, même si leur relation ne dépassait pas le cadre purement amical.

Von Namtzen réapparut au moment où le serveur emportait le plateau de fromages. Il semblait avoir retrouvé sa sérénité coutumière, même si ses yeux étaient un peu rouges. Tandis qu'on leur servait du porto ou du cognac, la conversation fut habilement détournée vers les courses de chevaux puis les haras (von Namtzen possédait un étalon remarquable) et demeura parfaitement neutre jusqu'à ce qu'ils se lèvent enfin de table.

Pendant qu'ils attendaient dans le hall que le majordome leur apporte leurs capes, Grey glissa à von Namtzen :

— Je vous raccompagne chez vous ?

Stephan lança un bref regard vers Frobisher, mais celui-ci était engagé dans une étroite conversation avec Harry.

— Cela me ferait très plaisir, répondit-il avec une lueur chaleureuse dans les yeux.

Ils voyagèrent en silence. Il avait cessé de pleuvoir et ils avaient abaissé la fenêtre, laissant l'air froid rafraîchir leur visage. Les pensées de Grey étaient troublées par tout le vin bu au dîner, mais plus encore par sa journée riche en émotions et, surtout, par la présence de Stephan tout près de lui. Ses grandes jambes touchaient presque les siennes et, à chaque mouvement du fiacre, leurs genoux se frôlaient.

Lorsqu'il descendit de voiture derrière lui, il sentit son eau de Cologne, légère et épicée… Elle comportait une note giroflée qui lui fit bizarrement penser à Noël et aux oranges piquées de clous de girofle qui diffusaient un parfum festif dans la maison.

Il referma les doigts sur l'orange ronde et fraîche dans sa poche et songea à d'autres objets ronds et nettement plus chauds qu'il pourrait caresser dans le creux de sa main.

Crétin, se sermonna-t-il. *Ôte-toi cette idée de la tête.*

Ce qui, naturellement, était impossible.

Stephan congédia le majordome à moitié endormi qui leur avait ouvert et conduisit Grey dans un petit salon. Un feu couvait dans la cheminée. Il lui indiqua un fauteuil confortable puis s'empara d'un tisonnier pour raviver les flammes.

— Servez-vous donc à boire, l'invita-t-il.

D'un signe de tête, il indiqua une desserte sur laquelle des verres et des bouteilles étaient soigneusement alignés, rangés par ordre de taille. Grey sourit devant cet agencement typiquement allemand. Il servit un petit verre de cognac pour lui-même et un autre, plus grand, pour son ami.

En constatant que plusieurs bouteilles étaient à moitié vides, il se demanda depuis combien de temps Stephan se trouvait à Londres.

Assis devant le feu, ils burent dans un silence confortable en contemplant les flammes.

— C'était très aimable à vous de m'avoir accompagné, déclara enfin Stephan. Je n'avais pas envie d'être seul ce soir.

— Je suis simplement désolé qu'il ait fallu cette tragédie pour nous retrouver, répondit Grey.

Il hésita, puis demanda :

— Votre femme vous manque beaucoup ?

— Je… euh… oui, bien sûr, je déplore sa perte. C'était une femme formidable. Elle n'avait pas son pareil pour gérer les affaires.

Il esquissa un léger sourire chagriné, puis ajouta :

— En fait, c'est surtout pour mes enfants que je suis triste. Elise et Alexander… Ils ont perdu leur mère très jeunes et ils aimaient beaucoup Louisa. Elle a été une merveilleuse belle-mère, aussi bonne avec eux qu'elle l'était avec son propre fils.

— Ah, fit Grey avec un sourire. Siggy, n'est-ce pas ?

Il avait déjà rencontré le jeune Siegfried, le fils de Louisa d'un premier mariage.

Von Namtzen acquiesça.

— Naturellement, Siggy doit rester à Löwenstein. Il en est l'héritier. C'est un autre coup dur pour Lise et Sascha. Ils l'adorent et voilà qu'ils doivent le quitter, lui aussi. Il vaut mieux pour eux qu'ils vivent avec ma sœur. Mais quand je pense à leur expression quand je leur ai dit au revoir cet après-midi…

Ses propres traits s'affaissèrent. Grey sortit machinalement son mouchoir de sa poche, mais von Namtzen enfouit son chagrin dans son verre un moment puis se ressaisit.

Grey se leva et, lui tournant le dos avec tact tandis qu'il se resservait, raconta une anecdote au sujet du fils de sa cousine Olivia, Cromwell, à présent âgé de deux ans et la terreur de la famille.

— Cromwell ? s'étonna von Namtzen. C'est un prénom anglais ?

— On ne peut plus anglais, lui assura Grey.

Son bref résumé de l'histoire du célèbre Protecteur les ramena vers un terrain plus sûr, même si Grey ne pouvait évoquer le fils d'Olivia sans penser à Percy. Par un pur hasard, ils étaient tous les deux présents lors de la naissance du petit Cromwell. Sa description de cet épisode rocambolesque fit rire Stephan.

La maison était silencieuse et le petit salon semblait isolé du reste du monde, tel un refuge dans les profondeurs de la nuit. Ils étaient comme deux naufragés, rejetés sur une île déserte par les tempêtes de la vie, passant le temps en échangeant leurs histoires.

Ce n'était pas la première fois. Après avoir été blessé lors de la bataille de Crefeld, Grey avait été transporté dans le pavillon de chasse de Stephan, à Waldesruh, pour sa convalescence. Lorsqu'il avait été à nouveau en état de participer à une conversation de plus de deux phrases, ils s'étaient souvent retrouvés ainsi à discuter jusqu'à tard dans la nuit.

— Vous êtes bien remis ? demanda soudain Stephan.

Il semblait avoir pénétré ses pensées, comme cela arrivait souvent entre deux amis proches.

— Vos blessures… elles vous font encore souffrir ?

— Non, répondit Grey.

Certaines autres plaies étaient encore à vif, mais elles n'étaient pas physiques.

— *Und dein Arm ?* demanda-t-il à son tour.

Stephan se mit à rire, ravi de l'entendre lui parler en allemand. Il souleva légèrement ce qu'il restait de son bras gauche.

— *Nein. Eine Unannehmlichkeit, mehr nicht.* Une gêne, tout au plus.

Il observa Stephan tandis qu'ils discutaient, à présent dans les deux langues, remarquant comment la lumière se déplaçait sur son visage selon que son expression était amusée ou grave, dansant sur ses traits germaniques comme l'ombre des flammes. Il n'aurait pas dû être surpris qu'il aime autant ses enfants. Il avait souvent été frappé par les contradictions apparentes du tempérament teuton, passant de la logique froide et de la férocité guerrière à un profond romantisme et à une grande sentimentalité.

Ce devait être ce qu'on appelait un tempérament passionné. Étrangement, cela lui rappela les Écossais qui, sur le plan affectif, leur ressemblaient assez, la discipline en moins.

Sois mon maître. Ou me laisseras-tu être le tien ?

Cette pensée mal venue remua quelque chose de viscéral en lui. En toute sincérité, elle l'agitait depuis un certain temps mais, soudain, son attirance pour Stephan fusionna avec d'autres émotions qu'il s'était efforcé de refouler concernant Jamie Fraser. Il se sentit soudain mal à l'aise.

Désirait-il Stephan uniquement en raison de sa ressemblance physique avec Fraser ? Ils étaient tous les deux grands, séduisants et imposants, le genre d'homme sur lequel les passants se retournaient. Et tous les deux avaient sur lui un effet considérable.

Il y avait toutefois une grande différence : Stephan était son ami, un bon ami, ce que Jamie Fraser ne serait jamais. En revanche, Fraser était quelque chose que Stephan ne pourrait jamais être.

— Vous avez faim ?

Sans attendre sa réponse, Stephan se leva et fouilla dans un placard. Il revint avec une assiette de biscuits et un pot de marmelade d'oranges.

Grey sourit en se rappelant sa réflexion, plus tôt dans la soirée, quant à l'appétit de von Namtzen. Il accepta une tuile aux amandes plus par politesse que par faim, puis regarda, attendri, Stephan dévorer les biscuits tartinés de confiture.

Sa tendresse était toutefois teintée de doute. Réunis seuls dans la nuit, une profonde intimité s'était créée entre eux. Mais quel genre d'intimité ?

Stephan tendit la main pour saisir une autre tuile et effleura la sienne. Il serra doucement ses doigts un instant en souriant, puis les lâcha et prit la cuillère à confiture. Le contact se répercuta dans tout le bras de Grey puis dans sa colonne vertébrale, lui donnant la chair de poule.

Il s'efforça de se raccrocher à son sens logique et à la décence. *Non. Je ne peux pas.*

Ce ne serait pas juste. Il n'avait pas le droit d'utiliser Stephan, de chercher à assouvir ses pulsions et son envie de lui au risque de gâcher leur amitié. Pourtant, la tentation était forte. Outre le désir physique, puissant, il y avait la pensée peu louable que cela lui permettrait d'exorciser, ou du moins de tempérer, l'emprise que Fraser exerçait sur lui. Il lui serait beaucoup plus facile d'affronter calmement l'Écossais, si son désir physique était étouffé, s'il n'avait pas entièrement disparu.

À cet instant, il lut la bonté et la tristesse sur le beau visage de Stephan et sut qu'il ne pouvait pas.

— Je dois partir, annonça-t-il brusquement. Il est très tard.

Il se leva et fit tomber les miettes de son jabot.

— Il le faut vraiment ? demanda Stephan en se levant à son tour.

— Je... oui. Je suis très heureux que nous nous soyons retrouvés ce soir, Stephan.

Il lui tendit la main.

Stephan la prit, puis, au lieu de la serrer, attira John à lui. L'instant suivant, un goût d'orange envahit sa bouche.

— À quoi penses-tu ? demanda-t-il enfin.

Il n'était pas certain de vouloir connaître la réponse, il avait juste besoin d'entendre Stephan parler.

Il fut soulagé en le voyant sourire, les yeux toujours fermés. Von Namtzen laissa glisser ses doigts chauds le long de son épaule puis de son bras, les refermant autour de son poignet.

— J'évaluais mes risques de mourir avant la Sainte-Catherine.

— Quoi ? Pourquoi ? C'est quand, la Sainte-Catherine ?

— Dans trois semaines. C'est à cette date que le père Gehring rentrera de Salzbourg.

— Et ?

Stephan lâcha son poignet et rouvrit les yeux.

— Si je rentre à Hanovre et confesse ce que nous venons de faire au père Fenstermacher, je serai probablement contraint d'assister à la messe tous les jours pendant un an, ou de faire un pèlerinage à Trèves. Le père Gehring est légèrement... plus clément.

— Je vois. Et si tu meurs avant de t'être confessé...

— J'irai en enfer, naturellement, répondit Stephan sur un ton détaché. Néanmoins, le risque en vaut la peine. Trèves, ça fait loin à pied.

Il toussota et s'éclaircit la gorge.

— Ce... ce que tu m'as fait...

Les joues pourpres, il fuyait le regard de Grey.

— Je t'ai fait beaucoup de choses, Stephan.

Grey s'efforçait de ne pas rire, sans grand succès.

— Laquelle ? reprit-il. Celle-ci ?

Il se redressa sur un coude et embrassa von Namtzen sur la bouche, savourant le petit frémissement de son compagnon quand leurs lèvres se rencontrèrent.

Avec son exubérance toute germanique, Stephan embrassait régulièrement des hommes, mais pas de cette manière.

Il sentit ses épaules larges se soulever sous sa paume, puis s'affaisser, sa peau fondant lentement à mesure que ses lèvres s'adoucissaient, s'abandonnant aux siennes.

— C'est encore meilleur que ton cognac de cent ans d'âge, murmura Grey.

Stephan poussa un profond soupir, puis regarda Grey dans les yeux pour la première fois.

— Je voudrais te donner du plaisir, dit-il simplement. Qu'aimerais-tu que je fasse ?

Grey resta un moment sans voix. Ce n'était pas tant dû à cette déclaration, aussi émouvante soit-elle, qu'à la foule d'images qui se précipitaient dans sa tête. Ce qu'il aimerait ?

— Tout, Stephan. N'importe quoi. Je… je veux dire, te toucher, rien que de te regarder me procure du plaisir.

Stephan esquissa un sourire.

— Tu peux me regarder tant que tu veux, lui assura-t-il. Mais me laisseras-tu te toucher ?

— Oh que oui.

— Bien, mais j'aimerais savoir… comment ?

Il saisit la verge à moitié raide de Grey et l'examina d'un œil critique.

— Comment ? répéta Grey d'une voix rauque.

Le sang semblait avoir soudain quitté son cerveau.

— *Ja.* Dois-je le prendre dans ma bouche ? Je ne sais trop comment m'y prendre. Je sais que cela demande un certain savoir-faire, que je n'ai pas. Et puis, tu n'es pas encore tout à fait prêt, n'est-ce pas ?

Grey ouvrit la bouche pour répondre que son état s'améliorait de seconde en seconde, mais Stephan poursuivit, tout en exerçant une légère pression :

— C'est plus simple si je mets mon membre dans ton derrière. Je suis prêt et je suis sûr de pouvoir le faire ; c'est comme ce que je fais avec mes… avec les femmes.

— Je… oui, je suis sûr que tu le peux, confirma Grey d'une voix faible.

— Mais je risque de te faire mal.

Stephan lâcha son sexe et saisit le sien, le comparant en fronçant les sourcils.

— C'est douloureux au début, ce que tu m'as fait tout à l'heure. Après, non, ça m'a beaucoup plu. Mais… la mienne est plutôt grosse.

Grey avait la gorge si sèche qu'il avait du mal à parler.

— Oui, plutôt, parvint-il à dire.

Il lança un regard furtif vers le membre dressé de Stephan. Puis, lentement, se tourna à nouveau vers lui, attiré comme la limaille de fer par un aimant.

Oui, cela ferait mal, très mal. Du moins, au début.

— Si… enfin… si tu…

— Je procéderai très doucement, *ja*.

Stephan sourit et ce fut comme un soleil se levant derrière les nuages. Il saisit le grand coussin qu'ils avaient utilisé un peu plus tôt, le posa et le tapota.

— Viens. Penche-toi. Je vais te huiler.

Tout à l'heure, Grey avait pris Stephan par-derrière, pensant qu'il serait moins gêné de cette manière. Sans compter qu'il avait adoré la vue de son dos large et lisse, de sa taille élancée et de ses fesses musclées se soumettant totalement à lui.

— Non, pas comme ça.

Il replaça le coussin contre la tête de lit et s'installa sur le dos, calant fermement ses épaules contre ce support.

— Tu as bien dit que je pouvais te regarder, non ? plaisanta-t-il.

En outre, cette position lui donnerait un moyen de contrôler la situation et une chance de limiter les dégâts si Stephan se laissait emporter par son enthousiasme.

Tu as perdu la tête ? se morigéna-t-il en essuyant ses paumes moites sur la courtepointe. *Rien ne t'oblige à le faire. Tu n'aimes même pas ça... Bigre, tu vas le sentir pendant une semaine, même s'il ne...*

— Oh, Seigneur !

Stephan s'arrêta de verser l'huile dans sa paume et releva des yeux surpris.

— Je n'ai pas encore commencé. Tu te sens bien ?

Il fronça légèrement les sourcils, s'inquiéta :

— Tu as... ce n'est pas la première fois, n'est-ce pas ?

— Non, non, fit John. Tout va bien. C'était juste... par anticipation.

Stephan se pencha vers lui et l'embrassa tendrement. Il apprenait vite. Quand il se redressa, il contempla longuement le corps de Grey, qui tremblait légèrement, sourit. Puis il fit claquer sa langue doucement et lui passa une main dans les cheveux, une fois, deux fois, le caressant. L'apaisant.

Certes, Stephan manquait d'expérience. Il n'utilisait aucun artifice et ne possédait pas une adresse innée. Mais Grey avait oublié qu'il était un grand cavalier, ainsi qu'un éleveur et dresseur de chiens accompli. Il n'avait pas besoin de mots pour comprendre ce qu'un animal, ou un être humain, ressentait. Et il connaissait le sens du mot « doucement ».

10

Le théâtre de marionnettes

Le lendemain

Jamie avait l'impression d'avoir la poitrine comprimée par une sangle en cuir. Il n'avait pas respiré profondément depuis que les soldats étaient venus le chercher à Helwater mais, cette fois, il ne savait même plus comment fonctionnaient ses poumons. Respirer lui demandait un effort conscient. Il comptait tout en marchant… Un, deux, inspire, expire… Il revit soudain Claire, l'air concentrée, agenouillée devant un petit garçon. Était-ce Rabbie ? Oui, Rabbie MacNab, tombé du grenier à Lallybroch.

Elle lui avait parlé doucement, une main sur son ventre, l'autre palpant ses membres pour vérifier qu'il n'avait rien de cassé.

« Détends-toi, ton souffle va revenir. Voilà, tu vois ? Inspire lentement, puis expire, le plus longuement possible… Oui, encore… un… deux… inspire… expire… »

Il se basa sur le rythme de la voix dans son souvenir et, au bout de quelques pas, commença à mieux respirer, même si sa nuque était encore moite d'une sueur froide et les poils de ses bras hérissés.

Le duc l'avait fait appeler. En entrant dans le petit salon, il était tombé nez à nez avec le colonel Quarry, l'ancien gouverneur de la prison d'Ardsmuir. Il l'avait immédiatement reconnu. Il avait aussitôt tourné les talons et était ressorti aussi sec. Il avait franchi le portail et avait marché droit devant lui, s'enfonçant dans le grand parc de l'autre côté de la rue, le cœur battant à se rompre.

Il essuya ses paumes moites sur sa culotte et sentit la surface légèrement plus rugueuse d'une pièce. Quelqu'un avait emporté ses vêtements pendant la nuit, les avait lavés et raccommodés.

Il n'avait pas peur de Quarry, pas plus qu'autrefois. Toutefois, il avait suffi d'un seul regard pour sentir son ventre se nouer et voir des points noirs danser devant ses yeux. Il n'avait pas eu d'autre choix que sortir de la pièce ou lui sauter à la gorge.

Il y avait des arbres partout dans le parc. Il en choisit un et s'assit dans l'herbe, s'adossant au tronc. Ses mains tremblaient encore, mais de sentir une surface solide derrière lui était réconfortant. Il ne pouvait s'empêcher de se frotter les poignets, l'un après l'autre, comme pour s'assurer que les fers avaient bien disparu.

L'un des valets d'Argus House l'avait suivi. Il le reconnut à sa livrée grise. Il restait en retrait, à la lisière du parc, faisant semblant de contempler la circulation dans la rue qui passait devant la propriété. Il avait fait de même la veille, quand Jamie était sorti pour ventiler sa colère contre le duc.

Il ne l'avait pas importuné et n'avait apparemment pas l'intention de le traîner de force dans la maison. Il se contentait de le surveiller. Jamie se demanda ce qu'il ferait s'il se levait soudain et se mettait à courir. Il eut envie d'essayer et se leva, rien que pour voir. Il aurait sans doute mieux fait de prendre ses jambes à son cou car, au même moment, Tobias Quinn surgit hors d'un buisson tel un crapaud.

— Tiens ! Tu parles d'une coïncidence ! s'exclama-t-il d'un air ravi. Je croyais devoir te guetter pendant des semaines, et ne voilà-t-il pas que sa seigneurie vient droit à moi, alors que je n'attends que depuis une demi-journée !

— Cesse de m'appeler « sa seigneurie », grogna Jamie. Qu'est-ce que tu fiches ici ? Et pourquoi te caches-tu dans un buisson dans cet accoutrement ?

Quinn arqua un sourcil et épousseta les feuilles sur la manche de sa veste à carreaux. Elle était en soie rose et noir et attirait tous les regards à vingt mètres.

— Ce n'est pas franchement l'accueil qu'on attendrait d'un ami, répondit-il sur un ton de reproche. Et puis, je ne me cachais pas.

Je traversais justement le parc quand je t'ai vu sortir, je dirais même filer comme un lapin. Je suis simplement passé derrière le buisson parce que c'était un raccourci. C'est que tu as de grandes jambes, tu sais ? Quant à mon plumage…

Il écarta les bras et tournoya sur lui-même, faisant voler les pans de sa veste.

— N'est-ce pas la plus belle chose du monde ?

Jamie réprima l'envie de le repousser dans son buisson. Il tourna les talons et s'éloigna, lançant derrière lui :

— Va-t'en !

L'Irlandais lui emboîta le pas.

Jamie jeta un regard vers le valet. Il leur tournait le dos, absorbé par une altercation délicieusement vulgaire entre deux conducteurs dont les roues s'étaient encastrées quand ils étaient passés trop près l'un de l'autre.

— Ce qu'il y a de merveilleux avec cette veste, c'est qu'elle est réversible, poursuivit Quinn en ôtant son vêtement. Tu peux la porter d'un côté comme de l'autre. Très pratique, si tu as soudain besoin de passer inaperçu.

Il la secoua, lui montra la doublure. Elle était taillée dans une belle laine, sans coutures et d'un noir sobre. Il la renfila, ôta sa perruque et passa une main dans ses boucles courtes, les laissant dressées sur son crâne. À présent, il ressemblait à un clerc de notaire, ou à un quaker désargenté.

Jamie ignorait si Quinn avait un goût prononcé pour le théâtre ou s'il avait vraiment besoin d'un tel déguisement. Il ne voulait pas le savoir. Il s'efforça de contrôler son ton :

— Je te l'ai déjà dit : je ne suis pas l'homme qu'il te faut.

— Pourquoi ? À cause de cette petite complication ?

Quinn agita une main vers la masse imposante d'Argus House visible derrière un écran d'arbres.

— Ce n'est rien, je t'assure, poursuivit-il. Je peux te faire arriver en Irlande avant la fin de la semaine.

— Quoi ?

— Tu ne vas tout de même pas t'attarder en cette compagnie ? s'indigna Quinn avec un signe de tête vers la maison.

Il se tourna à nouveau vers lui et examina ses habits usés d'un œil critique.

— Certes, il faudra marcher vite, mais, une fois dans les quartiers pauvres, plus personne ne fera attention à toi. Enfin, presque pas.

Jamie comprit soudain qu'il lui proposait de s'enfuir. Tout de suite.

— Je ne peux pas faire ça !

— Pourquoi pas ? demanda Quinn, surpris.

Jamie ouvrit la bouche sans même savoir ce qu'il allait lui répondre.

— D'une part, nous ne franchirions pas les limites du parc, dit-il. Tu vois cet homme en gris là-bas ? Il me surveille.

Quinn suivit son regard.

— Pas pour le moment, en tout cas.

Il prit Jamie par le bras.

— Allez, viens ! Marche vite…

— Non !

Jamie libéra son bras et lança un regard désespéré vers le valet, l'implorant en silence de se retourner. Il n'en fit rien.

— Je te l'ai déjà dit et je te le répète, dit-il à Quinn. Je ne veux rien savoir de ton plan délirant. La Cause est morte et je n'ai pas l'intention de la suivre dans sa tombe. Compris ?

Quinn fit mine de ne pas l'avoir entendu. Il regardait Argus House d'un air songeur.

— Il paraît que c'est la maison du duc de Pardloe, observa-t-il. Je me demande pourquoi les soldats t'ont conduit ici…

— Je n'en sais rien. On ne m'a rien dit.

Ce n'était pas tout à fait vrai, mais il n'avait aucun scrupule à lui mentir.

— Tu devrais partir, Quinn. C'est dangereux.

Comme d'habitude, l'Irlandais ne l'écoutait pas.

— C'est étrange, non ? dit-il, pensif. D'un côté, ils t'arrachent à Helwater sous bonne garde, armée qui plus est, et te traînent jusqu'à Londres sans un mot d'explication… De l'autre… ils te laissent te promener librement à l'extérieur… Même avec un garde-chiourme, c'est te faire sacrément confiance. Tu ne trouves pas ?

Pourquoi ce foutu valet ne se retournait-il pas ?

— Je n'en sais rien, rétorqua-t-il.

Il n'avait aucune envie de discuter de Pardloe ni de son sens de l'honneur très particulier. À court d'arguments, il se dirigea vers l'allée la plus proche, talonné par l'Irlandais. Si le valet se décidait à se retourner et ne le voyait plus, il se lancerait à sa recherche. À ce stade, n'importe quelle interruption serait la bienvenue, même si cela signifiait être ramené à Argus House enchaîné.

Cette pensée résonna dans son esprit comme un grondement de tonnerre, un éclair illuminant les recoins obscurs. Des chaînes. Il avait rêvé de chaînes.

Il ne savait pas où il allait et n'écoutait plus Quinn, qui continuait à jacasser à ses côtés. Il aperçut un attroupement devant eux et fonça droit dessus. Même s'il déblatérait comme un perroquet, l'Irlandais n'oserait discuter à voix haute de ses projets au milieu d'une foule. Or, il avait besoin de le faire taire le temps de trouver un moyen de se débarrasser de lui.

Les rêves. Il avait repoussé cette idée dès l'instant où elle était apparue, mais elle revenait à la charge. Ses cauchemars l'entraînaient dans des lieux terribles, dont il ne se souvenait qu'à moitié. Il en avait fait un, la nuit dernière. C'était pourquoi tomber subitement sur Quarry l'avait mis dans un tel état.

Des chaînes… S'il laissait cette image s'attarder dans sa tête un instant de plus, elle l'entraînerait à nouveau dans son rêve, en nage et malade, recroquevillé contre un mur, incapable de lever la main pour essuyer le vomi dans sa barbe à cause de ses fers trop lourds, les cercles de métal chauffés par la fièvre, infrangibles, le maintenant dans une captivité éternelle…

— Non ! s'écria-t-il.

Il s'arrêta net devant un théâtre de marionnettes, entouré de gens qui riaient et interpellaient les personnages. Du bruit. Des couleurs. N'importe quoi pour étouffer le cliquetis des chaînes.

Quinn parlait toujours, mais Jamie ne l'entendait pas, concentré sur la pièce devant lui. Il en avait déjà vu du même genre à Paris, avec des marionnettes prenant des poses et s'exprimant avec des voix stridentes. Celles-ci avaient des visages grotesques, de longs nez. Elles s'insultaient copieusement et se frappaient.

Il respirait mieux à présent, l'étourdissement et la peur le quittant à mesure que la banalité du quotidien se refermait sur lui comme une eau tiède. Le personnage principal se chamaillait avec son épouse. Elle tenait un bâton avec lequel elle tentait de lui taper sur la tête. Il en attrapa une extrémité et elle l'envoya voler à travers la petite scène tandis qu'il lâchait un long « Meeeeeerde ! » puis s'écrasait contre une paroi. Le public poussa des cris ravis.

Cela plairait à Willie. Penser à son fils le fit aussitôt se sentir bien mieux... et bien pire.

Se débarrasser de Quinn ne serait pas trop compliqué. Après tout, il ne pouvait pas le traîner de force à Inchcleraun. Le duc de Pardloe, c'était une autre paire de manches. Il avait les moyens de le contraindre à se rendre en Irlande. Au moins, il ne risquait ni sa peau ni la prison à vie. Il ferait ce qu'on lui demandait puis rentrerait à Helwater auprès de Willie.

L'enfant lui manquait. Il aurait aimé qu'il soit là avec lui, perché sur ses épaules et riant devant les marionnettes. Willie se souviendrait-il de lui s'il restait absent pendant des mois ?

Il n'aurait qu'à trouver Siverly rapidement. Rien ne l'empêcherait de retourner à Helwater.

Il imaginait le poids chaud et lourd du garçonnet sur ses épaules, dégageant une vague odeur de pipi et de confiture de fraises. Certaines chaînes étaient volontaires.

— Mais où diable étais-tu passé ? grogna Hal. Et qu'est-ce qui t'est encore arrivé ?

Il promena son regard sur les vêtements de Grey. L'intendant du Beefsteak avait fait de son mieux, mais ils avaient rétréci, étaient tachés, et leurs couleurs étaient délavées.

— Cela ne te regarde pas. J'ai été surpris par la pluie et j'ai passé la nuit chez un ami, répondit calmement Grey.

Il était d'excellente humeur, détendu et en paix avec lui-même. Même la colère de Hal et la perspective de se retrouver face à Jamie Fraser ne pouvaient le troubler.

— Où est notre invité ?

— Dans le parc, assis sous un arbre.

— Qu'est-ce qu'il fait là-bas ?

— Je n'en ai pas la moindre idée. Harry Quarry est venu prendre le thé. D'ailleurs, tu étais attendu. Fraser est entré, l'a vu et est reparti aussitôt, sans un mot d'explication. Je sais où il est car j'ai demandé à un valet de le suivre s'il sortait de la maison…

— Je suis sûr qu'il sera ravi de l'apprendre ! répliqua Grey. Enfin, Hal, réfléchis ! Harry a été gouverneur d'Ardsmuir avant moi. Ne me dis pas que tu n'étais pas au courant ?

Hal adopta une expression neutre.

— Peut-être. Et alors ?

— Il a mis Fraser aux fers. Pendant dix-huit mois ! Il y était encore quand Harry est rentré à Londres.

— Ah, fit Hal en fronçant les sourcils. Je vois. Mais comment pouvais-je le deviner ?

— Tu l'aurais su si tu t'étais donné la peine de me consulter au lieu de… Oh, salut Harry. J'ignorais que tu étais encore là.

— C'est ce que j'ai compris.

Harry avait une mine sombre. Pour ne rien arranger, il était en grand uniforme. Fraser avait dû voir sa présence comme une insulte calculée, une manière de lui signifier son impuissance.

Hal semblait en être arrivé à la même conclusion :

— Je suis désolé, Harry, dit-il. J'ignorais que Fraser et toi aviez des antécédents.

C'était peu dire. Grey remercia le ciel de n'être pas arrivé à l'heure du thé. Il se demandait comment Fraser aurait réagi s'il s'était retrouvé simultanément et sans en être prévenu face à l'homme qui l'avait mis aux fers, à celui qui l'avait fait fouetter et à celui qui le faisait chanter.

Hal se tourna vers Grey et expliqua :

— J'avais demandé à Harry de venir pour que nous discutions de l'affaire Siverly et qu'il nous donne des pistes en Irlande. Mais je n'ai pas pensé à l'avertir de la présence de Fraser.

— Ce n'est pas de ta faute, mon vieux, le consola Quarry sur un ton bourru.

Il redressa les épaules et ajusta les revers de sa veste avant d'ajouter :

— Je ferais mieux d'aller lui parler.

— Pour lui dire quoi ? demanda Grey.

— Je vais lui offrir réparation. Je ne vois pas ce que je peux faire d'autre.

Les deux frères échangèrent un regard horrifié. Outre le fait que les duels étaient strictement interdits, les conséquences d'un combat entre un colonel de régiment et un prisonnier sous la charge du duc de Pardloe… sans parler du risque que l'un tue ou mutile l'autre…

— Harry… commença Hal.

— Si besoin est, je serai ton second, l'interrompit précipitamment Grey. Je… euh… je vais de ce pas m'occuper des arrangements.

Sans attendre leur avis, il sortit de la pièce au pas de course et dévala l'escalier du perron, le plus vite possible pour ne pas entendre les cris derrière lui. Il traversa Kensington Road en trombe, évitant de justesse un cheval et se faisant copieusement insulter par son cavalier. Il ne s'arrêta qu'une fois dans Hyde Park, où il tenta de reprendre son souffle tout en regardant autour de lui.

Il n'apercevait Fraser nulle part. Au déluge de la veille avait succédé une belle et douce journée, avec un ciel bleu pâle qui donnait envie d'être un oiseau. Par conséquent, le parc était bondé. Des familles se prélassaient ou pique-niquaient sous les arbres ; des couples se promenaient dans les allées ; des pickpockets rôdaient autour des attroupements devant le Speaker's Corner et le théâtre de marionnettes.

Devait-il faire demi-tour et demander au valet chargé de surveiller Fraser où il l'avait vu pour la dernière fois ? Non, pas question de donner une chance à Harry et à Hal de lui mettre des bâtons dans les roues. Ils avaient déjà causé suffisamment de dégâts.

Compte tenu de la taille et des cheveux roux de Fraser, il ne devrait pas être difficile à repérer dans la foule. Il s'efforça de se mettre à sa place. Où serait-il allé? Après avoir vécu dans un haras du Lake District pendant plusieurs années et, avant cela, dans une lointaine prison écossaise?

Il prit la direction du théâtre de marionnettes et en fut récompensé en apercevant une tête rousse dépassant toutes les autres. Fraser se tenait légèrement à l'arrière du public, visiblement fasciné par le spectacle.

Ne voulant pas l'arracher à son divertissement, il resta en retrait. La pièce mettrait peut-être l'Écossais de meilleure humeur, quoique... En entendant les cris des spectateurs tandis que l'épouse rouait son mari de coups, il se demanda si elle aurait l'effet sédatif escompté. Lui-même aurait misé beaucoup d'argent pour le plaisir de voir Fraser battre Harry à plate couture.

Il observait Fraser d'un œil et suivait la pièce de l'autre. Le marionnettiste, un Irlandais, était très adroit et possédait un répertoire d'épithètes remarquablement créatif. Il vit Fraser sourire, ce qui lui procura un plaisir inattendu.

Il s'adossa à un arbre, savourant la sensation d'être momentanément invisible. Il s'était demandé ce qu'il ressentirait en revoyant Jamie Fraser et était soulagé de constater que la scène dans l'écurie à Helwater était suffisamment loin pour passer au second plan. Il ne pouvait l'oublier totalement, hélas, mais elle ne dominait pas ses pensées.

Sans quitter la scène des yeux, Fraser inclina la tête sur le côté, écoutant un homme mince aux cheveux bouclés qui se tenait à ses côtés. La vue de sa chevelure lui rappela brièvement Percy, mais ce dernier appartenait lui aussi au passé et il chassa rapidement cette image de son esprit.

Il n'avait pas encore réfléchi à ce qu'il lui dirait ni à la manière dont il l'aborderait. Toutefois, dès que la pièce prit fin, il se redressa et se mit à marcher rapidement, faisant en sorte de se trouver légèrement devant Fraser dans l'allée quand il retournerait vers la sortie du parc.

Il ignorait pourquoi il voulait laisser l'Écossais faire le premier pas ; cela lui paraissait naturel. De fait, il l'entendit émettre un petit rire derrière lui, un son qu'il reconnut, exprimant à la fois la dérision et l'amusement.

— Bonsoir, colonel, déclara Fraser en se portant à sa hauteur.

— Bonsoir, capitaine Fraser, répondit-il aimablement. Le spectacle vous a plu ?

— Je voulais vérifier la longueur de ma chaîne. Tant que je reste en vue de la maison, c'est ça ?

— Pour le moment, répondit sincèrement Grey. Toutefois, je ne suis pas venu pour vous ramener. Je vous apporte un message du colonel Quarry.

— Ah oui ?

— Il souhaite vous proposer réparation.

— Pardon ?

— Une réparation pour les torts que vous auriez subis de son fait. Si vous souhaitez relever le gant, il vous rencontrera.

Fraser s'arrêta net.

— Il propose que nous nous battions en duel ? J'ai bien compris ?

— En effet.

— Doux Jésus !

Le grand Écossais resta immobile, indifférent au flot des passants obligés de le contourner. Il se passa un doigt sur l'arête du nez, puis secoua la tête.

— Quarry sait que vous m'en empêcherez. Vous et le duc.

Quoi, il y pensait sérieusement ?

— Personnellement, je n'ai pas mon mot à dire, répondit Grey. Quant à mon frère, il ne m'a pas laissé entendre qu'il interviendrait.

D'autant moins qu'il ne lui en avait pas laissé l'occasion. Seigneur, que ferait Hal si Fraser et Harry se battaient réellement ? À part l'étrangler, lui, John, de ses propres mains pour ne pas les avoir arrêtés…

Fraser émit un son guttural typiquement écossais. Ce n'était pas vraiment un grognement, mais cela suffit pour donner la chair de poule à Grey. L'espace d'un instant, il crut qu'il allait relever le défi. Il déglutit péniblement, puis lâcha :

— Si vous souhaitez l'affronter, je serai votre second.

Si Fraser avait été surpris par l'offre de Quarry, celle de Grey le stupéfia plus encore. Il le dévisagea en plissant les yeux, se demandant si ce n'était pas là une mauvaise plaisanterie.

Grey le vit fléchir les doigts et se souvint très clairement que, lors de leur dernière rencontre, il avait été à un cheveu de lui défoncer le visage d'un coup de ses poings massifs.

— Vous… vous êtes déjà battu en duel ? demanda-t-il d'une voix hésitante.

— Oui.

Le teint de l'Écossais reprenait des couleurs. En surface, il paraissait impassible, mais ses méninges tournaient à toute allure. Grey l'observait, fasciné.

Il sembla être parvenu à une conclusion et ses grandes mains se détendirent. Il émit un petit rire sec et demanda :

— Pourquoi ?

— Pourquoi quoi ? Pourquoi le colonel Quarry vous offre-t-il réparation ? Sans doute parce que son sens de l'honneur l'exige.

Fraser marmonna quelque chose dans sa barbe. Cela semblait être du gaélique. Grey supposa qu'il était question de l'honneur de Quarry et de l'endroit où il pouvait le mettre, mais il se garda bien de poser la question. Les yeux bleus de l'Écossais sondaient les siens.

— Pourquoi offrez-vous d'être mon second ? précisa-t-il. Vous avez une dent contre Quarry ?

— Pas du tout. Harry Quarry est l'un de mes meilleurs amis.

— Dans ce cas, pourquoi ne pas être son second ?

— C'est-à-dire que… en fait, je le suis aussi. Rien dans les règles du duel ne l'interdit, même si je dois reconnaître que c'est assez inhabituel.

Fraser ferma les yeux un instant, puis les rouvrit.

— Je vois. Donc, si je le tue, vous serez obligé de vous battre avec moi ? Et s'il me tue, vous l'affronterez ? Que se passera-t-il si nous nous entretuons ?

— Eh bien… je suppose que j'appellerai un médecin pour qu'il emporte vos cadavres, après quoi je me suiciderai, rétorqua-t-il, acerbe. Mais ne soyons pas rhétoriques. Vous n'avez pas vraiment l'intention d'accepter, n'est-ce pas ?

— J'avoue que c'est tentant, mais non. Vous pouvez informer le colonel que je décline son offre.

— Pourquoi ne pas le lui dire vous-même ? Il est toujours à la maison.

Fraser s'était remis à marcher. Il s'arrêta à nouveau et dévisagea Grey d'une manière assez dérangeante, un peu comme un félin observant un petit animal en se demandant s'il était aussi comestible qu'il y paraissait.

— Euh… si toutefois vous préférez ne pas le voir, reprit prudemment Grey, attendez un quart d'heure avant de me rejoindre à la maison. Je m'assurerai qu'il est parti.

— Quoi ? rugit Fraser. Pour que ce peigne-cul s'imagine que j'ai peur de lui ?! C'est bien là une réaction d'Anglais ! Comment osez-vous même le suggérer ? Si je devais tuer quelqu'un en duel, ce serait vous, *mhic a diabhail*, et vous le savez !

Il tourna les talons et marcha d'un pas ferme vers Argus House, la foule s'écartant sur son passage.

On l'avait vu venir. La porte d'entrée s'ouvrit avant qu'il ait atteint la dernière marche du perron. Il passa devant le majordome avec un bref salut de la tête. Le pauvre homme semblait apeuré. Pourtant, pensa Jamie, il devait être accoutumé à la violence à force de travailler dans ce nid de vipères.

Il avait une puissante envie de casser quelque chose et se retint de donner un grand coup de poing dans la boiserie, sachant que ce serait aussi douloureux que futile. En outre, il ne tenait pas à se retrouver face au colonel Quarry dégoulinant de sang ou en position de faiblesse.

Où étaient-ils ? Dans la bibliothèque, sûrement. En tournant à l'angle du couloir, il manqua de percuter la duchesse qui arrivait en sens inverse. Elle poussa un petit cri de surprise.

— Toutes mes excuses, madame, dit-il avec une courbette qui contrastait avec sa tenue de palefrenier.

— Capitaine Fraser ! s'exclama-t-elle en posant coquettement une main sur son cœur.

— Quoi, vous vous y mettez aussi ? grogna-t-il.

— Je vous demande pardon ?

— Qu'avez-vous tous à m'appeler « capitaine » ? Ce n'était pas le cas hier. C'est votre mari qui vous l'a demandé ?

Elle laissa retomber sa main et lui adressa un sourire charmant.

— Non, en vérité, c'est moi qui le lui ai suggéré. Ou préférez-vous qu'on vous appelle « Broch Tuarach » ? C'est votre véritable titre, n'est-ce pas ?

— Ça l'était… il y a un millier d'années. « Monsieur Fraser » fera l'affaire, madame la duchesse.

Il voulut passer devant elle, mais elle l'arrêta d'une main sur son bras.

— Je souhaiterais vous parler, chuchota-t-elle. Vous vous souvenez de moi ?

Il laissa délibérément son regard descendre de son chignon à ses souliers délicats.

— Cela aussi, c'était il y a un millier d'années, répondit-il. Si vous permettez, je suis pressé. Je dois voir le colonel Quarry.

Elle rosit à peine. Elle soutint son regard sans cesser de sourire et exerça une légère pression sur son bras avant de le lâcher.

— Fort bien. Je vous trouverai.

Cette brève rencontre avait émoussé son envie de tout casser et il pénétra dans la bibliothèque relativement maître de lui. La colère ne lui servirait à rien.

Quarry se tenait devant le feu, discutant avec Pardloe. Tous deux se retournèrent en l'entendant entrer. L'expression de Quarry était déterminée. Il était méfiant mais sans peur. Jamie s'y était attendu ; il le connaissait.

Il se dirigea vers Pardloe et s'approcha suffisamment près pour le contraindre à lever la tête vers lui.

— Monsieur le duc, je vous prie de m'excuser pour m'être absenté aussi brusquement. J'avais besoin d'air frais.

— J'espère que vous vous sentez mieux, capitaine Fraser.

— En effet, merci. Colonel Quarry, mes salutations distinguées.

Il s'était tourné vers Quarry sans marquer de pause et lui adressa une courbette impeccable, que le colonel lui retourna en murmurant :

— Votre humble serviteur, monsieur.

Jamie vit Pardloe regarder par-dessus son épaule et se tendit à nouveau, comprenant que Grey venait d'entrer.

Le duc leur indiqua des sièges près de la cheminée.

— Messieurs, asseyez-vous donc, je vous prie. John, veux-tu bien demander à Pilcock de nous apporter du cognac ?

— Le mieux serait sans doute de le traîner devant une cour martiale, déclara Hal en reposant son verre. Je veux dire, plutôt que devant un tribunal civil. D'un autre côté, un procès en civil, si nous le gagnons, nous permettrait de récupérer l'argent que ce scélérat n'a pas encore dépensé, d'utiliser la presse pour noircir son nom, de le traquer inlassablement et, bref, de lui rendre l'existence impossible. Cependant...

— Cependant, l'inverse est également vrai, l'interrompit Grey.

Il avait eu la chance de n'avoir jamais été poursuivi en justice mais avait été à maintes reprises menacé de l'être, n'évitant parfois le procès que d'extrême justesse. Il connaissait bien la nature aléatoire et dangereuse de la loi.

— Si ce qu'écrit Carruthers est vrai, reprit-il, Siverly a les moyens d'engager de bons avocats. Il pourrait nous poursuivre pour diffamation, nous traîner devant les tribunaux à notre tour et nous pourrir la vie pendant des années...

— Effectivement, convint Hal. Le risque existe.

— En revanche, dans une cour martiale, la procédure repose non pas sur la loi mais sur la coutume militaire, intervint Harry. Cela nous offre une plus grande marge de manœuvre quant aux preuves.

Il avait raison. Tous ceux qui le souhaitaient pouvaient témoigner devant une cour martiale, et tout ce qui était dit pouvait faire office de pièce à conviction, même si la cour était libre de la retenir ou pas.

— Et si la cour martiale le déclare coupable, vous comptez le trouer de balles ?

Surpris, les trois Anglais se tournèrent vers Fraser. L'Écossais n'avait pratiquement pas dit un mot durant leurs délibérations, au point qu'ils avaient presque oublié sa présence.

— Ce sera plutôt la pendaison, répondit Hal après un instant de réflexion. D'ordinaire, le peloton d'exécution est réservé aux déserteurs et aux mutins.

— L'idée est néanmoins alléchante, déclara Quarry en levant son verre en direction de Fraser.

Puis il se tourna à nouveau vers les autres.

— Mais le voulons-nous vraiment mort ?

Grey réfléchit. Traîner Siverly devant la justice et le faire payer pour ses crimes était une chose ; le traquer jusqu'à la mort en était une autre.

— Je ne sais pas, répondit-il enfin. Je ne devrais sans doute pas me prononcer sur ce sujet. Siverly m'a sauvé la vie à Québec et, même si cela ne m'empêchera pas de le poursuivre… non, je ne souhaite pas sa mort.

Il évita de regarder Fraser, ne sachant pas si ce dernier prendrait sa réticence à exterminer Siverly pour une faiblesse.

— Il vaudrait mieux qu'il soit chassé de l'armée et emprisonné, cela servira d'exemple, opina Hal. De plus, une exécution serait une fin trop rapide. Je veux que cette ordure souffre.

Il y eut un bruit étouffé dans le coin où Fraser était assis, légèrement à l'écart. Grey se retourna et fut surpris de le voir rire, de cette étrange manière propre aux Highlanders, le visage tout froissé et émettant un son à peine audible.

— Et moi qui croyais que c'était par miséricorde que vous aviez refusé de m'achever ! lança Fraser à Hal. Une dette d'honneur, disiez-vous ?

Il leva son verre dans sa direction avec un sourire ironique.

Grey ne se souvenait pas d'avoir jamais vu son frère aussi décontenancé. Il fixa Fraser en semblant chercher ses mots, puis hocha la tête :

— Touché, capitaine.

Puis il se tourna à nouveau vers Grey.

— Va pour la cour martiale. Harry et moi, nous nous occuperons des démarches à Londres, pendant que le capitaine et toi irez chercher Siverly. Voyons, Harry, qui connais-tu en Irlande qui pourrait nous aider ?

—◀o▶—

11

Simple curiosité

Grey se réveilla avec Edward Twelvetrees en tête. Il avait fait un cauchemar où il l'affrontait dans un duel au pistolet. Son adversaire n'avait pas de visage, mais il savait que c'était lui.

Les origines de son rêve étaient faciles à deviner : il ne pouvait entendre ce patronyme sans penser au duel au cours duquel Hal avait tué Nathaniel Twelvetrees, le séducteur de sa femme.

Son rêve continua de le hanter durant le petit-déjeuner et il sortit dans le jardin en espérant s'éclaircir les idées. Au bout de quelques minutes, il y croisa sa belle-sœur, un panier sous le bras et un sécateur à la main. Elle l'accueillit avec plaisir et ils marchèrent ensemble, papotant de tout et de rien, des garçons, d'une pièce de théâtre qu'il avait vue la semaine précédente, de l'état de santé de Hal. Ce dernier souffrait de migraine chronique et avait eu une crise la veille au soir. Toutefois, John n'arrivait toujours pas à se sortir le duel de la tête.

— Hal t'a-t-il beaucoup parlé d'Esmé ? demanda-t-il soudain.

Minnie parut surprise, mais elle répondit sans hésiter :

— Oui, il m'a tout raconté. Enfin… je suppose, ajouta-t-elle avec un sourire. Pourquoi ?

— Simple curiosité, admit John. J'étais très jeune quand ils se sont mariés et je ne l'ai pas vraiment connue. Je me souviens de leurs noces. Le grand tralala, dentelle blanche et diamants, l'église Saint James, des centaines de convives…

Il s'interrompit en voyant son expression, puis reprit :

— Je suis désolé. Je regrette de ne pas avoir assisté aux vôtres.

— Moi aussi. Ta présence aurait d'un coup doublé la liste des invités. Cela étant, nous ne nous sommes pas mariés ici. Je veux dire, pas en Angleterre.

— Ah. C'était une cérémonie intime, sans doute ?

— Plutôt, oui. C'était à Amsterdam. Hal avait Harry Quarry comme témoin, et il a demandé à la propriétaire du pub voisin d'être le mien. Elle ne parlait pas l'anglais et n'avait aucune idée de qui nous étions.

Fasciné, Grey n'osa toutefois pas demander d'autres précisions, de peur d'être indiscret.

— Je vois, dit-il simplement.

— Non, tu ne vois rien, répondit-elle en riant. Je n'avais aucune intention de l'épouser, bien que je fusse enceinte de six mois. Il a rejeté toutes mes objections.

— Malgré... euh... Benjamin ?

— Oui. J'aurais très bien pu me débrouiller seule.

Une lueur de fierté maternelle illumina son visage, adoucissant les plis de sa bouche un instant.

— Je n'en doute pas, murmura-t-il. Comment vous êtes-vous retrouvés à Amsterdam, Hal et toi ?

Qu'avait-il dit, au juste ? « J'ai mis près de six mois à la retrouver. »

— Il est venu me chercher, avoua-t-elle. Il a fait irruption dans la librairie de mon père avec un air assassin. J'ai failli tourner de l'œil. Lui aussi, quand il a vu mon ventre.

Elle sourit à nouveau, mais d'un air songeur cette fois, attendrie par le souvenir.

— Il a pris une profonde inspiration, a contourné le comptoir, m'a soulevée, m'a portée hors de la boutique et jusque dans le fiacre qui attendait au-dehors avec Harry. J'ai été très impressionnée : je devais peser un âne mort.

Elle lui lança un regard de biais.

— Es-tu affreusement scandalisé, John ?

— Affreusement, confirma-t-il.

Il pensait surtout que c'était une bénédiction que Benjamin ressemble autant à Hal. Il lui prit la main et la glissa dans le creux de son coude.

— Qu'est-ce qui t'a soudain fait penser à cette pauvre Esmé ? demanda-t-elle.

— Rien... Je me disais juste que cela ne ressemble pas à Hal d'épouser une femme ennuyeuse.

— Je suis convaincue qu'elle ne l'était pas, mais je te remercie du compliment implicite.

— Je sais qu'elle était belle, très belle même, mais je ne sais rien de sa personnalité.

— Elle était égocentrique, narcissique et angoissée. Elle ne pouvait être heureuse que si tous les regards étaient tournés vers elle. Heureusement pour elle, elle était très douée pour les attirer. Elle était tout sauf sotte.

Grey resta pensif un moment, puis demanda :

— Si Hal t'en a parlé autant, tu dois être au courant pour Nathaniel Twelvetrees ?

— Oui, répondit-elle en crispant légèrement ses doigts sur son bras. Tu veux savoir si je pense qu'elle a eu cette aventure avec lui parce qu'elle était amoureuse, ou pour attirer l'attention de Hal ? Je penche pour la seconde option.

— Tu parais bien sûre de toi, s'étonna-t-il. C'est l'avis de Hal ?

— Non. C'est le mien, mais il ne me croit pas.

Elle marqua une pause, puis reprit :

— Elle l'aimait, tu sais. Lui l'adorait, mais cela ne lui suffisait pas, apparemment. C'était une enfant gâtée, qui avait constamment besoin d'être adulée. Néanmoins, elle l'aimait. J'ai lu ses lettres.

Elle lui coula un regard de biais et précisa :

— Hal ne le sait pas, au fait.

Ainsi Hal avait conservé les lettres d'Esmé et Minnie les avait trouvées. Il se demanda si son frère les avait toujours. Il serra doucement sa main.

— Je ne te trahirai pas, promis.

— Je sais, autrement je ne te l'aurais pas dit. Tu n'as pas plus envie que moi de le voir se battre à nouveau en duel.

— Je ne l'ai pas vu, la première fois. Mais pourquoi... non, rien.

Elle avait dû lire quelque chose dans la correspondance d'Esmé, un indice concernant un autre admirateur que Hal n'avait pas remarqué.

Elle s'arrêta et, lâchant son bras, se pencha sur un buisson et retourna ses feuilles roussies entre ses doigts.

— Des pucerons, conclut-elle sur un ton qui n'augurait rien de bon ni pour les pucerons ni pour son jardinier.

Grey émit obligeamment un son témoignant de son intérêt, puis Minnie poussa un soupir et ils poursuivirent leur marche.

Après quelques minutes de silence, elle reprit :

— Ton M. Fraser...

— Il n'est pas à moi, corrigea-t-il.

Il avait voulu parler sur un ton léger, et pensait y être parvenu, mais elle lui lança un regard qui le fit douter.

— Certes, mais tu le connais. À ton avis, est-il... fiable ?

— Tout dépend de ce qu'on attend de lui, répondit-il prudemment. Si tu veux savoir si c'est un homme d'honneur, oui. Il n'a qu'une parole. Au-delà... C'est un Écossais, et un Highlander de surcroît.

— Ce qui veut dire ? Est-ce un de ces sauvages, comme on dépeint les Highlanders ? Si c'est le cas, il imite le gentleman à la perfection.

— Il n'imite personne, lui assura-t-il, légèrement offusqué pour Fraser. Il appartient, ou appartenait, à l'aristocratie terrienne et a reçu une excellente éducation. Il régnait sur de vastes terres et de nombreux métayers. Il est... comment le décrire ? Je ne trouve pas les mots. Disons qu'il possède une identité propre qui ne correspond pas tout à fait aux exigences de notre société, et il a tendance à créer ses propres règles.

Elle se mit à rire.

— Je comprends qu'il plaise à Hal !

— Vraiment ? demanda-t-il.

— Oh, oui. Il a été un peu surpris au début, mais il est très satisfait. Je crois aussi qu'il se sent un peu coupable de l'utiliser de cette manière...

— Moi aussi.

— Cela ne m'étonne pas de toi, John. M. Fraser a de la chance de t'avoir comme ami.

— Je doute qu'il en soit conscient, répliqua-t-il avec une grimace ironique.

Elle lui sourit chaleureusement et déclara :

— Il n'a pas à s'inquiéter, et toi non plus. Hal ne laissera rien lui arriver.

— Non, bien sûr.

Pourtant, il ne pouvait se défaire d'une certaine appréhension.

— En outre, si votre mission réussit, je suis sûre que Hal s'arrangera pour le faire gracier. Il sera libre. Il pourra rentrer chez lui.

Grey sentit soudain sa gorge se comprimer, comme si son valet, Tom Byrd, avait trop serré sa cravate.

— Certes, mais pourquoi cette question sur la fiabilité de Fraser ? s'enquit-il.

Elle haussa légèrement les épaules.

— Hal m'a montré la traduction que M. Fraser a faite du texte en erse. Je me demandais simplement si elle était fidèle.

— Tu as une raison de croire le contraire ? demanda-t-il, intrigué. Pourquoi ne le serait-elle pas ?

Elle se mordit la lèvre, songeuse.

— Je ne lis pas l'erse, mais j'en connais quelques mots. C'est que… euh… Bon, je ne sais pas si Hal t'a parlé de mon père…

— Un peu, répondit Grey en souriant.

— Il m'est souvent arrivé de tomber sur des documents jacobites. La plupart étaient en français ou en latin, très peu en anglais et encore moins en erse. Toutefois, ils semblaient tous inclure une sorte d'indice, un détail qui indiquait au destinataire qu'il ne s'agissait pas d'un simple bon de commande d'un marchand de vins ou de l'inventaire d'un entrepôt. L'un des détails qui revenaient le plus souvent était une rose blanche. Pour les Stuarts, tu me suis ?

Il acquiesça. L'espace d'un instant vertigineux, il revit très clairement le visage de l'homme qu'il avait tué sur la lande de Culloden, ses yeux vides et la cocarde blanche de son bonnet se détachant dans la lumière crépusculaire.

Minnie ne sembla pas remarquer sa distraction momentanée et poursuivit :

— Le texte que tu as apporté à Hal contient les mots « *róisíní bhán* ». Ce n'est pas exactement pareil, mais cela ressemble beaucoup aux mots écossais pour « rose blanche ». Or, M. Fraser a bien mis « rose » dans sa traduction, mais a omis l'adjectif « blanche ». Si j'ai bien compris, bien entendu. D'autre part, l'irlandais est peut-être suffisamment différent pour qu'il n'ait pas vu la nuance…

Ils pivotèrent sur eux-mêmes et, comme sur un signal secret, prirent la direction de la maison. Grey s'efforçait de calmer les battements de son cœur.

Il avait parfaitement compris ce que sous-entendait sa belle-sœur. Le poème sur la Chasse fantastique était peut-être un document jacobite codé. Fraser l'aurait reconnu et aurait délibérément altéré sa traduction, peut-être pour protéger des amis affiliés à la cause des Stuarts. Le cas échéant, cela soulevait deux questions, tout aussi troublantes :

Primo, Siverly avait-il des liens avec les jacobites ? Secundo, quel autre détail Jamie Fraser avait-il omis ?

— Il n'y a qu'un moyen de le savoir, déclara-t-il. Je vais le lui demander… prudemment.

12

Le ventre d'une puce

Bien que la glace ait été brisée entre eux, Grey estimait qu'il restait un chemin considérable à parcourir avant que Fraser et lui retrouvent des relations dites normales. Il n'avait pas oublié cette fameuse conversation dans l'écurie de Helwater et savait que Fraser non plus.

Ils allaient voyager de conserve en Irlande et devaient trouver un moyen de mettre le passé de côté afin de travailler ensemble. Néanmoins, il était inutile de forcer les choses.

Il restait profondément conscient de la présence de Fraser dans la maison. Comme tout le monde. La moitié des domestiques en avaient peur, les autres l'évitaient autant qu'il était possible. Hal le traitait avec une courtoisie teintée d'un formalisme méfiant. Peut-être nourrissait-il quelques doutes quant au bien-fondé de son enrôlement. Cette idée arracha un sourire satisfait à Grey. Minnie semblait être la seule capable de parler à Fraser comme si de rien n'était.

Tom Byrd était terrifié par le grand Écossais, ayant vécu une expérience assez déstabilisante avec lui à Helwater. Toutefois, connaissant la sensibilité de son valet, Grey pensait surtout qu'il captait les violentes vibrations entre lui-même et Fraser.

Néanmoins, après avoir appris qu'il servirait le capitaine en plus de son maître, Tom avait pris le taureau par les cornes et s'était activement investi dans la liste destinée au tailleur. La mode masculine était sa passion et, dans la discussion concernant ce qui conviendrait ou non à l'Écossais, il avait oublié une grande partie de ses réserves.

Lorsque Grey descendit prendre son petit-déjeuner, il fut surpris de trouver Tom dans le petit salon. Ce dernier l'attendait et passa une tête dans le couloir pour l'appeler :

— Les nouveaux habits du capitaine sont arrivés, milord ! Venez ! Venez voir !

Quand il entra dans la pièce, il vit les meubles couverts de formes enveloppées dans de la mousseline, telles des momies égyptiennes. Tom en déballa une et révéla une veste vert bouteille à boutons dorés. Il la déposa sur le canapé et étala tendrement ses pans.

— Cette pile sur le piano, ce sont ses chemises, indiqua-t-il. Je n'ai pas osé les monter dans la chambre du capitaine, au cas où il dormirait.

Grey lança un regard par la fenêtre. À en juger par la hauteur du soleil, il devait être huit heures passées. L'idée de Fraser faisant la grasse matinée était risible. Il ne s'était sans doute jamais levé après l'aube une seule fois dans toute sa vie ; en tout cas, pas depuis les quinze dernières années. Toutefois, la remarque de Tom indiquait qu'il n'était pas encore descendu et n'avait pas fait monter son petit-déjeuner. Serait-il souffrant ?

Au même instant, la porte d'entrée s'ouvrit et se referma. Grey jeta un coup d'œil dans le couloir, juste à temps pour voir Fraser passer devant lui, le pas guilleret et le teint frais.

— Monsieur Fraser !

L'Écossais se retourna, surpris mais non troublé. Il entra dans la pièce en baissant machinalement la tête sous le linteau. Il paraissait intrigué mais n'affichait pas cette expression fermée qui trahissait la colère, la peur ou les calculs.

Il est simplement sorti se promener. Il n'a rencontré personne, pensa Grey, légèrement honteux de lui-même. Après tout, qui connaissait-il à Londres ?

— Voici votre nouvelle garde-robe, annonça Grey avec un geste théâtral vers les paquets en mousseline.

Tom venait de sortir un costume d'un étrange brun-rouge et en caressait l'étoffe.

Il était tellement ravi des vêtements qu'il en oubliait d'être intimidé par Fraser.

— Regardez ça, monsieur ! Je n'avais encore jamais vu une couleur pareille. Elle vous ira à ravir.

À la surprise de Grey, Fraser sourit. Il tendit le bras et palpa le tissu.

— J'ai déjà vu cette teinte. C'était en France. Le duc d'Orléans s'était fait tailler un costume de cette couleur et il en était fier comme un paon. Là-bas, ils appellent ça *couleur puce*[4].

— Pi-ouce ? répéta Tom. Qu'est-ce que ça veut dire ?

Fraser le lui expliqua puis éclata de rire en le voyant rouler des yeux effarés.

— Pour être plus précis, cette nuance particulière s'appelle « ventre de puce », mais c'est aller un peu loin, même pour des Français.

Tom examina la veste de plus près, établissant apparemment des comparaisons avec des puces qu'il avait rencontrées.

— Piouce, répéta-t-il. Et le mot *pioucelle*, donc, ça signifie « petite puce » ?

Fraser lança un regard amusé à Grey.

— *Pucelle ?* répéta-t-il avec un bon accent français. Je… euh… je ne pense pas, non. Mais je peux me tromper.

Grey s'efforça de prendre un ton sérieux.

— Où as-tu appris ce mot, Tom ?

Le valet réfléchit un instant.

— Ah oui ! Je le tiens du colonel Quarry. La semaine dernière, il m'a demandé de penser à un mot rimant avec *pioucelle*. Je n'ai trouvé que « aisselle », mais ça n'a pas eu l'air de l'emballer. Il l'a quand même noté dans son carnet. Au cas où, m'a-t-il dit.

Grey se tourna vers Fraser et expliqua :

— Le colonel Quarry écrit de la poésie. D'un genre, euh… très particulier.

— Je sais, répondit Fraser. Il m'a demandé un jour de lui trouver une rime pour « vierge ».

— Vraiment ? dit Grey, interloqué. Quand ?

---

4. En français dans le texte original.

— À Ardsmuir. Je n'ai rien trouvé de mieux que «asperge». Il ne s'est pas donné la peine de le noter. Il faut dire que c'était à l'issue d'un dîner plutôt arrosé.

— Pour ton information, indiqua Grey à Tom, *pucelle* en français signifie «vierge».

Tom était toujours aussi perplexe.

— Les vierges françaises ont des puces?

— Je n'ai jamais rencontré une Française à qui je pouvais me permettre de le demander, répondit Grey. En revanche, j'ai rencontré bon nombre de puces et, en général, elles ne sont pas regardantes sur la qualité de la personne qu'elles infestent, et encore moins sur sa pureté.

Tom secoua la tête, dépassé par cette petite leçon de philosophie naturelle, puis se replongea avec soulagement dans son domaine de compétence:

— Nous avons donc trois costumes, un en velours *piouce*, un autre en soie bleue et un autre en worsted; deux vestes de jour, l'une vert bouteille, l'autre saphir; trois gilets, deux simples et un jaune brodé; des culottes sombres; des culottes blanches; des bas; des chemises; du linge de corps…

À mesure qu'il énumérait les articles, il pointait du doigt les paquets éparpillés dans la pièce, vérifiant la liste dans sa tête.

— … mais les chaussures du capitaine ne sont pas encore arrivées, ni ses bottes. Celles-ci feront-elles l'affaire pour le Beefsteak, milord?

Il baissait les yeux d'un air dubitatif vers les gros souliers robustes de Fraser, empruntés au cocher de lady Joffrey. Le cireur les avait lustrés aux limites de ses capacités, mais ils demeuraient foncièrement démodés.

Grey les examina à son tour, puis conclut:

— Change les boucles et cela ira. Prends celles argentées sur mes brodequins en cuir. Monsieur Fraser…

Il fit un signe vers les pieds de Jamie et ce dernier se déchaussa obligeamment afin que Tom puisse emporter les objets en question.

Il attendit que le valet soit sorti pour demander:

— Le Beefsteak?

— Il s'agit de mon club. La Société pour l'appréciation du beefsteak anglais. Nous y dînerons ce soir, avec le capitaine von Namtzen. Je lui ai parlé de Siverly et il nous présentera une de ses relations, qui serait susceptible de nous aider. Je voudrais également lui montrer ce fragment de poème que vous avez traduit. Il s'y connaît en poésie et connaît plusieurs versions de la Chasse fantastique.

— Vraiment ? Et ce club, quel genre d'établissement est-ce ?

Il paraissait légèrement inquiet, subitement.

— Ce n'est pas un lupanar, le rassura Grey. Juste un club de gentlemen ordinaire.

Il se demanda soudain si Fraser était déjà allé dans un club. C'était sa première visite à Londres, mais...

— Je voulais dire : quel type de gentlemen trouve-t-on dans votre club ? Vous avez parlé d'un capitaine von Namtzen. Les clients sont-ils principalement des militaires ?

— Oui, en effet, répondit Grey, quelque peu surpris. Pourquoi ?

— S'il y a un risque que j'y croise des hommes que j'ai connus lors du Soulèvement, j'aimerais autant être prévenu.

— Ah... Je n'y avais pas pensé. C'est peu probable, mais, effectivement, peut-être vaudrait-il mieux que... euh... nous préparions...

— Un mensonge ? l'interrompit sèchement Fraser. Pour expliquer d'où je viens et ma situation actuelle ?

— Oui, répondit Grey sans prêter attention ni à son ton ni à sa mine aigre. Je vous laisse vous en occuper, monsieur Fraser. Vous me donnerez les détails en route pour le Beefsteak.

Jamie suivit Grey à l'intérieur du Beefsteak avec un mélange d'appréhension et de curiosité. Il n'était jamais entré dans un club londonien, même s'il avait connu un large éventail d'établissements similaires à Paris. Toutefois, compte tenu des différences de personnalités et d'attitudes entre les Français et les Anglais, on ne devait pas s'y comporter de la même manière. En tout cas, la nourriture n'aurait sûrement rien à voir...

— Von Namtzen !

Grey venait d'apercevoir un grand blond en uniforme et hâtait le pas vers lui. Ce devait être ce landgrave von Erdberg qu'ils étaient venus rencontrer.

Le visage de l'Allemand s'illumina quand il vit Grey. Il l'accueillit chaleureusement en l'embrassant sur les deux joues, à la continentale. Grey semblait y être habitué et sourit, puis il s'effaça pour lui présenter Jamie.

Le landgrave avait perdu un bras et la manche de sa veste était agrafée sur sa poitrine. Il serra vigoureusement la main de Jamie avec celle qui lui restait. Il avait des yeux gris intelligents. Jamie lui trouva un air affable et compétent. Ce devait être un bon soldat. Il se détendit un peu. Le landgrave savait sans doute qui il était et ce qu'il faisait là. Il n'était pas nécessaire de lui mentir.

— Venez, dit von Namtzen. J'ai réservé un salon privé.

Il les conduisit dans le couloir, Grey marchant à ses côtés, Jamie légèrement à la traîne, lançant des regards dans les différentes pièces devant lesquelles ils passaient. Le club était vieux et baignait dans une atmosphère de luxe discret et confortable. Dans la salle à manger, les tables dressées étincelaient d'argenterie de bon aloi sur les nappes blanches. Le fumoir était meublé de vieux fauteuils en cuir un peu affaissés et fleurait le bon tabac. Ils avançaient sur un tapis turc usé jusqu'à la trame en son milieu mais de grande qualité, arborant des médaillons écarlates et dorés.

Un doux brouhaha régnait dans les lieux, produit par les conversations et le service. Il entendait au loin des tintements de vaisselle et de casseroles et une odeur de viande rôtie flottait dans l'air. Il comprenait pourquoi Grey aimait cet endroit. Quand vous apparteniez à ce milieu, il vous enveloppait dans son étreinte. Lui-même n'en faisait pas partie, mais, l'espace d'un instant, il aurait bien aimé qu'il en aille autrement.

Grey et von Namtzen s'étaient arrêtés pour saluer un ami commun. Jamie en profita pour interroger discrètement un serviteur qui passait par là.

— Tournez à droite au bout du couloir, monsieur. Vous verrez la porte sur votre gauche.

— Merci.

Il fit un signe de tête à Grey pour lui indiquer où il allait. Le chemin depuis Newmarket avait été long et Dieu seul savait ce qui l'attendait au cours du dîner. Le moins qu'il pouvait faire pour l'affronter était de s'y présenter les mains propres et la vessie vide.

Grey répondit au signe de Fraser puis reprit sa conversation avec Mordecai Weston, un capitaine du troisième régiment d'infanterie qui connaissait également von Namtzen. Il s'attendait à ce que l'Écossais ne s'absente que quelques instants. Ne le voyant pas revenir, il s'inquiéta et s'excusa.

Il l'aperçut devant les cabinets d'aisances, conversant avec... nul autre qu'Edward Twelvetrees. Il était facilement reconnaissable, avec son visage pâle, son long nez et ses petits yeux de fouine. Le cœur battant, Grey s'arrêta net, mais il était suffisamment proche pour entendre Twelvetrees exiger de savoir ce que Fraser faisait avec Grey, et Fraser l'envoyer paître.

Fraser poussa la porte et la referma en la claquant derrière lui. Grey profita du bruit pour s'approcher derrière Twelvetrees qui fixait la porte close en fulminant, attendant que Fraser ressorte pour poursuivre son interrogatoire. Grey lui donna une tape sur l'épaule, le faisant sursauter avec un cri d'effroi.

— Je m'excuse de vous avoir fait peur, dit Grey aimablement. Il m'a semblé entendre que vous demandiez de mes nouvelles ?

La stupeur de Twelvetrees se mua instantanément en fureur. Il porta la main à sa ceinture, oubliant qu'il n'avait pas son épée.

— Petit fouille-merde ! cracha-t-il.

Grey sentit le feu lui monter aux joues et fit un effort surhumain pour conserver son sang-froid.

— Si mes affaires vous intéressent autant, monsieur, je préférerais que vous vous adressiez directement à moi plutôt que de harceler mes amis.

Twelvetrees, qui s'était ressaisi, fit une moue de dédain.

— Vos amis ? répéta-t-il comme s'il doutait qu'il en eût. Je ne devrais pas m'étonner que vous soyez obligé de les chercher parmi les traîtres. Ce qui me surprend, en revanche, c'est que vous oubliiez votre rang au point d'amener ce genre d'individu ici.

Grey tiqua en entendant le mot « traîtres ».

— C'est une chance que vous n'ayez pas proféré ce terme devant le gentilhomme en question, monsieur. Si je m'en offense en son nom, lui vous aurait sans doute dans l'instant demandé réparation. Pour ma part, je ne souillerai pas mon épée avec votre sang.

Le regard de Twelvetrees se fit plus noir et plus brillant.

— Quand vous voudrez, monsieur. Je suis à votre disposition. En attendant, je vais me plaindre au comité, concernant le choix de vos invités.

Il passa devant Grey en le bousculant d'un coup d'épaule, puis remonta le couloir en direction de l'escalier, la tête haute.

Grey retourna dans la salle à manger en se demandant comment Twelvetrees connaissait Jamie Fraser. À moins qu'il ne lui ait simplement demandé son nom. Fraser lui aurait répondu et l'aurait informé qu'il était l'hôte de John Grey. Peut-être avait-il entendu parler de lui lors du Soulèvement.

C'était une possibilité. Ce qui inquiétait davantage Grey, c'était que Twelvetrees s'intéresse à ses propres activités et l'ait traité de « fouille-merde ». Il ne pouvait pas savoir qu'il figurait dans les documents de Carruthers et que les Grey recherchaient Gerald Siverly. Il hésita un instant, mais ce n'était ni le moment ni le lieu pour parler avec Twelvetrees. Il se rassit et reprit sa conversation avec von Namtzen.

— J'ai invité un… une de mes connaissances irlandaises à nous rejoindre, déclara le landgrave.

Il baissa la voix et ajouta rapidement en allemand, à l'intention de Grey :

— Naturellement, je ne lui ai pas parlé de votre affaire. Je lui ai simplement dit que vous vouliez vérifier l'exactitude d'une traduction d'un poème dans sa langue.

Bien que n'ayant pas pratiqué l'allemand depuis de nombreuses années, Jamie était raisonnablement sûr d'avoir bien compris. Il se demanda s'il avait jamais dit à Grey qu'il le parlait. Probablement pas. Grey ne lui jeta pas un regard quand von Namtzen lui parla à voix basse, puis il le remercia dans la même langue. Jamie remarqua qu'ils se tutoyaient. D'un autre côté, il était évident qu'ils étaient des amis intimes à la manière dont le landgrave posait la main sur le bras de Grey.

Il était sans doute normal que Grey veuille vérifier sa traduction du poème. Il les avait prévenus que le gàidhlig et le gaeilge étaient différents et qu'il ne pouvait que leur donner le sens général du texte. Néanmoins, il y avait ce petit détail qu'il avait délibérément omis. Si l'Irlandais de von Namtzen leur présentait une nouvelle traduction, ils ne manqueraient pas de remarquer la différence avec sa version, notamment le passage où la Chasse fantastique répandait des roses blanches sur la route victorieuse de la reine.

Il avait reconnu sur-le-champ un document jacobite. Il en avait vu bon nombre lorsqu'il espionnait à Paris. Cependant, ignorant qui en était l'auteur et ce que signifiait le code, il avait choisi de ne pas mentionner l'indice. Si des jacobites opéraient en secret en Irlande (ce qui était le cas, à en croire Tobias Quinn), ce n'était pas à lui de les désigner du doigt aux Anglais. Toutefois, si...

Le flot de ses pensées fut brusquement interrompu lorsqu'il suivit le landgrave et Grey dans le salon privé et aperçut l'homme qui les y attendait.

Il n'aurait su dire s'il était choqué ou s'il n'en croyait pas ses yeux. Quoi qu'il en soit, il serra la main de Thomas Lally en se sentant parfaitement calme.

— Broch Tuarach, le salua Lally avec son ton guindé aussi formel qu'un buisson taillé de Versailles.

— *Monsieur le comte... Comment allez-vous*[5] ? répondit Jamie en lui serrant la main.

Thomas Lally avait été l'un des aides de camp de Charles-Édouard Stuart. Franco-Irlandais né en Irlande, il avait fui l'Écosse après la défaite de Falkirk et avait rapidement pris une commis-

---

5. En français dans le texte original.

sion dans l'armée française. En dépit de sa bravoure, on l'y avait peu apprécié.

Comment avait-il atterri ici ?

Lally dut lire la question sur son visage.

— Comme vous, je suis prisonnier des Anglais, expliqua-t-il en français. J'ai été capturé à Pondichéry. Néanmoins, mes geôliers m'ont fait la grâce de me libérer sur parole à Londres.

— Ah, je vois que vous vous connaissez ! s'exclama von Namtzen.

Ce dernier parlait sans doute couramment le français mais, en bon diplomate, feignit de n'avoir pas compris.

— Quelle heureuse coïncidence ! poursuivit-il. Si nous commencions par dîner ?

Ils s'attablèrent devant un repas consistant typiquement anglais. Lally engloutissait avec voracité tout ce qu'on mettait dans son assiette. Les Anglais qui l'entretenaient ne devaient pas se montrer très généreux. Il avait une vingtaine d'années de plus que Jamie, mais en paraissait beaucoup plus. Le teint buriné par le soleil indien, il était à moitié édenté. Ses joues creuses faisaient paraître son grand nez et son menton pointu encore plus proéminents et son front ridé lui donnait une expression de fureur rentrée. Il ne portait pas d'uniforme et, bien que propre, son costume, usé aux manches et aux coudes, paraissait appartenir à un autre âge.

Au cours de la soirée, Jamie apprit que la situation de Lally était un peu plus compliquée que la sienne. Bien que prisonnier de la couronne anglaise, le comte de Lally était accusé de trahison par les Français. Il faisait des pieds et des mains pour qu'on l'autorise à rentrer en France afin de passer devant une cour martiale et d'y laver son nom.

Jamie eut l'impression que le landgrave, même s'il n'en dit mot, lui avait promis d'intervenir en sa faveur afin de s'assurer de sa présence et, probablement, de sa coopération.

Il sentait que Lally l'observait aussi attentivement qu'il le faisait lui-même, se demandant quels étaient ses rapports avec les Anglais et ce qu'il avait accepté de faire pour eux.

Au cours du dîner, ils ne discutèrent que de sujets généraux et principalement en anglais. Ce ne fut qu'une fois la table débarrassée que Grey sortit une copie du poème. Lally, tenant la feuille à bout de bras, le lut à voix haute.

D'entendre du gàidhlig procura à Jamie une étrange sensation. Les sons familiers qui lui rappelaient tant sa terre natale l'émurent au point qu'il sentit les larmes lui monter aux yeux. Fort heureusement, le moment passa.

Lally reposa le papier et le regarda en face.

— Herr Graf me dit que vous avez déjà réalisé une traduction de ce texte. *An bhfuil gaeilge agat[6] ?*

— *Chan-eil*, répondit Jamie en gaélique. *Ach tuigidh mi gu leor dha na faclan. Bheil thu g'am thuigsinn sa[7] ?*

Lally se fendit d'un large sourire qui illumina son visage. Lui aussi, il n'avait pas dû entendre des sons aussi proches de sa langue natale depuis bien longtemps.

— Ce sont des fleurs qui sortent de votre bouche, déclara-t-il.

— Vous vous comprenez ? demanda von Namtzen, intrigué. À mes oreilles, les deux langues se ressemblent beaucoup.

— Disons que… c'est un peu comme un Italien parlant avec un Espagnol, expliqua Jamie. Nous nous débrouillons.

— Je vous serais très reconnaissant pour votre aide, monsieur le comte, déclara Grey. Mon frère également.

Nous y voilà ! pensa Jamie. En échange de ce petit service, le duc de Pardloe usera de son influence considérable en faveur de Lally. Finalement, les Anglais obtiendront une traduction fidèle. *Ou peut-être pas*, rectifia-t-il en voyant le sourire poli du comte.

On apporta du papier, de l'encre et des plumes, puis le landgrave et Grey se retranchèrent au fond de la pièce, bavardant en allemand, pour laisser Lally se concentrer. Ce dernier relut le poème plusieurs fois en posant de brèves questions à Jamie, puis se mit au travail.

---

6. « Vous parlez donc l'irlandais ? »
7. « Non, mais je peux deviner le sens de la plupart des mots. Et vous, vous me comprenez ? »

Ils s'exprimèrent d'abord en anglais puis recoururent de plus en plus à leurs langues respectives, penchés sur la feuille, conscients de la présence de Grey, qui les observait mine de rien.

— Avez-vous laissé quelque chose de côté *machnaig* ? demanda Lally sur un ton détaché.

Jamie se creusa les méninges, cherchant le sens de *machnaig*. Il lui sembla que cela signifiait « délibérément ».

— *Se an fhirinn a bh-agam. Ach a' seo*[8]... répondit-il en posant un doigt sur la ligne avec les roses blanches. *Bha e... goirid*[9].

Lally leva les yeux vers lui, puis regarda à nouveau la feuille, sans changer d'expression.

— Oui, je crois que vous avez raison sur ce point, déclara-t-il en anglais.

Il prit une autre feuille vierge, sortit une nouvelle plume du bocal et les tendit à Jamie.

— Tenez, écrivez donc votre version. Ce sera plus simple.

Cela leur prit du temps. Ils discutaient des termes, tantôt en gaélique, tantôt en français ou en anglais, Lally tapotant la traduction de Jamie du bout de sa plume en laissant des pâtés, puis rédigeant sa propre version, rayant des phrases, griffonnant des notes dans les marges. Il ne fut nulle part question de roses blanches.

Pour finir, il recopia une version au propre. Il écrivait lentement, ses doigts étant déformés par l'arthrose. Il tendit le résultat final à Grey.

— Voici, milord. J'espère que cela vous sera utile, quel que soit votre projet.

— Merci, répondit Grey tout en parcourant la page.

Il releva les yeux et demanda :

— Dites-moi, monsieur le comte, avez-vous déjà rencontré ce genre de poème ?

— Oh, oui, souvent milord. Mais pas sous forme écrite. Ce genre de légendes est courant en Irlande.

— Vous ne l'avez jamais vu dans un autre contexte ?

---

8. « J'ai été fidèle, sauf là. »
9. « J'ai... raccourci. »

— Non, milord, répondit fermement Lally.

Grey soupira puis plia soigneusement la feuille avant de la glisser dans sa poche. Il remercia à nouveau Lally puis, après un bref regard vers Jamie, se leva et prit congé.

Le temps étant clément, ils rentrèrent à Argus House à pied. Grey avait finalement décidé de ne pas faire allusion à Edward Twelvetrees avant d'en avoir discuté avec Hal. Ils parlèrent donc peu. Toutefois, lorsqu'ils furent parvenus devant l'Alexandra Gate, Grey se tourna vers Jamie et lui demanda d'un air grave :

— Vous pensez qu'il nous a fait une traduction fidèle ?

— Je suis certain qu'il a fait de son mieux, milord.

13

Visite nocturne

Réveillé en sursaut, Jamie se redressa dans son lit et glissa par réflexe une main sous son oreiller à la recherche de son coutelas. Puis il se rappela où il se trouvait. La porte se referma presque sans bruit. Il était sur le point de bondir et de se jeter dans les jambes de l'intrus quand il sentit un parfum féminin et se figea, l'esprit encore troublé par des images de prison, de la maison de Jared à Paris, de chambres d'auberge, du lit de Claire… sauf que Claire n'avait jamais porté ce genre de fragrance.

Le matelas s'affaissa légèrement sous le poids de la femme et une main se posa délicatement sur son bras, lui hérissant les poils.

— Pardonnez-moi de vous rendre visite à cette heure tardive, dit la duchesse avec une note d'humour dans la voix. Il m'a semblé plus prudent d'être discrets.

— Parce que vous trouvez ça discret ? chuchota-t-il. Par tous les saints !

— Vous préféreriez que je fasse semblant de vous croiser par hasard devant un théâtre de marionnettes ? Cela ne nous laisserait pas assez de temps.

Il s'efforça de calmer les palpitations de son cœur et répliqua, le plus calmement possible :

— Ah, il s'agit d'une longue histoire ? Dans ce cas, vous serez sans doute plus à votre aise assise sur un siège.

Elle se leva et il entendit le bruit étouffé de pieds de chaise traînés sur le tapis. Il en profita pour sortir du lit et s'asseoir sur l'appui de la fenêtre. Il lissa pudiquement sa chemise de nuit autour de ses jambes.

Que signifiait cette allusion aux marionnettes ? Lui avait-on rapporté sa rencontre avec Quinn, ou était-ce un simple hasard ?

Debout près de la chaise, elle formait une silhouette vague dans l'obscurité.

— J'allume une chandelle ? demanda-t-elle.

— Non, ce ne sera pas nécessaire.

Il avait ouvert les rideaux avant de se coucher, ne supportant pas la sensation d'enfermement. Le ciel était couvert, mais la lune croissante diffusait une lueur douce dans la chambre. S'il ne la distinguait pas clairement, elle, en revanche, ne pouvait le voir à contre-jour.

Elle s'assit dans un bruissement d'étoffe, soupira puis se tut. C'était une vieille ruse qu'il connaissait bien. Il ne parla pas non plus, même si les questions se bousculaient dans sa tête. La principale étant : le duc savait-il ?

— Oui, il est au courant, déclara-t-elle.

Il faillit se mordre la langue.

— Vraiment ? Et puis-je demander ce que votre époux sait, au juste ?

— Qui je suis, répondit-elle avec une pointe d'humour. Il connaissait mon... activité quand il m'a épousée.

— Voilà un homme qui n'a pas froid aux yeux.

Cela la fit rire doucement.

— Et sait-il que nous nous étions déjà rencontrés ? demanda-t-il encore.

— Oui, mais il ignore ce que je suis venue vous dire.

Il se demanda si le duc savait également qu'elle s'était introduite dans sa chambre mais se garda de lui poser la question. Il se contenta de hocher la tête, l'invitant à parler.

— Connaissez-vous un certain Edward Twelvetrees ? reprit-elle.

— Je l'ai rencontré brièvement aujourd'hui au Beefsteak. Qui est-il et en quoi cela me concerne-t-il ?

— Edward Twelvetrees est un militaire estimable, un gentleman honorable et le plus jeune frère de Nathaniel Twelvetrees, que mon époux a tué en duel il y a de nombreuses années.

— Un duel pour... ?

— Peu importe. L'essentiel est que toute la famille Twelvetrees nourrit une haine farouche à l'égard de mon mari… à l'égard de tous les Grey, en fait, mais plus particulièrement de Pardloe. Elle est prête à tout pour lui nuire.

Il allait à nouveau poser une question, mais elle ne lui en laissa pas le temps :

— D'autre part, il se trouve qu'Edward Twelvetrees est un ami intime de Gerald Siverly. Très intime. De plus, au cours de l'année qui vient de s'écouler, il a brassé des sommes considérables, bien au-delà de ce que ses moyens devraient lui permettre. Étant le fils benjamin de la famille, il ne dispose que de sa solde et de ses gains au jeu.

Il se pencha en avant, intéressé.

— Que fait-il avec cet argent ? Et d'où vient-il ?

— Il l'envoie en Irlande, et j'ignore d'où il vient.

Il réfléchit quelques instants avant de demander :

— Pourquoi me dites-vous ceci ?

Elle hésita. Il la sentait cogiter sans comprendre où elle voulait en venir. Il ne s'agissait pas pour elle de savoir si elle pouvait lui faire confiance. Il aurait fallu être fou pour lui confier des informations dangereuses, et la duchesse était loin d'être folle. Elle se demandait plutôt ce qu'elle pouvait lui révéler sans prendre trop de risques.

— J'aime mon mari, dit-elle doucement. Je ne veux pas qu'il se retrouve dans une position où les Twelvetrees pourraient lui causer du tort. Ni à John, d'ailleurs. J'aimerais que, dans la mesure du possible, vous veilliez à ce que cela n'arrive pas. Si, au cours de vos recherches en Irlande, vous croisez à nouveau le chemin de Twelvetrees, je vous implore de faire votre possible pour le maintenir loin de John. Ce qu'il trafique avec le major Siverly ne doit pas s'immiscer dans votre enquête.

Il pensait avoir bien suivi son raisonnement, mais préféra s'en assurer :

— Si je comprends bien, quelle que soit l'origine de l'argent, même s'il est destiné à Siverly ou transite par lui, cela n'a rien à voir avec les crimes pour lesquels votre mari veut traduire le major devant une cour martiale. Vous me demandez donc de faire mon possible pour que lord John ne suive pas cette piste s'il venait à tomber dessus ?

Elle poussa un petit soupir de satisfaction.

— Merci, monsieur Fraser. Je vous assure que toute implication d'Edward Twelvetrees dans cette affaire ne pourrait que conduire à la catastrophe.

— Pour votre mari, son frère... ou votre père ? demanda-t-il doucement.

Elle se raidit, puis, après quelques instants, se mit à rire à nouveau.

— Père disait toujours que vous étiez le meilleur des agents jacobites. Êtes-vous toujours... en contact avec eux ?

— Non, répondit-il fermement. Toutefois, seul votre père peut vous avoir informée au sujet de l'argent. Si Pardloe ou Grey étaient au courant, ils en auraient parlé avec le colonel Quarry quand ils mettaient leur plan sur pied.

La duchesse se leva et lissa sa robe. Elle se tourna vers la porte et, une fois sur le seuil, ajouta :

— Si vous gardez mes secrets, monsieur Fraser, je garderai les vôtres.

Il se glissa à nouveau dans son lit. Il sentait encore l'odeur de la duchesse qui, bien que loin d'être désagréable, était dérangeante. Tout comme sa dernière remarque. En y réfléchissant, il se dit qu'il s'agissait probablement d'une boutade. Il n'avait plus de secrets, sauf un, et il y avait peu de chance qu'elle ait entendu parler de William. Et encore moins qu'elle sache la vérité sur sa paternité.

Il entendit des cloches sonner au loin. Un seul coup, long et sourd. Il était une heure du matin, et la solitude de la nuit l'enveloppa à nouveau.

Il songea brièvement à cette histoire d'argent envoyé en Irlande, sans trop savoir quoi faire de cette information. En outre, il était épuisé de devoir toujours se tenir sur ses gardes au milieu de tous ces Anglais. Ses pensées s'effilochèrent, s'emmêlèrent et finirent par se dissoudre. Lorsque sonna la demie de une heure, il était profondément endormi.

John Grey entendit la cloche de Saint Mary Abbot sonner une heure et reposa son livre pour se frotter les yeux. Il avait toute une pile d'ouvrages à ses côtés, ainsi que des tasses contenant des restes du café qu'il avait bu au fil de la nuit pour rester éveillé durant ses recherches. Toutefois, même la caféine avait ses limites.

Il avait lu plusieurs versions de la légende de la Chasse fantastique, toutes provenant de sources très différentes. Il n'était pas plus éclairé pour autant. Si elles étaient toutes fascinantes, aucune ne correspondait, en formulation ou en événements, à celle fournie par Carruthers.

S'il n'avait connu Charlie, s'il n'avait su avec quelles passion et précision il avait préparé sa plainte contre Siverly, il aurait été tenté de négliger ce texte, considérant qu'il avait été inclus par erreur. Sauf qu'il connaissait Charlie.

La seule explication était que Charlie lui-même n'ait pas compris le sens du poème mais savait néanmoins qu'il avait un rapport avec Siverly et qu'il était important.

Pour le moment, il ne voyait pas ce qu'il pouvait en faire. Après tout, ils disposaient d'un grand nombre d'autres documents sur lesquels baser leur enquête.

L'esprit hanté par des hordes de spectres, des forêts sombres et des cors de chasse résonnant dans la nuit, il saisit sa bougie et monta se coucher. Il s'arrêta dans le vestibule pour souffler les chandelles qu'on avait laissées allumées pour lui. Un des garçons avait été réveillé un peu plus tôt par un mal de ventre ou un cauchemar, mais le calme était revenu dans la chambre des enfants. Le couloir du premier étage était plongé dans le noir. Il s'arrêta en entendant un bruit. Des pas discrets. Une porte s'ouvrit et la lueur d'une bougie se répandit sur le tapis. Il aperçut Minnie, pâle dans sa chemise de nuit en mousseline, entrant dans une chambre et enlaçant Hal qui l'attendait sur le seuil. Son frère chuchotait.

Ne souhaitant pas être vu, il grimpa à l'étage supérieur et attendit un moment dans l'obscurité pour leur laisser le temps de refermer leur porte.

Un des garçons avait dû être de nouveau malade. Il ne voyait aucune autre raison pour laquelle Minnie aurait été debout à cette heure de la nuit.

Il tendit l'oreille. La chambre des enfants était juste au-dessus. Il ne perçut aucun son, aucun mouvement. L'étage inférieur était aussi silencieux. Apparemment, toute la maisonnée était à présent endormie. Sauf lui.

Il aimait assez cette impression de solitude, seul être éveillé dans un monde de sommeil...

Non, pas le seul. Un cri bref et étouffé venait de transpercer la nuit, le faisant bondir comme s'il avait posé le pied sur un oursin.

Le cri n'était pas venu de l'étage du dessus mais du fond du couloir sur sa gauche, où se trouvaient les chambres des invités. À sa connaissance, Jamie Fraser était le seul à dormir là. Il s'approcha de sa porte à pas de loup.

Il entendit un halètement, comme celui d'un homme qui se réveille d'un cauchemar. Devait-il entrer ?

Non, se reprit-il aussitôt. *S'il s'est réveillé, il est sorti de son rêve.*

Il allait s'éloigner quand il entendit la voix de Fraser filtrer sous la porte.

— Je peux m'endormir la tête sur tes genoux ? Je voudrais sentir tes mains sur moi et m'endormir enveloppé dans ton odeur.

Grey se figea, honteux d'entendre ce qui n'était pas destiné à ses oreilles mais n'osant pas bouger de peur de trahir sa présence.

Il y eut un bruissement sourd, celui d'un grand corps se retournant brusquement, puis un son étouffé (un soupir, un sanglot ?) et le silence. Il n'entendait plus que les battements de son propre cœur, le tic-tac de la pendule dans le vestibule du rez-de-chaussée, les craquements distants de la maison dans la nuit. Il laissa s'écouler une minute, comptant les secondes, puis souleva un pied. Il fit un pas, puis un autre, entendit un dernier murmure. Seuls ses sens aiguisés par la concentration lui permirent de distinguer les mots :

— Bon sang, *Sassenach*. J'ai besoin de toi.

À cet instant, il aurait vendu son âme pour le réconforter. Il ne pouvait rien faire. Il descendit l'escalier sur la pointe des pieds, sans faire de bruit, rata la dernière marche et s'étala de tout son long.

———◄o►———

14

Le fridstool

Le lendemain après-midi, la tête de Jamie bourdonnait comme une ruche, ses pensées se pourchassant sans qu'il parvienne à en arrêter une seule. Il avait grand besoin d'un peu de tranquillité pour y mettre de l'ordre. Hélas, la maison grouillait presque autant d'activité que son esprit. Il y avait des domestiques partout. On se serait cru à Versailles. Femmes de chambre, servantes, commis, valets, majordomes… tout un bataillon grimpait et descendait continuellement l'escalier de service, armé de seaux et de brosses. Une minute plus tôt, il avait failli percuter le jeune Tom Byrd dans le couloir, ce dernier portant une pile de linge sale si haute qu'il voyait à peine où il mettait les pieds.

Jamie ne pouvait même pas rester assis dans sa chambre. Quand un domestique n'était pas en train d'aérer les draps, un autre préparait un feu, venait chercher un tapis pour le battre, apportait de nouvelles chandelles ou lui demandait si ses bas nécessitaient d'être reprisés. C'était le cas, de fait, mais quand même…

Ce dont il avait besoin, c'était d'un *fridstool*, se dit-il soudain. Comme si cette pensée l'avait libéré, il se leva aussitôt et se mit en route d'un pas déterminé, manquant de renverser l'énorme canapé que deux valets tentaient de faire passer par la porte d'entrée.

Pas dans le grand parc public. Outre le risque d'y croiser Quinn qui rôdait toujours, il était bondé. Or, l'essence même d'un *fridstool* était l'isolement. Il fit demi-tour, retraversa la maison et sortit par la porte donnant sur le jardin.

Un an plus tôt, à Helwater, une vieille religieuse anglicane lui avait expliqué ce qu'était un *fridstool*. Sœur Eudoxia était une lointaine parente de lady Dunsany, venue chez elle se remettre de ce que la cuisinière appelait une « dispersion hydropique ».

En apercevant la religieuse assise sur la pelouse dans un fauteuil en osier, ses paupières flétries fermées et orientées vers le soleil tel un lézard, il s'était demandé comment Claire aurait qualifié son état. *Sûrement pas de « dispersion hydropique »*, avait-il pensé avec un sourire. Il se souvenait de ce qu'elle avait dit de certains maux tels que les passions iliaques, l'opilation de l'intestin ou ce qu'un médecin avait baptisé « relaxation universelle des solides ».

La sœur souffrait d'hydropisie. Il l'avait appris un soir quand il l'avait aperçue soudain cramponnée à la clôture du paddock, la respiration sifflante et les lèvres bleues.

« Voulez-vous que j'aille chercher quelqu'un, ma sœur ? s'était-il alarmé. Une servante ? Lady Dunsany ? »

Elle n'avait pas répondu tout de suite. Elle s'était tournée vers lui, le souffle court, puis avait lâché prise. La rattrapant juste avant qu'elle ne tombe, il l'avait soulevée dans ses bras et avait cherché frénétiquement une aide autour de lui, convaincu qu'elle était en train de passer l'arme à gauche. Jusqu'à ce qu'il se rende compte qu'elle riait. Elle pouvait à peine respirer mais riait de bon cœur, ses épaules osseuses agitées de soubresauts sous l'épais drap noir de sa robe.

— Non… jeune… homme, parvint-elle enfin à dire.

Elle toussa, puis ajouta :

— Cela va aller. Portez-moi…

À bout de souffle, elle pointait un doigt vers une folie nichée entre les arbres au-delà de l'écurie.

Déconcerté, il s'exécuta. Elle se détendit contre lui. Il fut ému par la vue de ses cheveux gris, lissés en arrière et à peine visibles sous le bord de son voile. Bien que frêle, elle était plus lourde qu'il ne l'aurait pensé. Lorsqu'il la déposa délicatement sur le petit banc, il aperçut ses chevilles et ses pieds enflés, la chair boursouflée entre les lanières de ses sandales. Elle lui sourit, ses yeux noirs pétillants de malice.

— Je crois bien que c'est la première fois que je me retrouve dans les bras d'un jeune homme. C'est bien agréable, ma foi. Si j'avais connu ça plus tôt, je ne serais peut-être pas devenue nonne.

— Je m'en voudrais de vous faire remettre en question vos vœux de chasteté, ma sœur.

Elle avait ri de plus belle, avant d'être prise d'une quinte de toux et de se frapper la poitrine d'une main.

— Je ne tiens pas non plus à être responsable de votre mort, avait-il ajouté, inquiet. Vous ne voulez vraiment pas que j'aille chercher quelqu'un ? Ou, au moins, que je demande qu'on vous apporte un cordial ?

— Inutile, déclara-t-elle en sortant une petite flasque de sa vaste poche. Je n'avais pas avalé une goutte d'alcool depuis cinquante ans, mais mon médecin me dit que c'est très bon pour ma santé. Qui suis-je pour le contredire ? Asseyez-vous, jeune homme.

Elle tapota le banc à côté d'elle avec une telle autorité qu'il obéit, non sans avoir lancé un regard alentour pour s'assurer qu'on ne les voyait pas.

Elle but au goulot, puis lui tendit la flasque. Surpris, il fit non de la tête, mais elle la lui mit entre les mains.

— J'insiste, jeune homme. Comment vous appelez-vous ? Je ne peux pas continuer à vous appeler « jeune homme » indéfiniment.

— Alex MacKenzie, ma sœur.

Il but une gorgée de ce qui se révéla être un excellent cognac et lui rendit le flacon.

— Je dois reprendre mon travail, ma sœur. Laissez-moi prévenir…

— Non, l'interrompit-elle fermement. Vous m'avez rendu service, monsieur MacKenzie, en me conduisant à mon *fridstool*. Vous m'en rendriez un autre plus grand encore en ne révélant pas aux gens de la maison l'endroit où je me trouve.

En voyant son air perplexe, elle sourit, révélant trois ou quatre dents très usées et jaunies. C'était néanmoins un sourire charmant.

— Vous ne connaissez pas ce terme ? Ah, je vois. Vous êtes écossais. Pourtant, vous m'appelez « ma sœur ». J'en déduis donc que vous êtes papiste. Les papistes n'ont donc pas de *fridstools* dans leurs églises ?

— Pas dans les églises écossaises, ma sœur, répondit-il prudemment.

— Tout le monde devrait en avoir un, papiste ou pas. Un *fridstool* est un siège sur lequel n'importe qui peut se réfugier, une sorte de sanctuaire, et celui qui y prend place est intouchable. Il y en a souvent un dans les églises, enfin, dans les églises anglaises, même s'ils ne sont plus aussi souvent utilisés qu'au cours des siècles précédents.

Elle agita une main noueuse et but une autre gorgée avant de reprendre :

— Ne pouvant plus me retirer dans ma cellule, j'ai dû me chercher un sanctuaire. Je crois l'avoir bien choisi.

Elle lança un regard satisfait autour d'elle dans la petite pièce.

Effectivement, s'agissant d'intimité, il n'y avait là rien à redire. La folie, un temple grec miniature, avait été construite par un architecte dont plus personne ne se rappelait le nom. L'été, elle était idéalement située, avec une vue sur le lac, et entourée de hêtres pourpres. Toutefois, elle se trouvait trop éloignée de la maison et personne n'y était venu depuis des mois. Des feuilles mortes s'entassaient dans les recoins ; l'un des treillis en bois, cassé par une tempête, ne tenait plus que par un clou ; et les colonnes blanches du portique, à la peinture écaillée, étaient envahies par les toiles d'araignée.

— Il fait un peu frais ici, ma sœur, dit-il avec tact.

Il régnait une humidité glaciale entre les murs en marbre et il ne voulait pas avoir sa mort sur la conscience.

— À mon âge, il est naturel d'avoir froid, monsieur MacKenzie. Ce doit être une manière qu'a la nature de nous habituer à la froideur de la tombe. Et puis, mourir d'une pleurésie ne serait ni plus pénible ni plus rapide que d'une hydropisie, ce qui semble devoir être ce qui m'attend. Ne vous inquiétez pas, je suis bien couverte et j'ai mon cognac.

Il avait connu suffisamment de femmes têtues pour savoir qu'il était inutile d'insister. Il aurait aimé que Claire soit là avec lui pour qu'elle donne son opinion sur l'état de santé de la religieuse. Peut-être aurait-elle pu lui préparer un remède utile. Il se sentait impuissant et était surpris par la force de son envie d'aider la vieille nonne.

— Vous pouvez partir maintenant, monsieur MacKenzie, dit-elle avec une grande douceur. Je ne dirai à personne que vous m'avez conduite ici.

Il se leva à contrecœur.

— Je reviendrai vous chercher, qu'en dites-vous ? proposa-t-il.

Il ne voulait pas qu'elle tente de rentrer à la maison par ses propres moyens. Elle risquait de tomber dans le saut-de-loup et de se briser le cou… si elle ne mourait pas d'abord de froid, bien sûr.

Comme elle semblait hésiter, il se planta devant elle en croisant les bras, la dominant d'un air sévère. Elle se mit à rire.

— Bon, bon, d'accord, convint-elle. Vers l'heure du thé, si cela vous est possible. À présent, filez, Alex MacKenzie. Que Dieu vous bénisse et vous aide à trouver la paix.

Il se signa en songeant à la vieille nonne. L'une des filles de cuisine venait de franchir la porte du jardin d'Argus House, chargée d'un long paquet qui sentait le poisson. Elle le dévisagea d'un air horrifié. La maison abritait non seulement un Highlander, mais un papiste de surcroît ! Il lui sourit et la salua aimablement, puis tourna à gauche. Il y avait deux petits abris près de la grande serre, sans doute à l'usage des jardiniers. Ils feraient l'affaire.

Il s'arrêta un instant devant le premier et tendit l'oreille. N'entendant rien, il poussa la porte.

Il fut déçu. Une pile de sacs en jute dans un coin portait clairement l'empreinte d'un corps. Une cruche de bière était posée à côté sur le sol. Ce refuge-là était déjà pris. Il referma la porte, puis, pris d'une inspiration, contourna la structure.

Il y avait un espace d'un mètre entre l'arrière de l'abri et le mur du jardin. Il était encombré de détritus, d'outils cassés, de sacs de fumier… et d'un seau retourné. Ici, personne ne le dérangerait. Il s'assit sur le seau et laissa ses épaules s'affaisser, se sentant vraiment et merveilleusement seul pour la première fois depuis une semaine. Il avait trouvé son *fridstool*.

Il passa un moment dans un état de douce hébétude, puis récita une brève prière pour le repos de sœur Eudoxia. Elle ne verrait sans doute pas d'objection à ce qu'un papiste recommande son âme à Dieu.

Elle était morte deux jours après leur conversation. Après avoir entendu la nouvelle, il avait passé une nuit épouvantable, convaincu qu'elle avait attrapé froid dans la folie. Il fut infiniment soulagé le lendemain en apprenant dans les cuisines qu'elle s'était éteinte paisiblement dans son sommeil. Depuis, il s'efforçait de l'inclure dans ses prières. Imaginer sa présence à ses côtés était réconfortant. Son calme fantôme ne troublait pas sa solitude.

Il se demanda soudain s'il était convenable de lui demander de protéger Willie durant son absence de Helwater.

Cette idée paraissait légèrement hérétique. Néanmoins, sa prière fut instantanément entendue. Il se sentit... comment? En confiance? Rassuré? Soulagé de partager son fardeau?

C'était absurde. Il était assis au milieu des déchets de jardin d'un Anglais, s'adressant à une religieuse anglicane avec laquelle il n'avait parlé que quelques minutes, lui demandant de veiller sur un enfant qui était déjà surprotégé par ses grands-parents, sa tante et une vingtaine de domestiques. Lui-même n'aurait rien pu faire pour William s'il était resté à Helwater. Pourtant, il se sentait réconforté en pensant que quelqu'un d'autre était au courant au sujet de son fils et l'aiderait à l'accompagner de loin.

Il laissa son esprit se détendre et, lentement, comprit que la seule chose qui comptait dans cet imbroglio était William. Les complications, les suspicions, les dangers éventuels de sa situation actuelle n'avaient d'importance que dans la mesure où ils pouvaient empêcher son retour à Helwater, rien d'autre.

Il se sentait déjà mieux. Oui, maintenant que ce fait était établi, il lui était plus facile d'analyser tout le reste avec logique.

Le major Siverly était à la base de l'imbroglio. Si la moitié de ce que le capitaine Carruthers avait écrit sur lui était vrai, c'était un scélérat, mais les scélérats dans son genre couraient les rues. Pourquoi les Grey tenaient-ils tant à mettre la main sur lui?

À en croire John Grey, il se sentait obligé envers son ami décédé Carruthers. Jamie aurait pu en douter, mais, compte tenu de ses propres conversations avec les morts, il devait admettre la possibilité que John Grey entende ses propres voix et ait ses propres dettes à payer.

Et Pardloe? Ce n'était pas lord John qui l'avait traîné jusqu'à Londres et le forçait à présent à se rendre en Irlande. Pardloe prenait-il comme un outrage personnel la corruption de Siverly? Avait-il une vision tellement idéalisée de l'armée et de sa propre profession qu'il ne pouvait tolérer qu'un tel homme en fasse partie? Ou soutenait-il simplement la quête chimérique de son frère?

Ce pouvait être tout cela à la fois. Jamie ne prétendait pas comprendre les complexités de la personnalité de Pardloe. Il avait néanmoins une preuve irréfutable de son sens de l'honneur familial. Il lui devait la vie.

Mais pourquoi lui? Pourquoi les Grey avaient-ils besoin de lui plutôt que d'un autre?

D'abord pour le poème. La Chasse fantastique en erse. Les Grey auraient pu trouver un autre traducteur au sein des régiments irlandais ou écossais. Toutefois, dans la mesure où ils ignoraient le contenu du document, il aurait pu être dangereux de mettre cette information entre les mains d'un homme qu'ils ne pouvaient contrôler, tel que Lally ou lui.

L'idée d'être manipulé le fit grimacer.

Soit. L'ayant fait venir à Londres pour traduire le poème, était-ce uniquement par souci d'économie qu'ils voulaient l'utiliser encore? Cela ne se justifiait vraiment que si lord John avait réellement besoin de lui pour appréhender Siverly, ce dont il doutait. On pouvait penser ce qu'on voulait de Grey, c'était un soldat compétent.

S'il s'agissait simplement de présenter à Siverly un ordre à comparaître devant une cour martiale, Grey pouvait se passer de son aide. De même, s'ils voulaient l'arrêter, un détachement de soldats aurait pu s'en charger.

Par conséquent, il y avait anguille sous roche. À quoi diable s'attendaient-ils ? Il ferma les yeux et inspira lentement, laissant les relents chauds de vieux fumier l'aider à se concentrer.

Siverly pouvait refuser de rentrer en Angleterre avec lord John. Plutôt que de passer en cour martiale, il pouvait renoncer à sa commission et soit rester en Irlande, soit partir à l'étranger comme bien d'autres avant lui, entrer au service d'une autre armée ou s'établir ailleurs. D'après les documents, il avait détourné suffisamment de fonds pour se le permettre.

S'il refusait, ou s'il était prévenu et prenait la fuite, Jamie pouvait être utile, pour le retrouver et le capturer. Oui. Avec un peu de pratique, il pourrait se faire comprendre des locaux, poser les bonnes questions et se faire ouvrir des portes qui sinon resteraient fermées aux Grey. Puis il y avait ses relations. En Irlande comme en France, des jacobites le recevraient par égard pour les Stuarts et son propre nom, alors qu'ils refuseraient d'écouter les Grey, indépendamment de la validité de leur quête. Malgré lui, il commença à dresser une liste de noms, puis s'arrêta brusquement.

Certes, il pouvait leur être utile. Mais une fuite éventuelle de Siverly suffisait-elle à justifier sa présence ?

Lord John avait déclaré que Siverly lui avait sauvé la vie lors d'une bataille à Québec. Il trouvait sans doute embarrassant de l'arrêter et préférait qu'un autre se charge de le ramener en Angleterre. Cela correspondait bien au sens de l'honneur de la famille.

Toutefois… il existait une troisième possibilité.

Siverly pouvait choisir de se battre. Et être tué.

— Bon sang ! murmura-t-il.

Et si Pardloe voulait que Siverly soit tué ? Une fois formulée, cette possibilité lui parut aussi certaine que s'il l'avait lue écrite noir sur blanc en couplet. Lors de sa visite nocturne, la duchesse lui avait laissé entendre que quelque chose dans l'affaire Siverly lui posait un sérieux problème… Or, si elle était compromise, le duc l'était aussi.

Il ignorait quel était le lien entre la duchesse et Edward Twelvetrees, mais il y en avait un. Elle lui avait dit que Twelvetrees était un intime de Siverly. Il lui sembla soudain que quelque chose autour de lui se resserrait et il pouvait presque sentir des fils gluants s'enrouler autour de ses chevilles.

À la lumière froide de la logique, la réponse crevait les yeux, du moins une des réponses : on l'avait fait venir parce qu'on pouvait se débarrasser de lui sans le moindre problème. Mieux encore, on pouvait faire en sorte qu'il n'ait jamais existé.

Personne ne se souciait du sort d'un prisonnier de guerre, surtout quand il était détenu depuis si longtemps et si loin des regards. S'ils ne le voyaient jamais revenir, les Dunsany ne s'en plaindraient pas. Sa sœur et Ian s'inquiéteraient, certes, et poseraient des questions, mais il serait facile de leur répondre qu'il avait été emporté par une maladie quelconque. Ils n'auraient aucun moyen d'en savoir plus ou de découvrir la vérité, même s'ils soupçonnaient un mensonge.

S'il était obligé de tuer Siverly (ou si on s'arrangeait pour faire croire qu'il l'avait trucidé), il risquait d'être condamné et pendu. Que vaudrait sa parole devant un tribunal ? Plus simple encore, une fois qu'il aurait accompli ce qu'on attendait de lui, lord John pouvait lui trancher la gorge, abandonner son cadavre au fond d'une tourbière irlandaise et raconter au reste du monde ce qu'il voudrait.

Il avait chaud et froid à la fois, et devait faire un effort conscient pour continuer de respirer.

Il avait cru que faire ce que lui demandait Pardloe serait une simple formalité agaçante à accomplir avant de rentrer à Helwater et de retrouver William. Il découvrait à présent...

Un bruit lui fit relever les yeux. John Grey se tenait devant lui, la bouche ouverte.

— Je... vous demande pardon, balbutia-t-il en se remettant de sa stupeur. Je ne voulais pas vous déranger...

— Par tous les saints, qu'est-ce que vous foutez ici ? rugit Jamie.

Sans même s'en rendre compte, il bondit et agrippa le plastron de Grey. Ce dernier repoussa son bras d'un coup de coude et recula en remettant de l'ordre dans sa chemise.

— Vous êtes décidément le goujat le plus susceptible que j'aie jamais rencontré, déclara-t-il, indigné. Et j'inclus dans la liste mon propre frère et le roi de Prusse. Vous ne pouvez donc pas vous comporter de manière civilisée plus de dix minutes d'affilée ?

— Ah, je suis susceptible, hein ? grogna Jamie.

Il sentait le sang battre à ses tempes et il lui fallut faire appel à toute sa volonté pour desserrer les poings.

— Je vous accorde que la situation est fâcheuse, répondit Grey dans un effort de conciliation. J'ai pu sembler vous avoir provoqué, néanmoins…

— Vous appelez ça « fâcheux » ? Je suis censé être votre dupe pour préserver votre prétendu honneur ? C'est plus que de la provocation !

Jamie allait lui tourner le dos quand Grey le retint par la manche, ignorant son regard méprisant.

— Quoi ? Qu'est-ce que vous racontez ?

Jamie se libéra d'un geste sec.

— Je parle l'anglais aussi bien que vous, couard ! Vous m'avez parfaitement compris.

Grey inspira profondément. Jamie pouvait lire sur son visage les pensées qui défilaient en succession rapide : l'envie de lui bondir à la gorge, celle de faire les choses convenablement et de le défier en duel, un flot de calculs innommables, puis (le tout en quelques secondes) un soudain ralentissement, l'effort considérable pour calmer sa fureur.

Il indiqua le seau derrière eux d'un signe de tête.

— Là.

— Je ne suis pas votre chien !

Grey se passa une main lasse sur le visage.

— Un observateur non averti pourrait en déduire le contraire, mais vous avez raison. Je m'excuse. Venez plutôt avec moi.

Il tourna les talons et commença à s'éloigner, ajoutant par-dessus son épaule :

— S'il vous plaît, monsieur Fraser.

Jamie hésita un instant, puis le suivit. Il ne servait plus à rien de rester dans sa cachette.

Grey entra dans la serre et s'effaça pour le laisser passer. En dépit de la tombée du soir, l'endroit resplendissait telle la caverne d'Ali Baba. Des éclats rouges, roses, blancs et jaunes se détachaient dans une jungle d'émeraude. L'air moite se referma sur lui, l'enveloppant dans le parfum des fleurs, des feuilles, des herbes aromatiques et des légumes. L'espace d'un instant, il crut reconnaître l'odeur de la chevelure de Claire et son cœur se serra.

Fébrile, il suivit Grey le long d'une allée bordée de palmiers et de plantes gigantesques dont les feuilles rappelaient des oreilles d'éléphant aux bords déchiquetés. Au bout, un groupe de fauteuils en osier se tenait sous une haute tonnelle couverte de vigne. Grey s'arrêta et se tourna vers lui.

— J'ai eu une journée chargée et j'ai besoin de m'asseoir. Faites comme bon vous semblera.

Il se laissa tomber sur un fauteuil, étendit ses jambes devant lui et ferma les yeux avec un petit soupir de soulagement.

Jamie était tiraillé entre tourner les talons et soulever John Grey de son siège par le col pour lui flanquer son poing dans la figure.

— Nous avons une demi-heure de tranquillité devant nous, poursuivit Grey sans rouvrir les yeux. Le cuisinier est déjà passé pour chercher ses légumes et Minerva écoute Benjamin déclamer du César. Elle ne viendra pas chercher son bouquet pour la table du dîner avant qu'il n'ait terminé et il récite *La Guerre des Gaules*. Or, il n'arrive jamais à « *Fere libenter homines id quod volunt credunt* » sans s'emmêler les pinceaux et doit reprendre chaque fois du début…

Jamie reconnut aisément le passage : « Les hommes croient ce qu'ils veulent croire »… Il pinça les lèvres et s'assit. Grey rouvrit les yeux.

— Fort bien. À présent, pourriez-vous m'expliquer ce que signifiait cette histoire de dupe et de mon prétendu honneur ?

La brève marche jusqu'à la serre et l'équanimité inattendue de Grey avaient quelque peu modéré sa fureur, mais elles n'avaient rien changé aux conclusions auxquelles il était parvenu.

Il réfléchit un instant. Il ne perdait rien à lui dire le fond de sa pensée. Après tout, un homme averti en valait deux et il serait sans doute bon que les Grey sachent qu'il avait compris leur petit jeu.

Il lui exposa brièvement la situation et ce qu'il en avait déduit, omettant uniquement la visite de la duchesse… et William.

Grey l'écouta avec un visage impassible. Lorsqu'il eut fini, il se massa les tempes en marmonnant dans sa barbe : « Tu me le paieras, Hal ! »

Les vignes avaient été taillées avant l'hiver, mais les nouvelles pousses étaient déjà bien développées, parsemant les sarments noueux qui s'enroulaient autour de la tonnelle d'un délicat feuillage brun-roux. Un léger courant d'air circulait dans la serre, agitant doucement les feuilles.

— Bien, dit Grey en se redressant. Pour commencer, vous n'êtes pas une dupe ; un prétexte, tout au plus. Ma parole ne vaut peut-être rien à vos yeux, mais je vous assure que je ne suis pour rien dans votre présence ici, et encore moins dans la décision que vous m'accompagniez en Irlande.

Il marqua une pause et dévisagea gravement Jamie.

— Vous me croyez ?

— Oui, répondit Jamie après un bref silence.

— Tant mieux. En revanche, je suis probablement responsable de votre implication dans ce projet. Mon frère souhaitait que je vous apporte ce maudit poème à Helwater pour que vous le traduisiez. J'ai refusé. Il a alors pris les choses en main.

Il haussa les épaules d'un air résigné, puis poursuivit :

— Mes motivations sont exactement telles que vous les a décrites Hal : mon ami Carruthers m'a confié la mission de traduire Siverly devant la justice, et je m'en acquitterai.

Il marqua une nouvelle pause.

— Vous me croyez ? répéta-t-il.

— Oui, concéda Jamie. Mais le duc...

— Lorsque mon frère tombe sur un os, il ne le lâche plus. Vous l'aurez sûrement remarqué.

— En effet.

— Cependant, à ma connaissance, ce n'est ni un assassin ni un filou sans scrupules.

— Je suis bien obligé de vous prendre au mot, colonel.

— Vous pouvez, répondit poliment Grey. Il est capable de vous utiliser pour parvenir à ses fins concernant Siverly, et n'hésitera pas à le faire, je le crains, mais ses desseins n'incluent ni l'enlèvement ni le meurtre. En outre, il ne vous souhaite aucun mal. D'ailleurs…

Il hésita un instant, les yeux fixés sur ses mains qui pendaient entre ses genoux, puis prit un air résolu.

— … si notre entreprise réussit, je peux vous garantir que vous… serez récompensé.

— De quelle manière ?

— Je ne peux rien promettre sans consulter d'abord mon frère… et peut-être quelques autres personnes. Mais je peux vous garantir que votre participation ne vous portera pas préjudice.

Jamie émit un bruit qui en disait long sur ce qu'il pensait des promesses de Grey. Celui-ci redressa vivement la tête, piqué au vif.

— Vous pouvez me croire sur parole, ou pas, monsieur Fraser. Que choisissez-vous ?

Jamie soutint son regard. La lumière baissait, plongeant la serre dans une mer gris-vert. Il y avait eu la même pénombre, le soir où ils avaient discuté en tête à tête à Helwater.

La dernière fois que Jamie avait pris Grey au mot, il avait failli le tuer. Ils s'en souvenaient tous les deux très bien.

À cette occasion, sa voix rendue à peine audible par la passion, Grey avait déclaré : « Croyez-moi, monsieur. Si je vous avais dans mon lit, je pourrais vous faire crier. Et Dieu m'est témoin que je n'hésiterais pas à le faire. »

Le poing de Jamie était parti comme par réflexe, avec une force fulgurante. Il ne visait pas tant Grey que le souvenir réveillé par ses paroles. Il n'avait raté sa cible que par miracle. Cette fois, il ne broncha pas, mais tous les muscles de son corps étaient contractés par la violence des images de Jack Randall et de ce qui s'était passé dans le cachot de la prison de Wentworth.

Ils se dévisagèrent longuement, chacun refusant de détourner les yeux. On entendait des bruits dans le jardin, des allées et venues, une porte qui claquait dans la maison, des cris d'enfants.

— Pourquoi m'avez-vous suivi, cet après-midi ? demanda enfin Jamie.

Grey écarquilla les yeux. Il avait eu la même expression de surprise, un moment plus tôt, quand il était apparu derrière l'abri.

— Je ne vous ai pas suivi, répondit-il. Je cherchais simplement un endroit où m'isoler un moment. Je n'ai pas imaginé un instant que vous y seriez.

Jamie inspira profondément puis, avec un effort qui paraissait surhumain, se leva.

— Je vous crois sur parole, déclara-t-il avant de sortir.

La journée avait été éprouvante. Grey s'habilla pour le repas du soir, épuisé mais en paix, comme s'il avait escaladé un pic difficile et se trouvait à présent au sommet. Il y aurait sûrement d'autres montagnes à gravir dès le lendemain. Pour le moment, le soleil était couché, le feu de camp était allumé. Il pouvait dîner l'esprit tranquille.

Tom Byrd préparait ses bagages. Ils partiraient au matin pour Dublin. La chambre était jonchée de bas, de brosses, de chemises et de tout ce que le valet jugeait indispensable à l'allure respectable de son employeur. Grey n'aurait jamais cru que tous ses articles puissent tenir dans une malle et deux portemanteaux s'il n'avait vu Tom accomplir cette prouesse à de nombreuses reprises.

— As-tu déjà rangé les affaires du capitaine Fraser ? demanda-t-il en enfilant ses bas.

— Oui, milord. Tout sauf ce qu'il porte sur lui et sa chemise de nuit.

Tom s'interrompit puis déclara, sur un ton de reproche :

— J'ai bien essayé de le poudrer avant le dîner, mais il dit que ça le fait éternuer.

Grey se mit à rire.

En descendant, il rencontra Hal dans l'escalier. Son frère agita un petit livre sous son nez.

— Regarde ce que j'ai déniché !

— Laisse-moi voir… Non ! Où l'as-tu trouvé ?

C'était le recueil de poèmes de Harry Quarry, intitulé *Quelques couplets au sujet d'Éros*. L'original, que Grey avait offert à Denis Diderot, était relié en cuir, tandis que cette version bien meilleur marché était en bougran et se vendait (à en croire la couverture) un demi-shilling.

— M. Beasley en avait un et m'a dit l'avoir acheté chez l'imprimeur Stubbs, dans Fleet Street. J'ai immédiatement reconnu le titre et l'ai envoyé m'en chercher un exemplaire. Tu l'as lu ?

— Non, je n'en ai pas eu l'occasion, mais j'en ai entendu quelques morceaux choisis déclamés par Diderot au-dessus d'un pot de chambre… Oh, Seigneur !

Grey l'avait ouvert au hasard et lut à voix haute :

— « Résolu à soulager ce qui le démangeait / l'impénitent fellateur s'autopompait… »

Hal s'étrangla de rire au point qu'il dut se tenir à la rampe.

— « S'autopompait » ? Est-ce seulement possible ?

— C'est à moi que tu le demandes ? J'en serais bien incapable, répondit Grey.

Une voix grave à l'accent écossais déclara derrière eux :

— Je n'ai pas d'expérience personnelle en la matière, mais les chiens le font régulièrement.

Les deux frères firent volte-face. Ils ne l'avaient pas entendu approcher. Lavé et vêtu de neuf pour le dîner, Fraser avait belle allure. Grey en ressentit une pointe de fierté.

— Toutefois, c'est possible, poursuivit Fraser en parvenant à leur hauteur. Je veux dire, pour un homme.

— Vraiment ? dit Hal, toujours hilare. Oserais-je vous demander comment vous le savez, capitaine ?

Fraser esquissa un sourire.

— Au cours d'une soirée mémorable à Paris, j'ai été invité chez le duc de Castellotti, un gentilhomme aux goûts… particuliers. Après le dîner, il a emmené plusieurs de ses hôtes faire un tour des établissements les plus intéressants de la capitale. Dans l'un d'eux, j'ai vu deux acrobates. Ils étaient extraordinairement… souples.

Hal rit à nouveau et se tourna vers son frère.

— Tu penses que Harry s'inspire de sa propre expérience ?

Avant que Grey puisse répondre, Fraser déclara :

— Le colonel Quarry m'a donné l'impression d'avoir eu une vie bien remplie et ne doit pas manquer de sources d'inspiration.

Néanmoins, je ne l'aurais pas pris pour un homme de lettres. Vous voulez dire que ces vers remarquables sont de lui ?

— En effet, aussi étonnant que cela puisse paraître, répondit Hal. D'après ce qu'on m'en dit, il en a commis beaucoup d'autres. À le voir, on ne le croirait pas, n'est-ce pas ?

Hal s'était tourné et, d'un mouvement de l'épaule, invita Fraser à marcher à ses côtés. Ils s'engagèrent dans le couloir en échangeant des plaisanteries. Grey les suivait, le recueil à la main.

Minnie était sortie au théâtre avec une amie et les hommes dînèrent seuls dans une atmosphère amicale. Fraser ne fit montre d'aucun signe de méfiance ni de ressentiment. Il se comportait avec une parfaite courtoisie, comme si les Grey étaient de bons amis à lui. Grey en était à la fois surpris et reconnaissant. De toute évidence, Fraser avait été sincère en déclarant qu'il le croyait sur parole.

Sois mon maître. Ou laisse-moi être le tien…

Le respect mutuel lui suffirait. Pour la première fois depuis que Hal avait mis son plan sur pied, la perspective de se rendre en Irlande ne lui paraissait plus si déplaisante.

———◄○►———

TROISIÈME PARTIE

MORTE LA BÊTE, MORT LE VENIN

15

Le retour de Tobias Quinn

— Vous ne trouvez pas qu'il a mauvaise mine ? demanda Tom à voix basse.

Grey se retourna et aperçut Fraser, figé tel un grand rocher au milieu d'un torrent, obligeant les membres d'équipage et les passagers à le contourner. En dépit de ses traits parfaitement immobiles, on aurait dit un cheval sur le point de ruer. Sans même réfléchir, il se fraya un chemin sur la passerelle en jouant des coudes et lui prit le bras.

— Tout se passera bien. Venez.

Fraser s'arracha à ses pensées obscures et lui lança un bref regard.

— J'en doute, grommela-t-il comme s'il se parlait à lui-même.

Il ne sembla même pas remarquer la main de Grey sur son bras et reprit péniblement son chemin vers le navire comme un homme marchant vers le gibet.

Quelques heures plus tard, Grey se dit que la situation avait au moins un bon côté : Tom ne craignait plus le grand Écossais. Comment avoir peur d'un homme après l'avoir vu subir un tel supplice physique et être réduit à l'état de loque humaine ?

— Il me semble me souvenir qu'il m'avait dit un jour être sujet au *mal de mer*[10], expliqua-t-il.

Tom et lui étaient remontés sur le pont pour prendre un bol d'air frais en dépit de la pluie qui cinglait leur visage.

— Je n'ai jamais vu quelqu'un d'aussi malade depuis que mon oncle Morris, qui travaillait dans la marine marchande, a attrapé

---

10. En français dans le texte original.

l'hockogrockle[11], répondit le jeune valet. Et le pauvre en est mort.

— Je crois pouvoir affirmer que personne n'est jamais mort du mal de mer.

Il s'efforçait de prendre un ton expert et rassurant. La houle était forte, l'écume volait au-dessus des énormes murs d'eau. Le petit navire tanguait vertigineusement, piquant du nez dans les creux pour être brusquement hissé par la prochaine lame. Lui-même, qui se targuait d'avoir le pied marin, essayait de penser à autre chose.

— Si je l'avais su… reprit Tom, inquiet. Ma vieille grand-mère disait toujours qu'il n'y a rien de tel que les cornichons aigres contre le mal de mer. Elle en donnait toujours un bocal à mon oncle Morris avant qu'il prenne la mer, macérés dans l'aneth. Et il n'a jamais ressenti le moindre désagrément !

Il lança un regard de reproche à Grey, l'accusant tacitement de négligence pour ne pas avoir pensé aux cornichons.

À force de regarder la surface de la mer se soulever et s'abaisser, se soulever et s'abaisser, se soulever et s'abaisser, Grey se sentait sombrer dans une sorte de transe glauque.

— En effet, dit-il d'un air absent. C'est une bonne idée. Mais peut-être…

— Je vous demande pardon, votre honneur, l'interrompit une voix derrière lui. Vous ne seriez pas un ami du monsieur en bas qui est malade comme un chien, un très grand chien en l'espèce ?

Grey se retourna et cligna des yeux pour chasser les embruns de ses cils. L'homme, qui parlait avec un fort accent irlandais, mesurait quelques centimètres de plus que lui et était d'une maigreur affolante. Pourtant, l'air marin semblait lui réussir. Il avait le teint rose, ses yeux pâles brillaient et des gouttes scintillaient dans ses longues boucles.

— En effet. Son état a encore empiré ?

---

11. Maladie imaginaire inventée par un charlatan londonien, le « docteur » Tufts, qui, en 1670, affirmait détenir un remède infaillible pour la guérir.

Grey s'apprêtait déjà à se précipiter à son chevet quand l'inconnu l'arrêta d'une main, l'autre se glissant sous la cape ample qui gonflait autour de lui tel un nuage.

— S'il avait empiré, il aurait déjà passé l'arme à gauche, répondit-il en exhibant une fiole noire et carrée. Je me demandais si vous accepteriez de lui faire boire ce petit remède ? Je le lui ai déjà proposé, mais il était trop mal en point pour m'entendre.

— Je vous remercie. Euh… que contient-il ?

— Du mauvais whisky, répondit franchement l'autre. Mais avec du gingembre et une petite cuillerée d'opium en poudre.

Il sourit, révélant sa bouche édentée, avant d'ajouter :

— Ça fait des miracles, mais faut bien secouer avant.

— Qu'avons-nous à perdre ? déclara Tom.

Il lui montra le pont, à présent bondé de passagers qui avaient fui l'insalubrité et l'espace confiné des cabines. Bon nombre d'entre eux étaient occupés à rendre leurs tripes par-dessus le bastingage ; les autres lançaient des regards haineux vers Grey, le tenant clairement pour responsable.

— Si on ne fait pas quelque chose rapidement, ils vont le balancer par-dessus bord, milord. Et nous avec.

En entendant quelqu'un approcher, Jamie espéra de tout son cœur qu'on venait l'achever. Plusieurs personnes autour de lui avaient déjà exprimé cette intention. Il était pour, mais n'avait même plus la force de le dire.

— Vous n'avez vraiment pas l'air dans votre assiette, mon bon monsieur.

Il entrouvrit un œil et aperçut le visage radieux de Toby Quinn penché sur lui et entouré des ombres folles des lanternes oscillantes. Il le referma aussitôt.

— Qu'on… me laisse tranquille, parvint-il à articuler.

Il fut aussitôt pris d'un nouveau haut-le-cœur. Quinn recula juste à temps, puis se rapprocha en contournant précautionneusement la flaque fétide à ses pieds.

— Courage, mon brave. Je vous ai apporté une petite potion…

Le mot « potion » impliquant nécessairement d'ingurgiter un liquide, les boyaux de Jamie se tordirent à nouveau. Il plaqua une main sur la bouche et respira par le nez. C'était douloureux, la bile acide ayant brûlé les membranes sensibles de ses voies nasales. Il serra les dents pour résister à l'horrible balancement rythmique des ombres. Chaque mouvement semblait emporter son esprit avec lui, laissant ses entrailles suspendues au-dessus d'un affreux précipice.

Cela ne s'arrêtera jamais, cela ne s'arrêtera jamais...

— Monsieur Fraser ?

Une main s'était posée sur son épaule. Il se tortilla, essayant de s'en débarrasser. S'ils n'avaient pas la bienséance de l'achever, ne pouvaient-ils au moins le laisser mourir en paix ?

Il enregistra à peine la présence de Quinn qui, en temps normal, l'aurait alarmé. Mais ce n'était pas Quinn qui le touchait. C'était John Grey.

Ôte ta main de là... vais te tuer... Ôte cette main... vais te tuer...

Il n'avait même plus la force d'articuler.

Il essaya néanmoins et ouvrit la bouche, avec un résultat qui souleva un chœur de protestations excédées. Il entendit une femme s'écrier :

— Par sainte Marie mère de Dieu ! Le malheureux crache du sang !

Il se recroquevilla en tentant de serrer ses genoux contre son torse. Mortifié de s'entendre gémir, il s'était mordu l'intérieur de la joue jusqu'au sang.

Le chœur chantait à présent les vertus de la potion, lui enjoignant de l'avaler. Un flacon dégageant une forte odeur douceâtre et épicée fut agité sous son nez. Opium. Le mot réveilla toutes sortes d'inquiétudes en lui. Il en avait déjà pris, en France. Il se souvenait des songes, d'étranges cauchemars teintés d'érotisme. On lui avait raconté ensuite qu'il avait déliré à voix haute, débitant des histoires absurdes de succubes nus. Il en avait repris lors d'une traversée vers la côte normande, alors qu'il était grièvement blessé. Des rêves opiacés encore plus fous l'avaient submergé. Plus tard, dans l'abbaye où on le soignait, il avait lutté contre le fantôme de Black Jack Randall que dessinaient les flammes et les ombres, et il lui avait fait quelque chose d'innommable en le plaquant contre un mur… là encore, il était sous l'empire de l'opium.

La cabine s'éleva soudain vers les cieux puis retomba avec une violence étourdissante, envoyant les passagers valser contre les cloisons tels des oiseaux heurtant une vitre de plein fouet. Jamie roula de son banc, écrasa plusieurs corps et finit enchevêtré avec l'un d'eux. Ils étaient coincés entre la coque et une grande cage de poulets qu'on avait oublié d'attacher.

— Poussez-vous de là ! hurla une voix étranglée sous lui.

En se rendant compte qu'il s'agissait de John Grey, il se releva comme un diable et percuta la poutre basse au-dessus de lui. Il retomba à genoux en se tenant le crâne (probablement fendu en deux) et s'affala sur la caisse, semant la panique parmi les volatiles. Il y eut une explosion de piaillements, de duvet et de fientes, le tout accompagné d'une forte odeur d'ammoniaque qui lui transperça les narines jusqu'au cerveau.

Il se vautra sur le plancher de tout son long.

De nouveaux piaillements retentirent, humains cette fois. On le hissa en position assise. Il était aussi mou qu'un paquet de linge sale.

— Bon sang qu'il est lourd ! dit une voix essoufflée.

— Ouvrez-lui la bouche, dit une autre.

Grey, pensa-t-il vaguement.

Des doigts pincèrent son nez à vif, le faisant crier. Au même moment, un liquide infect se déversa dans sa bouche. Une main sous son menton la lui referma d'un coup sec.

— Déglutissez, crénom de nom !

Le whisky lui brûla la gorge puis la poitrine, atténuant la nausée. Il rouvrit les yeux et aperçut Quinn, le dévisageant d'un air profondément préoccupé.

Je ne dois pas parler. Trop risqué. Mon esprit… trop embrouillé. Ne pas parler.

Il fit tourner sa langue dans sa bouche et rassembla ses forces. Puis il arracha le flacon des mains de John Grey et le vida d'un trait.

Jamie se réveilla d'une humeur plaisante. Il ne se rappelait pas qui il était et encore moins où il se trouvait, qui qu'il fût, mais cela n'avait pas grande importance. Il était étendu sur un lit qui ne remuait pas. Il y avait bien des ombres dansant sur le mur, mais c'étaient celles d'un grand arbre qui se dressait de l'autre côté de la fenêtre, agitant nonchalamment son feuillage. Il lui semblait bien qu'aucun arbre ne poussait en pleine mer, mais il n'en aurait pas mis sa main à couper, surtout avec les images singulières qui flottaient sur ses paupières.

Il referma les yeux pour mieux se concentrer sur l'une d'elles : on eût dit une sirène avec trois seins. Elle pointait l'un d'eux vers lui d'une manière charmante.

— Vous prendrez bien un peu de café, monsieur ?

Un filet de café noir jaillit de son mamelon et se déversa dans une coupe qu'elle tenait dessous.

— Vous n'auriez pas un autre sein qui verse du whisky ? demanda-t-il.

Il entendit un hoquet de surprise. Il entrouvrit un œil tout en gardant l'autre fermé afin de ne pas perdre la sirène de vue, au cas où elle s'enfuirait avec son café d'un long coup de queue.

Une jeune fille grêle portant un bonnet et un tablier le regardait la bouche ouverte. Elle avait un long nez osseux dont la pointe était rouge. Par une drôle de coïncidence, elle tenait elle aussi une tasse de café dans la main. En revanche, elle était plate comme une limande.

— Je suppose que pour le lait, c'est raté, murmura-t-il en fermant l'œil.

— Vous pouvez nous laisser, mademoiselle, dit une voix à l'accent anglais. Nous nous chargerons de lui.

— C'est ça, mais n'emportez pas le café, ajouta une autre voix anglaise sur un ton sec.

La sirène était auréolée d'une douce lumière verte. Un petit poisson rayé émergea de sa chevelure et se faufila entre ses seins. Le bienheureux.

— Qu'en dites-vous, milord ? dit la première voix. Un peu d'eau fraîche sur la nuque, peut-être ?

— Bonne idée, répondit la seconde. Occupe-t'en.

— Oh, mais c'est que… Je ne sais pas si c'est bien prudent.

— Je t'assure qu'il n'est pas méchant, Tom.

— Si vous le dites, milord. Mais il pourrait quand même devenir violent, non ? Ça arrive aux gentlemen, après une nuit difficile.

— Tu ne parles pas d'expérience, j'espère ?

— Non, non, pas du tout, milord !

— L'opium ne fait pas cet effet-là, reprit la seconde voix en se rapprochant. En revanche, il te donne des rêves étranges.

— Vous croyez qu'il dort toujours ? demanda la première voix en s'approchant à son tour.

Jamie sentit un souffle sur son visage. La sirène s'offusqua d'une telle familiarité et disparut. Il ouvrit les yeux. Tom Byrd, qui était penché sur lui avec une éponge mouillée, poussa un petit cri et la lâcha.

Avec une curiosité détachée, il regarda sa propre main s'élever puis saisir l'éponge sur sa poitrine, où elle formait une tache. Ne sachant pas trop quoi en faire, il la laissa tomber sur le sol.

— Bonjour.

Le visage amusé de Grey venait d'apparaître derrière celui de Tom.

— Vous sentez-vous plus humain, ce matin ?

Bien que n'en étant pas certain, Jamie acquiesça. Il se redressa en position assise, pivota et posa ses pieds sur le sol. Il se sentait tout chose. Il avait un goût amer dans la bouche et tendit la main vers Tom Byrd, qui avançait prudemment vers lui en tenant une tasse de café devant lui tel un drapeau blanc.

La tasse réchauffa ses paumes. Il resta assis un moment, reprenant ses esprits. L'air autour de lui sentait le feu de tourbe, la viande rôtie et une odeur végétale vaguement âcre… Son cerveau fonctionnant au ralenti finit par trouver : du chou brûlé.

Il but une gorgée de café puis plusieurs autres mots lui revinrent en mémoire :

— Nous sommes donc arrivés en Irlande ?

— Oui, Dieu merci, répondit Grey. La mer vous fait toujours…

— Oui.

— Seigneur ! soupira-t-il. C'est une chance que vous n'ayez pas été déporté après Culloden. Vous n'auriez pas survécu à la traversée.

Jamie lui lança un regard torve. C'était grâce à l'intervention de Grey qu'il n'avait pas été envoyé dans les colonies et, à l'époque, il lui en avait voulu. Néanmoins, il était clair que Grey s'était exprimé sans le moindre sous-entendu. Il se contenta d'acquiescer.

On toqua doucement à la porte entrouverte et le long visage de Quinn apparut dans l'entrebâillement. Si les réflexes de Jamie n'avaient pas été émoussés, il aurait lâché sa tasse. Il fixa d'un air hébété l'Irlandais, dont il avait totalement oublié l'existence dans le labyrinthe de ses rêves opiacés.

Quinn gratifia tout le monde d'un sourire engageant.

— Je vous demande pardon, mes braves messieurs. Je venais aux nouvelles du malade, mais je vois qu'il est de nouveau lui-même. Grâce à Dieu !

Il avança dans la pièce sans attendre d'y être invité. Grey retrouva aussitôt ses bonnes manières et lui proposa du café. Il envoya ensuite Tom commander de quoi prendre le petit-déjeuner.

Quinn se tourna vers Jamie et déclara :

— Ravi de vous voir sur la voie de la guérison, monsieur.

Il sortit une flasque de sa poche, la déboucha et versa un filet de whisky dans sa tasse.

— Voilà qui devrait aider à votre retour complet dans le monde des vivants.

L'instinct de préservation de Jamie sautillait sur place au fond de sa conscience, essayant d'attirer son attention. L'attrait du whisky, lui, eut un effet beaucoup plus immédiat. Il leva sa tasse en direction de Quinn, lui lança un « *Moran taing*[12] » et but une longue gorgée. Elle le fit légèrement frissonner.

Quinn se mit à papoter aimablement avec Grey, lui donnant des informations sur Dublin, s'enquérant de ses projets et proposant de lui recommander la meilleure écurie de louage de la ville.

— À moins que votre seigneurie ne préfère prendre le coche ou la malle-poste ?

---

12. « Merci » en gaélique.

— À quelle distance sommes-nous d'Athlone ? demanda Grey en réponse.

Selon ses renseignements, la propriété de Siverly se trouvait à une quinzaine de kilomètres du château d'Athlone.

— Je dirais… à deux jours de cheval, avec un temps clément et une bonne monture. C'est plus long en coche, naturellement. Et un peu moins avec la malle-poste, s'il ne pleut pas.

Quinn montra les cornes pour conjurer le mauvais sort.

Grey se frotta le menton, songeur, et lança un regard à Jamie.

— Je peux monter à cheval, lui assura celui-ci en se grattant le ventre.

Il se sentait totalement rétabli, et avait même une faim d'ogre.

— Oui, mais il faut penser aux bagages, objecta Tom Byrd, qui venait de revenir avec un pot de savon à raser, un coupe-chou et un cuir à rasoir.

— Effectivement, admit Grey. Tu prendras le coche avec nos affaires, Tom. Le capitaine Fraser et moi irons à cheval. Ce sera plus rapide et nous serons moins gênés par les mauvaises routes.

Il interrogea Jamie du regard.

— C'est bon pour moi, confirma celui-ci en reposant sa tasse.

À présent totalement réveillé, il concentrait toute son attention sur Quinn, fixant ce dernier en plissant les yeux. L'Irlandais faisait mine de ne pas s'en rendre compte.

— C'est une excellente journée pour voyager, approuva Quinn. Il se trouve que je vais, moi aussi, dans la direction d'Athlone. C'est une route que je connais bien. Si le cœur vous en dit, voyageons de conserve.

Jamie sursauta, faisant peur à Tom, qui s'apprêtait à lui tartiner le visage de savon.

— Nous trouverons notre chemin tout seul, déclara-t-il en repoussant Tom d'une main. D'après ce que j'ai compris, se rendre à Athlone n'est pas si sorcier. Je vous remercie néanmoins de votre offre généreuse, monsieur.

Il ne voulait pas se montrer grossier, même s'il avait une forte envie d'attraper Quinn par la peau du cou et de le balancer par la fenêtre. Il n'avait pas besoin d'un farfelu lui soufflant des idées séditieuses et le déconcentrant pendant qu'il s'occupait de Grey, de Siverly et tout autre ennui que lui réserverait sûrement l'Irlande.

— Mais pas du tout, pas du tout, insista Quinn en agitant une main en l'air. Je compte me mettre en route vers midi, juste après l'angélus, si cela vous convient. Nous nous retrouverons dans la cour, hein ?

Il se dirigea rapidement vers la porte avant qu'ils aient pu le contredire. Une fois sur le seuil, il se retourna et lança :

— Darcy, dans High Street ! Dites à Hugh Darcy que Toby Quinn vous envoie. Il vous donnera ses meilleurs chevaux.

Grey se félicita d'avoir écouté les conseils de Quinn. Les montures fournies par M. Darcy étaient saines, bien ferrées et d'aussi bon caractère qu'on pouvait l'attendre de chevaux de location. M. Quinn lui-même était apparu à l'écurie pour donner son avis et leur avait négocié un bon tarif. Jamie ne semblait guère l'apprécier. Pourtant, lui le trouvait plutôt sympathique, quoiqu'un peu familier. En outre, il pouvait difficilement l'empêcher de chevaucher avec eux. Après tout, les routes étaient à tout le monde.

En chemin, ils discutèrent de choses et d'autres, comme il était d'usage entre étrangers voyageant ensemble. M. Quinn se rendait dans le comté de Roscommon pour une affaire personnelle, expliqua-t-il. Il avait hérité d'une cousine et avait quelques paperasses à signer en personne.

— Vous connaissez bien le comté de Roscommon, monsieur ? lui demanda Grey. Peut-être avez-vous déjà rencontré un gentilhomme nommé Siverly ? Gerald Siverly ?

Quinn fit non de la tête tout en paraissant intéressé.

— Je le connais de nom, naturellement. Il possède un beau domaine, près de Ballybonaggin. Mais ce n'est pas le genre à fréquenter des gens comme moi.

— Quelle est votre activité ? demanda Grey.

Il espérait ne pas avoir commis une bévue. Il était peut-être gentilhomme lui aussi, même s'il n'en avait pas l'air. Quinn ne prit pas ombrage et répondit aimablement :

— Oh, je fais un peu de ceci, un peu de cela, mais je gagne surtout ma vie en imprimant des sermons et des traités philosophiques d'une nature disons… spirituelle.

— Vous disiez quelque chose, monsieur Fraser ?

Grey se retourna vers Jamie, qui chevauchait derrière eux.

— Non, rien, j'ai avalé un moucheron, répondit ce dernier.

— Ah, c'est toujours mieux que d'engloutir un chameau ! déclara Quinn en s'esclaffant de son propre mot d'esprit.

Grey ne put s'empêcher de sourire.

La conversation finit par mourir d'elle-même et ils poursuivirent leur route d'un bon pas. Grey se laissa absorber par ses propres pensées, ces dernières se concentrant principalement sur son futur entretien avec Gerald Siverly, en supposant que ce dernier soit bien en Irlande et n'ait pas filé en Suède ou en Inde avec ses gains frauduleux.

Il le connaissait à peine. Après la bataille de Québec, il était allé le trouver pour le remercier de lui avoir sauvé la vie : il avait fait dévier un coup de tomahawk qui lui aurait fracassé le crâne. Siverly s'était montré très aimable et ils avaient partagé l'inévitable verre de vin. Il ne l'avait pas revu depuis.

Cela rendait la situation un peu gênante, même si Grey n'avait guère de scrupules. Si Siverly était innocent (et il ne voyait pas comment il pourrait l'être), il serait soulagé qu'on lui offre une chance de rentrer à Londres pour se blanchir devant une cour martiale. Avec Hal, ils étaient convenus que le meilleur angle d'attaque serait de faire comme s'ils partaient du principe que Siverly était accusé à tort et de lui faire valoir l'importance de faire taire ces infâmes accusations.

Placé devant de telles circonstances, Siverly n'oserait probablement pas refuser de l'accompagner. Au cas où il aurait l'aplomb de l'envoyer paître, Grey avait indiqué à son frère qu'il serait bon de prévoir un ou deux plans de secours. N'y avait-il pas quelque chose avec quoi le menacer ?

Si, il pouvait faire valoir à Siverly qu'il risquait d'être expulsé de son régiment si ces accusations n'étaient pas réfutées, ainsi que de ses clubs, s'il en avait, sans même parler de sa mise au ban de la société en général. Hal lui-même était une bonne menace, de l'avis de Grey. Il pouvait déclarer sans mentir que le duc de Pardloe, contrarié par la gravité des accusations, pourrait décider de présenter l'affaire devant la Chambre des lords. Toutefois, le duc étant une personne raisonnable (Grey sourit), il accepterait volontiers de rencontrer le major Siverly au préalable. Grey pourrait délicatement lui faire entendre que cela lui éviterait de passer devant la cour martiale.

Cela tenait debout, pensa Grey, plutôt satisfait tandis qu'il se repassait en pensée sa conversation avec Hal. Si faire appel à son honneur et menacer sa réputation ne fonctionnait pas, il resterait les voies officielles. La haute autorité la plus proche du domaine de Siverly était le gouverneur du château d'Athlone. Grey s'était muni d'une lettre d'introduction de Hal ainsi que d'une copie des preuves. Il pourrait peut-être le convaincre que les charges étaient suffisamment graves pour arrêter Siverly et le lui confier. Si toutes ces options échouaient, il leur restait encore un plan C, qui impliquait un certain degré d'intimidation physique et les services de Jamie Fraser.

Il ne servait à rien de planifier davantage tant qu'il n'aurait pas parlé à Siverly et jaugé ses réactions. Il se détendit donc, profitant de l'air doux et de la beauté du paysage verdoyant. Derrière lui, il entendit Jamie demander à M. Quinn quel était le sermon le plus intéressant qu'il avait publié. N'étant pas particulièrement passionné par les discours de prédicateurs, il éperonna son cheval et les laissa à leur conversation.

————◄○►————

16

La maison-tour

C'était une nuit douce et humide, avec un petit vent frisquet printanier. Enveloppé dans sa cape, allongé dans une petite dépression du terrain, sa couche rudimentaire tapissée d'herbes et de
minuscules fleurs en forme d'étoile, Grey se demanda si sa dernière heure était arrivée.

La tombée du soir les avait surpris en rase campagne. Ils avaient
débattu de l'opportunité de poursuivre leur route jusqu'au prochain hameau ou de rebrousser chemin jusqu'au précédent carre-
four afin de demander l'hospitalité dans une ferme. Puis, comme
il ne pleuvait pas, Quinn leur avait proposé de s'abriter dans un
túrtheach qu'il connaissait non loin.

Ils étaient déjà passés devant quelques-unes de ces hautes tours
abandonnées depuis Dublin, sinistres vestiges du Moyen Âge.
Elles n'étaient plus que des coquilles vides, sans toit, à demi effon-
drées et noircies par la moisissure. Le lierre qui envahissait leurs
murs était le seul signe de vie. La tour de Quinn était plus ou
moins dans le même état, mais elle présentait l'avantage d'avoir
un puits. Ils avaient fini la bière que Tom avait mise dans leurs
provisions.

Ils avaient trouvé le puits à l'intérieur de la ruine, son pourtour
marqué sur le sol d'un cercle de pierres. Jamie avait attaché son
bidon à une ficelle et l'avait descendu dans les eaux noires plusieurs
mètres plus bas. Après l'avoir remonté, il avait humé le goulot d'un
air suspicieux puis en avait goûté l'eau du bout des lèvres.

— Je ne crois pas que quelque chose y soit mort récemment,
conclut-il.

— À la bonne heure ! déclara Quinn. Récitons une prière avant de nous rincer le gosier.

À la surprise de Grey, ses deux compagnons avaient aussitôt baissé la tête et avaient marmonné une litanie chacun dans sa langue respective en se tenant devant le trou. Les paroles n'étaient pas les mêmes, mais le rythme était similaire. Grey ignorait s'il s'agissait d'une action de grâce ou d'une conjuration contre l'empoisonnement. Il baissa docilement la tête lui aussi en fixant le sol et attendit en silence qu'ils aient terminé.

Ils entravèrent les chevaux puis dînèrent frugalement de pain, de fromage et de pommes séchées. Ils n'étaient pas bavards. Ils étaient épuisés par leur longue journée en selle et chacun alla se coucher peu après.

Grey s'endormit presque aussitôt. Cette faculté de pouvoir dormir n'importe où instantanément était un talent de soldat qu'il avait acquis très tôt dans sa carrière. Il se réveilla en sursaut quelque temps plus tard, le cœur battant et les poils hérissés, la main déjà sur le manche du poignard à sa ceinture.

Il ignorait ce qui l'avait arraché à son sommeil et resta parfaitement immobile, tous ses sens à l'affût. Il y eut un bruissement d'herbe non loin et il s'apprêta à bondir. Toutefois, avant qu'il ait pu bouger, il entendit un autre bruit de pas, lourds cette fois, suivi d'une voix très écossaise qui chuchota :

— Tu as perdu la raison ? Lâche ça ou je te casse le bras.

Il y eut un hoquet de surprise, puis un objet tomba sur le sol. Grey attendit.

— Chut, tu vas le réveiller.

La voix de Quinn était à peine plus forte que le soupir du vent.

— J'y compte bien, si tu t'apprêtais à faire ce que je crois.

— Pas ici. Il va nous entendre. Viens. Suis-moi, bon sang !

Il y eut un silence, puis les pas s'éloignèrent dans les herbes hautes.

Grey roula sur le côté et se redressa lentement sur les genoux en se débarrassant de sa cape. Il sortit son pistolet de la sacoche qu'il utilisait en guise d'oreiller, se leva, puis les suivit en silence, adoptant le rythme de leurs pas. La lune s'était couchée, mais il distinguait leurs silhouettes à la lueur des étoiles : la forme massive de Fraser se détachait sur le sol noir ; Quinn marchait tout à côté de lui, si près qu'on aurait dit que Fraser le tirait par le bras.

Ils contournèrent la tour puis disparurent, cachés par le bâtiment. Il s'immobilisa et retint son souffle jusqu'à ce qu'il les entende à nouveau :

— Alors, qu'est-ce que c'est que cette histoire ? demanda Fraser sur un ton furieux.

— Nous n'avons pas besoin de lui. Tu n'as pas besoin de lui, *mo chara*[13].

Grey remarqua que Quinn ne semblait pas effrayé.

— Je connais plein de monde dont je n'ai pas besoin, à commencer par toi, sombre crétin ! Si cela me paraissait une raison suffisante pour les tuer, tu aurais été le premier, avant même qu'on quitte Londres.

Grey sentit un doigt glacé courir le long de son échine. Quinn et Fraser s'étaient déjà rencontrés à Londres ? Comment ? Depuis quand se tutoyaient-ils ? Pourquoi Quinn s'était-il joint à eux ? Pourquoi Fraser avait-il fait semblant de ne pas le connaître ? Il se rapprocha encore un peu, un doigt sur la détente. Le pistolet était chargé, mais non amorcé en raison de l'humidité dans l'air.

— Une fois qu'il sera mort, tu pourras t'évanouir dans la nature, *Mac Dubh*. Rien de plus facile maintenant que tu es hors d'Angleterre. Je connais plusieurs endroits où tu pourras te planquer quelque temps. Si tu veux, tu pourras aussi passer en France. Qui te recherchera ?

— Le frère de la victime, d'une part, rétorqua froidement Fraser. Tu n'as pas encore eu l'honneur de rencontrer monsieur le duc de Pardloe. Je préférerais encore être traqué par le diable en personne. Il ne t'est pas venu à l'esprit de me demander si je trouvais que trucider l'Anglais était une bonne idée ?

— C'était pour te rendre service, *Mac Dubh*.

Quinn semblait même amusé !

— Je t'ai déjà demandé de ne plus m'appeler *Mac Dubh*.

---

13. « Mon ami » en gaélique.

— Je sais que tu as la conscience sensible. Si tu m'avais laissé une minute de plus, je lui aurais fait son affaire et je l'aurais balancé dans le puits. Tu ne te serais rendu compte de rien.

— Ah oui ? Et tu m'aurais raconté quoi, ensuite ? Qu'il avait soudain changé d'avis et était rentré chez lui à pied ?

— Bien sûr que je t'aurais dit la vérité ! Pour qui tu me prends, *Mac Dubh* ?

Il y eut un long silence.

— Qu'est-ce que tu lui dois ? Rien ! reprit Quinn. Ni à lui ni à son frère. Ces maudits Anglais t'ont emprisonné ; ils ont fait de toi un esclave, ont volé tes terres, tué tes parents et tes camarades...

— Après m'avoir sauvé la vie, le coupa Fraser.

Sa voix ne tremblait plus de colère et Grey se demanda si c'était vraiment une bonne chose.

Il ne craignait pas que Quinn parvienne à le convaincre ; il connaissait suffisamment l'opiniâtreté de l'Écossais. Il redoutait plutôt que Fraser échoue à dissuader l'Irlandais. Il ne se voyait pas passant ses nuits aux aguets, s'attendant à être poignardé ou égorgé à tout instant. Il palpa sa poche pour s'assurer qu'elle contenait toujours sa corne à poudre noire... au cas où.

Fraser poussa un soupir exaspéré.

— J'ai donné ma parole. Si tu me déshonores en tuant l'Anglais, je te préviens tout de bon : tu finiras avec lui au fond du puits.

Ouf ! Fraser souhaitait peut-être sa mort (cela avait certainement été le cas à plusieurs reprises dans leur relation), mais pas au point de le faire assassiner. Grey aurait sans doute dû s'offusquer de ne devoir son salut qu'à la peur du déshonneur ou de Hal, mais, au vu des circonstances...

Quinn marmonna quelque chose dans sa barbe qu'il ne comprit pas, mais il était clair qu'il se soumettait. Grey ne lâcha pas sa corne, mais il ne la sortit pas de sa poche. Il caressait machinalement du pouce la devise ciselée dessus.

Acta non verba, « Des actes, pas des paroles ». La brise avait tourné et il ne les entendait plus clairement. Il s'approcha encore un peu, rasant les pierres humides de la tour.

— ... se met en travers de nos projets.

Cette bribe-là était claire. Grey s'arrêta brusquement.

— Je n'ai aucun projet avec toi. Je te l'ai déjà dit cent fois !

— C'est là que tu te trompes !

Quinn avait haussé le ton. Il sembla à Grey qu'il cherchait plus l'emphase de la colère qu'il ne la ressentait réellement.

— C'est le devoir de tout vrai catholique, de tout homme digne de ce nom ! ajouta-t-il.

— Poursuis ta route de ton côté, Quinn, je ne te retiens pas. Pour ma part, j'ai mes propres projets et tu ne te mettras pas en travers, tu m'as compris ?

Quinn émit un son de dédain, mais il n'insista pas.

— *Oidhche mhath*[14], dit doucement Fraser.

Grey entendit des pas venant dans sa direction et se plaqua contre le mur, espérant qu'il ne se trouvait pas dans le vent de l'Écossais. Pour une raison obscure, il était convaincu qu'il pouvait sentir sa sueur (en dépit de la fraîcheur de la nuit, des gouttes de transpiration coulaient entre ses omoplates et collaient ses cheveux à sa nuque) et le traquerait comme il l'eût fait d'un cerf des Highlands.

Heureusement, Fraser entra dans la tour en marmottant des imprécations tout écossaises. Quelques instants plus tard, Grey entendit des éclaboussures. Il devait être en train de s'asperger le visage d'eau froide pour se calmer.

Il n'entendait rien dans l'autre direction et ne distinguait pas Quinn parmi les ombres. Il était peut-être parti digérer son ressentiment de son côté, à moins qu'il ne soit assis dans l'herbe en train de bouder. Grey en profita pour s'arracher au mur de la tour et retourner discrètement à sa couche avant le retour de ces belliqueux Gaéliques.

Ce ne fut qu'en arrivant devant la tache sombre de sa cape sur le sol qu'il se rendit compte qu'il tenait encore son pistolet et que son autre main était toujours crispée autour de sa corne à poudre. Il remit l'arme à sa place et s'assit en se massant le pouce. Il voyait clairement le mot « *Acta* » imprimé dans sa chair.

---

14. « Bonne nuit » en gaélique.

Il resta éveillé toute la nuit, contemplant les étoiles brumeuses qui s'effaçaient peu à peu du ciel. Personne ne vint le déranger. Ses propres pensées s'en chargeaient bien assez.

Il se raccrochait au fait légèrement rassurant que Fraser n'avait pas voulu que Quinn les accompagne, et que, lui, Grey, avait écarté ses objections avec désinvolture. Cela signifiait que, quoi qu'ait projeté Quinn, Fraser n'était pas son complice.

Mais il savait de quoi il s'agissait.

Et il s'était abstenu d'en parler à Grey.

« Il se met en travers de nos projets », avait dit l'Irlandais en parlant manifestement de lui. Quel projet, et en quoi sa présence le dérangeait-elle ?

Il y avait quelques indices, comme l'allusion aux « vrais catholiques ». Cela sentait fortement le jacobisme. Bien que les partisans des Stuarts aient été décimés quinze ans plus tôt dans les Highlands, il en subsistait quelques poches fomentant des complots ici et là, en Irlande et sur tout le continent : en France, en Italie, en Espagne… De temps à autre, l'une d'elles s'embrasait brièvement avant d'être rapidement écrasée. Toutefois, cela faisait un ou deux ans qu'il n'entendait plus parler de rien.

Il songea soudain à Thomas Lally, ainsi qu'aux commentaires de Minnie sur le fameux poème. Une rose blanche, le symbole jacobite. Fraser n'y avait fait aucune allusion, pas plus que Lally. Que s'étaient dit les deux hommes lorsqu'ils s'étaient entretenus en erse ? Il lui revint que Lally avait été l'un des officiers de Charles-Édouard Stuart avant de rejoindre l'armée française.

Consterné, Grey ferma les yeux un instant. Encore ces foutus jacobites ? N'abandonneraient-ils donc jamais ?

D'après ce qu'il venait d'apprendre, Fraser connaissait Quinn depuis un certain temps et l'avait rencontré à Londres. La faute à Hal, avec ses idées de grand seigneur, particulièrement celle de vouloir traiter Fraser comme un gentleman, le laissant aller et venir à sa guise !

— Tu aurais été bien avancé si cette fripouille d'Irlandais m'avait tranché la gorge, hein ? maugréa-t-il tout haut.

Il s'égarait. Le point important était que Fraser ne voulait pas sa mort (de quoi lui réchauffer le cœur) et avait empêché Quinn de le tuer.

Serait-ce toujours le cas s'il décidait de l'interroger directement?

Il ne voyait que deux possibilités : ne rien dire, les surveiller et s'efforcer de ne plus dormir... ou en parler à Jamie Fraser. Il se gratta le torse, songeur. Il pouvait passer une nuit sans sommeil, peut-être deux. D'ici là, il aurait eu le temps de contacter Siverly, mais il ne tenait pas à l'affronter épuisé et l'esprit en déroute.

L'autre point important était que Fraser ne voulait pas s'impliquer dans les projets de Quinn, alors que ce dernier semblait résolu à l'y entraîner.

Il faisait encore noir, mais l'air avait changé. La nuit ne tarderait plus à se dissiper. Il entendit des sons de réveil : l'un des hommes toussa, se racla la gorge, gémit longuement. Il ne savait lequel c'était, mais ils seraient bientôt debout pour prendre le petit-déjeuner.

Si Quinn soupçonnait quelque chose, il risquait de tenter de le tuer en dépit des menaces de Fraser. Le connaissait-il bien? Si c'était le cas, il prendrait son avertissement au sérieux.

Quinn l'avait appelé «*Mac Dubh*». C'était ainsi que le nommaient les détenus à Ardsmuir. Il avait demandé ce que le mot signifiait à l'une de ses ordonnances, qui parlait le gaélique. «Fils de l'homme noir», lui avait répondu l'homme. Il s'était demandé s'il s'agissait d'une référence satanique mais, d'après l'attitude de son informateur, ce n'était pas le cas. Ce devait être une allusion littérale à la personnalité ou au physique du père de Fraser. Il s'accorda un moment pour tenter d'imaginer à quoi il avait pu ressembler.

Les chevaux somnolaient au pied de la tour. L'un d'eux lâcha un long pet sonore ; un autre secoua sa crinière. Les oiseaux commençaient à émettre des gazouillis hésitants dans les haies.

Il parlerait à Fraser.

Finalement, il décida que le mieux pour s'isoler avec Fraser était de se montrer direct.

Lorsque l'Irlandais revint de ses ablutions matinales, des gouttes d'eau scintillant dans ses cheveux bouclés, il lui déclara aimablement :

— Monsieur Quinn, je dois discuter de divers aspects de notre affaire avec M. Fraser avant d'arriver à Athlone. Cela vous ennuierait-il de partir avant nous ? Nous n'en avons pas pour longtemps et nous vous rattraperons avant midi.

L'Irlandais parut surpris et lança un bref regard vers Jamie. Ce dernier ne donnant aucune indication que la requête sortait de l'ordinaire, Quinn se tourna à nouveau vers Grey et hocha la tête.

— Mais certainement, dit-il sur un ton un peu pincé.

De toute évidence, Quinn n'était pas un comploteur très expérimenté, et Grey espérait qu'il avait encore moins d'expérience en tant qu'assassin, même si ce n'était pas un travail requérant des compétences très poussées. Sauf si votre victime était prévenue, naturellement. Il adressa un large sourire à l'Irlandais, qui sembla dérouté.

Le petit-déjeuner fut encore plus frugal que le dîner, mais Jamie l'agrémenta en plaçant un morceau de fromage entre deux tranches de pain puis en faisant griller ces dernières. Grey trouva le résultat étonnamment savoureux. Peu après, Quinn enfourcha son cheval et se mit en route.

Assis sur un rocher couvert de mousse, Grey attendit qu'il soit loin, puis se tourna vers Fraser, occupé à rouler en boule une paire de bas.

— J'ai très peu dormi, cette nuit, déclara-t-il de but en blanc.

Fraser rangea les bas dans sa sacoche puis en fit autant avec le pain restant.

— Vraiment ? dit-il enfin, sans relever les yeux.

— Oui. Une question : M. Quinn sait-il ce que nous voulons de Siverly ?

Fraser hésita un instant avant de répondre :

— Probablement pas. S'il sait quelque chose, il ne le tient pas de moi.

— De qui d'autre, alors ?

— Des domestiques de votre frère, sans doute. Ce sont eux qui lui ont appris que je me rendais en Irlande avec vous.

Grey devait reconnaître que c'était une possibilité. Lui-même, il avait souvent envoyé Tom Byrd soutirer des informations aux serviteurs d'autres personnes.

— Que faisait-il à Londres ?

— Il m'a suivi quand votre frère m'a fait arrêter et conduire chez lui. Et si vous voulez savoir ce qu'il faisait à Helwater, demandez-le-lui directement, car je l'ignore.

Grey arqua un sourcil. Même s'il ne le savait pas, Fraser pouvait probablement le deviner. Toutefois, il n'était pas nécessaire d'insister sur ce point. Du moins, pas pour le moment.

Fraser se releva et, saisissant sa sacoche, se dirigea vers son cheval. Grey le suivit.

Ils reprirent la route. Quinn était loin devant. C'était une superbe matinée. Les oiseaux, bien réveillés cette fois, s'en donnaient à cœur joie, sautillant de branche en branche, ou filant à leur approche à travers les prés en bandes désordonnées. La route était suffisamment large pour chevaucher côte à côte et ils avancèrent ainsi pendant un bon quart d'heure avant que Grey ne reprenne la parole :

— Pouvez-vous me jurer que les projets de Quinn ne menacent pas notre mission ni la sécurité de l'Angleterre ?

Fraser lui lança un regard de biais.

— Non, répondit-il simplement.

S'il avait donné une autre réponse, Grey ne l'aurait pas cru, mais sa franchise et ses implications l'inquiétèrent.

— Et plus précisément ? demanda-t-il au bout d'un moment. À moins que ce ne soient les deux ?

Fraser inspira bruyamment par le nez d'un air las.

— Les affaires de Quinn ne regardent que lui, colonel. S'il a des secrets, ce n'est pas à moi de les partager.

Grey se mit à rire.

— Que cela est joliment tourné ! Entendez-vous par là que vous ignorez ses projets ? Ou que vous les connaissez, mais que votre sens de l'honneur vous empêche de me les divulguer ?

— Je vous laisse le choix.

Ils chevauchèrent un moment en silence. Le paysage verdoyant était monotone et apaisant, sans pour autant calmer les nerfs de Grey.

— Il serait sans doute frivole de vous rappeler qu'aider les ennemis du roi, même par inaction, relève de la trahison.

— Il n'est pas frivole de vous rappeler que j'ai déjà été condamné pour trahison, répliqua Fraser. Y a-t-il différents niveaux de gravité dans ce crime ? Parce que, lorsque j'ai été jugé, ils ont bien employé le mot « trahison » avant de me passer une corde autour du cou…

— Une corde ? Mais vous n'avez pas été condamné à mort, n'est-ce pas ?

De fait, de nombreux jacobites avaient été exécutés, mais un nombre plus grand encore avaient eu la vie sauve, la plupart parce qu'ils avaient vu leur peine initiale commuée en déportation ou en emprisonnement.

— Non.

Fraser avait déjà le teint vif en raison du soleil et du vent. Il se colora encore. Grey crut d'abord qu'il n'avait pas l'intention d'en dire plus, puis, au bout de quelques instants, l'Écossais ne se contint plus :

— Ils nous ont fait marcher d'Inverness à Ardsmuir avec une corde autour du cou afin de montrer à tous que nos vies nous avaient été confisquées puis restituées grâce à la clémence du roi.

Il avait prononcé ces derniers mots d'une voix étranglée et dut s'éclaircir la gorge.

Là-dessus, il éperonna son cheval. Celui-ci démarra au galop puis, ne recevant plus de stimulation de son cavalier, reprit son petit trot quelques mètres plus loin. Il tourna la tête pour regarder Grey et sa monture derrière lui, comme s'il se demandait comment ils s'étaient retrouvés à la traîne.

Grey garda ses distances un moment, ruminant plusieurs pensées en même temps, puis il rattrapa Fraser.

— Merci d'avoir empêché l'Irlandais de me tuer, déclara-t-il une fois à sa hauteur.

— Je vous en prie.

— Puis-je espérer que cette courtoisie perdurera ?

Il aurait juré que la commissure des lèvres de Fraser avait tremblé.

— Vous pouvez.

Quinn était désormais visible, cinq cents mètres plus loin. Il s'était arrêté sur le bas-côté pour les attendre et, accoudé à un échalier, discutait avec un paysan tenant un porcelet blanc. À ses gestes, il semblait lui vanter les qualités de l'animal.

Ils l'avaient presque rejoint quand Fraser se tourna vers Grey et déclara calmement :

— Faites ce que vous avez à faire, colonel. Je ferai de même.

17

Le château d'Athlone

Le château d'Athlone était sombre et trapu. Il rappelait vaguement à Grey une sécherie à houblon. En beaucoup plus grand.

— C'est un peu une maison de famille, lança-t-il à Fraser en plaisantant. Il a été construit par un de mes ancêtres au XIIIᵉ siècle, le gouverneur John de Gray.

— Votre famille vient d'Irlande ?

— Non, nous sommes anglais depuis la Conquête, et principalement normands avant cela, même si, naturellement, nous avons nous aussi notre brebis galeuse venue d'Écosse.

Son grand-père maternel était issu de l'une des puissantes familles des Marches écossaises.

Fraser émit un petit rire de dédain. Il n'avait guère plus d'estime pour les habitants des Lowlands que pour les Anglais.

Quinn avait pris congé à l'entrée de la ville, marmonnant qu'il devait retrouver un ami et leur promettant de les rejoindre le lendemain matin pour s'assurer qu'ils prenaient le bon chemin. Il semblait convaincu que, sans son aide, ils erreraient dans la nature tels deux nigauds. Grey ravala son agacement et le remercia assez sèchement. Il préférait se renseigner auprès du gouverneur plutôt que de dépendre d'un Irlandais qui ne demandait qu'à le trucider.

L'un des gardes du château les conduisit le long d'une allée incurvée jusqu'au centre de la forteresse. Ils passèrent devant les meurtrières percées dans l'épais rempart. De simples fentes côté extérieur, elles s'ouvraient à l'intérieur pour permettre aux archers de manipuler leurs arcs.

La forteresse avait été autrefois une simple motte castrale dont on distinguait encore des vestiges. Le donjon central s'élevait tel un poivrier à douze facettes au centre de l'ancien mur d'enceinte, dans une cour désormais pavée et bordée de bâtiments annexes.

Le gouverneur actuel se nommait sir Melchior Williamson et était lui aussi anglais. Ni Grey ni Hal ne le connaissaient, mais Harry, si. Sa lettre de recommandation, associée à un billet du duc de Pardloe, avait suffi à leur valoir une invitation à dîner au château.

« Vous pensez qu'il est judicieux de faire connaître notre présence ? avait demandé Fraser plus tôt. Si nous devons emmener Siverly de force, il vaut mieux que personne ne sache qui nous sommes.

— La force sera notre ultime recours, avait répondu Grey. Je veux savoir ce que le gouverneur a à nous dire sur Siverly avant d'aller le trouver. Il vaut mieux bien connaître le terrain avant la bataille. »

En l'état, le terrain incluait la bonne volonté de sir Melchior et la possibilité qu'il les aide au cas où le plan B échouerait lui aussi.

Fraser avait paru dubitatif puis s'était résigné :

« Soit. Je vais demander à Byrd de préparer deux sacs en toile de jute.

— Pour quoi faire ?

— Pour nous les mettre sur la tête quand nous devrons entrer par effraction chez Siverly. »

Grey avait cessé tout net ce qu'il était en train de faire.

« Vous ne semblez décidément pas croire en mes talents de diplomate…

— Non, et votre frère non plus, autrement je ne serais pas là.

— Mon frère aime parer à toute éventualité, avait répondu courtoisement Grey. Cela étant, je parlerai des sacs à Tom. »

Sir Melchior était un petit homme bâti comme un tonneau, avec des yeux de chien battu qui contredisaient sa nature affable. Il les accueillit cordialement, quoiqu'il parût légèrement sur ses gardes, et leur fit visiter les installations du château, si l'on pouvait les appeler ainsi.

Une fois de retour dans le petit salon de ses quartiers privés, il soupira :

— Il règne toujours un froid de gueux et les pièces sont tellement exiguës qu'on peut à peine se retourner. Et je ne vous parle pas de l'humidité, avec le Shannon qui passe juste au pied des murailles.

Il éternua, puis s'essuya le nez sur sa manche.

— J'ai un rhume de cerveau depuis le premier jour où j'ai mis les pieds ici, voilà deux ans. Dieu merci, je pars pour la France après-demain. C'est une chance que vous soyez arrivés avant mon départ.

Adieu notre plan B ! pensa Grey.

Le dîner était simple mais bon, et il y avait suffisamment de vin pour assurer une conversation agréable, au cours de laquelle Grey put poser des questions sur Gerald Siverly sans paraître trop intéressé.

— Glastuig, c'est le nom de son domaine, répondit sir Melchior.

Il se cala contre son dossier et ouvrit les derniers boutons de son gilet avec une nonchalance née d'une longue habitude.

— Je n'y suis allé qu'une seule fois, reprit-il. C'était peu après mon arrivée. Très belle demeure. Toutefois, c'était quand Mme Siverly y habitait encore.

Grey émit un son encourageant et sir Melchior expliqua :

— Elle est retournée vivre chez son père lorsque le major est parti pour le Canada. D'après ce qu'on m'en a dit, le couple ne s'est jamais bien entendu. À son retour, elle n'a pas voulu revenir vivre avec lui.

— Le major mène désormais une vie paisible ? demanda Fraser.

Il n'avait jamais pris les rênes de la conversation, mais il intervenait de temps à autre pour remettre sir Melchior sur le droit chemin, ce dernier ayant tendance à digresser.

— Oh, très paisible. Toutefois, j'ai entendu dire qu'il avait fait refaire toute la décoration dernièrement. Peut-être espère-t-il reconquérir sa femme avec du papier peint damassé ?

Il s'esclaffa, ses pattes-d'oie s'incurvant vers le haut.

Ils se mirent à discuter des meilleurs décors pour séduire les femmes. Sir Melchior n'était pas marié, mais il nourrissait quelque espoir en ce sens, d'où son voyage en France. Cependant, il craignait que sa promise ne soit découragée par Athlone.

— Elle est à moitié anglaise et à moitié française, expliqua-t-il. Elle déteste la cuisine irlandaise et considère les Irlandais comme encore plus barbares que les Écossais... sans vouloir vous offenser, capitaine Fraser.

— Je vous en prie, murmura Jamie en remplissant son verre.

— D'autre part, je doute pouvoir compenser ses objections par l'attrait de ma personne.

Il baissa les yeux vers son ventre rebondi et secoua la tête d'un air résigné.

La conversation prit alors un tour plus général et, malgré les encouragements de Grey et de Fraser, ils n'apprirent pas grand-chose de plus sur Siverly, si ce n'était que son père avait été jacobite.

— Marcus Siverly faisait partie des oies sauvages, vous savez de quoi il s'agit ? demanda sir Melchior.

Grey le savait mais fit non de la tête.

— C'est ainsi que se sont appelées les brigades irlandaises qui se battaient pour les Stuarts à la fin du siècle dernier. À l'époque, le château d'Athlone jouait un rôle important.

Sir Melchior fit signe au majordome d'apporter plus de vin, puis poursuivit :

— C'est en raison de la rivière. Le pont... vous l'avez vu ? Oui, bien sûr. Il nous relie à la province du Connaught, qui était une place forte des jacobites au cours de la dernière guerre.

Avec un geste de la tête vers Jamie, il précisa :

— La dernière guerre ici, bien entendu. Les forces de Guillaume III, les williamites, ont attaqué Athlone par l'ouest, du côté de Connaught. Les jacobites sont parvenus à les refouler en faisant sauter le pont qui enjambe le Shannon. Les williamites ont alors bombardé la ville. Selon les archives du château, ils ont fait pleuvoir plus de soixante mille boulets dans une période de dix jours. Ils ne sont jamais parvenus à prendre Athlone, mais leur général, un Hollandais nommé Ginkel, a eu l'idée de descendre un peu le fleuve – le Shannon est navigable sur pratiquement toute sa longueur –, de le traverser en aval, puis de prendre les jacobites par-derrière, les forçant à sortir. Ces derniers ont alors été écrasés à Aughrim, mais les survivants sont parvenus à fuir jusqu'à Lime-rick, d'où ils ont embarqué pour l'Espagne. On a appelé ça « le vol des oies sauvages ».

Sir Melchior prit une gorgée de vin et la garda un instant en bouche d'un air méditatif avant de l'avaler. C'était un bon cru.

— Le père du major Siverly s'est donc réfugié en Espagne ? demanda Grey en prenant son verre à son tour. Quand est-il revenu ?

— Oh, il n'est jamais revenu. Il est mort en Espagne quelques années plus tard. Son fils est rentré au pays il y a environ six ans, a acheté Glastuig, qui tombait en ruine, et l'a restauré. J'ai appris qu'il avait eu une grande rentrée d'argent récemment. Un héri-tage d'un parent éloigné, apparemment.

— Quelle chance, murmura Grey en croisant le regard de Jamie de l'autre côté de la table.

Ce dernier lui fit un signe de tête à peine perceptible puis glissa une main sous sa veste.

— Vous semblez si bien connaître l'histoire de cette région, déclara-t-il. Avez-vous déjà vu un poème de ce genre ?

Il tendit au gouverneur une copie de la traduction de la Chasse fantastique.

Intrigué, sir Melchior se redressa et se palpa le torse à la recherche de ses bésicles. Quand il les eut trouvées, il les chaussa et lut le texte à voix haute en suivant les lignes du bout de l'index.

Écoutez, vous les hommes des trois terres,
Écoutez le son des cors qui hurlent dans le vent.
Ils naissent de la nuit.

Elle arrive. La reine approche
Et, derrière elle, sa vaste suite, son équipage
À la chevelure et aux yeux déments,
Les volontaires qui s'offrent à la reine.

Ils ont soif de sang, sentent sa chaleur. Ils répondent
À la voix du roi sous la montagne.

— En voilà une drôle d'histoire ! déclara-t-il en relevant les yeux vers eux. Je connais la légende de la Chasse fantastique, bien sûr, mais je n'avais encore jamais rien lu de pareil. Où l'avez-vous trouvé ?

— Un soldat me l'a donné, répondit Jamie sans mentir. Comme vous pouvez le constater, il est incomplet. J'aurais aimé connaître la suite, et, éventuellement, son auteur.

Il fixa sir Melchior avec un sérieux tout à fait convaincant. Grey avait ignoré jusque-là ses talents d'acteur.

— Je projette de publier un petit ouvrage rassemblant certains des contes d'antan, poursuivit-il. Ce texte y trouverait sa place, s'il était entier. Peut-être connaissez-vous quelqu'un qui pourrait me renseigner ?

— Mais… absolument. Je connais exactement la personne qu'il vous faut, répondit sir Melchior en faisant à nouveau signe au majordome. Êtes-vous jamais allé à Inchcleraun ?

Grey et Fraser firent non de la tête.

— C'est un monastère catholique. Encore un petit verre, lord John ?

Il reposa le sien et attendit qu'on le remplisse en lâchant un petit rot de satisfaction.

— Il se trouve sur l'île du même nom, reprit-il. Elle se situe à la pointe nord du lac Lough Ree. Ce n'est qu'à une quinzaine de kilomètres d'ici par bateau. L'abbé, Michael FitzGibbons, est un collectionneur de textes anciens. Je l'ai rencontré une fois. Un homme fort sympathique, pour un prêtre. Si quelqu'un peut vous dire où trouver la suite de votre poème, c'est bien lui.

Grey perçut un brusque changement dans l'expression de Jamie. Ce fut très bref, comme la ride à la surface du verre de vin que le majordome déposa devant lui. Peut-être avait-il été froissé par la remarque «pour un prêtre» ? Non, ce genre de boutade était commun et le ton de sir Melchior avait été tout sauf insultant.

Jamie sourit et leva son verre vers leur hôte.

— Je vous remercie. À votre santé ! Votre vin est vraiment excellent.

18

Contes au coin du feu

Grey avait espéré se débarrasser de Quinn une fois à Athlone, mais l'Irlandais s'accrochait à eux telle une tique, apparaissant chaque fois que Jamie et lui se rendaient en ville.

Un jour qu'ils l'avaient découvert se prélassant dans la cour de l'écurie où ils allaient louer une carriole pour leurs bagages (Tom était enfin arrivé avec la malle-poste, le matin même), il avait lancé à Jamie, excédé :

« Vous ne pouvez donc pas nous débarrasser de lui ?

— Vous voulez que je l'abatte ? avait rétorqué Jamie. C'est vous qui avez les pistolets, non ?

— Mais que veut-il, à la fin ? »

Fraser s'était contenté de hausser les épaules et de prendre un air têtu ou, plus exactement, plus têtu qu'à l'accoutumée, si cela était possible.

« Il dit avoir des affaires à régler près d'Inchcleraun et je n'ai aucune raison de le traiter de menteur. Vous si ? D'ailleurs, vous connaissez le chemin ? »

Grey avait capitulé, n'ayant pas le choix, et s'était résigné à voyager à nouveau avec Quinn. Compte tenu de la présence de Tom conduisant la carriole avec leurs bagages et du mal de mer de Jamie, ils avaient décidé de longer la rive du Lough Ree vers le nord, puis de trouver un passeur pour les mener sur l'île. Là, ils se renseigneraient sur le poème de la Chasse fantastique avant de se rendre sur le domaine de Siverly, près du village de Bally-bonaggin, qui ne se trouvait qu'à quelques kilomètres au nord du lac.

Quinn avait aussitôt déclaré que, connaissant bien le Lough Ree, il se ferait un plaisir de les guider et de leur trouver un transport jusqu'à l'île.

« Après avoir expédié mes petites affaires dans le coin, bien sûr. »

Il n'y avait qu'une trentaine de kilomètres entre Athlone et le nord du lac par la route, mais une pluie diluvienne avait transformé celle-ci en torrent de boue, embourbant les chevaux et enlisant les roues de la carriole jusqu'à leur axe à quelques kilomètres de leur destination.

À ce stade, s'il ne lui était pas vraiment reconnaissant, Grey n'était pas fâché de la présence de Quinn, car celui-ci semblait effectivement connaître la région. Il leur trouva un abri dans une bâtisse délabrée qui avait été autrefois une étable. Certes, le toit fuyait et l'endroit conservait fortement l'odeur de ses anciens occupants. Toutefois, ils y étaient plus au sec qu'à l'extérieur et il y avait suffisamment de crottin ainsi que quelques mottes de tourbe pour faire un petit feu.

Grey devait reconnaître que Quinn possédait un sang-froid admirable. Il se comportait comme s'ils étaient de vieux compagnons, plaisantant et racontant des histoires avec un certain talent, au point que Grey en oubliait presque qu'il avait été à deux doigts de le tuer. L'atmosphère dans leur petit abri misérable était détendue et agréable.

— Et toi, mon garçon, demanda Quinn à Tom. Tu n'as pas une bonne histoire à nous raconter pour passer le temps ?

Tom rougit.

— Je ne suis pas très doué pour les histoires, monsieur. Mais… euh, si vous voulez, je peux vous lire quelque chose…

Pour des raisons connues de lui seul, Tom avait apporté un livre pour le voyage, un volume miteux emprunté à la bibliothèque de Hal et intitulé *Le Gentilhomme instruit dans la conduite d'une vie saine et vertueuse*. C'était un traité sur le maintien, l'étiquette et le comportement en général qui datait plus ou moins de l'année de naissance de Grey. S'il était très divertissant par endroits, ses conseils étaient quelque peu désuets.

— Oh, je t'en prie, Tom. Lis-nous-en un passage. Je suis sûr que cela nous élèvera l'esprit.

Ravi, Tom feuilleta l'ouvrage, trouva ce qu'il cherchait, s'éclaircit la gorge et lut à voix haute :

— « Le duel est un grand mal que le gentilhomme se doit à tout prix d'éviter. Si l'appel à la raison échoue à résoudre le conflit et que l'honneur empêche un courtois renoncement, le gentilhomme demandera l'assistance de ses amis qui, à force de persuasion, pourront rappeler à l'adversaire son sens du devoir chrétien et des responsabilités. Toutefois… »

Quelqu'un avait dû offrir ce livre à son père. Son nom était écrit sur la page de garde. Grey ne pouvait l'imaginer acheter un tel ouvrage lui-même.

Cela dit, il préférait mille fois *Le Gentilhomme instruit* au livre de prédilection de Tom, *Les Maux d'Arbuthnot*. Son valet avait pris l'habitude de le régaler, avec une fascination morbide, de descriptions peu ragoûtantes de ce qu'il arrivait aux imprudents qui négligeaient l'équilibre de leurs humeurs. De se laisser dominer par son phlegme, avait-il appris, avait des conséquences particulièrement désastreuses. Il se racla la gorge par réflexe et cracha dans le feu, qui crépita d'indignation.

— « … au cas où le conflit armé se révélerait inévitable, le gentilhomme donnera à son adversaire toutes les opportunités de se rétracter sans ternir sa réputation. À cette fin, les épithètes telles que "pleutre", "libertin", "gandin" ou, plus particulièrement, "chien galeux" sont à proscrire… »

Grey commençait à se demander si ce n'était pas sa mère qui l'avait offert à son père comme une plaisanterie. Cela lui ressemblerait bien.

Adossé à sa malle, le ventre plein et bercé par la lecture de Tom, il se détendit et s'assoupit. Il s'imagina défiant Siverly. Un duel serait tellement plus direct, finalement. Un coup d'épée dans le cœur… non, dans les viscères. Ce capon ne méritait pas une mort propre et nette.

Il s'était déjà battu en duel plusieurs fois, principalement à l'épée. Une soirée avinée, quelques paroles malheureuses, un

coup, même… Cela n'avait été que des escarmouches sans conséquence, où ni lui ni son adversaire n'avaient eu l'esprit suffisamment cohérent pour s'excuser tout en faisant bonne figure.

L'avantage de se battre saoul était qu'il perdait tout sens du
danger et de l'urgence. C'était même une sensation plutôt exal-
tante, comme s'il flottait au-dessus de lui-même, vivant à un
rythme plus rapide, si bien que chaque geste, chaque figure, lui
paraissait exécuté avec une lenteur exquise. Les grognements d'effort, les rigoles de sueur et l'odeur du corps de son adversaire
étaient comme des ponctuations de leur danse. L'impression de
vivre intensément était grisante en soi.

Il gagnait toujours. Il ne lui était jamais venu à l'esprit qu'il
pourrait en être autrement. Un peu de résistance de pure forme,
puis un simple coup de fleuret, une égratignure pour verser un
peu de sang, et l'honneur était satisfait. Son adversaire et lui
se tenaient pantelants, souvent en riant et en se soutenant l'un
l'autre, toujours éméchés. Cela faisait des années qu'il n'avait pas
participé à un duel de ce genre.

— Toi aussi, tu as accepté quelques défis, n'est-ce pas, Jamie ?
demanda Quinn.

Perdu dans sa rêverie, Grey ne s'était pas rendu compte que
Tom avait cessé de lire. Il releva les yeux vers Jamie et lui vit une
expression très étrange.

— Une ou deux fois, marmonna-t-il sans relever la tête.

Il saisit un bâton et tisonna inutilement le feu, faisant rou-
geoyer et s'effriter les braises de tourbe.

— C'était dans le bois de Boulogne, non ? insista Quinn. Avec
un Anglais. Je me souviens d'en avoir entendu parler… un duel
célèbre ! D'ailleurs, cela ne t'a-t-il pas valu un séjour à la Bastille ?

Cette fois, Fraser se tourna vers lui avec un regard qui, si Quinn
l'avait observé à ce moment-là, l'aurait sûrement changé en pierre
dans l'instant.

Grey jugea préférable d'intervenir :

— Un jour, j'ai tué un homme accidentellement lors d'un duel,
déclara-t-il. Je ne me suis pas rebattu en duel depuis. Ce fut un
moment des plus éprouvants.

Cela avait été un duel aux pistolets. Ce jour-là, il n'était pas ivre, mais il souffrait des effets secondaires d'une électrocution par une anguille. Toute l'expérience avait été si surréaliste qu'il n'était pas certain de pouvoir se fier à ses souvenirs. Il n'avait aucune idée de comment cela avait commencé, et encore moins de comment cela avait fini.

Son adversaire était mort, ce qu'il regrettait… enfin, pas tant que ça, après tout. Nicholls avait été un rustre et un fléau pour la société. En outre, il l'avait cherché. Néanmoins, il n'avait pas voulu le tuer.

Ne s'offensant pas d'avoir été interrompu, Tom referma le livre en gardant sa page d'un doigt et se pencha en avant. À cause de ce duel, lord John et lui s'étaient retrouvés au Canada. Il n'avait pas été présent le jour funeste, mais il s'en souvenait certainement. Grey se demanda s'il n'avait pas choisi cet extrait du *Gentilhomme instruit* à dessein.

Quinn s'était tourné vers lui d'un air intrigué et avait oublié Jamie, ce qui était l'effet escompté. Aussi, quand il lui demanda comment la mort de son adversaire avait pu être accidentelle, il lui répondit :

— Je pensais avoir tiré en l'air, mais il s'est effondré sur le sol. Il était toujours en vie et ne semblait pas blessé grièvement. Ma balle avait dû monter dans le ciel, puis lui retomber dessus de haut, sans toutefois que l'on vît la moindre blessure à la tête ou ailleurs. D'ailleurs, il était reparti en marchant, accompagné par un médecin qui se trouvait là par hasard… c'était à la suite d'une réception. J'ai donc été terriblement surpris en apprenant le lendemain matin qu'il était mort.

— Un accident, pour sûr. Mais avez-vous fini par comprendre ce qui lui était arrivé ?

— Absolument. Quelques mois plus tard, j'ai reçu une lettre du médecin m'informant que mon adversaire avait souffert d'un trouble congénital du cœur ; il appelait ça un anévrisme. Le choc avait déclenché une hémorragie interne. Ce n'était donc pas ma balle qui l'avait tué, du moins, pas directement. Selon le docteur Hunter, il aurait pu mourir à tout instant.

Quinn se redressa brusquement et se signa.

— Le docteur Hunter ? Vous voulez parler de John Hunter ? Celui qu'on appelle « le profanateur de sépultures » ?

— Oui, en effet.

Grey comprit soudain qu'il marchait sur un terrain miné. Il n'avait pas voulu citer le nom de Hunter et ne s'était pas attendu à ce que l'un d'eux le connaisse. Hunter avait une réputation sulfureuse, étant connu pour disséquer des cadavres. Quant à savoir comment le docteur Hunter avait découvert l'anévrisme de Nicholls...

— Que Dieu nous délivre du mal ! gémit Quinn en frémissant. Vous imaginez ? Être déterré et anatomisé comme un criminel, dépecé tel un animal, votre chair découpée en petits morceaux... Que le Seigneur et tous Ses anges nous protègent d'une telle infamie !

Grey toussota et croisa le regard de Tom. Ce dernier n'avait pas lu la lettre du docteur Hunter mais, en tant que son valet, il savait des choses. Il toussota à son tour et referma méticuleusement son livre.

— Je fais parfois ce cauchemar, poursuivit Quinn en se massant les mains comme si elles étaient glacées. Les anatomistes se sont emparés de moi. Ils me font bouillir jusqu'à ce qu'il ne me reste plus que les os, puis suspendent ma carcasse grimaçante dans une de leurs immondes salles de chirurgie... Je me réveille chaque fois avec des sueurs froides, je vous le jure !

— Je garderai un œil ouvert, Quinn, dit Jamie avec un sourire. Si jamais je vois un squelette avec une canine manquante, je te promets de l'acheter et de lui offrir une sépulture décente.

Quinn prit son gobelet et le leva vers lui.

— Marché conclu, mon cher Jamie ! J'en ferai autant pour toi, qu'en dis-tu ? D'un autre côté, je ne suis pas sûr de pouvoir faire la différence entre ton squelette et celui d'un gorille.

— Et où aurais-tu déjà vu un gorille, Quinn ? demanda Jamie en remplissant son propre gobelet.

— À Paris, bien sûr. Dans la ménagerie du roi Louis. Le roi de France est très généreux avec ses sujets, expliqua-t-il à Tom.

Certains jours, sa collection d'animaux extraordinaires est ouverte au public. Et je t'assure que tu croirais rêver ! As-tu déjà vu une autruche, mon garçon ?

Grey se détendit légèrement en constatant que la conversation s'écartait de sujets dangereux. Il s'interrogea brièvement sur le fameux duel au bois de Boulogne et sur l'identité de l'Anglais. Ce devait être avant le Soulèvement, puisque, lors d'une conversation à Ardsmuir sur les romans français, Fraser avait déclaré s'être trouvé à Paris à cette époque.

Il ressentit soudain une profonde nostalgie pour ces lointaines soirées d'amitié ; car ils avaient été amis alors, en dépit de leur relation délicate de prisonnier et de geôlier. Ils avaient partagé des opinions, de l'humour et leurs expériences, dans une union des esprits rare et précieuse. Si seulement il avait eu un peu plus de retenue et ne lui avait pas fait part de ses sentiments... Beaucoup de choses désagréables auraient été évitées. Il s'était souvent maudit pour cette erreur. Et pourtant...

Il observa Fraser en douce. Le feu de tourbe projetait une lueur rouge sur son long nez droit, ses larges pommettes, sa chevelure cuivrée et encore mouillée retenue dans sa nuque par un lacet de cuir. Et pourtant...

Il avait gâché la belle aisance qu'il y avait eue entre eux, ce qui était une grande perte. De son côté, Fraser avait réagi avec une profonde révulsion en apprenant sa nature, ce qui avait déclenché d'horribles propos. Grey préférait ne pas réfléchir à ce qui avait provoqué une telle violence, mais, au bout du compte, il n'avait pas tout perdu. Fraser savait, ce qui était déjà remarquable en soi.

Il n'y avait plus d'aisance entre eux, mais il y avait de l'honnêteté. Or, c'était une chose qu'il partageait avec fort peu de gens.

Entre-temps, Quinn s'était lancé dans une nouvelle histoire que Grey n'écoutait que d'une oreille distraite.

Plus tôt, alors qu'il s'occupait du dîner, Tom s'était mis à fredonner un air. À présent, il le sifflotait. Absorbé par ses pensées, Grey n'y prêta pas attention jusqu'à ce que les paroles de la mélodie résonnent dans sa tête : « Laissez-le rouler sous la table avec les cadavres ! »

Il sursauta et lança un regard vers Fraser. « Laissez-le rouler… » était une chanson traditionnelle datant de l'époque de la reine Anne, mais, comme tous les chants populaires, elle était régulièrement reprise en l'adaptant à l'humeur du temps. Les clients de la taverne où ils avaient fait une halte dans l'après-midi en avaient chanté une version ouvertement anticatholique et, bien que Fraser n'eût à aucun moment montré qu'il était offensé, Grey connaissait suffisamment ses expressions pour avoir remarqué qu'il gardait le regard baissé vers le fond de son verre de bière pour cacher la lueur incendiaire dans ses yeux.

Le sifflotement de Tom était tout à fait innocent. Fraser ne penserait pas que…

— Non, ça ne lui fait rien, lui glissa Quinn nonchalamment. Il n'entend pas la musique, uniquement les paroles. Je disais donc que…

Grey lui sourit et fit poliment mine d'écouter la suite de son récit, même s'il n'entendait plus rien. Il était sidéré non seulement par la perspicacité de l'Irlandais (qui avait remarqué son bref regard vers Fraser et en avait deviné la cause), mais par le fait qu'il savait que Fraser n'avait aucune oreille.

Grey le savait lui-même car, au cours d'un de leurs dîners à Ardsmuir, Fraser le lui avait dit. Grey lui avait demandé quel était son compositeur préféré et il avait répondu qu'à la suite d'un coup de hache sur la tête, quelques années plus tôt, il avait perdu toute faculté de distinguer une note d'une autre.

Certes, Jamie aurait pu avoir mentionné cette infirmité à Quinn au cours des deux derniers jours, mais Grey en doutait fortement. Jamie était un homme extraordinairement réservé et, s'il était capable d'une extrême courtoisie quand il le décidait, il s'en servait surtout pour tenir les autres à distance.

Grey se targuait de connaître Fraser mieux que la plupart des gens. Il se demanda un instant s'il n'était pas simplement déçu qu'il ait partagé cette information avec un inconnu. Il rejeta tout aussitôt cette possibilité. Ce qui l'amena à la conclusion logique, et tout aussi déconcertante, que Quinn connaissait Fraser depuis plus longtemps qu'il ne l'avait cru. Il se souvint de sa remarque concernant les autruches de la ménagerie du roi de France. Lui aussi, il s'était trouvé à Paris. Selon le principe mathématique de l'égalité, si A équivalait à B… B équivalait à A. Fraser connaissait intimement Quinn depuis des lustres. Et il n'en avait rien dit.

19

La tourbière

Le monastère d'Inchcleraun se dressait au bord de l'eau, l'église centrale entourée d'une grappe de bâtiments en pierre plus petits. Il y avait eu autrefois un mur d'enceinte et une tour, qui s'étaient effondrés ou avaient été abattus et dont les débris gisaient à moitié enfouis dans le sol spongieux, recouverts de lichen et de mousse.

Pourtant, en dépit de ces signes de délabrement, le monastère était habité et bien vivant. Depuis l'autre côté du lac, Jamie entendit une cloche sonner puis vit les moines sortir de l'église pour vaquer à leurs tâches. Un petit troupeau de moutons broutait dans un pré clos près des bâtiments. Derrière une arche en pierre, on apercevait les rangs ordonnés d'un potager. Deux frères convers y sarclaient les mauvaises herbes avec toute la résignation des hommes qui avaient accepté depuis longtemps leur sort de Sisyphe.

L'un d'eux le dirigea vers le plus grand des bâtiments en pierre, où un clerc le reçut, prit son nom, puis le fit patienter dans une antichambre. Si l'atmosphère des lieux était paisible, Jamie ne l'était guère. Outre les tensions entre Grey et Quinn (si l'un des deux lui faisait encore une remarque, il ne pensait pas pouvoir résister plus longtemps à l'envie de fracasser leurs crânes l'un contre l'autre), il était préoccupé par la confrontation prochaine avec Siverly et la mise en garde énigmatique de la duchesse concernant Twelvetrees. Au-delà de ses soucis les plus pressants, il y avait également la possibilité que la coupe des druides de Quinn se trouve effectivement dans le monastère. Il n'avait pas encore décidé s'il se renseignerait ou non. Et si elle était bien là, que ferait-il ?

Malgré son agitation intérieure, il ne put retenir un sourire en apercevant l'abbé. Michael FitzGibbons correspondait en tout point à un de ces farfadets que Quinn lui avait décrits.

Il lui arrivait au nombril et se tenait droit comme un piquet. Sa barbe blanche et drue pointait avec pugnacité et ses yeux verts pétillaient de malice et de curiosité.

Lorsque Jamie se présenta et lui parla de son oncle, le visage du petit abbé s'illumina et il sourit cordialement en révélant des petites dents blanches et régulières.

— Le neveu d'Alexander ! s'exclama-t-il. Ah, j'ai beaucoup entendu parler de tes aventures, mon garçon. Des tiennes et de ton épouse anglaise. Il paraît qu'elle a mis l'hôpital Saint Anne sens dessus dessous. T'accompagne-t-elle ? Je veux dire, en Irlande ?

À la mine soudain affolée de l'abbé, Jamie devina à quoi ressemblait sa propre expression. Le petit homme posa une main sur son bras.

— Non, mon père, répondit-il d'une voix étonnamment calme. Je l'ai perdue. Au cours du Soulèvement.

L'abbé fit claquer sa langue plusieurs fois avant de l'entraîner vers un fauteuil.

— Que son âme repose en paix, la pauvre enfant. Assieds-toi, mon fils. Tu boiras un peu de whisky.

Ce n'était pas une invitation mais un ordre, et Jamie ne discuta pas lorsqu'il lui plaça un verre dans la main. Il le leva machinalement en direction de l'abbé. Il ne pouvait pas parler, étant trop occupé à répéter en boucle dans sa tête « Seigneur, faites qu'elle soit en sécurité ! Elle et l'enfant ! », comme s'il craignait que les paroles du religieux ne l'aient effectivement envoyée aux cieux.

Le premier choc passa rapidement dès que la boule de glace qui s'était formée dans son ventre fondit sous le feu doux de l'alcool. Il y avait des choses plus urgentes à régler ; le chagrin devait être relégué au second plan.

L'abbé Michael se mit à parler de tout et de rien : du temps (inhabituellement clément pour la saison et une bénédiction pour les agneaux), de l'état du toit de la chapelle (avec des trous si gros qu'on aurait dit qu'un porc s'était promené dessus), du jour (une chance que ce soit jeudi et non vendredi : il y aurait de la viande au déjeuner, auquel, bien sûr, Jamie était convié ; il apprécierait certainement la sauce de frère Bertram, même si elle n'avait pas de nom et était d'une couleur indéfinissable… violet, peut-être)… L'abbé lui-même ne distinguait pas les couleurs, apprit Jamie dans la foulée, et la plupart du temps il devait demander au sacristain de lui désigner quelle chasuble mettre pour la messe, ne faisant aucune différence entre le rouge et le vert. D'ailleurs, il était bien obligé de croire frère Daniel quand celui-ci lui affirmait que de telles couleurs existaient. Jamie avait-il rencontré frère Daniel, leur clerc ? Un homme avec un visage pareil ne pouvait mentir, il suffisait de voir la longueur de son nez pour s'en rendre compte…

Il poursuivit ainsi son monologue, auquel Jamie ne pouvait répondre que par des hochements de tête et des sourires, tout en l'observant attentivement de ses yeux verts, bons mais perçants.

Lorsqu'il eut constaté que Jamie était à nouveau maître de lui et s'était détendu sur son siège, il l'invita du regard plus qu'avec des mots à lui expliquer le motif de sa visite.

Jamie sortit la feuille de papier pliée de sa poche et la lui tendit au-dessus de la table.

— Si vous avez un moment, mon père… Vous avez la réputation d'être un érudit et un grand connaisseur de l'histoire. Mon oncle m'a dit aussi que vous possédiez une collection rare de contes des anciens. J'aurais aimé avoir votre opinion sur ce fragment de poème…

Le père Michael avait d'épais sourcils broussailleux d'où jaillissaient ici et là en rebiquant de longs poils blancs. Il les fronça tandis qu'il se penchait sur le document, ses yeux voletant de ligne en ligne tels deux colibris dans un massif de fleurs.

Jamie regarda autour de lui, puis se leva et s'approcha des étagères pendant que l'abbé examinait le poème.

La pièce était aussi grande que la bibliothèque de Pardloe et renfermait autant de livres. Pourtant, il y régnait une atmosphère plus proche de celle du réduit où le duc s'isolait pour réfléchir.

À l'aspect des volumes, il était facile de savoir si une bibliothèque avait été créée pour épater la galerie ou non. Même fermés et soigneusement alignés sur les rayonnages, les livres qui avaient été lus vous invitaient à venir les prendre, comme s'ils s'intéressaient à vous autant que vous à eux et ne demandaient qu'à vous instruire.

Ceux de l'abbé étaient particulièrement attirants. Il y en avait une douzaine d'ouverts, empilés les uns sur les autres, sur une grande table près de la fenêtre. Des feuilles de papier noircies de notes saillaient entre les pages, oscillant dans le courant d'air, vous appelant.

Jamie mourait d'envie de s'approcher pour voir de quoi traitaient ces ouvrages, ainsi que de passer ses doigts sur les reliures en cuir, bois ou bougran qui tapissaient les étagères jusqu'à ce qu'un volume lui parle et lui glisse de lui-même dans la main.

Cela faisait si longtemps qu'il n'avait pas eu un livre à lui.

L'abbé avait lu le poème plusieurs fois avec un grand intérêt, ses lèvres remuant en silence. Puis il se redressa en lâchant un « Hmmph ! » sonore.

— En voilà un drôle de petit texte, opina-t-il. Sais-tu qui en est l'auteur ?

— Non, mon père. L'Anglais qui me l'a donné l'avait reçu de quelqu'un d'autre. Il m'a demandé de le lui traduire, ce que j'ai fait tant bien que mal, ne maîtrisant pas l'irlandais.

— Hmm-hmm-hmm.

L'abbé tapotait doucement la feuille comme s'il espérait pouvoir sentir la vérité du bout de ses petits doigts potelés.

— Je n'avais encore jamais rien vu de la sorte. Il existe de nombreuses versions de la Chasse fantastique, tu le savais sans doute déjà.

— Je connais la légende de Tam Lin, bien qu'elle ne vienne pas des Highlands. Elle m'a été racontée en prison par un homme originaire des Lowlands.

— En effet, elle vient des Marches écossaises. Mais cet extrait ne comporte rien qui fasse référence à Tam Lin, hormis, peut-être, l'allusion au *teind*. Tu connais ce mot, n'est-ce pas ?

Jamie n'y avait pas prêté beaucoup attention durant sa traduction, mais il se raidit en entendant prononcer le mot, tel un limier dont le poil se hérisse au passage d'une odeur.

— Une dîme ? demanda-t-il.

L'abbé acquiesça.

— Une dîme que l'on verse à l'enfer. On la retrouve dans plusieurs versions de la légende, l'idée générale étant que les fées et les êtres surnaturels devaient s'acquitter de cet impôt pour conserver leur longévité. Pour cela, il leur fallait sacrifier l'un des leurs une fois tous les sept ans.

Il plissa les lèvres et se tapota le menton d'un air méditatif.

— Pourtant, je suis prêt à parier que ce poème n'est pas aussi ancien qu'il le paraît. Je ne saurais dire pourquoi sans l'avoir étudié davantage, mais je dirais qu'il a été composé par un homme de ce siècle.

Le père Michael se leva brusquement.

— Tu ne trouves pas qu'on réfléchit mieux debout ? C'est mon cas, ce qui rend nos réunions de chapitre insupportables. Mes frères débattent durant des heures et, moi, je meurs d'une envie folle de danser la gigue au milieu de la pièce pour m'éclaircir les idées alors que je dois rester cloué sur mon siège comme cette petite créature…

Il indiqua d'un geste de la main l'une des boîtes en verre sur les étagères. Elle renfermait un insecte gigantesque coiffé d'une énorme corne et épinglé sur une planche de bois. Ses pattes épineuses prolongées de longues griffes incurvées donnèrent à Jamie la désagréable sensation qu'une bestiole lui grimpait le long de la colonne vertébrale.

— Un beau spécimen, mon père, commenta-t-il sans trop s'approcher.

— Il te plaît ? Il m'a été envoyé par un ami de Westphalie. Un juif. Un homme peu ordinaire et au tempérament très philosophique, nommé Stern. Regarde, il m'a également envoyé ceci…

Il cueillit un objet jaunâtre qui ressemblait à de l'ivoire dans le fouillis qui jonchait un rayonnage et le déposa dans la main de Jamie. C'était une énorme dent longue et courbe, émoussée à son extrémité.

— Tu sais ce que c'est ?

— C'est la canine d'une très grande créature qui mange de la chair, répondit Jamie, amusé. Mais je ne saurais dire s'il s'agit d'un lion ou d'un loup, n'ayant pas encore eu l'occasion d'être mordu ni par l'un ni par l'autre. Cela dit, je doute qu'il y ait des lions en Westphalie.

L'abbé se mit à rire.

— Très observateur, *mo mhic*[15]. Il s'agit effectivement d'un ours. Un ours des cavernes… Tu en as entendu parler ?

— Non.

Jamie avait compris que cette conversation apparemment anodine permettait à l'abbé de se dégourdir les jambes tout en réfléchissant au poème. En outre, il n'était pas pressé de retrouver ses compagnons. Avec un peu de chance, ils se seraient entretués avant son retour, lui simplifiant la vie.

— Ce devait être des animaux impressionnants, poursuivit l'abbé. Stern m'a également envoyé les mensurations du crâne entier. Il est aussi long que la distance entre ton coude et le bout de ton majeur, et je parle bien de ton bras, pas du mien. Hélas, ils ont complètement disparu. Il y a toujours des ours dans les forêts allemandes, mais rien de semblable à celui qui a perdu cette dent. Stern pense qu'elle serait vieille de plusieurs milliers d'années.

— Vraiment ? répondit Jamie, qui ne savait pas trop quoi dire.

Un éclat métallique sur une autre étagère attira son attention, il plissa les yeux, essayant de voir ce que c'était : une boîte en verre contenant un objet sombre dans lequel luisait un reflet doré.

— Ah, tu as remarqué notre main ? Ça, c'est quelque chose ! s'exclama l'abbé, ravi de cette occasion de lui montrer un autre de ses trésors.

Il se hissa sur la pointe des pieds, descendit le coffret puis fit signe à Jamie de le suivre vers la grande table. Celle-ci était inondée de lumière. Une plante grimpante en fleur s'enroulait autour du chambranle de la fenêtre ouverte et l'on apercevait le jardin aromatique du monastère de l'autre côté. L'air était rempli de fragrances délicates qui s'envolèrent toutes dès que l'abbé ouvrit la boîte.

— De la tourbe ? demanda Jamie, même si cela ne faisait aucun doute.

---

15. « Mon fils » en gaélique.

L'objet noirâtre, qui était effectivement une main recroquevillée, tranchée au poignet et desséchée, dégageait la même odeur âcre que les briques en tourbe que l'on trouvait dans toutes les cheminées d'Irlande.

L'abbé acquiesça et tourna délicatement la main afin de mettre en évidence la bague enserrant un doigt racorni.

— Un des frères l'a trouvée dans le marais. Nous ignorons à qui elle appartenait. Ce ne pouvait être un paysan. Nous avons fouillé autour et, naturellement, avons trouvé du beurre.

— Du beurre ?!

— *Beannachtaí m' mhic.* En été, tout le monde met son beurre dans le marais pour le conserver au frais. De temps à autre, une femme oublie où elle a placé son petit seau, ou encore elle meurt avant de le récupérer. Nos frères convers en trouvent souvent quand ils vont découper de la tourbe pour nos feux. Malheureusement, il est rarement encore comestible, même s'il reste reconnaissable. La tourbe conserve les choses.

Il indiqua la main d'un signe de tête.

— Comme je le disais, nous sommes retournés sur place et, après avoir creusé un peu, nous avons trouvé le reste…

Jamie eut soudain la sensation étrange que quelqu'un se tenait juste derrière lui et dut lutter contre l'envie de se retourner.

— Il était couché sur le dos, poursuivait le père Michael. Il portait un pantalon et une cape retenue avec une petite broche en or sous la gorge. De fait, celle-ci avait été tranchée. Pour faire bonne mesure, on lui avait également fracassé le crâne et, au cas où cela n'aurait pas suffi, il avait une cordelette enroulée autour du cou.

L'abbé sourit tristement.

La sensation d'être observé s'accentua encore. Jamie changea de position comme s'il cherchait à soulager une tension dans sa jambe et en profita pour lancer un bref regard par-dessus son épaule. Il n'y avait personne, bien entendu.

— Tu m'as dit ne pas maîtriser l'irlandais, reprit l'abbé. Je suppose que tu ne connais pas « *Aided Diarnmata meic Cerbaill* » ? Ni « *Aided Muirchertaig meic Erca* » ?

— Non. Mais *aided* signifie « mort », n'est-ce pas ?

L'abbé opina, comme si son ignorance était excusable quoique regrettable.

— En effet. Ces deux poèmes parlent d'hommes ayant subi la triple mort, une procédure habituellement réservée aux dieux ou aux héros. Toutefois, dans le cas de Diarnmata et de Muirchertaig meïc Erca, ils furent exécutés pour des crimes commis contre l'Église.

Jamie s'éloigna légèrement de la table et s'adossa au mur en croisant les bras sur son torse, dans une attitude qu'il espérait naturelle. Les poils de sa nuque étaient toujours hérissés, mais il se sentait un peu mieux. Il indiqua la main d'un geste du menton.

— Et vous pensez que ce… que l'homme à qui elle appartenait avait commis un crime de cette sorte ?

— À vrai dire, nous n'en savons rien, hélas.

Le père Michael referma délicatement le couvercle du coffret avant de reprendre :

— Nous avons beaucoup creusé tout autour, récoltant au moins trois mois de mottes de tourbe par la même occasion, ce qui en valait la peine en soi. C'est ce que j'ai dit aux pauvres frères qui se sont chargés de cette tâche plutôt ingrate. Non loin du corps, nous avons exhumé la poignée en or d'une épée – la tourbe conserve beaucoup moins bien les métaux plus vils –, une coupe incrustée de pierreries et ceci…

Il lui montra le mur opposé où deux longs fragments de métal courbes luisaient dans l'ombre.

— Qu'est-ce que c'est ? demanda Jamie, qui avait sursauté à la mention de la coupe.

En s'approchant, il constata qu'il s'agissait des deux moitiés d'une sorte de trompette primitive, avec un long tube incurvé et un pavillon aplati plutôt qu'évasé.

— Une très vieille femme vivant près du marais m'a dit que cela s'appelait un *lir*, mais j'ignore d'où elle le tient, et elle aussi. De toute évidence, la mort de cet homme n'était pas un simple meurtre, mais semble plutôt avoir été cérémonielle…

L'abbé se frotta lentement la lèvre supérieure d'un air songeur.

— La nouvelle de cette découverte s'est répandue, bien sûr, reprit-il. Les choses que j'ai entendues ! Les gens de la campagne émettaient toutes sortes d'hypothèses, affirmant qu'il était tantôt le haut roi des druides, tantôt Finn MacCumaill. On se demande bien ce que ce dernier ferait enfoui dans une tourbière au lieu de courir les filles à Tír na nÓg, l'Île de l'éternelle jeunesse ! D'autres encore étaient convaincus qu'il s'agissait de saint Hugelphus…

— Hugelphus ?! Il existe un saint Hugelphus ?

L'abbé se passa une main sur la joue, encore incrédule devant la perversité de ses ouailles.

— Non, mais je perdrais mon temps à le leur répéter. Ils voulaient lui construire une chapelle et exposer ce malheureux dans un cercueil de verre, avec des cierges en cire d'abeille brûlant continuellement à sa tête et à ses pieds…

Il lança un regard à Jamie en arquant un sourcil.

— Tu ne connais peut-être pas bien la situation des catholiques, ici en Irlande, depuis les lois pénales ?

— Non, mais je peux l'imaginer.

— Oui, tu le peux, sans doute. Disons que ce monastère possédait autrefois plus de terres qu'un homme pouvait en parcourir à pied en une demi-journée. Aujourd'hui, il ne nous reste plus que ces bâtiments et un lopin à peine assez grand pour y cultiver quelques choux. Et encore, nous devons nous estimer heureux ! Compte tenu de nos relations avec le gouvernement et les colons anglo-irlandais, je n'ai vraiment pas envie de voir débarquer ici des troupeaux de pèlerins venus vénérer un faux saint couvert d'or…

— Comment y avez-vous mis un terme ?

— Nous avons replacé ce pauvre homme dans sa tourbière. Je doute fort qu'il ait été chrétien, mais je lui ai dit une vraie messe et nous l'avons enseveli selon les bons usages. Pour décourager tous ceux qui voudraient le déterrer à nouveau, j'ai fait savoir que j'avais envoyé tous ses bijoux à Dublin, ce qui est vrai pour la broche et le fragment d'épée. Nous devons éviter de soumettre nos prochains à la tentation, pas vrai ? Tu veux voir la coupe ?

Le cœur de Jamie fit un bond, puis il hocha la tête en s'efforçant de ne paraître que moyennement intéressé.

L'abbé se hissa à nouveau sur la pointe des pieds pour décrocher un trousseau de clés suspendu à un clou près de la porte, puis lui fit signe de le suivre.

Ils traversèrent le cloître. De grosses abeilles butinaient les herbes aromatiques du jardin qui occupait une partie de la cour, le corps saupoudré de pollen jaune. En dépit de la douceur de l'air, Jamie ne pouvait se débarrasser de la sensation glaçante qui s'était emparée de lui lorsqu'il avait vu la main racornie ornée de sa bague en or.

— Mon père, demanda-t-il malgré lui. Pourquoi la conservez-vous ?

— À cause de l'anneau. Il porte des runes. Je pense qu'il s'agit d'une écriture oghamique. Je n'ose pas l'enlever car le doigt risque de tomber en miettes. Je l'ai donc gardée afin de réaliser un dessin de la bague et de ses inscriptions que j'enverrai à une relation qui affirme s'y connaître en ogham. Je compte bien ensuite enterrer la main avec le reste du corps... quand j'en trouverai le temps.

Ils étaient parvenus devant une porte en bois sculpté et il lui fallut un certain temps pour trouver la bonne clé. Puis la porte s'ouvrit en silence sur ses gonds en cuir, révélant un escalier. Une odeur d'oignon et de pomme de terre s'éleva des profondeurs d'une cave.

L'espace d'un instant, il se demanda pourquoi les moines se donnaient la peine de fermer un cellier à clé. Puis il se souvint de ce que Quinn lui avait raconté sur la dernière famine en Irlande. Dans ce contexte, la nourriture était sans doute ce que le monastère renfermait de plus précieux.

Une lanterne et un briquet à amadou étaient posés sur la première marche. Jamie l'alluma puis la tendit à l'abbé avant de le suivre. Le sens pratique du père Michael l'amusait ; il avait simplement caché l'objet précieux derrière une rangée de pommes de l'hiver précédent, à présent toutes fripées et ratatinées.

Pour être précieux, il l'était ; cela se voyait au premier coup d'œil. La coupe avait la taille d'un petit *quaich* et tenait dans la paume. Elle n'était pas en or mais en bois verni. Tachée et noircie par son long séjour dans la tourbe, elle était néanmoins superbement réalisée. Son fond était ciselé et son pourtour orné de gemmes non taillées mais polies, chacune enchâssée dans un petit trou et retenue par une sorte de résine.

La coupe lui donna la même sensation que la main un peu plus tôt : celle que quelqu'un (ou quelque chose) se tenait tout près de lui. Cela ne lui plut pas du tout et l'abbé s'en rendit compte.

— Que se passe-t-il, *mo mhic* ? demanda-t-il doucement. Elle te parle ?

— Oh oui, répondit-il avec un petit sourire forcé. Et je crois qu'elle me dit « Remets-moi à ma place ».

Il rendit la coupe à l'abbé et se retint de s'essuyer les mains sur sa culotte.

— Tu penses qu'elle est maléfique ?

— Je ne sais pas, mon père. Rien que de la toucher me donne la chair de poule. Mais…

Il se pencha en avant en croisant les mains derrière son dos.

— … que représente le dessin ciselé au fond ?

— *A carraig mór*, il me semble. Une pierre dressée.

L'abbé orienta le bol vers la lumière afin d'en illuminer le fond. Jamie sentit ses jambes mollir. Le dessin représentait clairement un menhir fendu en son milieu.

— Mon père, lâcha-t-il brusquement. J'ai quelque chose à vous dire. Voulez-vous bien entendre ma confession ?

Ils firent une brève halte pour que le père Michael prenne son étole, puis ils traversèrent le pré pour se rendre dans une petite pommeraie où flottait une senteur capiteuse de fruits dans le bourdonnement continu des abeilles. Ils s'assirent sur des pierres et Jamie parla à l'abbé, le plus simplement possible, de Quinn, de l'éventualité d'un nouveau soulèvement jacobite en Irlande et de l'idée d'utiliser la *Cupán* du roi des druides pour légitimer la prétention des Stuarts au trône des trois royaumes.

L'abbé tenait les extrémités de l'étole pourpre, la tête baissée, l'écoutant attentivement. Il ne broncha pas quand Jamie lui exposa le plan de Quinn. Quand il eut fini, le père Michael releva enfin les yeux.

— Tu es venu pour voler la coupe ? demanda-t-il nonchalamment.

— Non !

Son cri du cœur fit sourire l'abbé.

— Non, bien sûr, dit-il en contemplant la coupe posée sur ses genoux. Tu m'as dit toi-même : Remettez-la à sa place.

— C'est que… je ne sais pas comment l'expliquer, mon père. Mais il la réclame… l'homme que vous avez trouvé dans le marais…

L'abbé écarquilla les yeux puis le dévisagea attentivement.

— Il t'a parlé ?

— Pas avec des mots, mais je sens sa présence. Plutôt, je l'ai sentie. Il est parti, à présent.

Le père Michael saisit la coupe et l'examina de près, caressant du pouce le bois ancien. Puis il la reposa.

— Ce n'est pas tout, n'est-ce pas ? Dis-moi ce qui te tracasse.

Jamie hésita. Il n'avait pas le droit de divulguer les secrets de Grey, d'autant plus qu'ils n'avaient aucun lien avec l'homme des tourbières, la coupe ni rien qui concernât l'abbé. Les yeux verts de ce dernier ne le lâchaient pas.

— Cela restera sous le sceau du secret, mon fils. Je vois bien qu'un fardeau pèse sur ton âme.

Jamie ferma les yeux et poussa un long soupir.

— En effet, mon père.

Il quitta sa pierre et vint s'agenouiller devant l'abbé.

— Ce n'est pas vraiment un péché, mon père. Du moins pas entièrement, mais il me ronge.

— Parle à Dieu et laisse-le t'apaiser.

Il prit les mains de Jamie, les plaça sur ses genoux osseux, puis posa sa propre main sur son front.

Jamie lui raconta tout. Lentement, avec de nombreuses hésitations, puis plus rapidement, les mots venant peu à peu d'eux-mêmes. Il lui expliqua ce que les Grey attendaient de lui ; comment ils l'avaient fait venir en Irlande ; son dilemme, tiraillé entre sa loyauté envers son vieil ami Quinn et son obligation contrainte et forcée envers John Grey. Les joues en feu et le regard rivé sur la robe noire de l'abbé, il exposa les sentiments de Grey pour lui et ce qui s'était passé entre eux dans l'écurie de Helwater. Puis, avec la sensation de sauter du haut d'une falaise dans une mer déchaînée, il lui parla de Willie et de Geneva.

Les larmes coulaient sur son visage. Lorsqu'il eut fini, l'abbé descendit sa main sur sa joue, puis il sortit un grand mouchoir noir, élimé et relativement propre de sous sa robe.

— Assieds-toi, mon fils, dit-il en le lui donnant. Repose-toi un moment pendant que je réfléchis.

Jamie se releva et alla de nouveau s'asseoir sur la pierre plate. Il se moucha et s'essuya le visage. Il se sentait léger et purgé, plus en paix qu'il ne l'avait été depuis les jours qui avaient précédé Culloden.

Son esprit était vide et il ne fit aucun effort pour le remplir. Le poids sur sa poitrine avait disparu et il respirait librement. Cela lui suffisait. Le soleil printanier apparut de derrière un nuage et le réchauffa. Une abeille se posa un instant sur sa manche, y déposant quelques grains de pollen avant de s'envoler. L'herbe qu'il avait écrasée en s'agenouillant fleurait bon le repos et le réconfort.

Il n'aurait su dire combien de temps il était resté dans cet état d'agréable torpeur. Le père Michael se redressa soudain et étira son vieux dos en gémissant avant de lui sourire.

— Bien. Commençons par le plus facile. Tu n'as pas l'habitude de forniquer régulièrement avec des jeunes femmes, j'espère? Tant mieux. Ne commence pas. Si tu sens que tu… Non. J'allais te conseiller de te trouver une brave fille et de l'épouser, mais je vois bien que c'est inutile : ta femme est encore avec toi. Il serait injuste de prendre une nouvelle épouse alors que l'ancienne occupe encore toutes tes pensées. D'un autre côté, ne te raccroche pas à ta femme disparue. Elle repose en paix dans les bras de Dieu, tu dois reprendre le cours de ta vie. Bientôt… tu sauras toi-même quand le moment sera venu. En attendant, évite les péchés de chair, d'accord?

— Oui, mon père, dit docilement Jamie.

Il songea brièvement à Betty. Il était parvenu à l'éviter jusque-là et avait bien l'intention de continuer.

— Les bains froids aident, ainsi que la lecture. Passons à présent à ton fils…

Il parlait sur un ton tellement anodin que Jamie sentit une bulle d'espoir monter en lui… Elle creva dès qu'il entendit les paroles suivantes de l'abbé :

— Tu ne dois rien faire qui puisse le mettre en danger. Tu n'as aucun droit sur lui et, d'après ce que tu me dis, il ne manque de rien. Ne vaudrait-il pas mieux, pour tous les deux, que tu quittes cet endroit où il vit ?

— Je… commença Jamie.

Les mots et les émotions se bousculaient dans son esprit et il ne savait plus par où commencer. L'abbé l'interrompit d'un geste :

— Tu es un prisonnier en libération conditionnelle, je sais, mais, compte tenu des services que tu t'apprêtes à rendre aux Anglais, il y a de fortes chances que tu retrouves ta liberté.

Jamie le pensait également et cela le plongeait dans une violente confusion. Être à nouveau libre était une chose, abandonner son fils en était une autre. Deux mois plus tôt, il aurait été capable de partir en sachant William à l'abri. Plus maintenant.

Il s'efforça d'étouffer le violent déni que les paroles de l'abbé avaient provoqué en lui.

— Mon père, j'entends ce que vous dites, mais… l'enfant est orphelin, il n'a pas à ses côtés un homme pour… lui montrer ce que c'est d'être un homme. Son grand-père est un gentilhomme valeureux, mais il est très âgé et son père putatif est… mort.

Il se demanda s'il devait confesser avoir tué le vieux comte. Non. Ce ne pouvait être un péché puisqu'il ne l'avait fait que pour sauver la vie de William.

— Si je considérais un seul instant que ma présence représentait un danger pour lui plutôt qu'un bienfait, je partirais sur-le-champ. Mais je ne crois pas me tromper en pensant que… qu'il a besoin de moi.

Il avait prononcé ces derniers mots d'une voix étranglée. L'abbé le dévisagea gravement un long moment, puis hocha la tête.

— Prie Dieu de te donner la force de prendre la décision la plus juste. Il t'aidera.

Jamie avait déjà prié à deux reprises pour trouver ce genre de force, et il avait été entendu. À chaque fois, il avait cru qu'il n'y survivrait pas ; pourtant, il était toujours là. Il espérait qu'il n'aurait pas à revivre une telle épreuve une troisième fois.

Il s'efforça de sourire.

— Je croyais que vous deviez commencer par le plus facile, mon père.

L'abbé fit une petite grimace.

— Je voulais dire par là qu'il était plus facile de comprendre ce qu'il y avait à faire, pas nécessairement de le faire.

Il se leva et, d'une pichenette, fit tomber un chaton duveteux de son épaule.

— Viens. Marchons un peu. À force de rester trop longtemps assis, nous allons nous transformer en statues de pierre.

Ils avancèrent à pas lents à travers la pommeraie, puis longèrent une étendue de champs. Certains avaient été laissés en friche pour quelques moutons et une vache esseulée ; d'autres étaient labourés et commençaient à germer, un fin tapis vert recouvrant les sillons. Ils les longèrent en prenant soin de ne pas piétiner les jeunes plants de rutabaga et de pommes de terre, et finirent par émerger à l'orée d'une tourbière.

C'était une vraie tourbière et non un simple terrain argileux et spongieux comme on en trouvait partout en Irlande. Elle s'étendait sur près de mille mètres, formant un paysage nu et bosselé d'un brun verdâtre, jusqu'à un monticule de rochers entre lesquels poussait un pin rachitique oscillant tel un fanion dans le vent. Lequel, dès qu'ils eurent quitté l'abri des arbres, se mit à chanter à leurs oreilles, faisant voler les pans de l'étole du père Michael.

L'abbé l'entraîna vers un chemin constitué de planches de bois qui sinuait entre les petites buttes. Celles-ci, tapissées d'herbes à demi étouffées par la mousse, se dressaient parmi des milliers de minuscules ruisselets et de mares.

— J'ignore qui a tracé ce chemin, expliqua l'abbé. Aussi loin que remontent nos souvenirs, il était déjà là. Nous l'entretenons car c'est le seul moyen sûr de traverser la tourbière.

Les planches s'enfonçaient légèrement sous leurs pas, l'eau suintant dans les interstices. Toutefois, elles supportaient leur poids, même si les vibrations déclenchées par leur passage faisaient trembloter le sol autour d'eux.

L'abbé marchait devant et dut hausser la voix pour se faire entendre par-dessus le vent :

— Comme nous, les anciens considéraient le chiffre trois comme sacré. Ils avaient trois dieux : le dieu de la foudre et du tonnerre, Taranis. Puis il y avait Esus, le dieu des enfers. Ils ne voyaient pas leurs enfers tout à fait comme les nôtres, mais ce n'était pas un endroit franchement agréable non plus.

— Et le troisième ?

Jamie tenait toujours le mouchoir de l'abbé et s'en servit pour se moucher. Le vent froid lui faisait couler le nez.

— Voyons voir… Comment s'appelait-il déjà ?

Il ne cessa pas de marcher et se tapotait le crâne pour s'aider à penser.

— Ça ne me revient pas… Ah, mais bien sûr ! Le troisième était le dieu protecteur de chaque tribu et il avait donc différents noms.

— Je vois.

L'abbé lui racontait-il tout cela uniquement pour tuer le temps ? De toute évidence, ils n'étaient pas venus jusqu'ici simplement pour se dégourdir les jambes et il ne voyait qu'une raison pour laquelle ils traversaient une tourbière.

Il ne se trompait pas.

— Un dieu digne de ce nom exige des sacrifices, n'est-ce pas ? poursuivit l'abbé. Les dieux des anciens avaient soif de sang.

Jamie s'était rapproché de lui et l'entendait distinctement. Il y avait également des oiseaux dans la tourbière. Il reconnut le chant strident d'une bécassine.

— Pour apaiser Taranis, ils enfermaient leurs prisonniers de guerre dans des cages en osier et les brûlaient vivants.

Il se tourna vers Jamie avec un sourire.

— C'est une bonne chose pour vous que les Anglais se soient légèrement civilisés, n'est-ce pas ?

Son ton ironique indiquait clairement qu'il conservait quelque doute quant à leur degré de civilisation. Dans les Highlands, les Anglais n'avaient pas hésité à brûler les fermes et les champs, sans se soucier des femmes et des enfants qu'ils condamnaient à périr brûlés vifs ou à mourir lentement de faim et de froid.

— Effectivement, c'est une chance, mon père, répondit Jamie sur un ton tout aussi ironique.

— Ils continuent de pendre leurs condamnés. C'était le sacrifice requis par Esus. Ça, ou un coup de poignard. Parfois les deux.

En espérant aider l'abbé à en venir au fait, Jamie répondit :

— La pendaison ne fonctionne pas toujours. Parfois, la victime survit, ce qui explique sans doute pourquoi celui qui s'est occupé de votre homme a noué la corde autour de son cou afin de l'étrangler. Cela dit, j'aurais pensé que les coups sur le crâne, l'égorgement puis la noyade, à supposer qu'il ait été encore en mesure de respirer, auraient suffi.

L'abbé acquiesça, imperturbable. Le vent soulevait ses mèches blanches, les faisant onduler autour de sa tonsure un peu à la manière des aigrettes des linaigrettes qui poussaient au bord du chemin.

— Teutatès ! s'exclama-t-il, triomphant. C'est le nom de l'un des anciens dieux tribaux. Oui, il entraînait ses victimes dans une étreinte aquatique, les noyant dans des puits sacrés. Par ici…

Ils étaient parvenus à une fourche, une partie du chemin se dirigeant vers le monticule, l'autre vers une grande fosse. Ce devait être là que les frères étaient venus découper leur tourbe et avaient découvert le corps de l'homme. Le père Michael le conduisait sans doute sur la tombe de ce dernier.

Pourquoi ? L'abbé avait laissé entendre dans la conversation que leur petite expédition était liée à sa confession et que ce qui l'attendait ne serait pas facile.

Comme il n'avait pas encore reçu l'absolution, il emboîta le pas au père Michael quand celui-ci se dirigea vers le monticule.

— Je n'ai pas voulu le remettre là où nous l'avons trouvé, expliqua l'abbé. Quelqu'un venant couper de la tourbe aurait pu l'exhumer à nouveau et il aurait fallu tout recommencer.

— Vous l'avez donc enterré sous le monticule, comprit Jamie.

Un frisson le parcourut. Dans le poème, il était question d'un « roi sous la montagne ». Or, à sa connaissance, le peuple « sous la montagne » était composé d'êtres surnaturels. La gorge desséchée par le vent, il dut déglutir plusieurs fois avant de pouvoir parler. Toutefois, avant qu'il ait pu poser sa question, il vit le vieil homme ôter ses sandales et relever sa robe.

— Il nous faut patauger sur les derniers mètres…

En maugréant (mais en évitant de blasphémer), Jamie se déchaussa à son tour et retira ses bas. Il marcha précautionneusement dans les empreintes de l'abbé. Comme il faisait près de deux fois sa taille, il ne pouvait espérer que le prêtre parviendrait à l'extirper du bourbier s'il venait à s'y enliser.

L'eau noire remontait entre ses orteils, froide mais non désagréable sous ses pieds nus. Il sentait la tourbe moelleuse en dessous, le piquant légèrement. Il s'enfonçait jusqu'aux chevilles à chaque pas, mais parvint à rejoindre la terre ferme sans d'autres dégâts que quelques éclaboussures sur sa culotte.

Le père Michael se tourna vers lui.

— Parfait ! Passons à présent à la partie difficile.

L'abbé le conduisit au sommet de la butte. Là, sous le pin, un siège rudimentaire était taillé dans un rocher. Couvert de lichens bleu, vert et jaune, il se trouvait probablement là depuis des siècles.

— Voici un *árd chnoc*, le trône sur lequel les rois de cet endroit étaient confirmés par leurs dieux.

Il se signa et Jamie en fit autant, impressionné malgré lui. La pierre elle-même semblait dégager un profond silence. Le vent sur la tourbière s'était tu et il entendait les lents battements réguliers de son propre cœur.

Le père Michael détacha la bourse en cuir qu'il portait à la taille et en sortit la coupe en bois qu'il déposa délicatement sur le trône.

— Je sais ce que tu as été autrefois, déclara-t-il à Jamie sur un ton neutre. Durant le Soulèvement, ton oncle Alexander m'écrivait pour me donner de tes nouvelles. Tu fus un grand guerrier pour le roi. Le roi légitime.

— C'était il y a longtemps, mon père.

Il commençait à se sentir mal à l'aise et ce n'était pas uniquement en raison de la coupe, même si celle-ci hérissait à nouveau les poils de sa nuque.

L'abbé se redressa et le toisa.

— Tu es à la fleur de l'âge, *Shéamais Mac Bhrian*. Est-il juste de gaspiller ta force et ton don de meneur d'hommes ?

Par tous les saints ! Il s'y met, lui aussi. Il veut la même chose que Quinn ?!

— Est-il juste de mener des hommes à la mort pour une cause vaine ? rétorqua-t-il.

Son ton virulent fit tiquer l'abbé.

— Vaine ? La cause de l'Église, de Dieu ? Restaurer le roi sacré et ôter le joug des Anglais de sur le cou de ton peuple et du mien ?!

— Oui, vaine, mon père, répéta Jamie en s'efforçant de se maîtriser. Vous dites savoir ce que c'était, mais vous n'avez pas vu ce que j'ai vu, ce qui s'est réellement passé après, quand les clans ont été écrasés. Je dis bien « écrasés ». Quand ils ont...

Il s'interrompit et ferma les yeux, crispant les mâchoires jusqu'à ce qu'il se soit ressaisi.

— Je me suis caché, reprit-il au bout d'un moment. Sur mes propres terres. Je suis resté tapi dans une grotte pendant sept ans, par peur des Anglais.

Il prit une profonde inspiration, sentit les cicatrices étirer la peau de son dos, cuisantes. Quand il rouvrit les yeux, l'abbé le dévisageait attentivement.

— Une nuit, environ un an après Culloden, je suis descendu chasser. Je suis passé devant une ferme incendiée, devant laquelle j'étais déjà passé une centaine de fois. Je me suis écarté du sentier que la pluie avait inondé et j'ai marché sur elle...

Il entendait encore l'horrible craquement des os sous son pied ; il revoyait l'atroce délicatesse de la petite cage thoracique, les minuscules phalanges éparpillées comme autant de cailloux...

— C'était une petite fille. Elle était là depuis trois mois. Les renards et les corbeaux s'étaient servis. Trois sœurs avaient vécu dans cette ferme, toutes proches en âge, avec des cheveux châtains. C'était tout ce qu'il restait d'elle, sa chevelure, si bien que je ne pouvais savoir s'il s'agissait de Mairi, de Beathag ou de Cairistiona. Je…

Il s'interrompit à nouveau.

— Je t'avais dit que ce serait difficile, dit doucement le prêtre. Tu crois que je n'ai pas vu les mêmes horreurs ici ?

— Vous voulez les voir à nouveau ?

— Parce que tu crois que cela s'arrêtera ? s'énerva l'abbé. Condamneras-tu tes compatriotes et les miens à subir de telles cruautés, à vivre écrasés sous la botte des Anglais ? Dans ses lettres, ton oncle Alexander n'a jamais laissé entendre que tu manquais de courage. Il se trompait sans doute à ton sujet…

— Oh, non, mon père. Vous ne m'embobinerez pas avec ce genre de provocations. Oui, je sais commander et mener des hommes, mais personne ne me manipulera.

Le père Michael émit un son de dédain, mi-amusé, mi-grave.

— C'est à cause du garçon ? Tu te détournerais de ton devoir, de l'appel de Dieu, pour lécher les bottes des Anglais et porter leurs chaînes… tout ça pour un enfant qui n'a pas besoin de toi et qui ne portera jamais ton nom ?

— Non, répondit Jamie en serrant les dents. J'ai déjà quitté ma maison et ma famille afin d'accomplir mon devoir par le passé. Cela m'a coûté ma femme. J'ai vu où le devoir vous entraînait. Écoutez-moi bien, mon père : s'il y a de nouveau la guerre, l'issue sera la même. Elle sera la même !

— Pas si des hommes comme toi assument leurs responsabilités. S'il existe des péchés d'omission, il y a aussi ceux de commission. N'oublie pas la parabole des talents, mon garçon. Le jour du Jugement dernier, te tiendras-tu devant Dieu et lui diras-tu que tu as rejeté les dons qu'il t'avait donnés ?

Jamie comprit soudain que le père Michael était au courant de bien plus qu'il ne le laissait entendre au sujet des projets des jacobites irlandais. Les machinations de Quinn entraient dans un plan plus vaste dont il avait connaissance ou dont il se doutait.

Cela apaisa un peu sa colère. Finalement, le père Michael cherchait uniquement à accomplir ce qu'il considérait être son devoir.

Il pointa le menton vers la coupe.

— Y a-t-il une pierre dressée comme celle-ci dans les environs ?

De là où il se tenait, il ne pouvait voir le dessin au fond de la coupe, mais la sensation d'un courant d'air froid dans sa nuque était toujours présente, même si les branches du petit pin au-dessus d'eux étaient immobiles.

Ce brusque changement de sujet déconcerta l'abbé.

— Je... euh... oui, en effet.

Il tourna la tête vers l'ouest, où le soleil rouge sombrait lentement derrière un rideau de nuages.

— À moins de deux kilomètres par là, il y a un petit cercle de pierres. L'une d'elles est fendue comme celle de la coupe. Pourquoi cette question ?

Jamie hésita. Devait-il lui dire comment il savait que cette nouvelle tentative de restaurer les Stuarts échouerait aussi inexorablement que le précédent soulèvement en Écosse ?

Non. Claire n'appartenait qu'à lui. Son amour pour elle n'avait rien de coupable et ne concernait pas le père Michael.

En outre, si je lui dis, il sera convaincu qu'il me manque une case ou que je feins la folie pour me dérober à mon devoir...

Ignorant la question du prêtre, il lui montra la coupe.

— Pourquoi l'avez-vous apportée ici ?

Le père Michael le dévisagea un moment sans répondre, puis haussa une épaule.

— Si tu es l'homme que Dieu a choisi pour accomplir cette tâche, je te la donnerai afin que tu l'utilises comme bon te semblera. Si tu ne l'es pas... alors je la rendrai à son propriétaire.

— Je ne le suis pas, mon père. Je ne peux même pas la toucher, ce doit être un signe que je ne suis pas l'homme qu'il faut.

— Tu sens à nouveau sa présence ? Celle de l'homme de la tourbière ? En ce moment même ?

— Oui.

245

La sensation de quelqu'un se tenant derrière lui était de retour, chargée de… d'impatience ? De désespoir ? Il n'aurait su le dire, mais c'était diablement troublant.

L'homme enseveli était-il quelqu'un comme Claire ? Était-ce le sens du dessin ciselé dans la coupe ? Dans ce cas, comment était-il arrivé là, dans ce lieu de désolation, loin de chez lui ?

Le doute se referma sur lui avec des mâchoires d'acier. Et si elle n'était pas parvenue saine et sauve de l'autre côté des pierres ? Si, à l'instar de l'homme enfoui sous les eaux brunes, elle s'était égarée ? Il serra tant les poings que ses ongles s'enfoncèrent dans ses paumes.

Seigneur, faites qu'elle soit en sécurité, pria-t-il avec ferveur. *Elle et l'enfant !*

— Bénissez-moi, mon père. Je dois partir.

En voyant l'abbé pincer les lèvres d'un air réticent, Jamie ne put se contrôler davantage.

— Quoi, vous espérez me contraindre en me refusant l'absolution ? Vous n'êtes qu'un prêtre charlatan ! Vous trahiriez vos vœux et votre fonction pour me…

Le père le fit taire d'un geste de la main, sans se départir de son calme. Il lui lança un regard sévère, puis traça le signe de croix en l'air d'un geste brusque et précis.

— *Ego te absolvo, in nomine Patris…*

— Je… je suis désolé, mon père, balbutia Jamie. Je n'aurais jamais dû dire ça. Je…

— Nous mettrons ça sur le compte de ta confession, mon fils, murmura l'abbé. Récite le rosaire une fois par jour pendant un mois ; ce sera ta pénitence.

Il esquissa un sourire ironique, puis acheva :

— *Et Filii, et Spiritus Sancti, amen.*

Il abaissa sa main.

— Je n'ai pas pensé à te demander à quand remontait ta dernière confession. Te souviens-tu de l'acte de contrition, ou dois-je t'aider ?

Il parlait sur un ton sérieux, mais Jamie vit l'ombre du farfadet caché au fond de ses yeux verts. Le père Michael joignit les mains et baissa pieusement la tête, à moins que ce ne fût pour dissimuler son sourire.

Jamie récita la prière en français, comme il le faisait toujours :

— Mon Dieu, j'ai un très grand regret de vous avoir offensé…

Et, comme toujours, il se sentit envahi par une paix profonde à mesure qu'il prononçait les mots.

Lorsqu'il se tut, l'air du soir était parfaitement immobile.

Il remarqua un détail qui lui avait échappé : un amas de terre et de pierres plus sombre que le reste, parsemé de touffes de jeunes herbes et de minuscules fleurs sauvages. Une petite croix en bois était plantée à sa tête, juste sous le pin.

« Tu es poussière et à la poussière tu retourneras. » C'était la tombe de l'inconnu. Ils lui avaient donné une sépulture chrétienne, laissant son corps longtemps préservé dans les eaux noires s'effriter enfin dans un anonymat paisible. Ici, au pied du trône des rois.

Le soleil n'avait pas encore atteint la ligne d'horizon. La lumière rasante faisait scintiller les mares et projetait de longues ombres sur la tourbière, prêtes à s'étendre et à se fondre dans la nuit imminente.

— Attends-moi un moment, *mo mhic*, dit le père Michael en allant reprendre la coupe. Je vais la mettre à sa juste place, puis je te raccompagnerai.

Au loin, Jamie distinguait la fosse sombre où les moines découpaient la tourbe. En Écosse, ils appelaient ce genre d'endroits des *moss-hag*. Il se demanda brièvement combien d'autres gens étaient ensevelis ainsi dans ces lieux maudits.

— Ne vous inquiétez pas, mon père. Je retrouverai mon chemin.

◄O►

20

L'homme de paille

Lorsqu'il rentra, Quinn s'était absenté, probablement pour s'occuper de ses « petites affaires ». Jamie fut soulagé par son absence, mais pas rassuré pour autant. L'Irlandais n'était pas loin. Il rapporta à Grey ce que l'abbé lui avait dit au sujet du poème puis, après en avoir discuté un moment, ils décidèrent que Jamie serait le premier à aborder Siverly.

— Montrez-lui notre Chasse fantastique, suggéra Grey. Si cela ne lui dit rien, c'est peut-être qu'il n'a aucun rapport avec notre affaire et a été placé dans la liasse de Carruthers par erreur. Dans le cas contraire, je serai très curieux de savoir ce qu'il a à en dire.

Il sourit à Jamie, une lueur d'excitation dans le regard, avant d'ajouter :

— Et une fois que vous aurez repéré le terrain pour moi, j'aurai une meilleure idée de la façon de procéder.

Un homme de paille, voilà ce que je suis, pensa Jamie. Sur ce point au moins, Grey ne lui avait pas raconté d'histoires.

Sur les conseils de Tom Byrd, il mit sa veste en worsted marron, qui convenait mieux à une visite à la campagne ; celle en velours puce aurait paru trop luxueuse. Puis Tom et lord John se disputèrent pour savoir si le gilet en soie jaune brodé était préférable au beige plus simple afin de signifier la richesse présumée de Jamie sans sombrer pour autant dans la vulgarité.

— Peu importe qu'il me trouve vulgaire, décida Jamie. Au contraire, il se sentira plus à l'aise s'il s'estime supérieur. S'il y a une chose que l'on sait de lui, c'est qu'il aime l'argent. C'est donc aussi bien qu'il me prenne pour un riche parvenu.

Lord John émit un son qu'il transforma promptement en éternuement, ce qui lui valut des regards réprobateurs des deux autres.

Jamie ignorait si Siverly se souviendrait de lui. Ils ne s'étaient croisés que quelques fois à Paris, et uniquement pendant un court laps de temps, quelques semaines au plus. Ils avaient peut-être échangé deux ou trois amabilités au cours d'un dîner, pas davantage. D'un autre côté, s'il se rappelait Siverly, il y avait de fortes chances pour que l'inverse soit également vrai, surtout qu'il ne passait pas inaperçu.

À Paris, il avait travaillé dans le négoce de vins et de spiritueux de son cousin Jared. Il aurait fort bien pu poursuivre dans cette branche après le Soulèvement. Il n'avait aucune raison de penser que Siverly ait entendu parler de ses exploits ni qu'il ait suivi ses mouvements après Culloden.

Histoire de peaufiner son personnage, il se rappela d'accentuer son accent écossais juste avant de s'arrêter devant la maison du gardien. Cela inciterait encore plus Siverly à le percevoir comme étant d'un rang social inférieur.

— Comment se nomme ce domaine, mon garçon ? demanda-t-il au gardien sorti l'accueillir.

— Glastuig, monsieur. C'est bien l'endroit que vous cherchiez ?

— Exactement. Ton maître se trouve-t-il chez lui ?

— Oui, monsieur, répondit le gardien d'un air méfiant. Mais pour ce qui est de recevoir... Je vais envoyer quelqu'un demander, si vous voulez bien.

— Fais donc, mon brave. Tiens, donne-lui ceci... et garde cette menue monnaie pour toi.

Il lui tendit la lettre qu'il avait préparée, qui incluait le message de sir Melchior et une requête d'entretien, ainsi qu'une généreuse pièce de trois pence.

Son rôle de parvenu bien commencé, il l'enrichit encore en roulant des yeux ébahis devant l'imposante demeure et son grand parc tandis qu'il suivait lentement le domestique le long de l'allée. C'était un vieux manoir (il n'en avait pas encore vu de récent en Irlande) bien entretenu. Sa façade en pierres sombres avait été fraîchement jointoyée et ses cheminées (il en compta quatorze) fumaient toutes avec un bon tirage. Six solides chevaux paissaient dans un pré au loin, dont un qu'il aurait bien aimé admirer de plus près : un grand bai brun avec une étoile blanche et une belle croupe. Il contempla avec approbation sa musculature. Une vaste pelouse s'étirait devant la bâtisse. Un jardinier la tondait en poussant un lourd rouleau sans grand enthousiasme. Les jardins eux-mêmes brillaient d'une lueur terne et prospère, le feuillage mouillé par la bruine.

Il ne doutait pas d'être reçu et ne se trompait pas. Le temps d'arriver sur le perron, un majordome l'attendait pour prendre son chapeau et sa cape avant de le conduire dans un salon richement meublé. Un énorme chandelier en argent surmonté de six longues et fines bougies diffusait une lumière tamisée. Il était imposant mais d'une facture médiocre. Il se promena lentement dans la pièce, inspectant les bibelots : une figurine en porcelaine de Saxe représentant une femme avec une colombe perchée sur sa main lui cueillant un fruit confit entre les lèvres ; une horloge à trois cadrans indiquant l'heure, la pression barométrique et les phases de la lune ; un humidificateur de tabac réalisé dans un bois inconnu, probablement africain ; une coupe sur piédouche en argent, remplie de violettes en sucre et de biscuits au gingembre ; une sorte de gourdin à l'allure menaçante se terminant par un gros pommeau rond ; un objet étrange… Il le saisit pour l'examiner de plus près. C'était une bande rectangulaire d'environ vingt-cinq centimètres de longueur sur douze de largeur (il le mesura à l'aide de son majeur gauche), composée de petites perles (en quoi étaient-elles ? En verre ? En nacre ?) montées sur une trame formant un intéressant motif bleu, blanc et noir.

Ce décor n'avait certainement pas été créé par une femme. Il se demanda quel genre d'homme avait assemblé une collection aussi hétéroclite. En dépit de leurs longues discussions sur les antécédents de Siverly, les Grey ne lui avaient jamais dressé un portrait cohérent de sa personnalité. Les descriptions de Carruthers portaient uniquement sur ses crimes, sans révéler grand-chose de l'homme lui-même.

« Un homme peut sourire, sourire, et n'être qu'un scélérat[16] », se récita-t-il intérieurement. Il avait déjà rencontré des scélérats affables. Et des idiots charmants, dont les actions avaient provoqué plus de dégâts que bien des gestes malveillants. Il serra les mâchoires en songeant à Charles-Édouard Stuart. Il ne faisait aucun doute que Siverly était un scélérat, mais de quelle sorte ?

Un pas lourd et claudicant retentit dans le couloir et le major Siverly fit son entrée. Il était encore imposant, presque aussi grand que Jamie bien que nettement plus âgé et bedonnant. Son visage était étroit et carré, son teint gris comme s'il avait été taillé dans la même pierre que le manoir, et, bien qu'il affichât un air accueillant, il ne pouvait cacher la dureté et la cruauté de ses traits.

Jamie lui tendit la main et le salua cordialement, tout en se disant que le soldat qui avait le malheur de se trouver sous son commandement devait le sentir passer. L'une des accusations portées contre lui était « incapacité à réprimer une mutinerie ».

— À votre service, monsieur, dit poliment Siverly.

Il le jaugea d'un œil expert. *Ce n'est pas un sot*, pensa Jamie en lui retournant sa formule de politesse. Il ne semblait pas l'avoir reconnu.

— Sir Melchior m'informe que vous avez quelque chose qui pourrait m'intéresser... fit brusquement Siverly.

Il ne lui offrit aucun rafraîchissement, ne lui proposa même pas de s'asseoir. De toute évidence, il n'était pas suffisamment intéressant en lui-même pour mériter davantage de son temps.

Jamie sortit de sa poche une copie du poème.

— En effet, monsieur. Sir Melchior me dit que vous vous y connaissez en antiquités, ce que je peux constater...

Il lança un regard vers la coupe en argent, l'œuvre d'un orfèvre médiocre et dont le poinçon lui avait déjà indiqué qu'elle n'avait pas plus de cinquante ans. Siverly fit une légère grimace qui se voulait un sourire, puis agita la tête en direction du canapé d'une manière qui n'était pas vraiment une invitation.

Jamie s'assit néanmoins. Siverly baissa les yeux vers le papier, ne s'attendant visiblement pas à y lire quoi que ce soit d'intéressant,

---

16. Shakespeare, dans *Hamlet* (1601).

puis se figea. Il lança un regard pénétrant à Jamie, puis relut le poème deux fois avant de retourner la feuille pour examiner son dos. Il la déposa précautionneusement sur le manteau de cheminée.

Il vint se placer devant Jamie, le regardant de haut. Jamie adopta une expression neutre, tout en se tenant prêt à bondir au cas où il lui sauterait à la gorge, ce qu'il semblait avoir une forte envie de faire.

— Qui êtes-vous ? grogna-t-il.

— Qui croyez-vous que je suis ? répondit Jamie avec un sourire.

Siverly plissa les yeux et mit un long moment avant de demander à nouveau :

— Qui vous a donné ce poème ?

— Un ami. Je ne peux pas vous révéler son nom.

Puis-je pousser le bouchon un peu plus loin ?

— *Is deonach é*, ajouta-t-il. Un volontaire.

Cela arrêta net Siverly. Il s'assit avec beaucoup de lenteur sur un fauteuil sans quitter Jamie des yeux. Y avait-il une lueur de reconnaissance dans ce regard, ou uniquement de la suspicion ?

Le pouls de Jamie s'accéléra.

Lorsque Siverly reprit la parole, son ton avait changé. Il était désinvolte et dédaigneux.

— J'ignore où votre ami a trouvé ce texte, mais peu importe. Le thème du poème est ancien, certes, mais ces vers ne sont pas plus vieux que vous, monsieur Fraser. N'importe qui ayant un peu étudié la poésie irlandaise vous le confirmera.

Il sourit, une expression qui n'atteignit pas ses yeux caves, couleur d'eau de pluie sur de l'ardoise.

— En quoi ce genre de choses vous intéresse-t-il, monsieur Fraser ? demanda-t-il, soudain cordial. Si vous voulez commencer une collection d'antiquités et de curiosités, je peux vous recommander plusieurs marchands à Dublin…

— C'est très aimable à vous, monsieur. J'envisage justement de m'y rendre. Je connais un homme à la grande université, là-bas, à qui j'aimerais montrer ce texte. Vos marchands seront peut-être également intéressés.

Une lueur d'alarme traversa le regard de Siverly. Pourquoi ? La réponse lui vint immédiatement : Il ne veut pas que ce texte circule, au cas où il tomberait entre les mains de la mauvaise personne. Qui ?

— Vraiment ? dit Siverly, dubitatif. Comment s'appelle cet universitaire ? Je le connais peut-être.

L'espace d'un instant, l'esprit de Jamie se vida. Il chercha qui parmi ses relations irlandaises aurait pu fréquenter Trinity College, puis remarqua la raideur des épaules de Siverly. Il bluffait autant que lui.

— O'Hanlon, répondit-il en choisissant un nom au hasard. Peter O'Hanlon. Vous le connaissez ?

— Non.

— Ce n'est pas grave. Je vous remercie de m'avoir accordé un peu de votre temps…

Jamie se pencha en avant, s'apprêtant à se lever. Il avait accompli ce pour quoi il était venu. Il ne faisait plus aucun doute que le poème était lié à Siverly et possédait un sens secret. En outre, il était parvenu à attirer son attention. Le major l'observait comme un loup fixant sa proie.

— Où demeurez-vous, monsieur Fraser ? Il me viendra peut-être quelques idées concernant ce poème qui pourraient vous être utiles. Si cela vous intéresse, bien entendu.

— Absolument. Je loge au village, à l'auberge Beckett. Je vous en serais infiniment reconnaissant, monsieur.

Il se leva, s'inclina vers Siverly, puis traversa la pièce pour récupérer le poème sur la cheminée. Il entendit l'autre se lever derrière lui et dire :

— Mais je vous en prie, monsieur Fraser…

Ses réflexes, affinés par toute une vie passée à éviter de se faire tuer, le sauvèrent. Il bondit de côté juste à temps. Le gourdin s'abattit sur le manteau de cheminée en bois, faisant voler des étincelles.

Siverly se tenait entre lui et la porte. Jamie baissa la tête et le chargea, le percutant en pleine poitrine. Siverly partit à la renverse et heurta un guéridon en envoyant valser ses bibelots, qui rebondirent sur le tapis dans une pluie de violettes en sucre.

Jamie s'élança vers la porte puis, changeant d'avis, ramassa la feuille tombée au sol et poussa le canapé devant Siverly, qui se précipitait vers lui. Il avait récupéré sa massue et lui asséna un coup sur l'épaule qui lui engourdit tout le bras jusqu'au bout des doigts.

Jamie saisit le chandelier et le lui envoya à la figure. Les bougies volèrent et s'éteignirent en fumant. Il entendit des bruits dans le couloir. Des domestiques accouraient.

Sans plus d'hésitation, il sauta sur une console puis à travers la fenêtre qui la surplombait et atterrit à l'extérieur recouvert d'éclats de verre, mais pas avant d'avoir reçu un ultime coup ignominieux dans le derrière.

Il courut en boitillant à travers le jardin à la française, piétinant les rosiers et les massifs de fleurs. Où était son cheval ? Le gardien l'avait-il conduit à l'écurie ? Non, il était attaché à la clôture près de l'entrée. Glissant le papier froissé dans sa poche, il dénoua la bride avec sa main gauche, remerciant la Sainte Vierge que Siverly l'ait frappé sur le côté droit. L'engourdissement se dissipait, mais il ressentait de violents fourmillements dans tout le membre, lui ôtant toute force dans les doigts. Avant que le gardien ait pu sortir de sa maisonnette, il avait sauté en selle et galopait vers le village.

Sa fesse gauche contusionnée lui faisait un mal de chien et il chevauchait penché de biais sur sa selle, tel un ivrogne. Il lança un regard par-dessus son épaule. Personne ne le suivait. Pourquoi l'auraient-ils suivi ? Siverly savait où le trouver et ne manquerait pas de venir le chercher. Il ignorait que le poème qu'il avait vu n'était qu'une copie.

Il pleuvait plus fort, à présent. L'eau ruisselait sur son visage. Il avait laissé son chapeau et sa cape dans la maison. Tom Byrd en serait contrarié. Cette pensée le fit sourire et, avec des gestes encore tremblants d'excitation, il s'essuya sur sa manche.

Il avait accompli sa part. À John Grey d'entrer en scène.

◄O►

21

Du baume pour les bleus

Afin de s'empêcher de sortir de la taverne toutes les cinq minutes, Grey avait accepté l'invitation de deux piliers de bar à une partie de fléchettes. L'un de ses adversaires était borgne ou, du moins, portait un bandeau sur un œil, ce qui ne le handicapait en rien. Grey soupçonnait fortement que son bandeau était en gaze doublée et teinte en noir.

N'étant pas au-dessus des pratiques déloyales lui-même, il avait proposé qu'ils jouent pour des pintes de bière plutôt que de l'argent. Ainsi, indépendamment du talent ou des ruses de chacun, il était assuré que celui qui gagnait systématiquement finirait par perdre. La bière était bonne et lui permit de ne pas trop penser à ce qui était en train de se passer à Glastuig, jusqu'à ce que le soir tombe et que le tavernier commence à allumer des chandelles en jonc. Il s'excusa alors en prétextant qu'il n'y voyait plus clair et sortit prendre une bouffée d'air frais.

Dehors, la pluie avait cessé, mais les plantes étaient encore gorgées d'eau. Les herbes le long du chemin trempaient ses bas.

Quinn était parti s'occuper de ses affaires (et il ne se serait pas confié à l'Irlandais, de toute manière). Tom avait disparu (M. Beckett avait une ravissante fille qui servait d'ordinaire à la taverne et qui avait disparu, elle aussi, remplacée par sa mère). Grey ne lui en voulait pas, mais il aurait aimé avoir quelqu'un avec qui partager son inquiétude.

Il pouvait y avoir plusieurs raisons à l'absence prolongée de Jamie Fraser. Siverly avait peut-être été intrigué par le poème, ou par son visiteur, et l'avait invité à rester dîner pour prolonger leur conversation. C'était la meilleure des possibilités.

Moins bonne, mais également acceptable, voire probable compte tenu de l'état des routes : le cheval de Fraser avait perdu un fer ou s'était mis à boiter, et il avait dû le traîner chez un maréchal-ferrant ou, pire, l'abattre. Ils avaient en effet renvoyé leurs chevaux de location et Fraser avait été contraint d'emprunter la rosse des Beckett.

Dressant la liste de toutes les catastrophes possibles, Grey songea à des bandits de grands chemins attirés par le cheval (peu probable, la jument ressemblait à une vieille vache) ou par le gilet aux couleurs vives de Fraser. Furieux qu'il n'ait rien à leur donner, ils l'avaient tué (il aurait dû insister pour que Jamie ait de l'argent sur lui). Un trou boueux l'avait obligé à s'écarter de la route et il était tombé dans un marécage qui l'avait rapidement englouti avec sa monture. Une apoplexie fulgurante ? Fraser lui avait dit un jour que son père en était mort. Était-ce héréditaire ?

— Ou encore une oie sauvage morte en plein vol qui lui aura chuté sur la tête, maugréa-t-il.

Il donna un grand coup de pied dans un caillou sur le sentier. Celui-ci percuta un pieu et rebondit, revenant lui heurter le tibia.

— Milord ?

Il releva la tête tout en se frottant la jambe et découvrit Tom debout dans le crépuscule. Il crut d'abord qu'il avait accouru en entendant son cri de douleur puis vit son air agité.

— Qu'est-ce que…

— Suivez-moi, milord, dit Tom à voix basse.

Tout en lançant des regards soupçonneux autour de lui, il l'entraîna à travers un épais massif de ronces et de mauvaises herbes qui eurent raison de ses bas. Ils contournèrent l'auberge, puis un poulailler délabré, et parvinrent devant une haie touffue.

— Il est ici, chuchota Tom en soulevant quelques branches.

Grey s'accroupit et aperçut James Fraser, l'air passablement irrité. Il avait perdu son lacet, sa tresse s'était défaite et ses cheveux étaient ébouriffés. Une bonne partie de son visage était maculée de sang séché. Il était voûté et penchait d'un côté, une épaule plus haute que l'autre. En dépit de la lumière sombre, ses yeux bleus brillaient d'une lueur mauvaise.

Grey écarta rapidement plusieurs questions qui auraient pu être mal prises et demanda simplement :

— Que faites-vous assis dans la haie, monsieur Fraser ?

— Si j'entre dans la taverne à l'heure du dîner dans cet état, toute la campagne en parlera d'ici demain en se demandant ce qui m'est arrivé. Or, tout le monde à l'auberge sait que je suis avec vous, ce qui signifie que le major Siverly aura appris que vous êtes sur sa piste avant d'avoir terminé son petit-déjeuner...

Il changea légèrement de position en grimaçant.

— Vous êtes grièvement blessé ?

— Non, répondit Fraser entre ses dents. Juste quelques contusions.

— Euh... votre visage est couvert de sang, capitaine, déclara Tom, au cas où Fraser ne l'aurait pas remarqué. Il y en a même sur votre gilet !

À son ton, cette seconde constatation était bien plus grave. Fraser sembla sur le point de lui asséner une remarque acerbe puis se ravisa et se tourna vers Grey.

— Je me suis coupé sur un éclat de verre. Cela a cessé de saigner depuis longtemps. J'ai simplement besoin d'un linge humide.

En le voyant s'extraire péniblement de la haie, Grey se fit la réflexion qu'il lui faudrait plus qu'un simple linge mais se garda de tout commentaire.

— Que s'est-il passé ? Un accident ?

— Non.

Fraser avança à quatre pattes, se redressa sur un genou puis s'immobilisa, réfléchissant visiblement à l'effort mécanique nécessaire pour se lever. Grey se pencha et, le soutenant sous une épaule, le hissa debout en lui arrachant un gémissement étouffé.

— J'ai montré le texte à Siverly, annonça Fraser en remettant un peu d'ordre dans sa tenue. Il a fait semblant de ne pas me reconnaître, puis a voulu me convaincre que le poème était une sorte de contrefaçon, une fausse antiquité. Quand je lui ai tourné le dos, il a tenté de me tuer.

En dépit de sa douleur, il adressa un petit sourire à Grey.

— On peut appeler ça une preuve de culpabilité, non ?

— Absolument, répondit Grey en lui retournant son sourire. Je vous remercie, monsieur Fraser.

— Tout le plaisir était pour moi, milord.

Tom revint au même instant avec un bol d'eau et une jeune femme à l'air préoccupé.

— Oh, mon pauvre monsieur ! s'écria-t-elle en apercevant Jamie. M. Tom m'a dit que vous aviez été éjecté de votre selle par cette vilaine Bedelia et que vous étiez tombé la tête la première dans le fossé !

Ils entrèrent dans la taverne, Fraser particulièrement outré qu'on puisse penser qu'il avait été désarçonné par une vieille jument (une telle excuse pour justifier son apparence ne lui aurait jamais traversé l'esprit). Fort heureusement, il se retint de dire ce qu'il en pensait et se laissa nettoyer le visage en faisant toutes sortes de grimaces. Puis, bon gré mal gré, et sous les commentaires compatissants (et quelques railleries) des clients de la taverne, il laissa Grey et Tom l'aider à gravir l'escalier menant aux chambres. Il ne parvenait pas à lever son genou gauche de plus de quelques centimètres. Ils l'allongèrent sur le lit, où il poussa un cri déchirant avant de rouler sur le côté.

— Que se passe-t-il ? s'inquiéta Tom. Vous êtes blessé à la colonne vertébrale, capitaine ? Vous pourriez être paralysé. Vous pouvez remuer les orteils ?

— Ce n'est pas ma colonne vertébrale, grogna Fraser. C'est mon cul.

Grey n'osait pas quitter la pièce. Par égard pour la pudeur de Fraser, s'il en avait, il se tint en retrait pendant que Tom l'aidait à se débarrasser de sa culotte, et regarda discrètement ailleurs.

L'exclamation choquée de Tom le fit se tourner quand même et lâcher un juron à son tour.

— Par tous les saints ! Que vous a-t-il fait ?

Fraser était à moitié couché sur le lit, sa chemise relevée pour dévoiler l'étendue des dégâts. Une grande tache d'un fort beau bleu violacé couvrait presque toute sa fesse gauche, entourant une ecchymose noire et enflée.

— Je vous l'ai dit ! maugréa-t-il. Il a essayé de me tuer, avec une sorte de gourdin se terminant par un gros bout rond.

— Il vise vraiment comme un pied.

Cela arracha un sourire à Fraser, qui se détendit un peu.

— Ce qu'il vous faut, l'informa Tom, c'est un cataplasme pour les bleus. Quand mes frères et moi rentrions avec un œil au beurre noir ou quelque chose du genre, ma mère en préparait un avec de la poudre de brique, un œuf et de l'artichaut sauvage pilé.

— Je doute que nous trouvions de la poudre de brique dans les environs, objecta Grey. Tu pourrais demander à ton *inamorata* ce qu'elle conseille en matière d'onguent.

— Probablement une plâtrée de bouse, bougonna Fraser.

Finalement, Tom revint avec la femme de l'aubergiste, armée d'un linge humide rempli d'oignons carbonisés qu'elle appliqua sur l'épaule de Fraser avec moult mimiques d'horreur compatissante (ponctuées d'expressions de stupeur devant le fait que la douce et bienveillante Bedelia, à l'âme si bonne qu'elle aurait pu conduire Notre Seigneur jusqu'à Jérusalem, ait pu si cruellement jeter à bas le monsieur, ce qui fit grincer des dents ledit monsieur). Puis elle laissa la seconde partie de l'application, plus délicate, à Tom.

En raison de la nature de ses blessures, Fraser ne pouvait s'étendre sur le dos ni sur le flanc et dut se coucher à plat ventre, son épaule blessée soutenue par un oreiller. L'odeur des oignons chauds se répandait dans toute la pièce, les faisant larmoyer.

Grey s'adossa au mur près de la fenêtre, lançant de temps à autre des regards à l'extérieur, au cas où Siverly aurait organisé une expédition punitive. La route était déserte.

Du coin de l'œil, il vit la femme revenir avec un second cataplasme, puis repartir à nouveau, chercher un verre de whisky qu'elle lui fit boire à petites gorgées, lui tenant la tête en dépit de sa réticence à se laisser aider.

Le mouvement avait fait glisser le premier cataplasme et elle abaissa le col de Fraser pour le remettre en place. La lumière des chandelles illumina les cicatrices blanches qui zébraient ses omo-plates. Elle tiqua, adressa un regard interrogateur à Grey, puis, avec une grande douceur mais en pinçant les lèvres, elle reposa le tissu dessus. Elle dénoua ce qu'il restait de sa natte, lui brossa les che-veux, les tressa à nouveau puis les attacha avec un bout de ficelle.

Avec un pincement au cœur, Grey contempla les reflets cui-vrés des mèches d'un brun roux qui glissaient entre les doigts de la femme. Fraser ferma les yeux et enfonça sa joue dans l'oreiller, son corps tout entier se détendant sans la moindre appréhension sous les caresses de cette inconnue.

Quand elle eut terminé, elle sortit avec un regard de biais à Tom. Celui-ci se tourna vers Grey et, ayant reçu son assentiment, la suivit.

Grey attisa le feu, puis s'assit sur un tabouret au chevet du lit.

— Vous souhaitez que je vous laisse dormir ? demanda-t-il.

Les yeux de Fraser se rouvrirent aussitôt.

— Non.

Il se redressa laborieusement, reposant son poids sur son avant-bras gauche.

— Bon sang que ça fait mal !

Grey ouvrit sa malle et en sortit sa flasque.

— Du cognac, déclara-t-il en la lui tendant.

— Merci.

Fraser la déboucha et but lentement.

— Racontez-moi exactement ce qui s'est passé, demanda Grey.

Fraser s'exécuta docilement, s'interrompant de temps à autre pour boire une gorgée, s'essuyer les yeux ou se moucher, les effluves d'oignons lui faisant couler le nez.

— Donc, il a bien reconnu le poème, résuma Grey. Ce qui confirme que Carruthers ne l'avait pas mis dans sa liasse par hasard et qu'il a bien un rapport avec notre homme. Ce qui est plus intéressant c'est sa question : « Qui êtes-vous ? » Dans la mesure où il vous avait déjà reconnu, il demandait autre chose que votre nom, n'est-ce pas ?

— En effet, cela implique également que d'autres gens, qu'il ne connaît pas personnellement, seraient susceptibles d'identifier ce poème. Il servirait de signe de reconnaissance à des personnes partageant un objectif commun.

— Une conspiration, en déduisit Grey avec un mélange d'effroi et d'excitation.

Fraser acquiesça et, lui rendant la flasque à moitié vide, se rallongea.

— À quel genre de conspiration pensez-vous, monsieur Fraser ?

Il observa attentivement l'Écossais. Ce dernier pinça les lèvres un instant, mais il avait déjà réfléchi à la question car il répondit sans hésiter :

— Politique. Le poème contient une référence à une rose blanche. Il s'agit donc forcément de jacobites.

— Ah, fit Grey en s'efforçant de paraître indifférent. Je ne me souviens pas que vous ayez mentionné une rose blanche dans votre première traduction…

Fraser se moucha bruyamment avant de répondre :

— C'est exact. Ni dans la seconde, celle que j'ai montrée au capitaine Lally. Il ne l'a pas mentionnée non plus.

— Et pourquoi m'en informez-vous à présent ?

Fraser lui lança un regard de biais, lui reprit la flasque et but à nouveau comme s'il cherchait à gagner du temps avant de répondre. Pourtant, Grey savait qu'il avait déjà pesé le pour et le contre.

— Parce que, à présent, c'est réel.

Il reposa la flasque, ajusta légèrement sa position en grimaçant, puis reprit :

— Vous l'ignorez sans doute, mais, avant le Soulèvement en Écosse et dans une certaine mesure après, il y a eu des dizaines, non, des centaines de petites conspirations. Des complots, des propositions de complots, des rumeurs de complots… Tout homme capable de tenir une plume rédigeait des lettres codées parlant d'argent, louant ses relations, noircissant le nom d'opposants. La plupart du temps, ce n'était que du vent.

Il s'essuya les yeux, éternua, puis se moucha.

— Par sainte Bride, je crois bien que je ne mangerai plus jamais d'oignons.

— Cela vous soulage, au moins ?

Fraser parut surpris, comme s'il ne s'était pas encore posé la question.

— Oui, ça chauffe les parties douloureuses. À moins que ce ne soit le cognac. Pour en revenir à nos moutons : j'ai vu d'innombrables textes de ce genre à Paris. Pendant un temps, j'avais pour mission de les intercepter. C'est d'ailleurs ainsi que j'ai rencontré votre future belle-sœur…

C'était au tour de Fraser d'observer attentivement John, guettant sa réaction. Grey parvint à masquer sa surprise.

— En effet, Hal m'a dit que son père… euh… vendait des documents.

— C'est une manière très diplomatique de présenter les choses. Je suis surpris qu'elle ne vous ait pas parlé de la rose blanche. Elle l'a forcément vue.

Il plissa les yeux.

— Ah ! reprit-il avec un demi-sourire. Bien sûr qu'elle vous en a parlé. J'aurais dû m'en douter.

— Vous auriez dû, en effet. Qu'entendiez-vous tout à l'heure par « À présent, c'est réel » ? Est-ce uniquement parce que Siverly est impliqué, d'une manière ou d'une autre ?

Jamie acquiesça et chercha à nouveau une position plus confortable. Il opta pour le front posé sur ses bras croisés.

— Parce que Siverly est riche, répondit-il d'une voix étouffée. Qu'il ait volé son argent ou l'ait gagné, nous savons qu'il le possède, n'est-ce pas ?

— Oui, ou qu'il l'a possédé. Pour autant que je sache, il peut l'avoir entièrement dilapidé en putains ou en chevaux. Ou dans cette gigantesque maison.

— Quoi qu'il en soit, il a quelque chose à perdre. Sans oublier un détail mineur : il a très sérieusement essayé de me tuer. Il essaiera encore. Il ne vous reste plus beaucoup de temps. Il ne tardera pas à débarquer ici.

— J'ai bien l'intention de lui rendre visite demain matin, lui assura Grey. Mais vous n'avez pas complètement répondu à ma question, monsieur Fraser. Vous avez dit « À présent, c'est réel ».

L'éventualité d'une conspiration d'importance, bien financée et organisée, ne vous donne pas envie de défendre à nouveau la cause des Stuarts ?

Fraser tourna la tête vers lui et le dévisagea un long instant.

— Je ne me battrai plus jamais pour cette cause, dit-il enfin, comme à regret. Ce n'est pas par lâcheté, mais parce que je sais qu'elle est vaine. Le major Siverly n'est pas mon ami. Et si des hommes que je connais sont mêlés à cette histoire… je ne leur rendrais pas service en la laissant aller plus loin.

Il reposa son front sur ses bras et se tut.

Grey saisit la flasque et l'agita. Il ne restait pas grand-chose à l'intérieur. Il but le reste lentement en contemplant les flammes qui dansaient entre les fragments de briques de tourbe dans la cheminée.

Fraser disait-il la vérité ? Il le croyait. Dans ce cas, un mot dans un poème suffisait-il à faire naître une conspiration jacobite de grande envergure ? Il se rappela que ce n'était pas le seul indice. Minnie lui en avait dit autant et, surtout, le fait que Siverly ait tenté de tuer Fraser montrait bien que le poème représentait un danger. Pourquoi ? Parce qu'il constituait un signe de reconnaissance ? Mais s'adressant à qui ?

Il réfléchit à son futur entretien avec Siverly. Devait-il lui montrer une copie du même poème pour voir sa réaction ?

Il faisait chaud dans la chambre et il dénoua son foulard, ce qui le fit penser à son uniforme, à sa cravate en cuir et à son hausse-col en argent. Tom les avait emballés avec un grand soin afin que son maître les revête pour arrêter Gerald Siverly, si nécessaire.

Le moment était-il venu ? Pas encore. Il emporterait avec lui non seulement le poème mais également quelques extraits choisis de la liasse de Carruthers, puis, selon l'accueil que lui réserverait Siverly, il déciderait quoi lui montrer. Le poème lui ferait immédiatement établir un lien avec Jamie Fraser, et Siverly se sentirait aussitôt menacé. L'idéal serait de le convaincre de rentrer volontairement en Angleterre. Sinon… Il médita encore un moment, mais il en avait assez de songer à Siverly et ses pensées s'égarèrent. Les puissantes émanations d'oignon s'étaient atténuées en une agréable odeur de cuisine. Il était tard. Il devrait peut-être descendre et demander à la fille de l'aubergiste si elle pouvait préparer un dîner à remonter à Fraser…

Il revit les doigts délicats de la femme sur le visage et le corps de l'Écossais et la manière dont ce dernier s'était laissé faire, s'abandonnant aux caresses d'une étrangère. Uniquement parce que c'était une femme. Si lui-même avait osé le toucher…

Mais je l'ai fait. Indirectement.

Le col de sa chemise était retombé, dévoilant à nouveau les lignes blanches de ses cicatrices.

Comme s'il avait senti le regard de Grey, Jamie tourna la tête et ouvrit les yeux. Il le dévisagea à son tour, sans un mot. Grey prit soudain conscience du silence autour d'eux. Les clients de la taverne étaient rentrés chez eux. L'aubergiste et sa famille étaient couchés.

— Je suis désolé, dit-il doucement.

— *Ego te absolvo*, murmura Fraser avant de refermer les yeux.

22

Glastuig

Le hongre bai boitait de la jambe avant droite et John n'avait pas voulu monter la brave Bedelia, sachant qu'elle serait immédiatement reconnue. Siverly établirait un lien entre lui et Jamie Fraser, et flairerait un piège. Il parcourut donc à pied les trois kilomètres et quelques qui séparaient l'auberge Beckett du domaine de Siverly, Glastuig, en se récitant de la poésie latine afin de se libérer l'esprit.

Il avait suffisamment planifié. Une fois la stratégie et les tactiques de combat décidées, il fallait se les sortir de la tête jusqu'au moment d'arriver sur le terrain, puis affronter la réalité telle qu'elle était. Essayer de livrer une bataille en pensée était contre-productif, vous tracassait pour rien et sapait votre énergie.

Il avait pris un petit-déjeuner copieux, avec du boudin noir, des œufs frits et des toasts de pain irlandais, le tout arrosé de l'excellente bière de M. Beckett. Ainsi fortifié, vêtu d'un bon costume en laine de gentilhomme terrien (avec des guêtres pour protéger de la boue ses bas en fil d'Écosse), plusieurs documents soigneusement pliés et rangés dans des poches séparées, il se sentait prêt et bien armé.

Qui nunc it per iter tenebricosum
Illuc, unde negant redire quemquam[17].

C'était une très belle matinée. Le paysage était paisible et désert, hormis pour un petit groupe de cochons grognant et retournant

---

17. « Et le voilà maintenant sur la route sombre, /Là d'où personne, dit-on, ne revient. »

la terre dans un champ derrière un muret à demi effondré. Plus d'un kilomètre plus loin, il croisa une femme enveloppée dans un châle et tirant un âne sur lequel un garçonnet était perché. Il souleva son chapeau et la salua courtoisement. Ils le dévisagèrent avec des yeux ronds et se retournèrent plusieurs fois pour l'observer après qu'il fut passé. Ils ne devaient pas souvent voir des étrangers dans le coin.

Cette impression se confirma un peu plus tard quand il frappa à la porte du manoir de Siverly avec le pommeau de sa canne. Un jeune majordome chétif à l'épaisse chevelure couleur carotte et au visage couvert de taches de rousseur le regarda en clignant des yeux, comme s'il venait de surgir de derrière un champignon.

— Je viens rendre visite au major Siverly, annonça poliment Grey. Je m'appelle John Grey.

— Ah oui ? dit le majordome avec hésitation. Vous seriez pas anglais, dites ?

— En effet. Votre maître est-il chez lui ?

— Eh bien, c'est que… oui. Mais…

Le jeune homme lança un regard par-dessus son épaule vers une porte fermée de l'autre côté d'un grand vestibule. Puis il lui vint une idée et il se tourna à nouveau vers Grey avec l'air de celui qui vient enfin de voir la lumière.

— Ah mais oui ! Vous êtes un ami de l'autre monsieur anglais !

— L'autre… anglais ?

— Celui qui est arrivé de Brampton Court ce matin, pardi ! s'exclama joyeusement le majordome. Il est dans la bibliothèque avec le maître. Ils déblatèrent depuis des heures. Ils doivent sûrement vous attendre.

— Sûrement, répondit Grey avec un sourire.

Il suivit le majordome à l'intérieur en se demandant dans quel pétrin il était en train de se fourrer.

Le jeune homme ouvrit une porte finement sculptée et s'effaça en se fendant d'une profonde courbette.

En entrant, il vit d'abord Siverly, qui releva des yeux surpris de ce qui semblait être deux livres de comptes.

— Major Siverly… commença Grey en prenant un ton le plus chaleureux possible.

Il s'interrompit brusquement en apercevant l'autre homme assis de l'autre côté de la table.

— Mais qu'est-ce que… Bulstrode ! s'exclama Siverly. Combien de fois t'ai-je dit d'annoncer les visiteurs avant de les faire entrer !

— Je… je… balbutia le jeune homme en lançant des regards affolés de Grey à Edward Twelvetrees.

Ce dernier fixait lord John avec un mélange de stupeur et d'indignation.

Siverly chassa son majordome d'un geste, puis se tourna vers Grey.

— Colonel Grey ! Quelle agréable surprise ! Excusez cet accueil un peu… euh… cavalier. Puis-je vous présenter le capitaine…

— Nous nous connaissons déjà, l'interrompit Twelvetrees.

Il se leva lentement sans quitter Grey des yeux et ferma le registre posé devant lui, mais pas avant que John y ait aperçu ce qui semblait être une liste de sommes relativement importantes.

Dans le même ordre d'idées, il y avait également un coffret métallique ouvert sur la table, à moitié rempli de petites bourses en peau de chamois fermées chacune par un cordon. Sous la fenêtre, un bahut était ouvert, lui aussi. Il contenait des couvertures. Une dépression au milieu de la pile indiquait l'endroit où le coffret s'était trouvé. Siverly suivit son regard et sa main se crispa. Il ne bougea pas, ne voulant probablement pas attirer encore plus l'attention sur le bahut en allant le refermer.

— Que faites-vous ici ? demanda sèchement Twelvetrees.

— Je suis venu rendre visite au major, répondit aimablement Grey. Et vous-même ?

— Et vous passiez justement dans le coin par hasard, c'est ça ? lâcha Twelvetrees avec une moue méprisante.

— Non, je suis venu exprès pour discuter avec le major d'une affaire importante. Mais, naturellement, je m'en voudrais de vous déranger.

Grey se tourna vers Siverly.

— Je pourrais repasser à un moment plus opportun ?

Le regard de Siverly allait de l'un à l'autre. Il se demandait visiblement ce qui se passait.

— Non, non, je vous en prie, restez, répondit-il. Une affaire importante, disiez-vous?

Son visage n'était pas particulièrement expressif mais il devait être un piètre joueur de cartes. On lisait sur ses traits un mélange de méfiance et de calcul.

— Une affaire privée, précisa Grey tout en souriant à Twelvetrees. C'est pourquoi je peux revenir à un…

— Je suis sûr que le capitaine Twelvetrees nous excusera quelques minutes, l'interrompit Siverly. N'est-ce pas, Edward?

Tiens donc, ils s'appellent par leurs petits noms… Intéressant.

— Mais certainement, bougonna Twelvetrees en se dirigeant vers la porte.

— Non, ne bougez pas, le retint Siverly. Bulstrode vous servira du thé. Le colonel et moi marcherons jusqu'au pavillon d'été.

Grey s'inclina devant Twelvetrees sans cesser de sourire, puis suivit Siverly hors de la bibliothèque en sentant le regard du capitaine lui percer un trou entre les omoplates.

Tout en suivant son hôte dans le parc, il révisa rapidement sa stratégie. Tout ce qu'il dirait à Siverly serait probablement rapporté à son ami « Edward ».

— Quelle belle propriété! s'extasia-t-il.

Effectivement, de majestueuses pelouses s'étendaient devant et derrière le manoir. Celle de derrière était bordée de terrasses plantées de rosiers et d'autres arbustes en fleur. Sur la gauche se trouvait un jardin muré qui devait abriter le potager. Il apercevait des arbres fruitiers en espaliers pointant au-dessus du mur blanchi à la chaux. Au-delà des terrasses aménagées se dressait un charmant pavillon blanc, à côté d'un bois d'ornement, avec, plus loin derrière, les écuries.

— Merci, dit Siverly avec une pointe de fierté dans la voix. J'y ai apporté beaucoup d'aménagements, ces dernières années. Si nous parlions de ce qui vous amène?

Le moment était venu de se jeter à l'eau. Grey ressentit une sorte de griserie, comme juste avant une joute au corps à corps.

— Vous souvenez-vous d'un adjudant nommé Charles Carruthers ? Il appartenait à l'une de vos compagnies au Québec.

— Carruthers…

Siverly réfléchit, mais le nom lui disait visiblement quelque
chose.

— Il avait une main infirme, l'aida Grey.

Il n'aimait pas réduire Charlie à cette simple description, mais
c'était plus rapide.

— Ah mais oui ! Bien sûr, Carruthers. Il est mort, m'a-t-on dit.

— En effet.

Grey glissa une main sous sa veste en espérant ne pas se
tromper de poche. Il sortit un papier qu'il garda à la main, ne le
tendant pas encore à Siverly.

— Vous ne connaîtriez pas mon frère, par hasard ?

— Votre frère ? répéta Siverly, perplexe. Le duc ? Si, bien sûr.
Pas personnellement, mais je sais qui il est.

— Voilà : il est entré en possession d'une série de documents
assemblés par l'adjudant Carruthers. Ils vous concernent.

— Moi ? Mais pourquoi…

Siverly lui arracha soudain le papier des mains. Sa fureur avait
explosé si brusquement que Grey commençait à comprendre comment s'étaient produits certains des incidents décrits par Carruthers. Il voyait également comment il en était venu à tenter de
tuer Jamie Fraser.

Siverly parcourut rapidement la feuille de papier, puis la froissa
en boule et la jeta sur le sol.

— Que signifie ce galimatias ? s'écria-t-il en frémissant de rage.
Comment osez-vous m'importuner avec de telles inepties…

— Vous niez les faits décrits par Carruthers ?

Le document en question traitait des événements ayant entraîné
la mutinerie au Canada. Il y en avait d'autres portant des accusations beaucoup plus graves, mais Grey avait préféré commencer
par le plus simple et le plus précis.

— Pardloe n'a aucun droit de me questionner de la sorte ! Quant
à vous, monsieur le fouineur… allez au diable ! Débarrassez-moi
le plancher et vite !

Avant que Grey puisse réagir, Siverly tourna les talons et partit à travers la pelouse tel un bœuf dont la queue aurait pris feu.

Grey cligna des yeux, puis se rendit compte qu'il retenait son souffle et expira. Le pavillon ne se trouvait qu'à quelques mètres. Il alla s'asseoir sur les marches du perron pour remettre un peu d'ordre dans ses idées.

— Pour ce qui est de procéder en douceur, c'est raté, grommela-t-il.

Siverly approchait déjà de la maison, faisant de grands gestes énervés.

Il allait devoir mettre en place un plan de secours. En attendant, il y avait de nouveaux éléments à prendre en compte : Edward Twelvetrees en était un ; le coffret métallique, un autre.

Grey avait occupé diverses fonctions dans l'armée depuis l'âge de seize ans. Il savait à quoi ressemblaient les livres comptables et le coffre d'un payeur aux armées. Twelvetrees et Siverly étaient impliqués dans une opération qui nécessitait de verser des fonds – considérables – à un certain nombre de personnes.

Siverly venait de s'engouffrer dans la maison. Grey resta assis un moment, réfléchissant sans pour autant parvenir à des conclusions satisfaisantes. Siverly ne lui apprendrait rien au sujet du coffret. Peut-être devait-il se rendre à Brampton Court, où, selon le majordome, séjournait Twelvetrees, pour tenter de lui soutirer des informations. Il était relativement sûr que ce dernier ne tenterait pas de le tuer, même s'il valait mieux se présenter armé.

Au moment où il se levait, il vit justement Twelvetrees sortir de la maison. Mettant sa main en visière, il fouilla le jardin du regard puis l'aperçut et vint vers lui, l'air amer et déterminé.

Grey attendit.

Lorsqu'il arriva devant le pavillon, Twelvetrees était légèrement essoufflé mais maître de lui. Il n'était pas animé par la même passion volcanique que Siverly, même si on lisait sur son visage étroit au long nez une animosité considérable.

— Vous feriez mieux de partir, colonel Grey, déclara-t-il sans préambule. Et ne revenez pas. Je vous le dis pour votre propre bien. Vous ne gagnerez rien en harcelant le major Siverly, quelles que soient vos motivations. Non, ne me dites rien, je ne veux pas les connaître, tout comme vous n'avez pas besoin de connaître les miennes. Sachez simplement que vous vous mêlez d'affaires que vous ne comprenez pas, et aussi que, si vous persistez dans ce sens, vous le regretterez.

Il allait se tourner, mais Grey le retint par la manche.

— Un instant, je vous prie, capitaine.

De sa main libre, il sortit une autre feuille de la poche de son gilet. Cette fois, il s'agissait d'une copie du poème irlandais.

Twelvetrees parut sur le point de se libérer d'un geste sec, puis il prit le papier d'un air impatient et le déplia.

Il blêmit à la vue des premiers mots. Il ne lut même pas la suite.

— Où avez-vous trouvé ceci ? dit-il d'une voix faible.

— Je le tiens de Charlie Carruthers. Je vois que vous le connaissez. Avez-vous…

Il n'eut pas le temps d'achever sa phrase. Twelvetrees lui rendit le papier en le poussant si brusquement contre son torse que Grey dut reculer d'un pas pour ne pas tomber à la renverse. Quand il eut recouvré son équilibre, Twelvetrees s'éloignait déjà sur l'allée dallée. Grey aperçut un escargot sur son chemin. Il y eut un craquement sinistre. Twelvetrees ne ralentit même pas, laissant derrière lui une petite tache visqueuse et brillante sur la dalle.

◄O►

23

Le plan B

Le matin suivant, le ciel était chargé et menaçant, mais il ne pleuvait pas. Pas encore. Grey revêtit son uniforme, Tom Byrd l'assistant avec le même cérémonial que s'il le préparait à la bataille. Cravate en cuir, hausse-col, bottes cirées… Grey hésita un instant à prendre son poignard, puis, se souvenant de ce qui était arrivé à Jamie Fraser, le glissa sous sa ceinture.

Fraser était assis sur le rebord de la fenêtre, observant les préparatifs, le front soucieux. Il avait proposé à Grey de l'accompagner, mais ce dernier avait refusé, estimant que sa présence allait encore faire exploser Siverly. L'entretien serait déjà suffisamment difficile, il n'avait pas besoin de complications supplémentaires.

Sur le seuil, il lança à Fraser :

— Si je ne reviens pas, je vous autorise à faire tout ce que vous voudrez à Siverly !

Il plaisantait, mais l'Écossais répondit gravement :

— Je rapporterai votre corps à votre frère.

Tom Byrd émit un son horrifié ; mais Grey sourit, affectant de le prendre comme une réponse spirituelle à sa propre boutade.

— Je compte sur vous.

Le majordome de Glastuig lui ouvrit et écarquilla les yeux en voyant son uniforme.

— Je viens voir votre maître, l'informa Grey en entrant sans attendre d'y être invité. Il est chez lui ?

Désorienté, le jeune homme balbutia :

— Le… le maître n'est pas… dans la maison.

— Où est-il, alors ?

Le jeune homme remua les lèvres en lançant des regards affolés de droite à gauche, cherchant une réponse adéquate. Toutefois, il était trop impressionné par l'uniforme pour mentir.

— Il est… Je crois qu'il est dans le pavillon d'été. Il y va souvent le matin. Mais je…

Grey tourna les talons, le laissant continuer à bredouiller tout seul.

Il traversa la pelouse en direction de la folie, répétant son discours et se demandant quelle serait la marche à suivre s'il ne parvenait pas à faire entendre raison à Siverly. Il avait peu d'espoir d'y parvenir, mais son sens de l'équité l'obligeait à lui donner une chance de rentrer en Angleterre de son plein gré.

Dans le cas contraire… il faudrait l'arrêter. Le problème était qu'il n'était pas officiellement habilité à le faire en Irlande, ce que Siverly ne pouvait ignorer. Il devrait emprunter les voies légales en demandant au gouverneur d'Athlone d'envoyer une escouade de soldats pour traîner Siverly jusqu'au château, où il serait livré à l'armée anglaise par son intermédiaire.

Cela impliquait que Siverly reste bien sagement chez lui pendant que Grey retournait à Athlone pour convaincre le remplaçant de sir Melchior (parti faire la cour à sa belle en France) d'arrêter un homme riche et estimé localement pour le remettre à un gouvernement étranger.

L'alternative était une arrestation sommaire (autrement dit, un enlèvement), effectuée par Grey et Jamie Fraser, Tom Byrd les attendant avec les chevaux. Grey penchait nettement pour cette option et savait que Fraser se ferait un plaisir de l'aider.

Si cela présentait l'avantage d'être plus direct (sans compter l'attrait supplémentaire d'éventuels dommages collatéraux subis par Siverly, qui ne manquerait pas de résister), il ne se faisait pas d'illusions : il leur faudrait encore traîner leur prisonnier à travers une bonne moitié de l'Irlande puis à bord d'un bateau, et ce sans attirer l'attention, dans un pays dont il parlait la langue et eux non.

— Nécessité fait loi, marmonna-t-il.

Il gravit les marches du pavillon d'un pas lourd afin de prévenir Siverly de sa présence. Il crut entendre un léger bruit à l'intérieur mais, quand il parvint au sommet de l'escalier, la folie lui sembla déserte.

Il était soldat depuis longtemps et l'intuition d'un danger le fit s'accroupir avant même d'avoir compris que quelque chose n'allait pas. Il saisit son poignard et tendit l'oreille. Il y eut bruissement de branches derrière la folie et il bondit aussitôt, redescendant les marches et contournant l'édifice.

Siverly s'enfuyait à travers le petit bois. Grey ne pouvait le voir, mais il entendait les craquements de branchages d'un corps se frayant un passage dans les broussailles.

Il hésita un instant, se demandant s'il devait le suivre ou faire le tour.

Il s'élança vers la gauche. Siverly tenterait de rejoindre l'écurie. Il pouvait encore l'intercepter.

Il aperçut vaguement des domestiques au loin, le pointant du doigt en poussant des cris. Il avait perdu son chapeau, mais cela n'avait pas d'importance. Il courut à travers le potager, sauta par-dessus un panier rempli de navets au milieu de l'allée, puis évita de justesse le cuisinier ébahi qui l'avait posé là.

Le portail était fermé. Il posa les mains dessus et le franchit d'un bond, ressentant un plaisir absurde devant son exploit. Il piétina quelques rosiers dans sa course et arriva enfin devant l'écurie. La porte coulissante était fermée, Siverly n'était donc pas encore parti. Il la poussa rageusement et se précipita dans le bâtiment sombre. Son irruption effraya les chevaux, qui se mirent à hennir et à piétiner dans leurs box. Il se tint haletant au milieu de la salle, face à la seconde porte, de l'autre côté de l'écurie.

« Le méchant prend la fuite sans qu'on le poursuive. » Le proverbe lui vint spontanément à l'esprit et il en aurait ri s'il lui était resté un peu de souffle. Il n'avait pas besoin de preuve supplémentaire de la culpabilité de Siverly, mais sa fuite était comme un aveu, lui donnant une bonne excuse pour l'arrêter sur-le-champ.

Il lui vint vaguement à l'esprit que Siverly devait peser une bonne vingtaine de kilos de plus que lui et pouvait être armé.

D'un autre côté, il avait l'avantage de la surprise et comptait bien s'en servir. Il se cacha dans une alcôve, près de la porte, où étaient entreposés des articles de sellerie.

Les chevaux continuaient de s'ébrouer mais ils s'étaient calmés et avaient repris leur mastication. Il entendit la porte coulissante gronder, mais ce n'était pas la bonne. En osant un bref regard hors de sa cachette, il aperçut un palefrenier tenant une fourche et une pelle à fumier. Fichtre! Il n'avait pas besoin d'un témoin, surtout armé d'une fourche et susceptible de voler au secours de son maître.

Le palefrenier perçut immédiatement la nervosité des chevaux et comprit qu'il se passait quelque chose. Il laissa tomber sa pelle et avança dans l'écurie en pointant sa fourche devant lui.

— Qui est là? cria-t-il. Sors de ton trou!

N'ayant guère le choix, Grey rangea son poignard et s'avança dans la lumière.

— Bonjour, dit-il sur un ton plaisant. Votre maître serait-il dans les parages?

Le palefrenier fixait, incrédule, son uniforme cramoisi.

— Qui... qui êtes-vous? demanda-t-il.

— Une relation du major Siverly. Je m'appelle Grey.

L'homme, d'âge moyen, avec une tête ronde comme un boulet de canon, hésita et cligna des yeux d'un air suspicieux. Grey se demanda s'il avait déjà vu un Anglais. Mais oui, bien sûr: Edward Twelvetrees.

— Que... que fait votre honneur dans l'écurie?

Il pointait toujours sa fourche vers Grey. Ce crétin ne le prenait tout de même pas pour un voleur de chevaux!

— Mais... je suis ici parce que le majordome m'a dit que j'y trouverais le major, bien sûr!

Grey ne cachait pas son impatience, d'autant plus que Siverly risquait d'apparaître d'un instant à l'autre. Il pouvait tirer un trait sur son effet de surprise!

— Le maître n'est pas ici.

— Oui, c'est ce que je vois. Je vais... euh... le chercher dans le parc.

Avant d'être escorté avec une fourche pointée sur son arrière-train, il pivota sur ses talons et sortit d'un pas leste. Le palefrenier le suivit, plus lentement.

Grey maudissait intérieurement sa malchance. Que devait-il faire, à présent ? Puis il comprit que Siverly n'avait pas pris la direction de l'écurie. Entre le pavillon d'été et l'endroit où il se tenait se trouvaient un champ et un paddock. Tous deux étaient vides.

Il lâcha un horrible juron.

— Je vous demande pardon, votre honneur ? demanda le palefrenier, surpris.

— Tous les chevaux sont-ils dans l'écurie ?

Le palefrenier posa enfin sa fourche sur le sol et se gratta le crâne.

— Attendez voir... Bessie et Clover sont sortis avec la carriole... La jument grise et son poulain sont dans le pré tout là-haut...

— Je vous parle des chevaux de selle ! s'énerva Grey.

— Ah, de selle...

Le palefrenier lança un regard vers sa gauche. Il y avait plusieurs chevaux dans un champ au loin.

— Eh bien, il y a les quatre là-bas... qui sont Richard Cœur de Lion, Istanbul, Marco et...

— Je veux juste savoir s'il en manque un !

Le sentiment d'urgence qui étreignait Grey prenait un tour cauchemardesque, comme s'il essayait d'avancer sur des sables mouvants ou dans un labyrinthe sans fin.

— Non, votre honneur, répondit enfin le palefrenier.

Grey avait déjà tourné les talons et repartait en courant vers le pavillon d'été, son impression de cauchemar s'accentuant.

Ce qu'il avait perçu plus tôt sur les marches de la folie n'était pas la réaction alarmée de Siverly en l'entendant approcher. Il se mit à courir, ne prêtant pas attention aux cris du palefrenier derrière lui.

Il remonta l'escalier du pavillon en deux enjambées. Il le sentit avant de le voir, une puissante odeur qui le prit à la gorge. Son pied glissa dans une flaque de sang et il partit à la renverse, faisant de grands moulinets avec les bras avant de se rattraper à la balustrade, haletant et étourdi par la puanteur de la mort.

———◄o►———

24

Charivari

Jamie avait emprunté une édition de poche de l'*Iliade* d'Homère en grec ancien dans la bibliothèque de Pardloe, espérant ainsi rafraîchir ses connaissances de cette langue qu'il ne pratiquait plus depuis des années. Toutefois, il avait un mal fou à se concentrer.

> *Père Zeus ! Quelle honte de se vanter au-delà de ses forces ! Ni la rage du léopard, ni celle du lion, ni celle du sanglier féroce, dont l'âme est toujours furieuse dans sa vaste poitrine, ne surpassent l'orgueil des fils de Panthos !*

Il n'avait pas parlé en grec depuis la prison d'Ardsmuir, lorsqu'ils avaient échangé des citations d'Aristophane avec lord John devant un dîner improvisé de porridge et de tranches de jambon. Même les appartements du gouverneur étaient rationnés en raison d'une tempête qui avait coupé les routes d'approvisionnement. Heureusement, il y avait du vin de bordeaux en abondance et la soirée avait été fort sympathique. Il avait rapidement expédié les questions relatives à ses codétenus, puis ils avaient joué aux échecs, une longue partie qui avait duré presque jusqu'à l'aube. Grey avait fini par gagner, puis il avait hésité, lançant un regard vers le vieux canapé de son bureau, se demandant clairement s'il devait proposer à Jamie d'y dormir pendant l'heure qui restait avant le réveil des prisonniers plutôt que de le renvoyer dans sa cellule.

Jamie avait apprécié l'attention, mais ne pouvait se le permettre vis-à-vis des autres. Il avait pris congé courtoisement, puis avait toqué à la porte pour appeler le garde assoupi.

— *Merde*[18], soupira-t-il.

Il était pour l'heure assis sur le banc devant l'auberge, fixant la route, le livre ouvert sur ses genoux. Il commençait à pleuvoir et de petites gouttes mouillaient la page. Il l'essuya rapidement avec sa manche, puis, glissant le volume dans sa poche, rentra.

Tom Byrd était assis devant le feu, aidant la jeune Moira Beckett à enrouler du fil fraîchement teint en écheveaux. En entendant Jamie, sa tête se tourna vers lui telle l'aiguille d'une boussole.

Jamie fit non de la tête et Tom grimaça. Il se tourna à nouveau vers la jeune fille.

— Quelle heure est-il, mademoiselle Beckett?

— Il doit être environ trois heures et demie, dit-elle, légèrement surprise.

Il lui avait suffi d'un regard vers la fenêtre pour répondre. L'idée qu'on ne sache évaluer l'heure simplement à la lumière du jour devait lui paraître étrange. Tom était un Londonien pur jus, habitué à se baser uniquement sur les cloches d'église.

— Cela signifie sans doute que la visite de milord à son ami a été fructueuse, déclara-t-il, comme pour se rassurer.

— Mouais… fit Jamie, peu convaincu. J'espère qu'il a été mieux reçu que moi.

Grey était parti pour Glastuig juste après dix heures. Le domaine se trouvait à une demi-heure de cheval. Une visite de cinq heures signifiait forcément qu'il s'était passé quelque chose d'important… pour le meilleur ou pour le pire.

Il monta dans sa chambre, s'assit devant la fenêtre et rouvrit le livre. Toutefois, il ne parvenait toujours pas à s'intéresser à la mort ignominieuse d'Hector.

S'il devait rentrer en Angleterre en rapportant le corps de Grey à son frère… il ferait sans doute aussi bien d'accepter l'offre de Quinn et de prendre ses jambes à son cou. Pourtant, étant prévenu de ce qui lui était arrivé, lord John se tenait sûrement sur ses gardes. Mais si…

---

18. En français dans le texte original.

Il se redressa brusquement en apercevant un mouvement au loin sur la route. Ce n'était pas Grey mais un homme à pied, courant à moitié, se dandinant comme quelqu'un poussant jusqu'au bout de ses capacités.

Il dévala l'escalier et se précipita dehors, Tom sur ses talons. Ils coururent vers celui qui approchait pour le soutenir.

Quinn était livide, en nage et à bout de souffle.

— Tu ferais bien… de… venir, Jamie. Ton ami a tué le major… Siverly… et le constable est sur le point de l'arrêter…

Il y avait un groupe de personnes rassemblées sur la pelouse, bon nombre d'entre elles gesticulant. Un homme en veste sombre et chapeau à cornes semblait diriger les opérations. Jamie en déduisit que c'était le constable. La plupart des autres devaient être des domestiques. Ils parlaient tous en même temps. Au milieu de cet attroupement se tenait John Grey, apparemment fou de rage.

Il était décoiffé et son uniforme était taché de boue. *Voilà qui ne va pas plaire à M. Byrd*, pensa Jamie machinalement. Effectivement, Tom laissa échapper un petit cri scandalisé. Jamie posa une main sur son bras pour le faire taire.

Il avança prudemment vers le groupe, ne voulant pas se faire remarquer avant d'avoir déterminé le meilleur moyen d'aider Grey. Parvenu à une vingtaine de mètres, il vit qu'il avait les mains liées devant lui. Les taches sur sa culotte et ses bottes n'étaient pas de la boue mais du sang.

Grey parlait d'une voix forte pour se faire entendre par-dessus le brouhaha mais Jamie ne parvenait pas à distinguer ses paroles. Puis il détourna brusquement la tête d'un air écœuré et aperçut Jamie. Son expression passa de la colère au calcul et il agita discrètement une main pour lui signifier de disparaître.

— Que vont-ils lui faire ? chuchota Tom à son oreille.

— Je ne sais pas.

Jamie recula de quelques pas et s'enfonça entre les arbustes, entraînant les autres à sa suite.

— S'ils l'ont arrêté, ils le conduiront probablement à la geôle locale, suggéra Quinn.

— Ils ne peuvent pas faire ça ! s'indigna Tom.

— Attendons de voir.

L'esprit de Jamie fonctionnait à toute allure, essayant de comprendre ce que Grey attendait de lui.

— Approche-toi d'eux, Tom, demanda-t-il. Place-toi dans le champ de vision de lord John. Ils te laisseront probablement lui parler, en tant que son valet.

Tom lui lança un regard apeuré, puis rassembla son courage et redressa le dos. Il sortit de leur cachette et marcha vers le groupe. Jamie vit l'expression agacée et angoissée de Grey s'adoucir quand il l'aperçut. Il se sentit légèrement soulagé lui-même. Il avait vu juste.

Il y eut des pourparlers et quelques bousculades, les domestiques tentant d'empêcher Tom d'approcher Grey. Le jeune valet leur tint tête et Grey insista à son tour, montrant ses poings liés au constable. Ce dernier parut indécis puis leva la main pour obtenir le silence. Le brouhaha cessa aussitôt.

— Tu es le valet de cet homme ? demanda-t-il.

— Oui, monsieur, dit Tom en s'inclinant. Puis-je lui parler ?

Le regard du constable alla de l'un à l'autre. Il réfléchit encore quelques instants, puis acquiesça. Il se tourna vers les autres.

— Un peu de calme, bon sang ! Je veux parler à celui ou celle qui a découvert le corps.

Ils se mirent à se dandiner sur place en lançant des regards d'un côté et de l'autre, puis une jeune femme fut poussée en avant. Elle roulait des yeux affolés et se tordait les mains dans son tablier.

— C'est vous qui avez trouvé le maître ? demanda le constable. Allez-y, parlez ! Vous n'avez rien à craindre.

Son ton se voulait rassurant mais il aurait pu tout aussi bien l'avoir menacée de la conduire à la potence, car la malheureuse se mit à hurler et rabattit son tablier sur sa tête.

Un homme qui devait être son mari s'approcha à son tour, la prenant par la taille et pointant fièrement le menton. Celui-ci tremblait légèrement.

— Oui, c'est elle, votre honneur, et elle ne s'est pas encore remise du choc, comme vous pouvez le constater.

— Je vois, dit sèchement le constable. Alors, qui d'autre a vu quelque chose ? Vous ?

— Oh non, non, votre honneur, répondit précipitamment le mari en blêmissant.

Il recula et se signa pour conjurer le mauvais sort. Ne le sentant plus à ses côtés pour la soutenir, son épouse se mit à brailler de plus belle. Pour faire bonne mesure, plusieurs de ses amies se joignirent à sa mélopée funèbre. Devant le raffut, le constable se crispa, avançant la mâchoire inférieure et se mordant la lèvre. Il ressemblait de plus en plus à un bouledogue.

Pendant qu'il menait son enquête laborieuse, Jamie vit Grey faire signe à Tom d'approcher et lui parler à l'oreille, lui donnant des instructions tout en lançant des regards vers les arbustes derrière lesquels Quinn et lui étaient cachés.

Entre deux sanglots, la servante parvint à expliquer qu'elle avait trouvé le cadavre dans le pavillon d'été. Comme le constable ne semblait pas pressé d'aller le vérifier par lui-même, Jamie recula entre les arbustes puis s'enfonça dans le petit bois.

Plus d'une personne était passée par là. Il y avait des branches fraîchement cassées et des fougères piétinées. Il les contourna précautionneusement et s'approcha discrètement du pavillon par-derrière. Il était réalisé en panneaux de bois treillissés intercalés avec de grandes ouvertures protégées par une balustrade. En se hissant sur la pointe des pieds, il pouvait regarder entre les jours.

Il ne vit pas tout de suite le corps de Siverly mais l'arme du crime. C'était le même gourdin au gros bout rond avec lequel Siverly l'avait attaqué. Il se signa, pris d'un sentiment étrange qui n'était pas de la satisfaction mais plutôt du respect mêlé d'admiration devant le sens divin de la justice.

Lorsqu'il l'avait décrit à Grey, ce dernier l'avait identifié comme étant un casse-tête, une massue utilisée par les Iroquois. Entre des mains expertes, c'était une arme mortelle. De toute évidence, Siverly était tombé sur quelqu'un qui savait s'en servir. L'extrémité arrondie était couverte de sang, de cheveux et de... Son regard suivit la grande traînée rouge sombre sur le sol jusqu'à un objet qu'il devina être la tête de Siverly, faute d'autres possibilités.

Le reste de son corps était en grande partie hors de son champ de vision. Le coup avait entièrement défoncé le crâne. On apercevait de l'os blanc autour d'un trou d'où suintait une substance rose qui devait être la matière cervicale. Il sentit la bile lui remonter dans la gorge. Il ferma les yeux et retint son souffle pour ne pas inhaler la forte odeur de sang et de mort.

Quelqu'un finirait bien par venir inspecter les lieux et il ne pouvait risquer d'être surpris près du cadavre. Il rebroussa chemin dans le petit bois, contourna la maison et émergea dans les jardins près de l'allée, juste à temps pour voir lord John être emmené. Le constable avait réquisitionné une carriole du domaine. Il montait sa mule au côté de la voiture en surveillant son prisonnier raide comme un piquet sur le siège, l'air furibond mais maître de lui. Jamie le vit dire quelque chose au constable, qui sursauta, cligna des yeux outrés puis fit un signe brusque au conducteur. Celui-ci claqua la langue et les chevaux s'élancèrent au petit trot. Sous l'embardée, John Grey manqua de tomber de son perchoir, incapable de se tenir au siège avec ses mains liées devant lui.

Jamie ressentit une pointe de colère. Il avait lui aussi connu ce genre d'humiliation quand il avait porté des fers. Il marmonna une imprécation à l'intention du constable puis s'avança sur l'allée, jusqu'à l'endroit où le groupe de domestiques encerclait le pauvre Tom Byrd.

Ils se turent en le voyant et reculèrent légèrement. Il ne leur prêta aucune attention.

— Suivez-moi, monsieur Byrd ! lança-t-il sans s'arrêter.

Tom ne se fit pas prier. Il y eut un murmure de protestation derrière eux, mais personne ne tenta de les arrêter.

Hâtant le pas pour le rejoindre, Tom lança un regard par-dessus son épaule.

— Je ne suis pas fâché que vous soyez revenu, capitaine. Je crois bien qu'ils s'apprêtaient à me mettre en pièces...

— Ils sont comme des chiens qui ont perdu leur maître, répondit Jamie. Ils ne savent pas quoi faire, alors ils hurlent à la mort et montrent les dents. Que vous a dit lord John ?

Tom essuya son visage trempé de pluie sur sa manche. Il était pâle et nerveux, mais conservait son sang-froid.

— D'abord que le constable, le gros bonhomme en noir, le conduisait au château d'Athlone.

— Ah oui ? C'est plutôt une bonne chose, non ?

— Non. Le gouverneur est en France et son remplaçant le mettra en prison ou le placera en liberté conditionnelle, ce qui n'est pas bien du tout.

— Ah bon ? Et il vous a dit pourquoi ?

— Non, capitaine, il n'en a pas eu le temps. Il a dit que vous deviez le libérer le plus vite possible.

Jamie se passa une main sur le visage, chassant l'eau retenue dans ses sourcils.

— Ah. Et il vous a expliqué comment j'étais censé m'y prendre ? demanda-t-il sur un ton acerbe.

Tom esquissa un sourire malgré son inquiétude.

— Non, capitaine. Il m'a dit de vous dire qu'il se fiait à votre bon sens et à votre férocité innés. Et que je devais vous assister.

Il bomba légèrement le torse et, montrant sa ceinture, ajouta :

— Milord m'a confié son poignard.

— Voilà qui nous sera très utile, lui assura Jamie. Évitez seulement d'embrocher quelqu'un, à moins que je ne vous le demande expressément, d'accord ? Je ne voudrais pas avoir à vous sauver tous les deux du bourreau.

La pluie s'était intensifiée. Comme ils étaient déjà trempés, il ne servait à rien de courir. Ils marchèrent côte à côte en silence, les gouttes crépitant sur leur crâne et leurs épaules.

◄o►

25

L'évadé d'Athlone

Quinn n'était pas revenu de Glastuig avec eux ; ils le retrouvèrent accroupi devant la cheminée de l'auberge, tenant un verre d'arack des deux mains et grelottant. Il se leva en apercevant Jamie et, sur un signe de tête de ce dernier, le suivit à l'extérieur.

La pluie avait cessé, du moins dans l'immédiat. Jamie l'entraîna à l'écart sur la route pour être sûr qu'on ne les entendrait pas. Il lui résuma en deux mots l'arrestation de John Grey. Quinn se signa pieusement, même s'il était clair que la nouvelle n'était pas pour lui déplaire.

Jamie avait prévu sa réaction et avait déjà décidé comment l'exploiter à son avantage.

— Tu veux toujours ta coupe ? lui demanda-t-il. La *Cupán Druid riogh* ?

Quinn tressaillit et s'accrocha à son bras.

— Quoi, tu veux dire que tu l'as ?

— Non.

Jamie se libéra délicatement.

— Mais tu sais où elle est.

Ce n'était pas une question. Quinn le fixait attentivement.

— Oui, je le sais. Hors de portée, voilà où elle est. J'ai dit à l'abbé de la remettre là où il l'avait trouvée et, à ma connaissance, c'est ce qu'il a fait.

— Quelqu'un la trouvera. Tous les moines savent sûrement où ils ont déterré ce malheureux.

— Peut-être. Tu n'auras qu'à aller le leur demander, mais pas avant que nous ayons fait sortir John Grey d'Athlone.

Il crut que les yeux de Quinn allaient lui sortir de la tête.

— Le sortir du château d'Athlone ? Tu es fou ?

— Peut-être, mais je compte bien le sortir de là.

— Pourquoi ? Non seulement c'est un Anglais et tu es son prisonnier, mais en plus c'est un assassin !

— Non, répondit fermement Jamie. Il a peut-être beaucoup de défauts, certes, mais pas celui-là.

— Ils l'ont trouvé devant le cadavre de Siverly, couvert de son sang !

— Oui, j'ai bien vu, et alors ?

Quinn fulminait.

— Qu'est-ce qui te fait penser qu'il ne l'a pas trucidé ? Tu l'as bien entendu : il n'arrêtait pas de dire qu'il voulait l'arrêter et le traîner devant la justice. Quelle meilleure justice qu'une balle dans la tête ?

Il était vain de tenter de lui expliquer qu'aux yeux de John Grey la mort de Siverly n'aurait été juste que s'il avait été préalablement condamné par une cour martiale.

— Il ne l'a pas fait, se contenta-t-il de répéter.

Il savait intimement que Grey n'aurait tué Siverly que si sa propre vie avait été en danger. Or, si cela avait été le cas, il le lui aurait dit. Par l'intermédiaire de Tom Byrd.

Il était inutile d'en débattre avec Quinn. En outre, il devait tenir compte du fait que si Grey n'avait pas tué Siverly, quelqu'un d'autre s'en était chargé. Or, un nombre restreint de personnes s'étaient trouvées dans les parages, dont Quinn. Il ne voyait pas pourquoi l'Irlandais aurait fait une chose pareille mais jugea plus avisé de ne rien dire dans la mesure où il comptait s'assurer ses services pendant quelques jours encore.

— Je vais à Athlone et tu viens avec moi, annonça-t-il.

— Quoi ? Pourquoi ? Et de quel droit m'entraînerais-tu dans cette histoire ?

— Et toi, de quel droit voulais-tu m'entraîner dans ton plan de détraqués ? Tu m'accompagneras à Athlone et ensuite je te conduirai chez l'abbé Michael. Tu pourras lui présenter ta requête toi-même.

— « De détraqués » ? s'indigna Quinn.

Ses boucles se dressaient sur sa tête.

— Parfaitement ! De détraqués. Tu viendras avec moi parce que tu sais conduire un bateau et pas moi.

— Un bateau ? Quel bateau ?

— Qu'est-ce que j'en sais ? On en trouvera un sur place.

— Mais...

— Si tu t'imagines que je vais faire évader John Grey d'une prison puis tenter de fuir à pied à travers un pays qui n'est qu'une monstrueuse tourbière, tu te fourres le doigt dans l'œil.

— Mais...

— Le château d'Athlone se trouve au bord du Shannon, lequel, à en croire le gouverneur, est navigable. Nous naviguerons donc. Allez, viens !

En rentrant de Glastuig, il avait donné ses instructions à Tom Byrd. Le valet n'avait donc pas rassemblé toutes leurs affaires afin de ne pas attirer l'attention plus qu'ils ne l'avaient déjà fait, mais il avait fait quelques emplettes afin de pouvoir partir sur-le-champ.

Il les attendait avec les chevaux sur le bord de la route, à quelque distance de l'auberge. Il plissa les yeux d'un air suspicieux en apercevant Quinn avec Jamie, mais se garda de tout commentaire. Il s'était procuré un chou et quelques pommes de terre qu'il leur montra modestement.

— Cela fera notre dîner, observa Quinn en lui donnant une tape dans le dos.

Il leva les yeux vers le ciel, et ajouta sur un ton résigné :

— Il va se remettre à pleuvoir. Nous ferions mieux de trouver un coin tranquille pour manger pendant que c'est encore possible.

Les feux de tourbe chauffaient bien, mais ils dégageaient peu de lumière. Celui à leurs pieds formait à peine une lueur menaçante, comme si la terre brûlait de l'intérieur. N'ayant pas de casserole, ils mangèrent le chou cru, en dépit des mises en garde de Quinn sur le risque de flatulences qui s'ensuivrait à tous les coups.

— Et alors, ce n'est pas comme s'il y avait quelqu'un dans les parages pour nous entendre, déclara Jamie en mordillant prudemment une épaisse feuille cireuse.

Elle couina comme une souris entre ses dents et se révéla plus amère que de l'armoise. Toutefois, elle apaisait sa faim et il avait souvent mangé bien pire.

Tom extirpa quelques tubercules noircis des braises avec la pointe du poignard de lord John. Il ne se séparait plus de ce dernier depuis que son maître le lui avait confié.

— Elles sont encore un peu dures au centre, observa-t-il. Mais je ne pense pas que les cuire davantage y changera grand-chose…

— Ne vous inquiétez pas, le rassura Jamie. J'ai encore toutes mes dents.

N'ayant pas de poignard, il en cueillit deux du bout de sa rapière et les agita en l'air pour les refroidir.

Quinn avait cessé de faire la tête et avait retrouvé son entrain habituel en dépit de la pluie qui, comme il l'avait annoncé, était de retour. Il avait proposé qu'ils se réfugient pour la nuit chez un fermier, mais Jamie avait préféré camper brièvement le temps de se reposer un peu avant de repartir. La nouvelle de leur présence se répandrait comme du beurre sur du pain chaud et ils ne pouvaient se permettre d'être interceptés par un constable trop curieux. Trop de gens, dont Edward Twelvetrees, savaient déjà que lord John voyageait avec des compagnons.

Twelvetrees était-il déjà au courant de la mort de Siverly ?

Jamie pencha la tête pour faire tomber l'eau retenue par le bord de son chapeau et souffla sur les pommes de terre brûlantes.

Tom recueillit le reste des patates dans un pli de sa cape, en déposa deux devant Quinn sans un mot, puis revint s'asseoir à côté de Jamie pour manger sa part. Jamie ne lui avait pas encore exposé son plan, si on pouvait l'appeler ainsi, et ne lui avait surtout pas dit que Quinn avait été en faveur d'abandonner Grey à son triste sort. Néanmoins, il remarqua avec intérêt que le jeune homme se méfiait de l'Irlandais.

Brave garçon, pensa-t-il.

La pluie grésillait en atterrissant sur le feu ; ce dernier ne durerait plus longtemps.

— Athlone est encore loin ? demanda-t-il à Quinn en se léchant les doigts.

— D'ici ? À environ deux heures.

Jamie sentit le valet se raidir légèrement et tourna la tête vers lui avec un sourire.

— On le fera sortir de là, promit-il.

— Bien sûr, capitaine.

Fort heureusement, il ne lui demanda pas comment.

— Dormez un peu. Je vous réveillerai quand sera venu le moment de partir.

Quinn émit un petit son de dédain, auquel Jamie ne prêta pas attention. L'Irlandais savait qu'il ne lui faisait pas confiance, tout comme Tom. Ils n'avaient pas besoin de le dire.

Jamie s'enroula dans sa cape en regrettant de ne pas avoir un plaid et d'épais bas des Highlands. La cape retenait sa chaleur mais rien ne protégeait de l'humidité comme les étoffes en feutre d'Écosse. Avec un soupir, il chercha un endroit relativement sec où il pourrait s'asseoir et s'adossa à une pierre.

Son esprit le tiraillait, réclamant une stratégie. Toutefois, il ne servait à rien de faire des projets avant d'être à Athlone et d'y évaluer la situation. En outre, il était épuisé et ne parvenait plus à réfléchir. Il tapota ses poches et sentit la petite masse réconfortante de son rosaire. Après tout, il avait une pénitence à effectuer.

Les perles en bois étaient lisses sous ses doigts. La répétition des *Ave* apaisait son esprit et il sentit ses épaules se détendre. Le clapotis de la pluie sur son chapeau et les gargouillis de son ventre offraient un doux contrepoint à ses prières.

— Ce n'est pas un plan de détraqués.

— Hein ?

Quinn avait parlé si doucement que Jamie ne l'avait qu'à moitié entendu.

— J'ai dit que ce n'était pas un plan de détraqués.

Assis sur son rocher, Quinn s'était tourné vers lui, ses yeux formant deux trous noirs dans son visage.

— Ah, fit Jamie.

Encore absorbé par sa pénitence, il s'était demandé, l'espace d'une seconde, de quel plan il s'agissait.

— J'ai sans doute parlé trop vite, Quinn. Je te demande de m'excuser.

L'attitude de Quinn passa aussitôt de l'hostilité au pardon. Il se redressa, lança un regard vers la forme endormie de Tom un peu plus loin, puis vint s'accroupir devant Jamie.

— Ce n'est rien, *mo chara*, dit-il en lui donnant une petite tape sur l'épaule. Je comprends ta réaction. Je ne t'ai pas expliqué les détails du plan et il a dû te paraître bien farfelu.

— Quoi, c'est encore au sujet de cette coupe ? Parce que je t'ai...

— Non, l'interrompit Quinn. Elle en fait partie bien sûr, mais ce que je ne t'ai pas dit, c'est comment l'invasion se déroulera.

— L'invasion... Oui, je me souviens que tu m'as parlé de lever une armée...

Et surtout qu'il lui avait demandé de s'en charger.

— Oui, mais ce n'est pas tout.

Quinn lança un regard alentour, puis s'approcha encore et lui glissa à l'oreille :

— La Brigade irlandaise.

Devant l'air perplexe de Jamie, il poussa un soupir excédé.

— Tu as au moins entendu parler de la Brigade irlandaise, non ?

— Si, si.

Jamie coula un regard vers Tom en regrettant de ne pas lui avoir demandé de prendre le premier quart.

— Il y a trois régiments de la Brigade irlandaise à Londres, chuchota Quinn. Les officiers de deux d'entre eux sont avec nous. Lorsque nous leur indiquerons que nous sommes prêts ici en Irlande, ils s'empareront du roi et du palais de Buckingham.

Jamie en resta pantois.

— Nous avons également des hommes loyaux en Italie et en France, poursuivit Quinn. Ils ne sont pas tous officiers mais, une fois le processus enclenché, les autres suivront. Sinon...

Il haussa les épaules.

— Sinon... quoi ? demanda Jamie.

Il avait compris le sens de ce haussement d'épaules, mais voulait l'entendre exprimé en mots, ne serait-ce que pour gagner un peu de temps et réfléchir.

Quinn pinça les lèvres.

— Eh bien… ceux qui sont loyaux à la Cause prendront le commandement, bien sûr.

— Tu veux dire qu'ils tueront ceux qui ne sont pas d'accord avec eux.

— Bah, tu sais aussi bien que moi ce qu'il en est. On ne fait pas d'omelettes sans casser des œufs.

Jamie se passa une main sur le visage.

— Dans chaque régiment, il y a au moins deux *deonaigh* parmi les officiers, reprit Quinn. Quand ils recevront le signal…

Il avait utilisé le mot irlandais pour « volontaires », alors qu'il lui parlait en anglais.

Pour Jamie, en dehors des membres du clergé et des paysans, il n'y avait que deux sortes d'Irlandais : des combattants enragés et des poètes fous. Ces traits ne se retrouvaient pas souvent dans une même personne.

Ce mot, *deonach*, se trouvait dans le poème de la Chasse fantastique. Jamie n'y aurait sans doute pas prêté attention s'il n'avait connu une vieille chanson populaire, une ballade sentimentale et mièvre intitulée *Le volontaire*. Il y avait eu plusieurs Irlandais dans le bataillon de mercenaires où il avait combattu en France, et ils se mettaient à chanter dès qu'ils avaient un peu bu. Cette chanson était l'une des dernières qu'il se souvenait d'avoir entendues, avant le coup de hache qui avait définitivement mis un terme à sa relation avec la musique.

— *Sé an fuil á lorgadh, is é a teas á lorgadh*, dit-il brusquement en sentant son pouls s'accélérer.

« Ils ont soif de sang, ils cherchent sa chaleur… »

Il y eut un moment de silence durant lequel il n'entendit plus que la pluie. Le feu était noyé, ne laissant plus qu'une marque noire sur la terre. Le chou commençait à produire ses effets et il serra les fesses.

— Où as-tu entendu ça ? demanda Quinn doucement.

Jamie se rendit soudain compte que sa vie dépendait peut-être de sa réponse.

— C'est Thomas Lally qui me l'a dit, quand nous nous sommes rencontrés à Londres.

Quinn savait sans doute déjà qu'ils s'étaient vus. En outre, Lally lui avait réellement dit ces paroles en lisant le texte à voix haute, l'air perplexe.

— C'est vrai ?

Quinn paraissait déconcerté, peut-être même légèrement effrayé. Jamie en déduisit que Lally ne faisait pas partie du complot. Quinn avait-il peur qu'il soit mis au courant ?

— Dis-m'en plus, fit-il. Une date a-t-elle été arrêtée ?

Quinn hésita, toujours un peu soupçonneux. Toutefois, son désir de convertir Jamie à sa cause fut le plus fort.

— En fait, oui, répondit-il. Tout ce que je peux te dire c'est que ce sera un jour où les rues seront noires de monde, où la bière coulera à flots dans les tavernes, où les gens afflueront sur les places comme des charançons dans un sac de blé. Tous les régiments défileront sur Pall Mall. L'un des régiments de la Brigade irlandaise fermera la marche, mais au lieu de rentrer ensuite dans les casernes, comme les autres, ils contourneront le palais. Une fois Sa Majesté rentrée au palais, ils maîtriseront les gardes qui se trouvent à l'arrière et prendront la place. Les gardes devant la façade seront trop occupés avec la populace pour se rendre compte de quoi que ce soit avant qu'il ne soit trop tard. Tous les autres soldats seront en train d'ôter leurs uniformes et de desseller leurs bêtes dans les casernes. Même si l'alerte est donnée, ils n'auront pas le temps de s'équiper à nouveau à temps pour intervenir. Une fois le roi entre nos mains, des messagers fileront prévenir nos partisans au pays de Galles et en Écosse, qui se tiendront prêts à marcher sur Londres et à prendre la ville !

Le pire était que cela pouvait marcher. Des plans bien plus fous avaient fonctionné, dans l'histoire humaine.

— Mais ils ne pourront pas tenir très longtemps, même en prenant le roi en otage, objecta Jamie. Et si la nouvelle armée de Charles-Édouard Stuart prend du retard pour arriver d'Irlande ?

Du retard… Il se souvenait très bien de la difficulté d'assembler une cohue mal équipée, sans parler de la nourrir et de la transporter. Et c'était sans compter avec la personnalité fantasque du « prince Charlie » lui-même, un roseau bien trop fragile pour qu'une révolution s'appuie dessus. Quinn en était forcément conscient. À moins que la conspiration ne compte justement là-dessus ?

— On y a pensé, répondit Quinn en prenant un air important. Nous avons des solutions de repli. Les régiments à Londres ne bougeront pas le petit doigt avant d'avoir entendu le mot secret.

Jamie se demanda qui était ce « on ». Si seulement il parvenait à lui faire cracher des noms !

— Ah oui, et quel mot secret ?

Quinn sourit.

— Je t'en ai déjà beaucoup dit, mon ami. Cela montre toute la confiance que j'ai en toi, mais je ne peux rien te raconter de plus pour le moment.

Il se pencha en arrière et lâcha un pet tonitruant qui le surprit lui-même.

— Jésus, Marie, Joseph !

En dépit des révélations angoissantes qu'il venait d'entendre, Jamie se mit à rire. Tom remua et une autre petite détonation retentit sous les couvertures humides. Quinn lança un regard interrogateur à Jamie.

— On dit bien « Jamais deux sans trois ».

John Grey connaissait bien l'univers des prisons, mais il ne s'était encore jamais retrouvé de l'autre côté des barreaux. La cellule dans laquelle on l'avait enfermé était plutôt décente. Il n'y avait personne d'autre dans la pièce minuscule, le pot de chambre était vide et sec, et il y avait une petite fenêtre. Les murs suintaient d'humidité, mais, après tout, comme partout ailleurs en Irlande. Il n'y avait pas de flaques d'eau sur le sol et, bien qu'il n'y ait ni lit ni paillasse, il aperçut avec soulagement une couverture pliée dans un coin. Il faisait un froid glacial et il était trempé. Ils avaient été surpris par le déluge une heure avant d'arriver à Athlone.

Il arpenta sa cellule : deux mètres cinquante sur trois. S'il faisait sept cents fois la longueur de la pièce, il parcourrait environ un kilomètre et demi. Il secoua la couverture, délogeant un cricket mort, deux mites vivantes et les fragments d'un cafard. Il se demanda qui l'avait mangé. Des rats ?

Se sentant soudain très las, il s'assit sur le sol et drapa la couverture autour de ses épaules. En route vers Athlone, il avait eu le temps de réfléchir à sa situation. Il allait en avoir beaucoup plus à présent et pressentait que cela ne lui ferait pas du bien.

L'absence de sir Melchior était à la fois une bonne et une mauvaise chose. Mauvaise parce qu'on l'avait enfermé, que le gouverneur adjoint n'était pas encore arrivé et que le sergent de la garnison avait refusé d'envoyer chercher le magistrat de la ville avant le lendemain. Bonne, parce que sir Melchior et son remplaçant l'auraient sûrement interrogé puis placé sous surveillance, ou auraient exigé sa parole de ne pas bouger. Dans les deux cas, il aurait été empêché de retourner à Glastuig et de mener sa propre enquête sur la mort de Siverly.

Sa principale préoccupation était Edward Twelvetrees. Aucun des domestiques n'avait mentionné sa présence. S'il s'était trouvé dans le manoir, il aurait sûrement entendu le tohu-bohu et serait sorti voir ce qui se passait. Par conséquent, il n'y était pas, sans doute parce qu'il avait pris la fuite après le meurtre.

Ce devait être lui que Grey avait entendu détaler précipitamment du pavillon d'été. Dans la mesure où il ne s'était pas rendu aux écuries, il avait dû retourner, ne serait-ce que brièvement, dans la maison principale. Pourquoi ?

Soit pour y chercher quelque chose, soit parce qu'il avait assez de sang-froid pour comprendre qu'une fuite précipitée aurait été un aveu de culpabilité. Ou peut-être les deux. Le coffret métallique pesait très lourd. Il n'aurait pu ressortir en l'emportant simplement sous le bras ; il aurait fallu deux valets pour le porter.

Il était presque midi lorsque Grey avait trouvé le corps de Siverly. Twelvetrees avait pu arriver de bonne heure, attacher son cheval hors de la propriété, se glisser dans le pavillon d'été, puis fracasser le crâne de Siverly avec le casse-tête iroquois.

Il était également possible que Twelvetrees n'y soit pour rien. Après tout, compte tenu de son passé, il aurait été étonnant que Siverly n'ait pas d'ennemis. En outre, le fait qu'il possédait un casse-tête iroquois ne signifiait-il pas qu'il craignait pour sa vie ? Certes, il avait collectionné toutes sortes de choses, et l'accumulation d'objets hétéroclites dans son intérieur n'avait rien d'inhabituel chez un militaire.

Il soupira, ferma les yeux, chercha une position plus confortable. Il posa son front sur son bras étendu devant lui.

Fichtre. Il disposait de trop peu d'éléments pour y voir clair. Il ne savait qu'une chose : il devait sortir de là et retourner à Glastuig le plus rapidement possible. Pour le moment, il ne pouvait rien faire d'autre qu'attendre Jamie Fraser.

Un bruit de pas sur les dalles du couloir le réveilla. Il cligna des yeux et lança un regard vers la petite fenêtre pour tenter d'évaluer l'heure. Le ciel était chargé, mais, à vue de nez, il était bien après minuit. Les pas qu'il entendait n'étaient pas ceux du garde de nuit faisant sa ronde. Il y avait plusieurs hommes.

Il se tenait debout, reboutonnant sa veste, quand la clé tourna dans la serrure. La porte s'ouvrit, révélant le sergent brandissant une lanterne, les traits tordus par la fureur. Jamie Fraser se tenait derrière lui.

— Je vois que vous nous attendiez, déclara-t-il avec un certain amusement. Auriez-vous quelque chose pour calmer les humeurs de ce monsieur ?

Il poussa le sergent, un petit homme maigrelet, du bout d'un grand pistolet d'arçon, l'envoyant tituber au milieu de la cellule.

Le teint aubergine du sergent s'empourpra encore à la lueur de la lanterne.

— Sale chien d'Écossais ! Je vous ferai fouetter ! Quant à vous…

Il venait de se tourner vers Grey et fut interrompu par le mouchoir de ce dernier, roulé en boule et fourré dans sa bouche.

Tom Byrd fit irruption dans la cellule à son tour, adressa un large sourire à Grey puis saisit la couverture qu'il déchira adroitement en plusieurs lambeaux à l'aide de son poignard. Ces derniers servirent à ligoter le sergent. Il remit ensuite solennellement l'arme à son propriétaire et chuchota :

— Je suis ravi de vous retrouver en bonne forme, milord.

Là-dessus, il ressortit en courant, probablement pour aller faire le guet.

— Merci, monsieur Fraser, murmura Grey en se dirigeant vers la porte à son tour.

En réalité, s'il avait espéré être sauvé, il ne s'y était attendu qu'à moitié et se sentait rempli d'une excitation fébrile.

Fraser lui tendit la lanterne et s'effaça pour le laisser sortir. Il s'inclina courtoisement devant le sergent, puis referma doucement la porte et la verrouilla. Il reprit la lanterne et tourna à gauche. Arrivé à l'angle d'un mur, il s'arrêta, inspectant la cour plongée dans l'obscurité. Il bruinait et les dalles brillaient dans la lueur de la lanterne.

— Je n'aurais pas dû vous appeler par votre nom, chuchota Grey. Je suis désolé.

Fraser haussa les épaules.

— Ne vous en faites pas pour ça. Il ne doit pas y avoir beaucoup d'Écossais rouquins de ma taille dans le comté de Roscommon. Il ne leur aurait pas fallu beaucoup de temps pour m'identifier. En outre, ils n'ont pas besoin de mon nom pour me tirer dessus. Allez, petit Byrd, où es-tu ?

Au même moment, une silhouette apparut de l'autre côté du mur d'enceinte, agitant la main. Ils traversèrent la cour d'un pas normal, la lanterne se balançant au ras du sol, jusqu'à une arche sous laquelle Tom les attendait.

— Par ici, chuchota-t-il.

Il les conduisit en haut d'une volée de marches menant à une galerie dont un des murs était percé de meurtrières.

— Il y a un autre escalier au bout, expliqua-t-il. Il descend vers une poterne donnant sur le Shannon. Je n'ai vu aucun garde, mais j'ai entendu des voix.

John acquiesça et serra le manche de son poignard. Il espérait qu'il ne leur faudrait pas se battre pour sortir du château.

— Ne devrions-nous pas abandonner la lanterne ? chuchota-t-il à Jamie qui marchait devant lui.

— Pas encore. Nous pouvons encore en avoir besoin.

Jamie s'avança sur la galerie d'un pas qui parut d'une lenteur infinie à Grey. Tom et lui le suivaient tels des oisons. Lorsqu'ils parvinrent à un angle de la muraille, Grey entendit des éclats de voix plus bas et s'arrêta. Tom le poussa légèrement.

— Avancez, milord. Il ne faut pas s'arrêter.

Se sentant terriblement exposé, Grey cala son allure sur celle de Fraser. Il lança un regard vers le bas et vit une porte ouverte qui déversait une lumière dans la cour. Ce devait être la salle des gardes. Il aperçut plusieurs soldats voûtés sur une table. Un brusque silence suivi d'éclats de rire et d'exclamations lui fit penser qu'ils jouaient aux dés.

Pourvu que l'un d'eux lance un double six ! pria-t-il.

Au coude suivant de la galerie, ils furent enfin hors de vue de la salle en contrebas et il respira à nouveau. Cette partie de la cour était sombre, même s'il entendait encore les gardes derrière eux.

La tresse de Fraser dansait entre ses omoplates, la lueur vacillante de la lanterne projetant des serpentins dorés qui disparaissaient entre les mèches auburn. Fraser s'arrêta brusquement et Grey faillit lui rentrer dedans.

L'Écossais se signa rapidement puis se tourna et se pencha vers lui pour lui murmurer à l'oreille :

— Il y a quelqu'un en bas, qui garde la porte. Il va falloir se débarrasser de lui. Essayons de ne pas le tuer, d'accord ?

Là-dessus, il lança la lanterne dans la cour. Elle s'écrasa dans un bruit de ferraille et s'éteignit.

— Toujours aussi empoté, déclara une voix sarcastique, en contrebas. C'est toi, Ferguson ? Qu'est-ce que t'as encore cassé ?

Un homme sortit d'une arcade en contrebas ; Grey distingua sa silhouette trapue se détachant sur les pavés noirs. Fraser prit une grande inspiration puis sauta les pieds en avant dans la cour. Grey fut si surpris qu'il manqua de s'élancer derrière lui.

Fraser avait asséné un coup oblique au garde en lui tombant dessus, mais pas assez fort pour le mettre hors d'état de nuire. Les deux hommes roulèrent sur les pavés, luttant au corps à corps en émettant des grognements étouffés. Grey dévala l'escalier en lançant derrière lui :

— Tom, occupe-toi de la porte !

Il se précipita vers les deux hommes et, constatant que le plus petit chevauchait Fraser et lui flanquait de vigoureux coups de poing au visage, il lui envoya son pied de toutes ses forces dans les parties par-derrière.

L'homme roula sur le côté en émettant un son sinistre et l'Écossais se redressa sur ses genoux, haletant. Grey courut vers le garde et le palpa à la recherche d'armes. Il n'avait pas de pistolet, mais une courte épée qui rappelait un glaive romain. C'était un drôle de choix pour une arme, mais il la prit quand même, puis donna un coup de pied dans la face de l'homme à terre pour le faire taire avant de suivre Fraser sous l'arcade.

Tom était parvenu à déverrouiller la porte. Le Shannon coulait à quelques mètres, ses eaux noires comme de la poix.

Fraser boitait. Sa chute n'avait guère arrangé l'état de ses fesses meurtries. Il jurait profusément en gàidhlig et Grey devina l'objet de son agacement.

— Coquin de sort ! s'exclama Tom. Où est-il ? Il ne nous a pas fait faux bond, j'espère !

— Si c'est le cas, je vais l'étriper, maugréa Fraser.

Il disparut dans l'obscurité, remontant la berge. Grey en déduisit que ce « il » était Quinn et que Fraser était parti à sa recherche.

— Nous attendons un bateau ? demanda-t-il à Tom.

Tout en parlant, il surveillait le château. Ils ne se trouvaient qu'à une vingtaine de mètres de la muraille et son instinct le poussait à prendre ses jambes à son cou.

— Oui, milord. Quinn a dit qu'il nous trouverait une embarcation et que nous nous retrouverions ici à…

Il lança un regard impuissant autour de lui.

— … à l'heure que lui a dit le capitaine, c'est-à-dire maintenant, je crois.

Il observait lui aussi le château d'un œil inquiet, son visage formant une tache pâle dans le noir. Il n'y avait aucune lumière provenant de la ville voisine, pas même la lanterne d'un veilleur de nuit dans les rues.

Grey serrait le manche du glaive dans une main, son poignard dans l'autre. Ils ne lui serviraient pas à grand-chose si on leur tirait dessus depuis les remparts. Pas plus si toute la garnison jaillissait soudain de la poterne…

— Tiens-moi ça !

Il fourra les armes dans les mains de Tom et, s'accroupissant le long de la berge, chercha des débris flottant dans l'eau. Il trouva enfin ce qu'il espérait : une planche cassée. Il la libéra de la vase puis courut vers la poterne et enfonça son trophée sous la porte. Il glissa facilement. La planche n'était pas assez épaisse. Il lui fallait…

Tom, ce cher ange, avait compris ses intentions et se tenait derrière lui, les bras chargés de détritus, de branchages et de cailloux. Grey fouilla fébrilement dans le tas et en coinça le maximum sous la planche, les enfonçant du pied. Ses orteils allaient être aussi bleus que la fesse de Fraser, pensa-t-il en donnant un dernier coup à son cale-porte improvisé.

Le dernier, car ils n'avaient pas le temps d'en faire plus. Des cris retentirent à l'intérieur du château. Attrapant Tom par le bras, Grey remonta la berge en courant dans la direction qu'avait prise Fraser.

Le sol était boueux et irrégulier. Ils trébuchaient sans cesse, le souffle court. Grey glissa soudain et tomba de biais dans la rivière avec un grand *plouf*. Il avait marché sur une roselière. Il remonta à la surface en hoquetant, agitant les bras et les jambes dans un effort vain pour se redresser et retrouver son souffle en même temps.

— Milord !

Tom pataugea vers lui, quoique plus prudemment, écartant les roseaux et s'enfonçant dans l'eau jusqu'aux genoux.

Il y eut un soudain crépitement, comme des cailloux contre des vitres. Des balles! comprit Grey. Il se jeta en avant, alourdi par ses vêtements mouillés, barbotant jusqu'à ce qu'il reprenne enfin pied et puisse ramper jusqu'à la berge à quatre pattes.

Les tirs étaient sporadiques et irréguliers. *Pop-pop! Pop!* Pouvaient-ils les voir ou tiraient-ils à l'aveuglette pour les impressionner? Il songea aux meurtrières et se recroquevilla instinctivement. Tom lui agrippa un bras et le tira sur la berge, telle une tortue échouée.

— Allons… commença-t-il.

Il s'interrompit brusquement avec un petit cri de surprise.

— Tom!

Les genoux du valet fléchirent. Grey le rattrapa avant qu'il s'effondre.

— Où? demanda-t-il. Où es-tu touché?

Il avait déjà entendu ce son: une expression de stupeur. Trop souvent, c'était le dernier bruit que faisait un homme avant de quitter ce monde.

— Le… bras, haleta Tom, qui paraissait plus surpris qu'alarmé. Quelque chose a heurté mon bras, comme un coup de marteau…

En dépit de l'obscurité, Grey distinguait une tache noire sur sa manche. Elle se répandait rapidement. Jurant dans sa barbe, il fouilla dans la masse dégoulinante de ses cheveux et arracha le ruban qui retenait sa tresse.

— Au-dessous du coude? Au-dessus? demanda-t-il en lui palpant le bras.

— Aïe! Oui, juste là. Un tout petit peu plus haut.

Il enroula le ruban autour du bras de Tom et serra fort. Le lien céda.

Il eut un moment de panique, la nuit se refermant autour de lui. Le bruit des balles percutant la surface de l'eau paraissait aussi inoffensif que des gouttes de pluie. Puis il se ressaisit et découvrit qu'une partie de son cerveau fonctionnait toujours. Il ôta ses chaussures et retira ses bas trempés.

Il en utilisa un comme tampon et, avec l'autre, confectionna un garrot.

— Je me plaindrai à ces voleurs de chez Jennings and Brown, déclara Tom d'une voix légèrement tremblante. Ce sont eux qui m'ont vendu ce ruban…

— Je t'accompagnerai, Tom.

Grey sourit malgré lui et enfila ses pieds nus dans ses chaussures mouillées. Il envisageait plusieurs possibilités. Si Tom était grièvement blessé, il lui fallait des soins tout de suite. Le seul endroit où les obtenir était le château. Si ce n'était qu'une plaie superficielle…

— Tu crois que tu peux marcher ? Ou du moins te redresser ?

— Oh oui, mil… Ooooh.

Tom, qui s'était à moitié relevé, retomba subitement sur le sol.

— Oh, murmura-t-il. La tête me tou…

Sa voix se perdit dans le silence. Cherchant frénétiquement son pouls, Grey sortit les pans de sa chemise de sa culotte et palpa la peau humide et froide de son torse. Son cœur battait toujours, Dieu merci !

La porte, loin derrière eux, fit entendre un craquement. Des hommes frappaient dessus à tour de bras, d'autres essayaient de dégager les débris qui la coinçaient. Il apercevait la lueur de leurs lanternes dessinant les contours de la poterne.

— Merde !

Il saisit Tom sous les bras et s'enfonça à nouveau dans les roseaux en traînant son valet inconscient.

Le bateau tangua brusquement lorsque Jamie changea de position, lui faisant remonter l'estomac dans la gorge. L'eau approchait beaucoup trop du bord de l'embarcation à son goût.

— Arrête de bouger, espèce de grand échalas, murmura Quinn derrière lui.

Sa voix était à peine audible au-dessus du clapotis des vagues contre la coque.

— Tu vas nous faire chavirer si tu ne cesses pas de gigoter, reprit-il. On dirait un tigre en cage. Tu ne vas pas être malade, hein ?

— Tais-toi.

Jamie déglutit et ferma les yeux. Il avait tenté de se convaincre que tant qu'il ne baisserait pas les yeux vers la surface du fleuve son ventre resterait tranquille. Toutefois, il était maladivement conscient que seuls quelques centimètres de bois séparaient les eaux noires du Shannon de ses fesses crispées et que tout ce bois fuyait comme une passoire. Ses pieds étaient trempés. Quant à remuer, ce maudit esquif ne faisait que ça, même s'ils se laissaient simplement porter par le courant.

— On ne devrait pas ramer ? chuchota-t-il par-dessus son épaule.

— Non, répondit fermement Quinn. C'est le calme plat. Tu veux qu'on passe devant le château avec de grands éclaboussements et en appelant tes amis à grands cris ?... Regarde !

Jamie se retourna et vit la masse noire du château se dresser sur sa droite, se détachant sur le ciel bruineux. Cette vision infernale s'accentua encore lorsque la porte de la poterne par laquelle ils étaient sortis vola en éclats, déversant une lueur rouge sur la berge. De petites silhouettes en jaillirent, tels des démons, et se mirent à courir dans tous les sens.

— Sainte Marie mère de Dieu... souffla-t-il.

Il se cramponna fermement aux bords du bateau. Où étaient Grey et Tom Byrd ? Il détourna les yeux du château quelques instants pour les accoutumer à nouveau à l'obscurité puis se tourna vers la berge, la fouillant du regard. Il ne voyait que des taches sombres ballottées sur l'eau. Elles auraient pu être des barques ou des monstres marins. L'ombre de la roselière, noire comme du goudron, s'étendait sur le miroitement terne du fleuve. Rien ne bougeait, du moins rien qui ressemblât à deux hommes en train de courir. Et Dieu savait pourtant qu'ils auraient eu de bonnes raisons de courir !

À présent, toute la garnison semblait être réveillée et la berge devant le rempart était illuminée de lanternes, leurs lueurs dansantes projetant des faisceaux sur le sol. Jamie sourit malgré lui en entendant les braillements du sergent qu'il avait enfermé plus tôt se répercuter à la surface de l'eau.

Un léger *plouf!* lui fit tourner la tête. Quinn avait mis une rame dans l'eau et godillait doucement pour ralentir leur embarcation. La proue tourna en décrivant un lent cercle méditatif.

— Et s'ils ne sont plus là? chuchota Quinn.

— Ils y sont forcément. Je les ai laissés sur la berge, juste au pied du château…

— Ils n'y sont plus, insista Quinn d'une voix tendue.

— Ils m'ont vu remonter la rive. Ils ont dû me suivre. Nous devons faire demi-tour. Nous glissions si discrètement, ils ne nous ont peut-être pas aperçus…

Il parlait avec beaucoup plus d'assurance qu'il n'en ressentait.

— Que saint Patrick nous vienne en aide! marmonna Quinn.

Il enfonça la seconde rame dans l'eau et le bateau vira lentement. Puis il se mit à ramer en faisant le moins de bruit possible. Jamie se pencha au-dessus du bord, aussi loin qu'il osait, et scruta la rive.

Rien. Il perçut un mouvement, mais quoi que ce fût, cela disparut aussitôt entre deux cabanes. Un chien, probablement… C'était trop petit pour être un homme, et deux encore moins.

Où iraient-ils, pourchassés par les soldats? La ville était la réponse la plus logique. Le château était entouré par un dédale de petites rues sinueuses.

— Jusqu'où tu veux aller? grogna Quinn.

Il était essoufflé par l'effort de ramer à contre-courant.

— Jusqu'ici, ça suffit. Fais à nouveau demi-tour.

Ils étaient parvenus à environ deux cents mètres du château. Si Grey et Tom les avaient attendus sur la berge, ils les auraient vus. Ils s'étaient sans doute enfuis par la ville. Une déduction que les soldats ne manqueraient pas de faire, eux aussi.

Jamie se remit à prier. Comment diable allait-il les retrouver dans ce labyrinthe? Il était aussi facilement repérable que les deux Anglais. Il devrait envoyer Quinn les chercher et il devinait que l'Irlandais ne serait pas enchanté.

Tant pis, il devrait…

Un bruit sourd retentit contre la coque tout près de sa main et il sursauta avec une telle force que l'embarcation tangua violemment.

Quinn jura et releva les rames.

— Par tous les saints, qu'est-ce que nous avons heurté ?

Vlan ! Vlan ! Vlan ! Le coup fut répété, telle une injonction frénétique. Jamie se pencha au-dessus du bord et manqua de hurler devant la vision d'horreur qui se présenta à lui : une tête de Gorgone aux yeux fous émergea de l'eau à quelques centimètres de sa main, ses cheveux serpentant dans tous les sens, sa bouche tordue dans une grimace féroce. Cette créature des enfers tenait un grand paquet sous un bras, une sorte d'épée dans l'autre main. Elle ouvrit les lèvres en montrant ses dents et frappa à nouveau la coque d'un coup péremptoire. *Vlan !*

— Hissez-nous à bord ! rugit-elle. Je ne pourrai plus le tenir longtemps…

—◄O►—

26

Rêves opiacés

Grey était recroquevillé en une masse dégoulinante au fond du bateau, vaguement conscient du dos de Fraser devant lui. Les longs bras de l'Écossais s'étiraient et se fléchissaient. Ses épaules étaient voûtées tandis qu'il ramait puissamment à contre-courant. La masse noire du château s'éloignait lentement, très lentement. Il entendait des cris sur la rive. Quinn, debout, se tenant au mât, leur répondait en irlandais. Il semblait les narguer mais Grey était trop étourdi par le froid et la fatigue pour s'inquiéter de ce qu'il disait.

— Ça leur fera les pieds, marmonna Quinn en se rasseyant sur le petit banc de lattes derrière Grey.

Il se pencha en avant et, posant une main sur son épaule pour se stabiliser, demanda à Tom :

— Comment ça va, mon garçon ?

Tom était blotti en chien de fusil contre Grey, sa tête reposant sur ses genoux, tremblant convulsivement. À dire vrai, ils grelottaient tous les deux en dépit des capes dont Quinn les avait rapidement enveloppés.

— Ç-ç-ça… v-v-va, balbutia le jeune homme.

Son corps était contracté par la douleur. Il serrait tant les dents que sa joue formait une boule dure contre la cuisse de Grey. Ce dernier posa une main sur son front en espérant le réconforter un peu. De son autre main, il fouilla sous la cape de Tom, mais ses doigts engourdis ne sentaient plus rien.

— Il f-f-faut d-desserrer son… son g-g-garrot, parvint-il à articuler.

Il maudit son impuissance. Il ne pouvait se retenir de claquer des dents.

Quinn vint à sa rescousse. Ses boucles frôlèrent le visage de Grey. L'Irlandais sentait le feu de tourbe, la sueur et la graisse de saucisse, un mélange étrangement réconfortant.

— Laissez-moi voir… dit-il sur un ton doux et apaisant. Ah, je l'ai, crédieu ! Ne bougez pas, monsieur Byrd, je vais simplement…

Il n'acheva pas sa phrase, concentré sur sa tâche. Tom émettait de faibles gémissements. Grey enfouit les doigts dans les cheveux mouillés de son valet, le frottant doucement derrière l'oreille comme il l'aurait fait à un chien pour le distraire pendant qu'on lui ôtait une tique.

— J'y suis presque… marmonna Quinn. Voilà !

Tom sursauta et prit une grande goulée d'air tout en enfonçant les doigts de sa main valide dans la cuisse de Grey. Ce dernier en déduisit que le garrot avait été desserré, laissant un flot de sang couler le long du bras et réveillant les nerfs engourdis. Il savait exactement ce que son valet ressentait et serra fort la main de Tom.

— Il saigne beaucoup ?

— Assez, répondit Quinn d'un air absent. Mais le sang ne jaillit plus. Un bandage devrait faire l'affaire, avec un peu de chance et la bénédiction de sainte Bride.

Il se redressa en secouant la tête, puis fouilla dans sa veste et en extirpa sa fameuse fiole carrée.

— Heureusement que j'ai pensé à emporter mon tonique, au cas où Jamie se mettrait à vomir. C'est un remède souverain contre tous les maux. C'est ce que m'a dit celui qui me l'a vendu. Je suis sûr que ça guérit aussi les blessures par balle et les refroidissements.

Il tendit la bouteille à Grey. Elle dégageait un arôme légèrement inquiétant, mais il n'hésita qu'un instant avant d'en avaler une petite gorgée.

Il fut pris d'une quinte de toux qui le fit larmoyer et le laissa le souffle court. Cependant, une indéniable chaleur l'envahit dans l'instant.

Pendant ce temps, Quinn s'était accroupi auprès de Tom pour lui faire un bandage et lui tenait la bouteille devant la bouche. Le jeune homme but deux gorgées puis, sans un mot, fit signe à Grey de boire encore.

Par égard pour son valet, Grey but du bout des lèvres, mais cela suffit à lui faire tourner doucement la tête. Il avait cessé de grelotter et une douce torpeur l'étreignit. À ses pieds, Quinn mettait la dernière main au bandage réalisé avec des pans de sa chemise. Il donna une tape d'encouragement sur le dos de Grey et reprit sa place sur le banc derrière lui.

En proue, Fraser, ramant toujours, demanda :

— Comment allons-nous, mon petit monsieur Byrd ?

Un ronflement lui répondit. Tom s'était endormi pendant les soins. Quinn se pencha en avant.

— Pour le moment, ça va. Mais la balle est toujours dans son bras. Nous devons le conduire chez un médecin.

— Tu en connais un ? demanda Fraser, sceptique.

— Oui, et toi aussi. Nous allons l'emmener chez les frères, à Inchcleraun.

Fraser se raidit. Il cessa de ramer et se retourna pour lancer un regard torve à Quinn.

— Inchcleraun est à près de vingt kilomètres d'ici. Je ne peux pas ramer aussi loin.

— Ce ne sera pas nécessaire, espèce de cul-terreux ignare. À quoi crois-tu que servent les voiles ?

Grey releva les yeux. Effectivement, il y avait une voile. Petite certes, mais une voile quand même.

— J'avais cru que l'usage d'une voile requérait la présence du vent, répliqua Fraser avec une courtoisie extrême. Or, comme tu l'auras peut-être remarqué, il n'y a pas un souffle d'air.

— Et du vent tu auras, mon ami bilieux. Au lever du soleil, le vent remonte depuis le Lough Derg et nous n'aurons plus qu'à nous laisser porter par le souffle de l'aube, comme on dit.

— Il reste combien de temps avant l'aube ? demanda Fraser sur un ton méfiant.

Quinn soupira et fit claquer sa langue d'un air réprobateur.

— Environ quatre heures, ô homme de peu de foi. Rame encore un peu jusqu'à ce que nous entrions dans les eaux du Lough Ree. Nous pourrons ensuite accoster et trouver un coin tranquille jusqu'au lever du jour.

Fraser émit un son guttural très écossais, puis se remit à ramer et les lentes oscillations du bateau contre le courant reprirent. Bercé par le silence tout juste troublé par le doux clapotis rythmique des rames dans l'eau, Grey piqua du nez et s'abandonna à ses rêves.

Ils étaient étranges, comme souvent lorsqu'ils étaient induits par l'opium. Il se réveilla en sursaut d'une vision où il était érotiquement enlacé avec un Quinn nu. Il se frotta les lèvres et cracha pour se débarrasser du goût amer dans sa bouche. Ce n'était pas celui de l'Irlandais mais de la drogue et il sentit un rot lui remonter derrière le nez. Il retomba à nouveau dans le fond du bateau, ne se sentant pas la force de se redresser.

En réalité, il était enlacé avec Tom. Celui-ci était à moitié couché sur lui, ronflant avec entrain. Sa joue était écrasée contre son torse, brûlante même à travers sa chemise humide. Ils ne bougeaient plus et ils étaient seuls dans l'embarcation.

Il faisait encore nuit, mais les nuages étaient clairsemés. À la lueur pâle des étoiles, il devina qu'il ne restait pas plus d'une heure avant l'aube. Il resta allongé sur les planches mouillées, luttant pour garder les yeux ouverts… et pour chasser tout souvenir de son rêve récent.

Il était tellement groggy qu'il ne se demanda pas où étaient passés Fraser et Quinn jusqu'à ce qu'il les entende. Ils se trouvaient près du bateau, sur la terre ferme.

Naturellement qu'ils sont sur la terre ferme, pensa-t-il vaguement alors que son esprit drogué lui faisait voir des images des deux hommes assis sur un nuage, discutant âprement tout en dérivant à travers le ciel nocturne.

— Je t'ai dit que je ne le ferais pas et je ne reviendrai pas sur ma décision !

Fraser parlait d'une voix basse mais intense.

— Tu tournerais le dos aux hommes qui ont combattu avec toi ? Après tout le sang versé pour la Cause ?

— Parfaitement. Et tu en ferais autant si tu avais plus de jugeote qu'un poussin né d'hier.

Les voix s'estompèrent. Grey eut une vision de Quinn en coq nain, coqueriquant en irlandais et battant des ailes en picorant les pieds de Fraser. Ce dernier était nu mais pudiquement drapé par des volutes de vapeur s'élevant du nuage sur lequel il était assis.

Sa vision se mua lentement en une autre, où Stephan von Namtzen s'ébattait voluptueusement avec Percy Wainwright tandis qu'il les contemplait avec une bienveillance blasée, jusqu'à ce que von Namtzen se transforme en Gerald Siverly, la plaie béante dans son crâne n'entravant en rien ses mouvements...

Un gémissement sonore de Tom l'extirpa de ses songes, trempé de sueur et l'estomac barbouillé. Leur petite embarcation, sa voile gonflée, glissait le long de la rive d'une île plate et verte. Inchcleraun.

Se sentant légèrement désincarné et se rappelant à peine comment on met un pied devant l'autre, il tituba sur le sentier derrière Fraser et Quinn qui soutenaient Tom Byrd, l'aidant à marcher en murmurant des paroles d'encouragement. Les vestiges de ses rêves se mêlèrent à la brume qui les entourait et il se souvint des paroles qu'il avait entendues. Il aurait beaucoup aimé savoir comment cette conversation s'était terminée.

———◄O►———

27

La loyauté et le devoir

Les moines les accueillirent chaleureusement et conduisirent aussitôt Tom Byrd à l'infirmerie. Jamie laissa Grey et Quinn au réfectoire où on leur donnait à manger et, l'esprit préoccupé, se rendit dans le bureau du père Michael.

Ce dernier lui offrit un siège et un verre de whisky. Il accepta les deux avec gratitude.

— Tu mènes décidément une vie bien intéressante, mon cher Jamie, déclara l'abbé après qu'il lui eut brièvement relaté les derniers événements. Tu es donc venu demander l'asile ? Quant à tes amis... je suppose que ce sont les deux messieurs dont tu m'as parlé ?

— En effet, mon père. Pour ce qui est de l'asile...

Il s'efforça de sourire en dépit de la fatigue qui alourdissait ses traits.

— Si vous nous faites la bonté de soigner le bras du jeune homme, nous partirons dès qu'il sera en mesure de voyager. Je ne veux pas vous mettre en danger. Le gouverneur adjoint d'Athlone ne respectera sans doute pas votre sanctuaire s'il apprend que le colonel Grey s'y trouve.

— Tu penses que le colonel a assassiné le major Siverly ? demanda l'abbé d'un air intéressé.

— Je suis sûr du contraire, mon père. Je pense que le coupable est un certain Edward Twelvetrees, qui entretient... ou entretenait des liens avec Siverly.

— Quel genre de liens ?

Jamie agita une main vague. Une douleur vive traversait son épaule droite quand il la bougeait, remplacée par une douleur lancinante qui le pénétrait jusqu'à l'os quand il la gardait immobile. Son arrière-train n'était pas en meilleur état après des heures passées à ramer sur un banc en bois.

— Je ne sais pas vraiment. Financiers, certainement... politiques, peut-être.

Les sourcils blancs de l'abbé se haussèrent et ses yeux verts se firent plus perçants. Jamie esquissa un sourire méfiant.

— L'autre homme qui m'accompagne, Tobias Quinn, reprit-il. C'est celui qui veut m'enrôler dans son projet d'insurrection.

— Je m'en souviens. Naturellement, je n'ai rien pu faire de cette information puisqu'elle m'a été donnée sous le sceau du secret.

Le sourire de Jamie se fit plus sincère.

— C'est pourquoi je vous la redis à présent simplement d'homme à homme. Tobias Quinn a à cœur de reprendre la mission que j'ai refusée. Voulez-vous bien lui parler ? Prier avec lui ?

— Je le ferai, *mo mhic*. Tu m'as dit qu'il était au courant au sujet de la *Cupán* ?

— En effet. Je vous laisse en discuter entre vous, mon père. Je ne serais pas fâché de ne plus jamais entendre parler de cette coupe.

L'abbé réfléchit quelques instants, puis leva une main.

— Va en paix, *mo mhic*, dit-il doucement. Et que Dieu, Marie et saint Patrick t'accompagnent.

Jamie était assis sur un banc en pierre devant le cimetière du monastère quand Grey vint le trouver. Livide et échevelé, il paraissait épuisé, avec un regard un peu vague que Jamie reconnut comme étant l'un des effets secondaires du tonique de Quinn.

— Vous avez fait de drôles de rêves, pas vrai ? demanda-t-il avec une pointe de compassion.

Grey acquiesça et s'assit à ses côtés.

— Ne m'en parlez pas, vous ne voulez pas les connaître, croyez-moi.

— Comment va notre petit Byrd ? demanda Jamie.

L'expression de Grey s'éclaircit légèrement et il parvint même à sourire.

— Le frère infirmier a pu extraire la balle. Elle était logée dans le muscle et n'avait pas fracturé l'os. Tom a encore un peu de fièvre mais, avec l'aide de Dieu, il devrait être rétabli dans un jour ou deux. La dernière fois que je l'ai vu, il était assis dans son lit en train de dévorer du porridge avec du lait et du miel…

L'estomac de Jamie se mit à gargouiller à l'évocation de nourriture. Toutefois, ils devaient discuter d'abord.

— Vous pensez que cela en valait la peine ? demanda-t-il.

— Pardon ?

Grey s'était sensiblement avachi et frottait le chaume sur son menton avec sa paume.

— Tom Byrd. Il s'en sortira, mais il aurait pu être tué, et vous aussi. Ou vous auriez pu être capturés.

— Comme Quinn et vous. Oui. Nous aurions tous pu y laisser notre peau.

Il se tut un moment et observa une chenille verte et velue qui se tortillait le long du banc. Puis il reprit :

— Vous voulez dire que je n'aurais jamais dû vous demander de me sortir d'Athlone ?

— Si je l'avais pensé, je ne l'aurais pas fait. Mais j'aime savoir pourquoi je risque ma vie.

— Cela me paraît juste.

Grey approcha l'index de la chenille, essayant de la faire grimper dessus. La créature se cogna la tête contre le bout de son doigt puis, décidant qu'il n'était pas comestible, se laissa tomber du banc. Elle se balança un moment au bout d'un fil de soie, puis fut emportée par un courant d'air et disparut dans l'herbe.

— Edward Twelvetrees, annonça-t-il. Je suis pratiquement sûr qu'il a assassiné Siverly.

— Pourquoi ?

— Pourquoi je le pense ou pourquoi l'aurait-il tué ?

Sans attendre la réaction de Jamie, il répondit aux deux questions :

— La question est de savoir à qui profite le crime. Il paraît clair qu'il existait un arrangement financier entre les deux hommes. Je vous ai parlé des documents qu'ils examinaient lors de ma première visite ? Je ne suis pas expert-comptable, mais je sais reconnaître des livres sterling, des shillings et des pence couchés sur le papier. Il s'agissait de livres de comptes. En outre, ce très intéressant coffre métallique n'était pas rempli de groseilles. Ou pas seulement. Siverly avait de l'argent, nous le savons, et il était vraisemblablement impliqué dans ce qui ressemble fort à une conspiration jacobite. Il est possible que Twelvetrees n'y soit pas mêlé, je...

Il se passa une main sur le visage. Il commençait à s'animer.

— J'ai du mal à le croire, reprit-il. Sa famille est... Ce sont de belles ordures, mais ils sont loyaux jusqu'à la moelle. Ils sont tous militaires depuis des générations. Je ne le vois pas commettre une trahison.

— Vous pensez donc qu'il aurait découvert ce que tramait Siverly, peut-être à la suite de votre visite, et aurait décidé de l'éliminer pour l'empêcher de mener son plan à bien ?

— Oui. C'est la théorie la plus honorable. Il y en a une autre qui l'est moins : ayant découvert que Siverly détenait tout cet argent, il se serait débarrassé de lui pour empocher le magot. Dans un cas comme dans l'autre, s'il s'agit vraiment d'argent, la preuve se trouve sans doute dans les registres que Siverly examinait.

Grey avait serré le poing tout en parlant et se frappait inconsciemment le genou.

— Je dois retourner dans ce manoir et mettre la main sur ces documents. S'il existe une preuve de l'implication de Siverly dans une conspiration ou des relations qu'il entretenait avec Twelvetrees, elle doit se trouver là-bas...

Tout en l'écoutant, Jamie se demandait s'il devait lui faire part des informations de la duchesse de Pardloe concernant Twelvetrees et l'argent. Apparemment, elle avait choisi de ne pas en parler à son mari ni à son beau-frère. Pourquoi ?

Il connaissait la réponse : à cause de son père. C'était sûrement de lui qu'elle tenait ces informations et elle ne voulait pas que Pardloe découvre qu'elle glanait toujours des renseignements pour ce vieux renard d'Andrew Rennie. On pouvait la comprendre. Parallèlement, la situation était devenue nettement plus grave que la querelle domestique susceptible d'éclater si cette révélation remontait jusqu'au duc.

« J'aime mon mari. Je ne veux pas qu'il se retrouve dans une position où les Twelvetrees pourraient lui causer du tort. » Les paroles de la duchesse lui revinrent en mémoire. Elle ne s'inquiétait pas uniquement pour son père mais également pour ce qu'il pourrait arriver si Pardloe croisait le fer, au sens propre comme au figuré, avec Edward Twelvetrees.

Après tout, il pouvait partager ses informations sans divulguer ses sources.

— J'ai quelque chose à vous dire, déclara-t-il abruptement. Depuis un certain temps, Twelvetrees transfère de grosses sommes d'argent en Irlande. J'ignore où, tout comme la personne qui m'en a informé. Combien êtes-vous prêt à parier qu'il les envoyait à Siverly ?

Le visage de Grey se vida soudain de toute expression, au point que c'en était presque comique. Il inspira lentement en fronçant les lèvres.

— Voilà qui change considérablement la donne, dit-il enfin. Si c'est vrai et que Twelvetrees fait partie des conspirateurs, ils se sont peut-être disputés ou bien…

Une seconde idée lui vint, qui illumina ses traits. De toute évidence, il n'aimait pas l'idée que Twelvetrees puisse être un traître, ce que Jamie trouva intéressant.

— … ou bien, on l'aura trompé sur la véritable destination de l'argent et, l'ayant découvert, il aura tué Siverly avant qu'il ne puisse nuire davantage. Votre source ne vous a pas dit quel était l'objectif de cette conspiration, par hasard ?

— Non, répondit Jamie avec franchise. Vous avez raison : vous devez récupérer ces registres, si vous le pouvez. Mais vous ne croyez pas que Twelvetrees les aura déjà emportés ?

Grey poussa un long soupir.

— C'est possible. Mais le meurtre de Siverly n'a eu lieu qu'hier… Mon Dieu, ce n'était qu'hier ? Selon le majordome, Twelvetrees ne se trouvait pas au manoir. Siverly a… ou avait une épouse qui héritera probablement du domaine. Le constable m'a dit qu'il mettait la maison sous scellés jusqu'à l'arrivée du médecin légiste. Je n'imagine pas le majordome laissant Twelvetrees entrer, ouvrir le coffre et repartir avec tout son contenu…

Il lança un regard vers le petit bâtiment en pierre où Tom Byrd était soigné, puis reprit :

— J'avais prévu de retourner directement à Glastuig une fois que vous m'auriez sorti d'Athlone, afin de m'assurer d'y arriver avant Twelvetrees. Mais… les choses ne se passent pas toujours comme on l'espérait, n'est-ce pas ?

— Je ne vous le fais pas dire.

Ils restèrent un moment assis en silence, chacun plongé dans ses pensées. Puis Grey s'étira et se redressa.

— Il y a une autre raison pour laquelle il me faut absolument les papiers de Siverly, annonça-t-il. Quoi qu'ils nous apprennent ou non au sujet de Twelvetrees, ils nous révéleront probablement les noms des autres conspirateurs. Les membres de la Chasse fantastique.

Il le regardait fixement. Cet aspect des choses n'avait pas échappé à Jamie, et il n'en était pas ravi. Il hocha simplement la tête. Grey se tut encore quelques minutes, puis se leva d'un air décidé.

— Je vais aller trouver l'abbé pour le remercier et prendre les dispositions nécessaires afin que Tom reste ici jusqu'à ce que nous revenions le chercher. Vous pensez que M. Quinn acceptera de nous conduire sur la terre ferme ?

— Je crois, oui.

— Parfait.

Grey fit quelques pas vers le bâtiment principal, puis s'arrêta et se tourna vers lui.

— Vous m'avez demandé si cela en valait la peine. Je ne sais pas. Je ne fais que mon devoir.

Jamie le regarda s'éloigner. Un instant avant d'entrer, il s'arrêta à nouveau, une main sur la poignée de la porte.

Il vient de se rendre compte qu'il ne m'a pas demandé si j'acceptais de l'accompagner, se dit Jamie.

Siverly était mort et ses obligations envers Pardloe étaient terminées. Il avait respecté sa parole. Techniquement, il ne leur devait plus rien. Si Grey voulait son aide, il devrait le lui demander d'homme à homme.

Grey resta immobile un moment, puis secoua la tête comme si une mouche l'agaçait et entra. Jamie le connaissait suffisamment pour deviner qu'il était parfaitement conscient de leur situation. Il avait décidé de régler d'abord ses affaires avec le père Michael avant de revenir lui en parler.

Et que lui répondrai-je?

La mort de Siverly et la culpabilité présumée de Twelvetrees ne le concernaient pas. En revanche, pour ce qui était de démasquer des conspirateurs jacobites…

Tu as déjà longuement réfléchi à la chose, se sermonna-t-il. *Tu ne vas pas te remettre en question maintenant?*

« Moi, James Alexander Malcolm MacKenzie Fraser, je jure solennellement devant Dieu que je ne possède pas et ne posséderai pas à l'avenir un pistolet, une épée ou aucune arme d'aucune sorte; et que je ne porterai jamais plus de tartan, de plaid ni aucun autre vêtement propre aux Highlands. Si je me parjure, que mes entreprises, ma famille et mes biens soient maudits; que je ne revoie jamais ma femme, mes enfants, mon père, ma mère ni mes amis; que je sois tué au combat comme un lâche et pourrisse sans sépulture chrétienne sur une terre étrangère, loin des tombes de mes ancêtres et de mes parents. »

Les paroles du serment qu'ils l'avaient contraint de répéter en échange de sa vie lui avaient brûlé les lèvres quand il les avait prononcées; à présent, elles rongeaient son cœur comme un acide. Il ne connaissait probablement aucun des membres de la Chasse fantastique, mais cela ne rendait pas la trahison plus facile.

Mais… Le souvenir du petit crâne aux longs cheveux châtains était toujours aussi vif dans son esprit et pesait plus lourd dans sa conscience. Laisser ces fous d'Irlandais à leur conspiration, ou empêcher Grey de les arrêter (ce qui revenait au même) revenait à trahir la petite Mairi, ou Beathag, ou Cairistiona et toutes leurs semblables.

Tel est mon devoir, songea-t-il calmement. *Et je ne pense pas que le prix en soit trop élevé.*

Il fallait qu'il mange quelque chose, mais il ne trouvait plus la force de se lever et de rentrer dans le monastère. Il sortit le rosaire de sa poche mais, au lieu de réciter une prière, se contenta de le caresser entre ses doigts. Il pivota sur le banc, tourna le dos aux tombes silencieuses, se laissant pénétrer par la paix des lieux.

La petite cloche de l'église retentit, appelant à l'office de none. Les frères convers qui travaillaient dans le jardin déposèrent leurs houes et secouèrent leurs sandales pleines de terre pour se rendre à la messe.

Un adolescent d'environ quatorze ans, fraîchement tonsuré et le teint pâle comme un jeune champignon, apparut devant un bâtiment et lança des coups d'œil autour de lui, cherchant quelqu'un. Il aperçut Jamie et son visage s'illumina.

— Vous êtes monsieur Fraser ? demanda-t-il en lui tendant un morceau de papier. M. Quinn m'a demandé de vous remettre ceci.

Il le fourra entre les mains de Jamie, tourna les talons et hâta le pas vers la chapelle.

Il savait déjà ce que c'était : les adieux de Quinn. L'Irlandais avait obtenu sa coupe et était reparti. John Grey devrait se trouver un autre passeur. C'était plutôt ironique, compte tenu de sa toute récente décision. Cependant, il avait promis à Quinn de parler à l'abbé et s'en était acquitté. Il ne lui restait plus qu'à espérer que Dieu partagerait son analyse de la situation.

Il était sur le point de jeter le message quand, mû par un obscur réflexe de courtoisie, il le déplia. Il le parcourut rapidement et se figea.

Le message n'était adressé à personne et n'était pas signé.

Tu es très loyal envers tes amis et Dieu te bénira pour cela le jour du Jugement dernier. Moi-même, je ne serais pas digne de ton amitié si je ne te disais pas la vérité.

C'est l'Anglais qui a tué le major Siverly. Je l'ai vu de mes propres yeux depuis le bois où j'étais caché, derrière le pavillon d'été.

Le capitaine Twelvetrees est un grand ami de notre cause. Maintenant que Siverly est mort, tout repose entre ses mains. Je

*te demande de le protéger et de lui apporter l'aide que tu pourras
une fois de retour à Londres.*

*Si Dieu le veut, nous nous y retrouverons et, avec nos autres
amis, nous verrons enfin la branche verte refleurir.*

Jamie froissa machinalement le message en boule. John Grey
venait de sortir du bureau de l'abbé et s'était arrêté pour échanger
quelques mots avec frère Ambrose.

— Amis, pff! maugréa-t-il entre ses dents. Que Dieu me vienne
en aide!

Il grimaça puis, après avoir remis le rosaire dans sa poche, il
déchira le billet en minuscules morceaux qu'il éparpilla au vent.

◄O►

28

Amplexus

Jamie n'avait pas voulu que Grey cherche à louer des chevaux. Les Irlandais aimaient cancaner autant que les Highlanders et, si Grey était vu dans son uniforme, la garnison du château d'Athlone en serait informée avant le lendemain midi.

Ils marchèrent donc toute la nuit depuis le Lough Ree, longeant les champs au crépuscule, se reposant dans les bois pendant la journée (Jamie en profitant pour aller chercher des provisions à Ballybonaggin), puis reprenant la route à la tombée du soir. Ils progressaient d'un bon pas, aidés par une lune bienveillante qui se dressait au-dessus d'eux, lumineuse et veinée, telle une énorme boule d'albâtre.

La campagne semblait déserte.

Après avoir traversé de grands prés ouverts, ils s'enfoncèrent dans une région densément boisée. Les arbres étendaient leurs racines sur les sentiers, leurs branchages formant un toit si épais qu'ils ne voyaient parfois plus le sol. Parfois, ils émergeaient dans des zones où les frondaisons étaient clairsemées et où la lune faisait soudain luire le blanc d'un visage, d'une chemise, ou briller le pommeau d'une épée.

Le bruit de leurs pas se fondait dans le murmure de la forêt. Le vent s'était levé, faisant bruire le feuillage. John avait la sensation que la nuit était une créature sauvage rampant sur lui, la vigueur du printemps suintant du sol sous ses pieds, s'enroulant autour de ses jambes, s'insinuant dans son corps, faisant battre son pouls jusqu'au bout de ses doigts.

Peut-être était-ce la griserie de la liberté, l'exaltation de son évasion, ou simplement l'excitation de la chasse nocturne, de l'aventure et des dangers qui les attendaient. Ou le fait de se savoir hors-la-loi.

Le sentier était étroit et ils se cognaient parfois l'un contre l'autre, éblouis par l'alternance d'obscurité et de clair de lune. Il entendait le souffle de Jamie, ou du moins le pensait, car cela aurait pu aussi être le souffle de la brise sur son visage. Il sentait son odeur musquée, mêlée à la transpiration sèche et à la poussière de ses vêtements. Il eut soudain l'impression d'être un loup, sauvage et affamé.

Sois mon maître. Ou serai-je le tien?

Il y avait des grenouilles dans les fossés et les marais qui s'étendaient au-delà de la forêt. Leurs appels, stridents et graves, puissants et faibles, se chevauchaient en un chœur lancinant.

De loin, assis sur une pelouse sous les étoiles avec ce chœur en arrière-plan, cela ressemblait à une mélodie pastorale, le chant du printemps.

De près, ce chant se révélait tel que les païens l'avaient toujours connu: l'expression d'une pulsion aveugle de capturer, de copuler, de verser le sang, de féconder la terre, de se vautrer dans les fleurs piétinées, de se rouler dans les jus de l'herbe et de la boue.

Ces maudites grenouilles *hurlaient* de passion à s'en déchirer la gorge. Par centaines. Le vacarme était assourdissant.

Distrait par la vision de milliers d'amphibiens se livrant à une bacchanale visqueuse dans les eaux noires, John se prit le pied dans une racine et s'affala de tout son long.

Fraser l'attrapa par la taille et le hissa debout.

— Vous vous êtes fait mal? demanda-t-il à voix basse.

Son souffle chaud lui caressait la joue.

— *Coâ, coâ tralala*, répondit-il, légèrement étourdi.

Fraser lui tenait toujours le bras, le stabilisant.

— Pardon?

— C'est la déclaration de Monseigneur Grenouille à Dame Souris. C'est une chanson. Je vous la chanterai un jour.

Fraser émit un son qui aurait pu être de dérision ou d'amusement, peut-être les deux, et le lâcha. Grey vacilla et tendit le bras devant lui pour parer une nouvelle chute éventuelle. Il toucha la poitrine de Fraser, chaude et dure sous sa chemise, et retira aussitôt sa main.

— C'est le genre de nuit où l'on s'attend à croiser la Chasse fantastique, déclara-t-il en se remettant à marcher.

Sa peau fourmillait et ses nerfs étaient à vif. Il n'aurait pas été surpris de voir surgir la reine des fées, belle et spectrale comme la lune, chassant dans la forêt avec sa suite redoutable composée de jeunes hommes agiles aux dents effilées, assoiffés de sang.

— Que chassent-ils, à votre avis ? demanda-t-il.

— Des êtres humains, répondit Fraser sans hésiter. Des âmes. Je pensais justement à la même chose, même si on a plutôt tendance à les voir pendant les nuits d'orage.

— Vous les avez déjà vus ?

L'espace d'un instant, il crut sincèrement qu'une telle chose était possible. À sa surprise, Fraser prit sa question au sérieux.

— Non. Du moins… Je ne sais pas.

— Racontez-moi.

Ils marchèrent en silence un moment. Il devinait que Fraser rassemblait ses idées et attendit.

— C'était il y a des années, dit enfin Jamie. Après Culloden. Je vivais encore caché dans la grotte sur mes terres. Je ne sortais que la nuit pour chasser. Parfois je devais m'aventurer assez loin quand le gibier se faisait rare.

Ils traversaient une zone moins boisée et la lueur de la lune éclairait le visage de Fraser. Il leva les yeux vers l'astre blanc.

— Ce n'était pas vraiment une nuit comme celle-ci. Il n'y avait pas de lune et le vent gémissait à mes oreilles comme un millier d'âmes perdues. Pourtant, il régnait une atmosphère semblable. C'était le genre de nuit où l'on ne s'aventure pas au-dehors sans s'attendre à rencontrer des choses…

Il parlait sur un ton détaché, comme s'il était parfaitement normal de « rencontrer des choses ».

— J'avais traqué un cerf et je l'avais tué. Je me suis assis près de sa dépouille pour reprendre mon souffle avant de l'étriper. Je lui avais déjà tranché la gorge pour le saigner, naturellement, mais je n'avais pas récité la prière du chasseur. Plus tard, je me suis demandé si ce n'était pas ça qui les avait appelés.

Grey se demanda si « ça » renvoyait à l'odeur du sang chaud ou à l'absence de bénédiction, mais il ne voulait pas risquer d'interrompre son récit en posant la question.

— Les appeler ? répéta-t-il pour l'encourager.

— Peut-être. C'est juste que, soudain, j'ai ressenti une profonde angoisse. Non, c'était pire. C'était une grande peur. Puis je les ai entendus. J'ai eu peur avant de les entendre.

Des bruits de sabots et des voix, à demi engloutis dans le gémissement du vent.

— Si cela s'était produit quelques années plus tôt, j'aurais pensé que c'était la Garde des Highlands. Mais elle a été dissoute après Culloden. J'ai alors cru que c'étaient des soldats anglais. Sauf que je n'entendais pas de mots en anglais et, d'ordinaire, je les reconnais facilement de loin. L'anglais possède une sonorité différente du gàidhlig, même si on ne distingue pas les paroles. Le plus étrange, c'était que je ne pouvais identifier d'où venait le son. Le vent était fort mais régulier. Il soufflait du nord-ouest. Or, les bruits étaient tantôt portés par le vent, mais ils provenaient également du sud et de l'est. Ils disparaissaient, puis revenaient.

Il s'était relevé, se tenant près de la dépouille du cerf, en se demandant s'il devait fuir et, si oui, dans quelle direction.

— Puis j'ai entendu la femme crier. Elle… comment dire… Ce n'était pas un cri de terreur, ni de rage. C'était… euh… comme le cri d'une femme quand elle… prend du plaisir.

— Au lit, vous voulez dire ? Les hommes aussi crient, parfois.

Idiot ! Ce n'était surtout pas la chose à dire.

Il se serait giflé pour avoir prononcé ces mots qui faisaient écho à sa remarque malheureuse dans l'écurie de Helwater, cette remarque idiote et déplacée…

Fraser se contenta d'émettre un « Mmphm », semblant prendre son observation au pied de la lettre.

— L'espace d'un instant, j'ai pensé à un viol… mais il n'y avait aucun soldat anglais dans notre district.

— Pourquoi, les Écossais ne commettent pas de viols ?

— Pas souvent, et jamais les Highlanders. Mais, comme je le disais, ce n'était pas ce genre de son. Puis j'en ai entendu d'autres, des hurlements stridents, des hennissements, mais ce n'étaient pas des bruits de bataille. On aurait plutôt dit une foule de gens ivres ; même leurs montures paraissaient saoules. Et ils se rapprochaient de moi.

C'était l'idée des chevaux ivres qui avait fait naître dans son esprit des images de la Chasse fantastique. Ce n'était pas un conte très répandu dans les Highlands, mais il en avait entendu parler, notamment par d'autres mercenaires lorsque, jeune homme, il avait combattu en France.

— On dit que la reine chevauche un grand cheval, blanc comme le clair de lune, et qu'il luit dans l'obscurité.

Il avait passé suffisamment de temps dans les landes et les hautes montagnes d'Écosse pour savoir qu'elles cachaient toutes sortes de choses que l'homme ne voyait pas, des fantômes et des esprits dont on ne faisait que deviner l'essence. Le concept de créatures surnaturelles ne lui était pas étranger. Dès qu'il avait pensé à la Chasse fantastique, il avait abandonné la carcasse du cerf et pris ses jambes à son cou.

— J'ai pensé qu'ils avaient senti le sang, expliqua-t-il. Comme je n'avais pas récité la prière adéquate, ils devaient considérer la proie comme leur.

Son ton neutre donna la chair de poule à Grey. Cela semblait couler de source.

— Je vois, dit-il tout bas.

De fait, il voyait clairement le galop désordonné des montures infernales, leurs robes et les visages de leurs cavaliers surnaturels luisant dans un halo spectral, jaillissant des ténèbres avec des cris voraces qui se mêlaient au vent. Les coassements nuptiaux des grenouilles résonnaient soudain différemment à ses oreilles ; il percevait l'appétit aveugle derrière le raffut.

— Les *sidhe*, déclara doucement Fraser.

Le mot lui-même ressemblait au sifflement du vent.

— C'est le même terme en gàidhlig et en gaeilge, expliqua-t-il. Il désigne les créatures de l'autre monde. Parfois, quand elles sortent des amoncellements de pierres où elles vivent, elles n'y retournent pas seules.

Il avait couru vers le torrent le plus proche, se souvenant vaguement d'avoir entendu dire que les *sidhe* ne pouvaient traverser l'eau courante. Il s'était accroupi entre les rochers, de l'eau jusqu'à mi-cuisse, luttant contre la force du courant, aspergé par les éclaboussures, gardant les yeux bien fermés en dépit de l'obscurité.

— Il ne faut pas les regarder, précisa-t-il. Si vous croisez leur regard, elles vous appellent et vous ensorcellent. Alors vous êtes perdu.

— Elles tuent les gens ?

— Non, elles les emmènent. Elles les attirent et les entraînent sous leurs pierres, dans leur monde. Parfois...

Il s'interrompit et s'éclaircit la gorge avant de reprendre :

— Parfois, ceux qu'elles ont enlevés reviennent, mais deux cents ans plus tard. Tous ceux qu'ils ont connus et aimés sont morts.

— C'est terrible, murmura John.

Il entendait la respiration saccadée et laborieuse de Fraser à ses côtés, comme s'il refoulait des larmes, et se demanda pourquoi cet aspect du récit l'émouvait autant.

Fraser se racla à nouveau la gorge, plus fort cette fois.

— Enfin... soupira-t-il. J'ai donc passé le reste de la nuit assis dans mon torrent et j'ai bien failli mourir de froid. Heureusement, cela s'est passé peu avant le lever du jour, autrement je ne serais jamais ressorti de l'eau. Aux premières lueurs du jour, je me suis traîné sur la berge et ai dû attendre que le soleil soit assez haut pour me réchauffer avant de retourner là où j'avais abandonné mon cerf.

— Il était toujours là, tel que vous l'aviez laissé ?

— En partie. Quelque chose... ou quelqu'un l'avait étripé aussi proprement qu'un tailleur, et avait emporté les viscères, la tête et un cuissot.

— La part du chasseur, murmura Grey.

— En effet.

— Il y avait des empreintes autour de la carcasse ? Outre les vôtres, je veux dire.

— Non, rien.

Un aussi bon traqueur que lui les aurait vues. Malgré ses efforts pour rester rationnel, Grey sentit un frisson le parcourir. Il imaginait la dépouille sans tête dans la brume matinale, proprement découpée, le sol imprégné de sang autour d'elle sans aucune autre trace que celles des sabots de l'animal abattu et des pas de celui qui l'avait tué.

— Vous... vous avez emporté le reste ? demanda-t-il.

— Je ne pouvais pas le laisser pourrir, répondit simplement Fraser. J'avais une famille à nourrir.

Ils poursuivirent leur route en silence, chacun absorbé dans ses pensées.

La lune avait entamé sa descente quand ils atteignirent Glastuig. L'excitation initiale de Grey s'était émoussée avec la fatigue. Elle revint en force lorsqu'ils découvrirent le portail fermé, mais non verrouillé. Quand ils l'eurent franchi, ils aperçurent une lumière de l'autre côté de la pelouse. Elle venait d'une fenêtre sur la droite du manoir.

— Vous savez de quelle pièce il s'agit ? chuchota-t-il à Jamie.

— C'est la bibliothèque, répondit celui-ci. Que voulez-vous faire ?

Grey réfléchit. Puis fit un signe de tête vers la maison.

— Allons-y.

Ils approchèrent prudemment du bâtiment, longeant la pelouse en se faufilant entre les massifs d'arbustes. Il n'y avait aucun signe de la présence de domestiques ni de gardiens. Fraser s'arrêta un instant, huma l'air. Il fit un geste vers les dépendances et chuchota :

— L'écurie se trouve de ce côté-là. Les chevaux sont partis.

Cela confirmait ce que ses questions prudentes dans le village leur avaient déjà appris. Tous les domestiques avaient refusé de rester dans une maison où un meurtre avait eu lieu. Ils avaient dû emmener le bétail et les chevaux avec eux.

Le visiteur nocturne pouvait-il être l'exécuteur testamentaire de Siverly ? Grey ne voyait pas pourquoi il se serait glissé dans la maison en pleine nuit. D'un autre côté, il était peut-être arrivé dans la journée et avait été retenu tard le soir par l'ampleur de sa tâche. Il leva les yeux vers le ciel. Minuit passé. Ce devait être une tâche particulièrement prenante, et l'homme un exécuteur très zélé. Peut-être ce dernier logeait-il au manoir et était-il descendu chercher un livre dans la bibliothèque. Le rasoir d'Ockham était toujours un bon principe de raisonnement.

Ils se trouvaient à présent à portée de tir depuis la maison. Grey lança des regards à droite et à gauche puis, se sentant un peu théâtral, avança sur la pelouse. La lune l'illuminait comme un acteur sur une scène, projetant une ombre noire et ramassée à ses pieds. Aucun chien n'aboya, aucune voix ne retentit pour lui demander ce qu'il faisait là. Il progressait néanmoins sur la pointe des pieds.

Les fenêtres étaient trop hautes pour qu'il puisse regarder à l'intérieur. Avec une certaine irritation, il constata que Fraser, qui l'avait suivi sans bruit, n'avait qu'à se hisser sur la pointe des orteils pour épier à travers la croisée. Il tordit le cou dans un sens, puis dans l'autre, se figea soudain. Il lâcha quelque chose en gaélique. À son ton et à son expression, Grey devina qu'il s'agissait d'un juron.

— Que voyez-vous ? s'impatienta-t-il en tirant sur sa manche.

— Ce petit lèche-cul de Twelvetrees, répondit Fraser. Il est en train d'examiner les papiers de Siverly.

Grey n'avait même pas entendu la fin de sa phrase et avait bondi vers le perron, prêt à enfoncer la porte d'entrée si elle lui résistait.

Elle n'était pas fermée à clé et il la poussa avec une telle force qu'elle claqua contre le mur du vestibule. Le bruit en déclencha un autre : un petit cri de surprise, en provenance de la bibliothèque. Grey fonça droit vers la lumière, Fraser sur ses talons, qui lui lança :

— Ne vous imaginez pas que je vais encore aller vous chercher dans les prisons du château !

Il y eut un autre cri plus fort quand ils firent irruption dans la bibliothèque. Edward Twelvetrees se tenait devant la cheminée, en position de combat, le tisonnier brandi telle une batte de cricket.

— Posez ça, pauvre crétin ! l'apostropha Grey en s'arrêtant juste hors de portée de son arme improvisée. Et que fichez-vous ici ?

Twelvetrees se redressa, son expression alarmée se faisant offusquée.

— Et vous-même, que fichez-vous ici, infâme suppôt de Satan ?

Fraser éclata de rire et les deux hommes le fusillèrent du regard.

— Je vous demande pardon, messieurs, dit-il, toujours hilare. Je vous en prie, continuez. Faites comme si je n'étais pas là.

Il regarda autour de lui, puis redressa une petite bergère que Grey avait renversée en faisant son entrée fracassante et s'y assit. Il se cala confortablement contre son dossier, comme s'il était au spectacle.

Le regard noir de Twelvetrees allait de l'un à l'autre, mais il paraissait soudain hésitant. Il ressemblait à un rat à qui l'on aurait volé sa croûte de fromage. Grey refoula une envie de rire à son tour.

— Je répète, reprit-il plus calmement. Que faites-vous ici ?

Twelvetrees abaissa son tisonnier sans se départir de son air mauvais.

— Et je vous renvoie votre question. Comment osez-vous revenir dans cette maison après en avoir ignominieusement assassiné le propriétaire ?

Grey cligna des yeux. Emporté par la magie d'une nuit de clair de lune, il en avait oublié qu'il était accusé de meurtre.

— Je n'ai pas tué le major Siverly, mais j'aimerais beaucoup savoir qui s'en est chargé. Est-ce vous ?

Twelvetrees en resta pantois l'espace de quelques secondes.

— Espèce de... de goujat !

Il s'élança vers Grey avec l'intention manifeste de lui défoncer le crâne à coups de tisonnier.

Grey parvint à contenir l'assaut en lui attrapant le poignet des deux mains, mais l'autre se tourna de côté et lui expédia un coude en pleine figure.

Les yeux larmoyants, Grey bondit en arrière, esquiva un second coup de tisonnier, se prit le talon dans le bord d'un tapis et chancela pendant que Twelvetrees, dans un grognement triomphal, prenait son élan et lui balançait la barre de fer dans le ventre.

Le coup fut oblique mais suffisamment puissant pour lui couper le souffle. John se plia en deux et tomba à genoux sur le tapis. Incapable d'autre chose, il se jeta sur le côté, évitant un autre coup, qui rebondit sur les dalles de la cheminée. Il agrippa les chevilles de Twelvetrees et tira de toutes ses forces, le faisant tomber à la renverse avec un glapissement aigu et lâcher son tisonnier, qui vola à travers la pièce et alla fracasser l'une des croisées.

Twelvetrees s'était cogné la tête contre le manteau de cheminée et gisait étourdi devant le feu, sa main dangereusement proche des flammes. Grey, qui semblait avoir redécouvert le mode d'emploi de la respiration, resta allongé, occupé à inspirer, puis expirer, puis recommencer, dans le même ordre. Il perçut les vibrations d'un corps traîné sur le plancher et, tout en essuyant son nez sanglant sur sa manche (il espérait que cette ordure ne le lui avait pas cassé), se tourna et vit Fraser éloigner Twelvetrees du feu. Il se mit à genoux tant bien que mal et, saisissant la pelle à cendre, cueillit une masse de papiers dans l'âtre et les éparpilla sur le sol. Il écarta ceux qui n'avaient pas encore brûlé puis se servit de la pelle pour étouffer les ultimes flammèches.

Twelvetrees émit une protestation étranglée et entreprit de ramper pour récupérer les feuilles. Fraser le hissa debout et le laissa retomber sur un canapé tapissé d'une soie à rayures bleues et blanches. Il lança un regard à Grey, semblant lui demander s'il avait besoin du même service.

Grey fit non de la tête et se releva péniblement en se tenant les côtes. Puis il clopina vers la bergère et s'y affala lourdement.

— Vous... auriez pu m'aider, haleta-t-il.

— Vous vous en sortiez très bien tout seul, lui assura Fraser.

Pour ajouter à sa mortification, Grey se rendit compte que ce compliment le flattait beaucoup trop. Il toussa et se palpa délicatement le nez.

Twelvetrees gémit et redressa lentement la tête, l'air groggy.

— Je suppose que cela voulait dire « non » ? lui demanda Grey. Vous affirmez ne pas avoir tué le major Siverly ?

— Oui, répondit Twelvetrees d'un air absent.

Il retrouva d'un coup ses esprits et toisa Grey avec mépris.

— Oui, répéta-t-il plus fermement. Bien sûr que je n'ai pas assassiné Siverly. Quel genre de calembredaines est-ce là ?

Grey envisagea brièvement de lui demander s'il existait plusieurs genres de calembredaines, puis se ravisa, considérant sa question comme purement rhétorique. Il remarqua que Fraser était tranquillement en train d'examiner les piles de papiers sur le bureau.

— Reposez ça immédiatement ! vociféra Twelvetrees en se relevant. Je vous interdis !

Fraser arqua un sourcil roux.

— Et comment comptez-vous m'en empêcher ?

Twelvetrees porta la main à sa ceinture, puis se souvint qu'il n'avait pas d'épée et se rassit très lentement.

— Vous n'avez pas le droit d'examiner ces documents, déclara-t-il beaucoup plus calmement à Grey. Vous êtes un assassin et, vraisemblablement, un prisonnier évadé. Car je doute qu'on vous ait libéré ?

Grey ne prêta pas attention à son sarcasme et demanda à son tour :

— Et vous, de quel droit les examinez-vous ?

— Parce que j'en ai légalement la responsabilité, rétorqua Twelvetrees. Je suis l'exécuteur testamentaire de Gerald Siverly. Je suis chargé de l'acquittement de ses dettes et de la mise en vente de sa propriété.

« Et prends-toi ça dans les dents ! » disait son expression. Effectivement, Grey était plutôt surpris.

— Gerald Siverly était mon ami, ajouta Twelvetrees. Un ami particulier.

Grey le savait déjà, grâce à Harry Quarry, mais il ne s'était pas rendu compte que les deux hommes étaient intimes au point que Siverly l'ait nommé son exécuteur testamentaire. N'avait-il pas de parents, hormis sa femme ?

Et si Twelvetrees était si proche, que savait-il des exactions de son ami ?

De toute évidence, il n'était pas près de le lui dire. John se leva et, s'efforçant d'adopter un air digne, se dirigea vers le bahut sous la fenêtre. Il souleva le couvercle. Le coffre métallique n'y était pas.

— Qu'avez-vous fait de l'argent?

— Désolé, répliqua Twelvetrees. Il est en sécurité, là où vous ne pourrez pas mettre vos sales pattes dessus.

Jamie était en train de ramasser les morceaux de papier qu'il avait sauvés du feu, les manipulant précautionneusement. Il releva les yeux vers Grey.

— Vous voulez que je fouille la maison? lui demanda-t-il.

Grey observa Twelvetrees. Les narines de ce dernier se dilatèrent. Il plissait les lèvres d'un air dégoûté, mais il n'y avait aucune lueur d'agitation ni de peur dans ses yeux rouges.

Jamie en était arrivé à la même conclusion que lui.

— Cela ne servira à rien, déclara-t-il. Il a dit vrai; il l'a déjà emporté ailleurs.

— Je vois que vous êtes plutôt doué pour ce genre de brigandage, observa Grey, amusé.

— J'ai une certaine expérience, répliqua l'Écossais.

Il sortit délicatement une feuille roussie de la liasse et la lui tendit.

— Je crois que c'est la seule susceptible de vous intéresser dans ce lot, milord.

L'écriture était différente, mais Grey reconnut immédiatement le texte. Le poème de la Chasse fantastique. Une fois de plus, il n'y avait qu'un seul feuillet. Il se demanda où était le reste. La feuille avait les coins roussis et était couverte de cendres.

— Pourquoi… commença-t-il.

Il s'interrompit en voyant Fraser lui faire signe du menton de retourner le papier.

La Chasse fantastique.

Capt. Ronald Dougan
Wm. Scarry Spender
Robert Wilson Bishop

Fordham O'Toole
Eamonn Ó Chriadha
Patrick Bannion Laverty

Grey émit un sifflement admiratif. Il ne connaissait aucun des noms sur la liste mais avait une petite idée de ce qu'elle représentait, une impression renforcée par la fureur qui déformait les traits de Twelvetrees. Finalement, il ne rentrerait pas auprès de Hal totalement bredouille.

Ce ne pouvait être que la liste des conspirateurs, ou, en tout cas, des jacobites irlandais. Quelqu'un (était-ce lui ou Fraser?) avait suggéré que la Chasse fantastique pouvait être un signe de reconnaissance. Il s'était alors demandé à qui ce signe s'adressait. Il détenait à présent sa réponse, ou une partie. Des hommes qui ne se connaissaient pas entre eux se reconnaîtraient grâce au poème, apparemment inachevé mais en réalité un code, lisible uniquement par ceux qui en détenaient la clé.

Fraser indiqua Twelvetrees d'un signe de la tête.

— Voulez-vous que je le frappe pour le faire parler?

Les yeux de Twelvetrees faillirent sortir de leurs orbites. Grey se retint de rire.

— C'est terriblement tentant, mais cela ne servirait à rien, répondit-il. Surveillez-le simplement pendant que je jette un coup d'œil au reste de la maison.

Il devinait déjà à l'expression de Twelvetrees qu'il ne découvrirait rien de plus, mais, pour la forme, il inspecta le bureau et les étagères, puis, s'armant d'un bougeoir, monta à l'étage, au cas où Siverly aurait caché quelque chose dans sa chambre.

Il éprouva une puissante sensation d'oppression en déambulant dans la demeure sombre et déserte, puis quelque chose ressemblant à de la tristesse dans la chambre du mort. Les domestiques avaient défait le lit, roulé le matelas et recouvert les meubles de draps blancs. Seules les ombres de sa bougie sur le papier peint damassé semblaient vivantes.

Il se sentait curieusement vide, comme s'il était lui-même un fantôme revisitant les vestiges de sa propre vie, sans émotion.

L'excitation de sa confrontation avec Twelvetrees était retombée, laissant place à la morosité. Il n'avait plus rien à faire ici. Il ne pouvait pas arrêter Twelvetrees ni le forcer à répondre à ses questions. Quoi qu'il restât encore à découvrir, Siverly était mort et ses crimes avec lui.

— « Il ne reviendra plus dans sa maison ; et le lieu qu'il habitait ne le connaîtra plus[19] », récita-t-il à voix basse.

Ses paroles disparurent entre les formes silencieuses des meubles drapés. Il tourna les talons et sortit, laissant la porte ouverte sur l'obscurité.

———◄O►———

---

19. Ancien Testament, Job, VII, 10.

QUATRIÈME PARTIE

LA DÎME
DES ENFERS

29

La Chasse fantastique

Ils rejoignirent Londres par la dernière malle-poste, crasseux, non rasés et empestant le vomi. La traversée de la mer d'Irlande avait été, une fois de plus, particulièrement agitée, au point que même Grey avait été malade.

— Si tu peux t'accrocher à tes tripes quand tous autour de toi rendent leurs boyaux… marmonna-t-il.

Ce pourrait être le début d'un poème. Il devrait en parler à Harry ; il trouverait sans doute une rime adéquate. Lui-même ne pouvait penser qu'à « tripot ». L'idée d'un bouge sombre bondé d'ivrognes empestant la sueur, mêlée à la puanteur de ses compagnons et aux secousses de la voiture, lui retourna le cœur.

La perspective d'expliquer la situation à Hal achevait de le rendre malade, mais il ne pourrait pas y échapper.

Ils arrivèrent à Argus House à la tombée du soir. En les entendant, Minnie accourut au pied de l'escalier pour les accueillir. Un simple regard lui suffit. Elle leur interdit de parler, sonna une armée de valets et de femmes de chambre, ordonna qu'on prépare des bains pour tout le monde et qu'on leur apporte du cognac.

— Et… Hal ? demanda Grey, avec un regard prudent vers la bibliothèque.

— Il est à la Chambre, à prononcer un discours sur les mines d'étain. Je lui enverrai un message pour le prévenir de ton retour.

Elle recula d'un pas en se pinçant le nez, agita l'autre main vers l'escalier.

— Pouah ! File te laver, John.

Propre et encore relativement sobre en dépit d'une généreuse rasade de cognac, Grey se dirigea vers le grand salon, d'où émanait un parfum délicat lui indiquant que le thé était servi. Il entendit la voix grave de Fraser discutant avec Minnie et, en entrant, les trouva confortablement installés sur le canapé bleu. Ils relevèrent les yeux vers lui en sursautant comme deux complices pris la main dans le sac.

Il n'eut pas le temps de s'interroger, car Hal arriva au même moment, vêtu pour la Chambre des lords. Il se laissa tomber dans un fauteuil avec un gémissement, ôta ses souliers à talons rouges et les déposa dans les mains de Nasonby avec un soupir de soulagement. Le majordome les emporta comme s'il tenait deux objets précieux tandis que Hal examinait son bas troué.

— Il y avait une telle circulation que je suis descendu du fiacre, et j'ai parcouru le reste du trajet à pied, expliqua-t-il à son frère comme s'il l'avait vu le matin même et non quinze jours plus tôt. Regarde, j'ai une ampoule au talon de la taille d'un œuf de pigeon… Même ainsi, mon pied a meilleure mine que toi. Que t'est-il arrivé ?

Après un tel préambule, Grey trouva plus facile de lui exposer les faits qu'il ne l'avait cru. Il les lui raconta le plus succinctement possible, faisant appel à Fraser de temps à autre pour fournir des détails.

Hal esquissa un sourire en entendant la manière dont Siverly avait attaqué Fraser. En revanche, il ne souriait plus du tout quand Grey lui parla de ses deux visites à Glastuig.

Le récit achevé, il se servit une part de gâteau aux fruits et la tint dans une main sans la manger tout en touillant son thé de l'autre.

— Si je comprends bien, tu t'es évadé du château d'Athlone et tu as fui l'Irlande alors que tu es suspecté de meurtre… Tu te doutes que le gouverneur te reconnaîtra quand on lui donnera ta description…

— Je n'ai pas eu le temps de m'en préoccuper, et je ne compte d'ailleurs pas m'en inquiéter davantage à présent. Nous avons des soucis plus urgents.

Hal se pencha en avant et reposa sa tranche de gâteau.

— Comme quoi ?

Grey sortit les feuilles à moitié carbonisées sauvées de l'auto-dafé de Twelvetrees, puis déposa sur le tas celle froissée et noircie comportant le poème et la liste de noms au dos. Il lui expliqua ce dont, selon lui, il s'agissait.

Hal la parcourut avec un sifflement admiratif. Puis il lâcha un juron scabreux en allemand.

— Bien dit, approuva Grey.

Il avait la gorge irritée par le mal de mer et le fait de parler. Il saisit sa tasse et inhala les vapeurs de thé.

— Il y a au moins un homme sur cette liste qui détient une commission d'officier, reprit-il. Si d'autres parmi eux sont dans l'armée, il devrait être assez facile de les retrouver.

Hal reposa délicatement la feuille sur la table.

— Nous avons tout intérêt à procéder rapidement mais pru-demment. Je transmettrai ces noms à Harry ; il connaît tout le monde. S'ils sont militaires, il découvrira qui sont ces individus et quels sont leurs antécédents. Apparemment, la plupart sont irlandais. Il faudra enquêter avec la plus grande circonspection au sein de la Brigade irlandaise. Je ne veux pas les offenser indû-ment. Quant à Twelvetrees…

Il remarqua soudain son gâteau délaissé, le prit et mordit dedans d'un air absent.

— Il sait déjà que nous le soupçonnons de quelque chose, indiqua Grey. Mais il ne sait peut-être pas de quoi. L'abordons-nous directement, ou le filons-nous dans Londres pour voir à qui il parle ?

Hal le regarda de haut en bas.

— Tu proposes de te grimer de noir et de le suivre toi-même, ou comptes-tu mettre M. Fraser sur ses traces ? Ni l'un ni l'autre vous ne passez inaperçus.

— Non, je pensais te laisser t'en charger, répliqua Grey.

Il saisit la carafe de cognac et en versa un peu dans sa tasse. Il était tellement épuisé que sa main tremblait et il en renversa une partie dans sa soucoupe.

— J'en parlerai à M. Beasley, décida Hal. Il sait sans doute où trouver ces deux voyous d'O'Higgins. Ils pourraient nous être utiles.

— Ils sont irlandais, lui rappela Grey.

Les frères O'Higgins, Rafe et Mick, étaient des soldats… du moins quand cela les arrangeait. Dans le cas contraire, ils s'évanouissaient dans la nature. Cependant, ils connaissaient tout le monde dans le Rookery, ce quartier de Londres bruyant et peu civilisé où s'entassaient les immigrés irlandais. Lorsqu'une mission nécessitait de commettre des actes pas tout à fait légaux, les O'Higgins étaient les hommes tout indiqués.

— D'être irlandais n'implique pas nécessairement une propension à la traîtrise, le sermonna Hal. En outre, ils nous ont bien aidés dans l'affaire Bernard Adams.

— Soit. Fais comme tu voudras.

Épuisé, Grey s'enfonça dans son siège et ferma les yeux.

Minnie s'éclaircit la gorge. Elle était restée assise en silence, faisant de la couture pendant que les hommes discutaient.

— Que faites-vous du major Siverly ? demanda-t-elle.

Grey rouvrit les yeux.

— Il est mort. Tu n'as pas écouté, Minerva ?

Elle lui jeta un regard torve.

— Un sort bien mérité, je n'en doute pas. Néanmoins, je croyais que vous vous étiez lancés dans cette croisade dans le but de l'amener devant la justice afin qu'il réponde publiquement de ses crimes ?

— Une cour martiale peut-elle juger un mort ?

Elle lui adressa un petit sourire.

— En fait, je crois bien que oui.

Hal cessa de mâcher son gâteau.

— J'ai étudié un certain nombre de procès-verbaux de cours martiales générales, poursuivit-elle. C'était dans le cadre de… Quand ce pauvre Percy…

Elle toussota et coula un bref regard à Grey avant de reprendre :

— Toujours est-il que l'on peut être jugé à titre posthume par un tribunal militaire. Cela découle du principe selon lequel les actes d'un homme lui survivent. En réalité, je pense que cela sert surtout à illustrer des cas de culpabilité extrême, pour l'édification des troupes et pour permettre aux supérieurs du vilain officier de démontrer qu'ils ne fermaient pas les yeux sur ses méfaits ni n'en étaient complices.

— Je n'en ai jamais entendu parler, déclara Grey.

Du coin de l'œil, il voyait Jamie Fraser examiner une petite crêpe roulée comme s'il n'en avait encore jamais vu de sa vie, les lèvres pincées. Fraser était la seule personne au monde, à l'exception de Percy, à connaître la vraie nature de la relation entre Grey et son frère par alliance.

— Combien de fois cela s'est-il produit ? demanda Hal, fasciné.

— Eh bien… je ne connais qu'une seule instance, mais ça suffit, non ?

Hal acquiesça, songeur.

— En outre, cela vous donnerait un bon prétexte pour enquêter officiellement sur les relations entre Siverly et Edward Twelvetrees, ajouta-t-elle avec un charmant sourire. Ou sur ses relations avec n'importe qui d'autre.

Elle indiqua du menton la feuille de papier roussie posée près de la théière.

Hal éclata de rire. C'était un son grave et joyeux, que Grey n'avait pas entendu depuis bien longtemps.

— Ma chérie, dit-il affectueusement. Tu es vraiment une perle rare.

— Je sais, répondit Minnie modestement. Capitaine Fraser, vous reprendrez bien un peu de thé ?

Thomas, comte de Lally, baron de Tollendal, logeait dans une petite maison près de Spitalfields. Jamie le tenait de la duchesse, qui ne lui avait pas demandé pourquoi il voulait cette information. Il ne lui avait pas demandé non plus pourquoi elle voulait savoir s'il avait parlé avec Edward Twelvetrees et, le cas échéant, si ce dernier avait mentionné un certain Raphael Wattiswade.

Il s'interrogea brièvement sur l'identité de ce Wattiswade, mais ne se renseigna pas auprès de Grey ni de Pardloe. Puisque la duchesse respectait ses confidences, il respecterait les siennes. Il lui avait également demandé si elle avait entendu parler de Tobias Quinn. Ce n'était pas le cas.

Il n'en était pas surpris. Si Quinn était à Londres, et le connaissant il n'en doutait pas, il ferait profil bas. Toutefois, il utilisait sans doute la *Cupán* pour convaincre les partisans dont le dévouement n'était pas assuré. S'il montrait cette maudite coupe autour de lui, le bruit finirait par se propager.

Il s'enfonça dans les ruelles, se sentant étranger dans la ville. Autrefois, il y avait connu beaucoup de monde et avait possédé son propre réseau d'informateurs. Autrefois, il lui aurait suffi de faire passer le mot et il aurait retrouvé un homme comme Quinn en quelques heures.

Autrefois.

Il repoussa fermement ce souvenir. Cette partie de sa vie était derrière lui. Il avait fait son choix et n'avait aucune intention de revenir sur sa décision. Pourquoi cela le tracassait-il encore ?

— Parce qu'il te reste encore du travail à accomplir, bougre d'âne ! marmonna-t-il.

Il devait retrouver Quinn. Il ignorait si c'était pour arrêter le plan de la Brigade irlandaise avant qu'il ne soit trop tard ou simplement par amitié pour l'Irlandais. Thomas Lally possédait toujours un réseau comme il en avait eu autrefois. Il était lui aussi prisonnier, certes, mais il avait encore des amis, des informateurs. C'était un homme qui écoutait et projetait ; un homme qui n'abandonnerait le combat que lorsque la vie l'aurait quitté. *Un homme qui n'a pas renoncé*, pensa Jamie avec une pointe d'amertume.

Il ne s'était pas fait annoncer. Ce n'était guère poli, mais il n'avait que faire de la courtoisie. Il avait besoin d'informations et avait plus de chances d'en obtenir en ne laissant pas à Lally le temps de décider s'il était sage ou non de les lui fournir.

Le soleil était haut dans le ciel quand il arriva. Pardloe lui avait proposé d'utiliser la voiture des Grey, mais il ne tenait pas à ce qu'on connaisse sa destination et avait traversé une grande partie de Londres à pied. Ils ne le faisaient plus suivre ; ils étaient trop occupés à traquer les membres de la Chasse fantastique. Combien de temps lui restait-il avant que l'un de ces noms les mène à quelqu'un qui accepterait de parler ? Il toqua à la porte.

— Capitaine Fraser !

Lally avait ouvert la porte en personne. Il parut aussi surpris que Jamie, mais se montra cordial. Il s'effaça en lui faisant signe d'entrer.

— Je suis seul, l'informa Jamie en le voyant lancer un regard dans la rue derrière lui.

— Moi aussi.

Le salon minuscule était en désordre. Il y avait de la vaisselle sale et des miettes sur la table. L'âtre était rempli de cendres froides. L'atmosphère témoignait d'un certain laisser-aller.

— Mon domestique m'a quitté, hélas, déclara Lally. Puis-je vous offrir...

Il regarda autour de lui, aperçut quelques bouteilles sur une étagère, en saisit une et l'agita. Il sembla soulagé en entendant un bruit de liquide à l'intérieur.

— ... un verre de bière ?

— Oui, bien volontiers.

Compte tenu des circonstances, il aurait été malvenu de refuser son hospitalité. Ils s'assirent à la table (il n'y avait aucun autre endroit où s'asseoir) et repoussèrent les assiettes sales, des croûtes de fromage moisies, et la dépouille d'un cafard. Jamie se demanda s'il était mort de faim ou empoisonné.

Après avoir échangé quelques banalités, Lally demanda :

— Alors, avez-vous trouvé votre Chasse fantastique ?

— Les Anglais le pensent, répondit Jamie. Mais ce pourrait n'être qu'une chimère.

Une lueur d'intérêt brilla dans les yeux de Lally, bien qu'il se tînt sur ses gardes.

— J'ai appris que vous étiez parti en Irlande avec lord John Grey. Cela fait si longtemps que je n'y suis pas allé. Le pays est-il toujours aussi beau et verdoyant ?

341

— C'est plus humide qu'une crapaudière et on patauge dans la gadoue jusqu'aux genoux, mais oui, c'est très vert.

Lally se mit à rire. Cela ne devait pas lui arriver souvent.

— C'est vrai que j'ai dû m'y rendre avec lord John, reprit Jamie. Mais j'avais également un autre compagnon de voyage, moins officiel. Vous souvenez-vous d'un certain Tobias Quinn ?

Oui, il le connaissait. Jamie le lut dans ses yeux, même s'il resta impassible.

— N'est-ce pas l'un des Irlandais qui accompagnaient O'Sullivan, pendant le Soulèvement ?

— C'est bien lui. Il a fait semblant de nous rencontrer en Irlande par hasard, et a voyagé avec nous.

— Je vois.

Lally goûta sa bière. Elle était éventée et rance. Il fit la grimace et jeta le contenu de son verre par la fenêtre ouverte.

— Dans quel but ? demanda-t-il.

— Il cherchait un objet, la *Cupán Druid riogh*. Vous en avez entendu parler ?

Lally n'était pas un bon menteur.

— Non, répondit-il en se raidissant légèrement. La... coupe du roi druide ? Qu'est-ce donc ?

— Vous l'avez donc vue, déclara Jamie sur un ton amical mais ferme.

Lally se raidit encore un peu plus, tiraillé entre le déni et la confirmation. S'il l'avait vue, cela signifiait qu'il avait également rencontré Quinn, car ce dernier ne se séparerait pour rien au monde de la coupe, hormis pour la remettre à Charles-Édouard Stuart.

Jamie se pencha en avant, cherchant à le convaincre de sa sincérité et de l'urgence de la situation.

— J'ai besoin de parler à Quinn. Il s'agit de sa sécurité et de celle de ses compagnons. Pouvez-vous lui transmettre un message ? Je le rencontrerai à l'endroit de son choix.

Lally se recula légèrement avec un regard soupçonneux.

— Vous voulez le débusquer pour le vendre aux Anglais ?

— Vous m'en croyez capable ? demanda Jamie, froissé.

Lally tiqua et baissa les yeux.

— Je ne sais pas, avoua-t-il. Il y a tant d'hommes que je croyais connaître… Je ne sais plus à qui me fier, ou même s'il reste encore des gens dignes de confiance dans ce monde.

— Je comprends, dit doucement Jamie. J'en suis arrivé au même stade.

Il posa ses mains à plat sur la table.

— Et pourtant, je suis venu vous trouver.

Et pourtant… Il pouvait presque entendre Lally réfléchir. Une activité frénétique se déroulait derrière ses traits pâles et nerveux.

Tu es impliqué dans cette histoire jusqu'au cou, pauvre fou, pensa-t-il avec compassion.

Cela en faisait un de plus. Un autre homme qui courait à sa perte si ce plan insensé se réalisait. Un autre homme qui pouvait être sauvé si…

Il repoussa sa chaise et se leva.

— Écoutez-moi bien, *a Tomás MacGerealt*. Quinn vous a peut-être expliqué ce qu'il m'avait demandé et ce que je lui ai répondu. Sinon, demandez-le-lui. Je n'ai pas refusé par lâcheté, traîtrise ni par désintérêt pour le sort de mes amis et camarades, mais parce que je sais. Vous avez connu mon épouse ?

— La *sassenach* ? demanda Lally avec un petit sourire ironique.

— Oui, la dame blanche, comme on l'appelait à Paris. À juste titre. Elle avait prévu comment tournerait la Cause… et comment elle s'éteindrait. Croyez-moi, Thomas, ce nouveau soulèvement est condamné lui aussi, je le sais de source sûre. Je ne voudrais pas qu'il vous entraîne dans sa chute. Par égard pour notre passé commun, je vous en prie, tenez-vous à l'écart.

Il hésita, attendant une réaction. Lally fixait la table, suivant du bout de l'index les contours d'une petite flaque de bière. Au bout d'un long moment, il déclara enfin :

— Si les Anglais ne me renvoient pas en France pour laver mon honneur, que me reste-t-il ici ?

Jamie n'avait pas de réponse à cela. Tout comme lui, Lally vivait à la merci de ses geôliers. Quel homme n'aurait pas été tenté par la possibilité de retrouver sa liberté ? Jamie soupira, impuissant. Lally releva les yeux, piqué par ce qu'il percevait comme de la pitié dans son expression.

— Ne vous inquiétez pas pour moi, mon vieux camarade, dit-il avec une pointe d'ironie. La marquise de Pelham rentre de sa maison de campagne la semaine prochaine. Elle a une certaine tendresse pour moi, la chère femme. Elle ne me laissera pas mourir de faim.

30

Les amitiés particulières

Harold, duc de Pardloe, colonel du 46ᵉ régiment d'infanterie, se rendit dans le bureau du juge-avocat accompagné de deux colonels de son régiment et de son frère, le lieutenant-colonel lord John Grey, afin de remplir les papiers nécessaires à la convocation d'une cour martiale générale pour juger à titre posthume le major Gerald Siverly. Les charges retenues contre ce dernier incluaient le vol, la corruption, l'échec à contenir une mutinerie, le meurtre avec préméditation et la trahison.

Après en avoir longuement discuté, ils avaient décidé de ne plus attendre pour réclamer une cour martiale et d'ajouter la trahison à leurs accusations. Cela ferait jaser, énormément, et ferait peut-être remonter à la surface d'autres connexions de Siverly. En attendant, les hommes qu'ils étaient parvenus à identifier sur la liste de la Chasse fantastique, une demi-douzaine, seraient étroitement surveillés afin de voir si la nouvelle d'un procès militaire les faisait fuir, agir ou contacter d'autres complices.

Une fois la paperasserie effectuée, il faudrait patienter encore près d'un mois avant la tenue du procès.

Incapable de rester en place, Grey avait invité Fraser à l'accompagner à Newmarket pour assister à des courses hippiques.

Ils étaient tacitement convenus de ne pas parler de l'Irlande, de Siverly, de Twelvetrees, de cours martiales ou de poésie. Fraser était calme, parfois renfermé, mais la présence des chevaux l'avait détendu. Grey lui-même s'était légèrement relaxé en le constatant. Il avait organisé sa libération conditionnelle à Helwater précisément en raison de la présence du haras. S'il ne se leurrait pas en pensant que Jamie pourrait se satisfaire de sa condition de prisonnier, il espérait qu'il n'était pas fondamentalement malheureux.

De retour deux jours plus tard, ils s'arrêtèrent au Beefsteak, où ils prirent des chambres, ayant l'intention de dîner au club et de se changer avant d'aller voir une pièce de théâtre.

Ai-je raison de le traiter ainsi ? se demanda-t-il en contemplant le dos large de l'Écossais tandis qu'il le suivait vers la salle de restaurant. *En gardera-t-il des souvenirs agréables une fois de retour à Helwater, ou cela ne risque-t-il pas de rendre sa situation plus amère ? Si seulement je le savais !*

D'un autre côté, il y avait l'éventualité qu'il soit gracié. Il sentit son ventre se nouer, sans savoir ce qui l'angoissait le plus : la perspective que Fraser retrouve sa liberté ou qu'elle lui soit refusée. Hal avait clairement évoqué cette possibilité. Toutefois, si un nouveau complot jacobite était mis au jour, toute la nation serait à nouveau en proie à la peur et à l'hystérie. Dans un tel contexte, il serait pratiquement impossible d'obtenir la grâce de Fraser.

Il était tellement absorbé dans ses pensées qu'il ne reconnut pas tout de suite la voix venant de la salle de billard sur sa droite.

Edward Twelvetrees était penché au-dessus du tapis vert. Il venait de réaliser un beau coup et se redressait avec un air ravi, quand il aperçut Grey dans le couloir, ses traits se figeant dans l'instant. L'homme avec lequel il jouait le dévisagea avec stupeur, puis se retourna pour suivre son regard.

— Colonel Grey… dit-il sur un ton hésitant.

Le major Berkeley Tarleton était le père de Richard Tarleton, qui avait été l'enseigne de Grey lors de la bataille de Crefeld. Il connaissait Grey, naturellement, et ne comprenait pas la soudaine animosité qui s'était brusquement dressée entre les deux hommes tel un mur de ronces.

— Major Tarleton, répondit Grey en le saluant d'un signe de tête sans quitter Twelvetrees des yeux.

Le bout du nez de ce dernier était devenu livide. Il avait donc reçu sa convocation devant la cour martiale.

— Petite créature innommable, déclara-t-il sur un ton presque neutre.

Grey s'inclina.

— À votre service, monsieur.

Il sentit Jamie approcher derrière lui et vit le regard de Twelve-trees se durcir encore.

— Quant à vous…

Twelvetrees secoua la tête, comme trop consterné pour trouver les mots adéquats. Il tourna à nouveau les yeux vers Grey.

— Vous ne cesserez de me surprendre, monsieur. Vraiment. Qui d'autre oserait introduire un tel individu, un Écossais dépravé, un traître avéré, dans l'enceinte sacrée de ce club?

Il tenait sa queue de billard comme une canne de combat.

— Le capitaine Fraser est mon ami, monsieur, répliqua froidement Grey.

Twelvetrees émit un petit rire très déplaisant.

— Je veux bien le croire! Un ami très particulier même, d'après ce que j'ai entendu.

— Qu'insinuez-vous là, monsieur? demanda calmement Jamie.

— Mais voyons, monsieur, j'insinue que cet avorton est votre… votre…

Il hésita un instant, puis reprit sur un ton sardonique:

— Il est bien plus qu'un ami. Vous devez bien le servir au lit pour qu'il vous obéisse ainsi au doigt et à l'œil.

Grey sentit ses oreilles sonner comme si un coup de canon venait de retentir. Il était vaguement conscient de bribes de pensées rebondissant contre les parois de son crâne tels les éclats d'une grenade.

Il veut me faire sortir de mes gonds. Il cherche la bagarre? Il l'aura, sa raclée! À moins qu'il ne veuille que je le défie? Il voudrait que je l'agresse le premier, afin de passer pour la victime. Il vient de me traiter d'inverti en public; il essaie de me discréditer… je vais devoir le tuer.

Il était sur le point de bondir quand la main de Tarleton se referma sur son bras.

— Messieurs! Vos paroles dépassent vos pensées. Reprenez-vous, je vous prie. Allez donc prendre un rafraîchissement, le temps de calmer vos esprits. Ou rentrez vous coucher. Je suis sûr que demain matin…

Grey libéra son bras d'un geste sec et rugit :

— Misérable assassin ! Je vais vous…

— Vous allez quoi ? s'esclaffa Twelvetrees. Sale sodomite !

Ses doigts blêmes étaient crispés autour de sa queue de billard.

Une grande main se posa sur l'épaule de Grey et le poussa de côté. Fraser s'avança vers Twelvetrees, lui arracha la queue des mains, la brisa net en deux sur un genou et jeta les morceaux sur la table de billard.

— Vous m'avez traité de traître, monsieur ? dit-il poliment à Twelvetrees. Je peux difficilement vous contredire puisque j'ai effectivement été déjà condamné pour ce crime. En revanche, j'affirme que vous êtes un pire traître que moi.

— Qu-quoi ? glapit Twelvetrees.

— Vous parlez d'amis particuliers, monsieur. Votre propre ami particulier, feu le major Siverly, sera bientôt jugé à titre posthume pour corruption et trahison de la pire espèce. J'estime que vous devriez être jugé avec lui, car vous fûtes son complice. Si justice est faite, vous serez condamné. Et s'il existe une justice divine, vous rejoindrez votre acolyte en enfer. Et le plus tôt sera le mieux.

Tarleton émit un gargouillis qu'en d'autres circonstances Grey aurait trouvé drôle.

Twelvetrees resta figé de stupeur, ses petits yeux de fouine saillant de leurs orbites. Puis ses traits se convulsèrent. Il bondit sur la table et se jeta sur Fraser. Jamie l'esquiva, ne recevant qu'un léger coup, et Twelvetrees s'effondra à plat ventre aux pieds de Grey.

Il resta quelques secondes avachi en un tas informe, pantelant, puis se releva lentement. Personne ne vint l'aider.

Il remit un peu d'ordre dans sa tenue, puis se dirigea à nouveau vers Fraser, qui était sorti dans le couloir. Il le jaugea un instant, avant de le gifler à toute volée. Le bruit retentit comme la décharge d'un pistolet.

— J'attends la visite de vos témoins, monsieur, déclara-t-il d'une voix à peine audible.

Le couloir s'était rempli de curieux, attirés par les éclats de voix hors du fumoir, de la bibliothèque et de la salle à manger.

Ils s'écartèrent telle la mer Rouge pour laisser passer Twelvetrees, qui se dirigea vers la sortie le dos raide et regardant droit devant lui.

Le major Tarleton, qui n'avait pas totalement perdu sa présence d'esprit, sortit un mouchoir de sa manche et le tendit à Fraser. La gifle de Twelvetrees l'avait fait légèrement larmoyer et saigner du nez.

— Je suis navré, dit Grey à Tarleton.

Il pouvait à nouveau respirer, mais ses muscles tremblaient du besoin de bouger. Il posa une main sur le bord de la table de billard, non pas pour reprendre son équilibre mais pour se retenir d'exploser. Il remarqua au passage que le talon de Twelvetrees avait fait un accroc dans le tapis de feutre.

— Je ne comprends vraiment pas…

Tarleton déglutit, l'air profondément malheureux, puis reprit :

— Je ne comprends pas ce qui a pu pousser le capitaine à proférer ces… ces…

Il leva les mains au ciel, totalement désarmé.

Fraser avait recouvré son sang-froid (quoique, en toute justice, il ne l'eût jamais perdu) et rendit à Tarleton son mouchoir soigneusement plié.

— Il cherche à discréditer le témoignage du colonel Grey, expliqua-t-il d'une voix calme mais suffisamment forte pour que tout le monde dans le couloir l'entende. Car ce que je lui ai dit est la vérité. C'est un traître jacobite, impliqué jusqu'au cou dans la trahison et le meurtre de Siverly.

— Ah, fit Tarleton.

Il toussota dans son poing fermé et lança un regard désemparé à Grey, qui lui répondit d'un bref haussement d'épaules. Les témoins dans le couloir (car il s'agissait bien de témoins : il comprenait à présent que cela avait été l'intention de Fraser depuis le début) échangeaient des messes basses.

Fraser s'inclina devant Tarleton.

— Votre serviteur, monsieur.

Il tourna les talons et s'éloigna, non pas vers la porte d'entrée, comme Twelvetrees quelques instants plus tôt, mais vers l'escalier, qu'il gravit sans paraître avoir conscience des regards qui le suivaient.

Tarleton toussota à nouveau.

— Dites-moi, colonel… si nous allions prendre un cognac dans la bibliothèque ?

Grey ferma les yeux un instant, profondément reconnaissant de son soutien.

— Merci, major. Effectivement, un petit verre me fera le plus grand bien. Deux, même.

Finalement, ils sifflèrent toute une bouteille, Grey en buvant la plus grande partie. Plusieurs amis les avaient rejoints, timidement d'abord, puis avec de plus en plus d'assurance. Bientôt, ils étaient plus d'une douzaine, rassemblés autour de trois petites tables poussées l'une contre l'autre et jonchées de verres, de tasses, de carafes, de serviettes froissées, d'assiettes de gâteaux et de sandwichs. Ils bavardèrent d'abord prudemment, de tout et de rien, puis se mirent à exprimer bruyamment leur choc et leur outrage devant l'effronterie de Twelvetrees, tous s'accordant à dire qu'il avait perdu la raison. Pas un mot ne fut prononcé sur les affirmations de Fraser.

Grey était conscient que personne ne prenait Twelvetrees pour un fou, mais il n'était pas en état d'en débattre. Il se contentait de hocher la tête en murmurant des paroles d'assentiment.

Twelvetrees avait lui aussi ses défenseurs, quoique moins nombreux. Ils s'étaient retranchés dans le fumoir, d'où s'échappait un flot de remarques embarrassées mais hostiles qui se répandait comme un nuage de fumée de tabac.

Le visage pincé, le majordome, M. Bosley, déposa un nouveau plateau de canapés dans la bibliothèque. Les controverses n'étaient pas rares au Beefsteak, comme dans tous les clubs, mais le personnel n'appréciait guère les disputes qui risquaient de dégénérer en bris de meubles.

Qu'est-ce qui lui a pris ? se répétait Grey comme un refrain entêtant. Il ne pensait pas à Twelvetrees mais à James Fraser. Il avait une forte envie d'aller le lui demander mais se força à rester assis jusqu'à ce que la bouteille soit vide et que la conversation ait dévié vers d'autres sujets.

La nouvelle se répandrait comme une tache d'encre sur une feuille de papier buvard et serait impossible à effacer. Il se leva en se demandant vaguement ce qu'il raconterait à Hal, prit congé de Tarleton et de ses compagnons, puis se dirigea d'un pas ferme (il dut se concentrer) vers l'escalier.

La porte de la chambre de Fraser était ouverte. Un serviteur (le Beefsteak n'employait aucune femme) était agenouillé devant la cheminée, nettoyant les cendres froides.

— Où est M. Fraser ? lui demanda Grey en inspectant la pièce.

— Il est sorti, monsieur, répondit le valet en se relevant précipitamment et en s'inclinant. Il n'a pas dit où il allait.

— Merci.

Grey marqua une brève pause dans le couloir, puis rejoignit d'un pas un peu moins assuré sa propre chambre. Il referma la porte derrière lui, s'allongea sur le lit et s'endormit presque aussitôt.

Je l'ai traité d'assassin.

Ce fut sa première pensée lorsqu'il se réveilla, environ une heure plus tard. Je l'ai traité d'assassin ; il m'a traité de sodomite. Et pourtant, c'est Fraser qu'il a défié en duel. Pourquoi ?

Parce que Fraser l'avait accusé publiquement de trahison. Il ne pouvait pas ne pas répondre. Traiter un homme d'assassin pouvait être considéré comme une simple insulte ; le traiter de traître était une autre paire de manches. Surtout si c'était vrai.

La question était de savoir pourquoi Fraser avait décidé de proférer cette accusation à ce moment précis, et de manière aussi publique.

Il se leva, se soulagea dans le pot de chambre, se débarbouilla puis, inclinant l'aiguière au-dessus de la bassine, but le reste de l'eau. Le soir tombait et il commençait à faire sombre dans sa chambre. Les préparatifs pour le thé avaient commencé et

d'appétissants arômes lui chatouillaient les narines : sardines grillées, crêpes beurrées, génoises au citron, sandwichs au concombre,
jambon fumé. Il avait une faim de loup.

Il était très tenté de descendre se sustenter, mais il avait avant
tout besoin de s'éclaircir les idées.

Il ne peut pas l'avoir fait pour moi, se dit-il avec une pointe de
déception. Il était suffisamment lucide pour savoir que Fraser
n'aurait pas couru un tel risque uniquement pour détourner l'attention de l'accusation de sodomie, quoi qu'il pensât de Grey, et
Grey n'avait aucune idée de ce qu'il pensait de lui.

Il ne connaîtrait probablement pas ses motivations avant de lui
avoir parlé. Il était presque sûr de savoir où il était. De fait, il n'y
avait pas trente-six endroits où il pouvait se rendre.

Il s'assit sur le bord du lit, réfléchit quelques instants. Puis il
sonna un valet et se fit apporter de l'encre et du papier. Il rédigea
un bref message, le plia et, sans le sceller, le tendit au domestique
avec ses instructions.

Se sentant soudain mieux, il remit de l'ordre dans sa lavallière
froissée et descendit en quête de sardines grillées.

◄o►

31

Trahison

Comme Grey s'en était douté, Fraser était simplement rentré à Argus House. Il était à peine arrivé lui-même que Hal gravissait les marches du perron quatre à quatre derrière lui et faisait irruption dans le vestibule, manquant de renverser Nasonby, qui lui tenait la porte.

— Où est ce foutu Écossais ? tonna-t-il.

Son regard accusateur alla du majordome et à Grey.

Oh là, ça n'a pas traîné, pensa Grey. La nouvelle de ce qui s'était passé au Beefsteak avait fait le tour des cafés et des clubs de Londres en quelques heures.

— Ici, monsieur le duc, dit une voix grave et froide.

Jamie Fraser sortit de la bibliothèque en tenant un exemplaire de la *Recherche philosophique sur l'origine de nos idées du sublime et du beau*, d'Edmund Burke.

— Vous souhaitiez me parler ?

Grey fut brièvement soulagé qu'il en ait terminé avec la correspondance de Marcus Tullius Cicéron. Burke cabosserait moins le crâne de son frère s'ils en venaient aux mains, ce qui paraissait fort probable.

— Et comment, je veux vous parler ! Suivez-moi !

Il aboya en direction de Grey avant de se ruer dans la bibliothèque :

— Et toi aussi !

Jamie entra et s'assit lentement en dévisageant froidement Hal. La porte s'était à peine refermée sur eux que Hal se tourna vers lui, blême de rage. Il avait du mal à se contenir, fermant et ouvrant sa main droite comme s'il se retenait de frapper quelque chose.

— Quelle mouche vous a piqué ? Vous saviez fort bien ce que je… ce que mon frère et moi projetions de faire. Nous vous avons fait l'honneur de vous inclure dans toutes nos délibérations, et c'est ainsi que vous nous remerciez pour…

Il s'interrompit soudain en voyant Fraser bondir de son fauteuil et avancer sur lui d'un pas rapide. Par pur réflexe, Hal recula d'un pas.

— « Honneur » ? répéta Fraser d'une voix tremblante. Vous osez me parler d'honneur ?

— Je…

Fraser frappa du poing sur la table, faisait tressauter tous les objets et renversant un soliflore.

— Taisez-vous ! Vous exploitez un homme qui est déjà votre captif, et votre captif sur l'honneur uniquement, car croyez-moi, monsieur, si je n'en avais pas, voilà quatre ans que je serais en France ! Vous me contraignez sous la menace à vous obéir, à dénoncer d'anciens camarades, à parjurer mes serments, à trahir des amitiés et des loyautés, à devenir votre créature… et vous croyez m'honorer en me traitant comme un Anglais ?!

L'air lui-même semblait frémir sous la force de ses paroles. Il y eut un long silence, où l'on n'entendait plus que l'eau du vase gouttant du bord de la table.

— Dans ce cas, pourquoi ? demanda enfin Grey.

Fraser se tourna lentement vers lui, dangereux et beau comme un cerf roux aux abois.

— Pourquoi, répéta-t-il.

Ce n'était pas une question, mais la préface à une déclaration. Il ferma les yeux un instant puis les rouvrit en fixant Grey d'un regard intense.

— Parce que ce que j'ai dit à Twelvetrees est vrai. Siverly mort, c'est lui qui tient désormais les finances du prochain soulèvement. Il ne faut pas le laisser agir. Il ne faut pas !

— Le soulèvement ? demanda Hal, atterré. Il y a donc un nouveau soulèvement prévu ? Vous en êtes sûr ?

Fraser lui adressa à peine un regard méprisant.

— Oui.

En quelques mots, il leur expliqua le plan: l'acquisition de la coupe du roi druide par Quinn; l'implication des régiments irlandais; le projet de la Chasse fantastique. Sa voix frémissait d'une étrange émotion. Grey n'aurait su dire si c'était de colère ou de peur devant l'énormité de ce qu'il était en train de dire.

Pour l'heure, il semblait en avoir terminé et laissa retomber sa tête en avant. Puis il prit une profonde inspiration et la releva.

— Si je pensais qu'ils avaient la moindre chance de réussir, je me tairais sans m'en mêler. Mais ils n'en ont aucune. Je ne peux pas laisser une nouvelle tragédie se produire.

En entendant son ton désolé, Grey se demanda si Hal était conscient de l'étendue du sacrifice qu'il venait de faire. Il en doutait, même si Hal écoutait attentivement, ses yeux ardents comme des braises.

— Donnez-moi une minute, déclara-t-il soudain.

Il sortit dans le couloir et Grey l'entendit appeler plusieurs valets de pied. Il les envoya demander à Harry Quarry et aux autres hauts gradés du régiment de venir le rejoindre sur-le-champ. Il appela ensuite son secrétaire.

Sa voix résonnait dans le couloir:

— Andrews, envoyez un billet au Premier ministre. Demandez-lui si je peux passer le voir dans la soirée. C'est une affaire de la plus haute importance.

Il y eut des pas précipités dans tous les sens, puis on entendit Hal gravir l'escalier.

— Il monte informer Minnie, expliqua Grey.

Fraser était assis devant la cheminée, les coudes sur les genoux et la tête posée sur une main. Il ne répondit pas.

Au bout de quelques instants, Grey s'éclaircit la gorge.

— Ne dites rien, dit Fraser doucement. Pas tout de suite.

À en croire la pendule trônant sur la cheminée, dont le carillon sonnait toutes les quinze minutes, ils restèrent assis en silence une demi-heure. Ils furent uniquement interrompus par le majordome qui entra pour allumer les chandelles, puis revint quelques instants plus tard avec un billet pour Grey. Il l'ouvrit, le parcourut et le glissa dans la poche de son gilet en entendant les pas de Hal dans l'escalier.

Lorsque son frère entra dans la bibliothèque, il était pâle et agité, mais de nouveau maître de lui.

— Nasonby, apportez-nous du vin et des biscuits, s'il vous plaît, ordonna-t-il.

Il attendit que le majordome soit sorti avant de reprendre la parole. Fraser s'était levé à son entrée, non pas par respect, subodora Grey, mais pour se tenir prêt à ce qui allait suivre.

Hal croisa les mains dans son dos et essaya un petit sourire qui se voulait affable.

— Comme vous l'avez indiqué, monsieur Fraser, vous n'êtes pas anglais…

Fraser lui lança un regard glacial et le sourire s'effaça. Hal pinça les lèvres, souffla par les narines, puis poursuivit :

— Vous êtes néanmoins un prisonnier de guerre sous ma responsabilité. C'est donc à contrecœur que je me vois contraint de vous interdire de vous battre contre Twelvetrees, même si je conviens avec vous qu'il mérite amplement d'être tué.

— M'interdire ? répéta Fraser.

Il toisa Hal comme s'il examinait un objet incongru sous sa semelle, avec un mélange de curiosité et de dégoût.

— Vous m'avez contraint à trahir mes amis, ma nation, mon roi et moi-même, et à présent vous voudriez me retirer mon honneur d'homme ?! Vous vous égarez, monsieur.

Sans un mot de plus, il sortit de la bibliothèque, passant devant Nasonby, qui entrait avec le plateau des rafraîchissements. Le majordome travaillait chez les Grey depuis de longues années et afficha un air imperturbable devant ces allées et venues. Il déposa son plateau et se retira sans un bruit.

— Eh bien, ça ne s'est pas trop mal passé, déclara Grey. C'était sur le conseil de Minnie ?

Son frère le fusilla du regard.

— Je n'ai pas besoin de Minnie pour comprendre les conséquences désastreuses d'un tel duel.

— Tu pourrais l'empêcher, observa Grey en se servant un verre de bon bordeaux.

— Peuh ! fit Hal. En l'enfermant à double tour ? Je ne vois pas d'autre solution.

Il remarqua le vase renversé et le redressa d'un air absent. Puis il saisit la petite pâquerette qu'il avait contenue.

— C'est à lui que revient le choix des armes, remarqua-t-il en fronçant les sourcils. Ce sera l'épée, à ton avis ? Quand on veut vraiment tuer quelqu'un, c'est plus sûr que le pistolet.

Grey ne répondit pas. Hal avait tué Nathaniel Twelvetrees avec un pistolet. Lui-même avait failli occire Edwin Nicholls avec un pistolet, même si cela avait été un accident. Néanmoins, Hal avait techniquement raison. Les pistolets pouvaient rater leur cible et la plupart n'étaient précis qu'à quelques mètres.

— Je ne sais pas comment il s'en sort à l'épée, poursuivit Hal. Mais j'ai vu comment il se déplace et il a une allonge qui dépasse celle de Twelvetrees d'au moins quinze centimètres.

— À ma connaissance, il n'a pas manié une arme depuis sept ou huit ans, répondit Grey. Je ne doute pas de ses réflexes...

Il se souvenait encore de la manière dont Fraser l'avait rattrapé lorsqu'il était tombé sur une route irlandaise, assourdi par le chant des grenouilles.

— ... mais n'est-ce pas toi qui rabâches sans cesse l'importance d'un entraînement régulier ?

— Je ne rabâche jamais, rétorqua Hal, piqué.

Il faisait tourner la pâquerette entre ses doigts en répandant ses pétales sur le tapis.

— Si je le laisse affronter Twelvetrees et que ce dernier le tue, tu auras des ennuis, puisqu'il est nominalement sous ta protection en tant que son contrôleur judiciaire.

— Ce ne sont pas les atteintes à ma réputation qui m'inquiètent le plus, répliqua Grey.

Il imaginait déjà Jamie Fraser agonisant dans ses bras par un matin blême, son sang jaillissant sur ses mains coupables. Il but une gorgée de vin, le trouvant soudain amer.

— Moi non plus, admit Hal. Je préférerais qu'il vive. Il me plaît bien, même s'il est têtu comme une mule et diablement contrariant.

— Sans parler qu'il vient de nous rendre un service considérable. As-tu une petite idée de ce que cela lui a coûté de nous révéler ça ?

— Oui, dit doucement Hal. Tu connais le serment de loyauté que les prisonniers jacobites ont été contraints de prêter, ceux qui n'avaient pas été exécutés ?

— Bien sûr, maugréa Grey.

Il fit rouler son verre en cristal entre ses paumes. À Ardsmuir, il avait dû le faire prononcer aux nouveaux détenus.

« Que je ne revoie jamais ma femme, mes enfants, mon père, ma mère ni mes amis ; que je sois tué au combat comme un lâche et pourrisse sans sépulture chrétienne sur une terre étrangère, loin des tombes de mes ancêtres et de mes parents... »

Il remerciait le ciel que Fraser ait déjà été emprisonné depuis quelque temps lorsqu'il avait pris ses fonctions de gouverneur. Il n'avait pas eu à l'entendre prêter ce serment ni à voir son expression tandis qu'il le prononçait.

— Tu as raison, déclara Hal avec un profond soupir. Nous lui sommes redevables. Mais s'il tue Twelvetrees... Tu crois qu'il y a une chance qu'ils s'arrêtent au premier sang ?... Non, bien sûr que non.

Il se mit à marcher de long en large dans la pièce en grignotant un biscuit.

— S'il tue Twelvetrees, reprit-il, ça va sérieusement barder, comme disent les bagnards. Son frère Reginald ne baissera pas les bras avant que Fraser soit emprisonné à vie, voire pendu. Quant à nous, nous ne serons guère mieux lotis.

Il grimaça et fit tomber des miettes de biscuit de ses doigts, revivant le scandale qui avait suivi son duel avec Nathaniel Twelvetrees, vingt ans plus tôt. Cette fois, ce serait bien pire ; on reprocherait aux Grey de ne pas avoir contrôlé un prisonnier dont ils avaient la charge. Si on ne les accusait pas ouvertement de l'avoir manipulé pour accomplir une vengeance personnelle, ce serait assurément ce qui se dirait en privé.

— Nous nous sommes servis de lui, lui rappela John.

— Tout dépend de la manière dont on examine le résultat, répondit Hal sans grande conviction.

Grey se leva et s'étira le dos.

— Non, Hal. La fin justifie peut-être les moyens, mais nous devons aussi assumer la responsabilité des moyens en question.

Hal se tourna brusquement vers lui.

— Ce qui veut dire ?

— Que s'il a décidé de se battre, tu ne peux pas l'en empêcher. C'est son choix.

Hal émit un bruit de dédain, sans pour autant le contrecarrer. Puis, au bout de quelques instants, il déclara :

— Il nous a dit avoir accusé publiquement Twelvetrees afin d'interrompre ses machinations avant qu'elles n'aillent trop loin, ce qui a réussi à merveille. Mais avait-il prévu que Twelvetrees le défierait en duel ?

Il se répondit lui-même :

— Oui, bien sûr. Twelvetrees ne pouvait faire autrement. Néanmoins, Fraser veut-il vraiment ce duel ?

Grey comprit où il voulait en venir.

— Tu me demandes si nous lui rendrions service en l'empêchant de se battre ? Non.

Il adressa un sourire affectueux à son frère et reposa son verre.

— C'est pourtant simple, Hal. Mets-toi à sa place. Que ferais-tu ? Il n'est peut-être pas anglais, mais son honneur et sa détermination n'ont rien à envier aux nôtres.

— Hmmph, fit Hal. Dans ce cas, tu ferais bien de l'emmener à la salle d'armes dès demain, pour qu'il s'entraîne un peu avant la rencontre. En supposant qu'il choisisse l'épée.

— Nous n'en aurons pas le temps.

Il se sentait très paisible, presque comme s'il flottait dans la lumière tamisée du feu de cheminée et des chandelles.

Hal le dévisagea d'un air suspicieux.

— Que veux-tu dire ?

— J'y ai bien réfléchi cet après-midi et je suis parvenu à la même conclusion. J'ai envoyé un message à Edward Twelvetrees, lui demandant réparation pour les insultes proférées à mon encontre au club.

— Tu as… quoi ?

Grey sortit un billet froissé de la poche de son gilet.

— Il m'a répondu tout à l'heure. Demain matin à six heures, dans les jardins derrière Lambeth Palace. Au sabre. C'est curieux, je le voyais plutôt comme un homme de rapière…

32

Le duel

Contre toute attente, il dormit profondément cette nuit-là, d'un sommeil sans rêves dont il se réveilla brusquement dans l'obscurité, percevant l'approche de l'aube.

Un instant plus tard, la porte s'ouvrit et Tom Byrd entra avec une chandelle et le plateau de thé, le pot de savon à barbe coincé sous un bras.

— Prendrez-vous un petit-déjeuner, milord ? Je vous ai apporté des petits pains beurrés et de la confiture. Le cuisinier pense que vous devriez manger quelque chose de plus consistant, histoire de prendre des forces.

Grey s'assit sur le bord du lit en se grattant. Il se sentait en pleine forme.

— Tu le remercieras pour moi, Tom, mais cela me suffira, déclara-t-il en prenant un petit pain que le valet venait de tartiner de confiture d'abricot.

S'il s'était apprêté à affronter une journée de bataille, il aurait engouffré le jambon, les œufs, le boudin noir et tout ce que le cuisinier était prêt à lui préparer, mais ce qui l'attendait ce matin ne serait l'affaire que de quelques minutes et il voulait avoir le pied léger.

Tom déposa ses vêtements sur le lit et commença à faire mousser le savon pendant que Grey mangeait. Puis il se tourna vers son maître, le coupe-chou à la main et un air déterminé sur le visage.

— Je viens avec vous ce matin, milord.

— Ah bon ?

— Oui, milord. Je vous ai entendu discuter avec monsieur le duc hier soir et décider qu'il valait mieux qu'il ne vous accompagne pas. Je comprends que sa présence pourrait compliquer encore la situation. Je ne peux pas être votre second, naturellement, mais quelqu'un doit vous soutenir. Je viens.

Ému, Grey baissa les yeux sur sa tasse de thé.

— Merci, Tom. Je serai très heureux de t'avoir à mes côtés.

De fait, la compagnie de Tom était un réel réconfort. Le jeune homme ne parlait pas, devinant que son maître n'avait pas envie de faire la conversation. Il était assis en face de lui dans le fiacre, le meilleur sabre de cavalerie de lord John en travers des genoux.

Grey aurait néanmoins un second. Hal avait demandé à Harry Quarry de retrouver Grey sur le pré.

« Ce n'est pas uniquement pour te soutenir moralement, avait-il précisé. Je veux qu'il y ait un témoin, au cas où. »

Au cas où quoi ? s'était demandé Grey. Si Twelvetrees chicanait ? Si l'archevêque de Canterbury apparaissait soudain, alerté par le bruit ? Il se garda de poser la question, craignant que Hal n'ait signifié par là qu'il voulait que quelqu'un soit présent pour recueillir ses dernières paroles. À moins de se prendre la lame dans l'œil ou à travers le voile du palais, il vous restait toujours quelques minutes durant lesquelles vous vous vidiez de votre sang, ce qui vous laissait le temps de composer votre épitaphe ou de formuler un adieu élégant à l'élu(e) de votre cœur.

Il se demanda comment réagirait Fraser s'il recevait une déclaration posthume particulièrement fleurie, Grey n'étant plus là pour qu'il lui torde le cou. Cela le fit sourire. Il surprit l'air choqué de Tom et reprit aussitôt une expression plus adaptée aux circonstances.

Harry se chargerait peut-être de son épitaphe. En vers.

Sois mon maître... Fichtre, il n'avait toujours pas trouvé une rime adéquate pour achever son distique. Maître/Être... cela rimait. Peut-être lui fallait-il deux vers et non un ; auquel cas, il lui manquait encore deux rimes pour faire un quatrain...

Le fiacre s'arrêta.

Il sortit dans l'air frais de l'aube et s'en remplit les poumons pendant que Tom descendait à son tour, portant précautionneusement le sabre dans son fourreau. Deux autres voitures étaient garées sous les arbres dégoulinants. Le ciel était clair, mais il avait plu dans la nuit.

L'herbe sera mouillée. Le terrain glissant.

Des petites décharges d'électricité le parcouraient, contractant ses muscles. La sensation lui rappela son expérience avec une anguille électrique un an plus tôt, celle-là même qui avait conduit à son précédent duel qui s'était soldé par la mort de Nicholls. Au moins, s'il tuait Twelvetrees ce matin, ce serait intentionnel.

Pas « si ».

Il effectua quelques étirements pour décontracter les muscles de son torse et de ses bras, puis fit signe à Tom de le suivre et passa devant les autres voitures, saluant au passage les cochers, qui lui rendirent son salut d'un air grave. Les naseaux des chevaux fumaient.

La dernière fois qu'il était venu dans ces jardins, c'était pour une garden-party pour laquelle sa mère avait exigé qu'il l'accompagne.

Mère…

Hal la préviendrait si… Il repoussa cette pensée. Trop réfléchir ne servait à rien.

Le grand portail en fer forgé était fermé et cadenassé, mais un vantail à côté était ouvert. Il le franchit et s'avança vers le pré de l'autre côté des jardins, ses talons résonnant sur les dalles mouillées.

Mieux vaut me battre en bas. Non, pieds nus.

Il passa sous une arche couverte de rosiers grimpants et parvint dans le pré. Twelvetrees se tenait de l'autre côté, sous un arbre croulant sous les fleurs blanches. Grey fut soulagé de constater qu'il n'était pas accompagné de son frère Reginald. Il reconnut son second, Joseph Honey, un capitaine des lanciers. Un autre homme lui tournait le dos. À sa tenue et à la sacoche posée à ses pieds, ce devait être un médecin. Apparemment, Twelvetrees avait l'intention de survivre, même blessé.

C'est plutôt normal, non ? se dit John.

Son corps se préparait intuitivement au combat, chassant la pensée consciente. Il se sentait merveilleusement bien. À l'ouest, le ciel était devenu d'un violet lumineux, les dernières étoiles pratiquement éteintes. Derrière lui, à l'est, le ciel avait viré au rose et à l'or. Il sentait le souffle de l'aube sur sa nuque.

Il entendit des pas sur l'allée derrière lui et se retourna, s'attendant à voir apparaître Harry Quarry. Ce n'était pas Harry qui baissait la tête pour passer sous l'arche. Son cœur fit un bond.

— Que… que faites-vous ici ? balbutia-t-il.

— Je suis votre second, répondit Fraser comme si cela coulait de source.

Il était vêtu sobrement de la veste de livrée bleue qu'on lui avait prêtée lors de sa première soirée à Argus House et portait une épée. Où l'avait-il dégottée ?

— Mais comment avez-vous su que…

— La duchesse me l'a dit.

— J'aurais dû m'en douter ! Mais Harry Quarry…

— J'ai parlé au colonel Quarry. Nous sommes convenus que l'honneur de vous seconder devait me revenir.

Grey se demanda un instant si « convenir » n'était pas un euphémisme pour « décider après moult coups de massue sur le crâne », car il voyait mal Quarry abandonner sa charge de bon gré. Toutefois, il ne put s'empêcher de sourire à Fraser, qui inclina poliment la tête.

Il glissa une main dans sa poche et en sortit un petit morceau de papier plié.

— Votre frère m'a demandé de vous donner ceci.

— Merci.

Grey prit le papier et le rangea dans sa poche de poitrine sans le déplier. Il savait ce qu'il disait : *Bonne chance. H.*

Jamie Fraser lança un regard vers Twelvetrees et ses deux compagnons de l'autre côté du pré.

— Il ne doit pas survivre, déclara-t-il. Vous pouvez compter sur moi.

— S'il me tue, vous voulez dire.

Les petites décharges d'électricité s'étaient mues en un bour-donnement continu. Les battements de son cœur résonnaient dans ses oreilles, rapides et puissants.

— Je vous en remercie infiniment, monsieur Fraser.

À sa surprise, Fraser lui sourit.

— Je me ferai un plaisir de vous venger, milord. S'il le faut.

— Je vous en prie, appelez-moi John, lâcha-t-il malgré lui.

L'Écossais le dévisagea, stupéfait, puis baissa les yeux un ins-tant, songeur. Il posa ensuite une main ferme sur l'épaule de Grey et se mit à parler doucement en gaélique. Parmi les consonances sifflantes, Grey crut reconnaître le nom de son père. *Iain Mac Gerard...* était-ce bien le cas ?

La main se souleva, laissant l'impression de son poids sur l'épaule de Grey.

— Que... commença-t-il.

— C'est la prière pour le guerrier qui part au combat, l'inter-rompit Fraser. La bénédiction de Michel du Domaine rouge.

Il soutint le regard de Grey, ses yeux d'un bleu plus sombre que celui du ciel.

— Que la grâce de l'archange Michel renforce votre bras... John.

Grey lâcha une grosse obscénité et Jamie suivit son regard. Il ne vit rien d'autre qu'Edward Twelvetrees, déjà en chemise et culotte et ressemblant à un furet mouillé sans sa perruque, dis-cutant avec un officier en uniforme, probablement son second, et un autre homme, qui devait être un médecin.

— C'est le docteur John Hunter, déclara Grey entre ses dents. Le profanateur de sépultures en personne !

Il se mordit la lèvre, puis se tourna vers Jamie.

— Si je suis tué, emportez tout de suite mon corps. Remmenez-moi à la maison. Surtout, ne laissez pas le docteur Hunter s'ap-procher de moi.

— Mais il ne...

— Oh que si ! Sans la moindre hésitation. Promettez-moi de ne pas le laisser me toucher.

Jamie examina plus attentivement le docteur Hunter. À première vue, il n'avait pas l'air d'un déterreur de cadavres. Il était petit, mesurant quelques centimètres de moins que John Grey, mais très large d'épaules. C'était clairement un homme vigoureux. Il lança un bref coup d'œil à Grey en essayant d'imaginer Hunter balançant son corps sur une épaule et s'enfuyant avec. Grey lut dans ses pensées.

— Promettez-le-moi, insista-t-il.

— Je vous le jure sur mon espoir d'aller au ciel.

Grey se détendit légèrement.

— Bien.

Il était pâle, mais son regard était brillant et son expression alerte. Il n'avait pas peur, il était excité.

— À présent, vous devez aller parler à Honey. C'est le second de Twelvetrees, le capitaine Joseph Honey.

Jamie acquiesça et se dirigea vers le petit groupe sous les arbres. Il s'était battu en duel deux fois, sans avoir de second, et il n'avait encore jamais tenu ce rôle pour personne. Heureusement, Harry Quarry lui avait donné quelques instructions :

« Les seconds sont censés discuter de la situation et voir si elle peut se résoudre sans combat. Par exemple, l'une des parties peut accepter de retirer son insulte ou de la reformuler d'une manière moins offensante ; la partie offensée peut aussi accepter une autre forme de réparation. Dans notre cas, je dirais que les chances d'obtenir une résolution à l'amiable sont de une contre trois millions. Aussi, ne vous épuisez pas en efforts diplomatiques. Toutefois, s'il tue Grey, je compte sur vous pour lui régler son affaire rapidement, n'est-ce pas ? »

Le capitaine Honey le vit approcher et vint à sa rencontre. Il était jeune, vingt ans et quelques, et beaucoup plus pâle que les deux combattants.

— Joseph Honey, votre serviteur, monsieur, dit-il en lui tendant la main. Je… je ne sais pas trop comment procéder, à vrai dire.

— Nous sommes donc dans le même cas, lui assura Jamie. Je suppose que le capitaine Twelvetrees ne compte pas revenir sur son affirmation que lord John est un sodomite ?

Le mot fit rougir le capitaine Honey, qui baissa les yeux.

— Euh… non. Et j'ai cru comprendre que lord John ne tolérera pas l'insulte ?

— En aucun cas. Vous la toléreriez, vous ?

— Oh non ! s'écria Honey, atterré. Mais, il fallait que je pose la question. Bon, donc… les termes. Nous avons dit le sabre. Je vois que lord John est bien équipé. J'avais apporté une arme supplémentaire, au cas où. À dix pas… mais non ! Suis-je bête ! On ne compte pas les pas pour un combat au sabre, naturellement. Euh… lord John accepterait-il de s'en tenir au premier sang ?

Jamie esquissa un sourire sarcastique.

— Pourquoi, le capitaine Twelvetrees l'accepterait-il ?

— Cela valait quand même la peine d'essayer, non ? déclara Honey avec un haussement d'épaules. Si lord John avait été d'accord…

— Il ne l'est pas.

Honey hocha la tête, l'air malheureux.

— Bon. Eh bien… il me semble que nous avons tout dit, n'est-ce pas ?

Il s'inclina, tourna les talons, puis se retourna à nouveau.

— Oh, j'oubliais ! Nous avons amené un médecin. Naturellement, il est au service de lord John, si besoin est.

Jamie le vit regarder derrière lui. Il se retourna et aperçut Grey, en chemise et culotte, pieds nus dans l'herbe, s'échauffant les muscles avec une série de passes avant et de fentes qui n'étaient pas de l'esbroufe et indiquaient clairement qu'il savait se servir d'un sabre. Honey poussa un long soupir.

— Ce sera vite terminé, lui dit Jamie doucement.

Sous son arbre, Twelvetrees le jaugeait ouvertement. Jamie soutint son regard et s'étira lentement, lui montrant l'envergure de ses bras et son assurance. Twelvetrees ne parut guère troublé. Soit il pensait qu'il n'aurait jamais à l'affronter, soit il était convaincu que, le cas échéant, il l'emporterait également. Jamie le salua d'un léger signe de tête.

Pendant ce temps, Grey faisait habilement passer son sabre d'une main à l'autre. Le poids de l'arme était agréable dans sa main. La lame fraîchement affûtée brillait au soleil. Elle sentait encore l'huile de la pierre à effiler ; elle hérissait agréablement les poils de ses avant-bras.

En revenant vers lord John et Tom Byrd, Jamie vit que Harry Quarry les avait rejoints.

— Je n'ai pas pu m'empêcher de venir, avoua ce dernier.

— Vous voulez dire que le duc ne me fait pas entièrement confiance. Il craint que je ne lui fasse pas un rapport complet des événements.

— En partie, oui. Mais, surtout, John est mon ami.

Absorbé par son échauffement, Grey avait à peine remarqué l'arrivée de Harry. Il entendit néanmoins sa remarque et sourit.

— Merci, Harry.

Il revint vers le petit groupe, se sentant soudain envahi d'une affection débordante pour les trois qui l'avaient accompagné. Il songea un instant à une ancienne romance médiévale où trois corbeaux perchés dans un arbre envisageaient de dîner d'un chevalier gisant mort dans un champ, mais, hélas, férocement gardé par son chien et son faucon, jusqu'à ce qu'une biche vienne tendrement emporter le cadavre pour l'enterrer. Tom était le chien fidèle et Harry, bien sûr, la biche symbolisant l'amitié. Quant à Jamie Fraser, il ne pouvait être que le faucon, sauvage et féroce mais restant à ses côtés jusqu'à la fin.

Harry s'avança vers lui et lui serra la main. Grey adressa un sourire rassurant à Tom. Ce dernier serrait contre lui la veste, le gilet et les bas de son maître, et paraissait sur le point de tourner de l'œil. Puis, comme si un signal silencieux avait retenti dans le pré, les deux adversaires marchèrent l'un vers l'autre.

L'herbe mouillée est fraîche et revigorante sous mes pieds… Cette ordure n'a pas dormi de la nuit. Il a les yeux rouges. Il ressemble à un furet ou à un blaireau, sans sa perruque. J'aurais dû me couper les cheveux. Tant pis, il est trop tard…

Les deux hommes croisèrent le fer, leurs lames se touchant avec un léger tintement métallique. Il sentit l'électricité lui courir le long du dos et jusqu'au bout des doigts. Il resserra sa prise sur la poignée.

— À vous, déclara le capitaine Honey avant de s'écarter.

Jamie constata tout de suite que les deux hommes étaient d'excellents épéistes. Ils ne mettaient aucune ostentation dans leur jeu et se lancèrent dans le combat avec une concentration féroce, cherchant l'avantage. Un groupe de colombes s'enfuit dans un tonnerre de battements d'ailes, effrayées par le bruit.

Jamie savait qu'il n'y en aurait pas pour longtemps. La plupart des combats aux armes d'estoc se décidaient en quelques minutes et personne ne pouvait soutenir l'effort de manier un sabre lourd plus d'un quart d'heure. Pourtant, il avait l'impression que le combat durait déjà depuis plus longtemps. Il sentit une rigole de transpiration lui couler le long du dos en dépit de la fraîcheur du matin.

Il était tellement concentré sur le combat que ses muscles tressautaient, répondant aux esquives, aux bottes et aux grognements d'effort. Il serrait les poings le long de ses flancs, si fort que les articulations de sa mauvaise main craquèrent.

Grey connaissait son affaire : alors qu'ils se trouvaient pris dans un corps à corps, chacun retenant de sa main libre la main armée de l'autre, il avait réussi à glisser un genou entre les cuisses de Twelvetrees et tentait de le déséquilibrer. Mais Twelvetrees n'était pas un débutant, lui non plus. Plutôt que de résister, il se laissa aller vers l'avant, déstabilisant Grey, qui lâcha prise. Libre de ses mouvements, Twelvetrees bondit sur son adversaire en lui portant un coup transversal.

Grey l'évita, mais pas assez vite. Jamie émit un cri étranglé de protestation en voyant se dessiner comme par magie une ligne rouge sur le haut de la cuisse de Grey, un rideau de sang s'abaissant aussitôt sur l'étoffe de sa culotte.

Merde !

Grey contre-attaqua aussitôt avec une fente. Sa jambe blessée céda sous lui et il tomba sur un genou, mais le plat de son sabre avait touché Twelvetrees à l'oreille, le faisant reculer en secouant la tête. Grey se releva laborieusement et botta à nouveau, visant le torse, sa lame s'enfonçant dans le bras de son adversaire, qui n'avait pu esquiver entièrement le coup.

Touché, ordure ! Je t'ai eue !

— Dommage que ce ne soit pas son bras armé, marmonna Quarry. L'affaire serait bouclée…

— Elle ne sera bouclée que lorsque l'un des deux sera mort, soupira le capitaine Honey.

Le jeune homme était livide. Jamie se demanda s'il avait déjà vu un homme se faire tuer. Sans même parler d'en avoir occis un lui-même.

Twelvetrees recula, se découvrant. Grey fondit sur lui, comprit trop tard qu'il s'agissait d'une feinte. Twelvetrees lui asséna un violent coup de pommeau sur le crâne, l'étourdissant à moitié. Grey lâcha son sabre, se jeta sur son adversaire, lui enlaça la taille puis, prenant appui sur sa bonne jambe, le fit basculer par-dessus sa hanche avant de le projeter sur le sol.

Prends ça, chien ! Bon sang, j'ai les oreilles qui tintent, saleté… saleté…

— Oh, joli ! Très joli ! s'écria le docteur Hunter en applaudissant. Avez-vous déjà vu un tour de hanche en tête aussi bien exécuté ?

— Euh… pas dans un duel au sabre, en tout cas, rétorqua Quarry, quelque peu interloqué.

Grey se redressa, la bouche ouverte, haletant. Il ramassa son sabre et, s'appuyant dessus, reprit laborieusement son souffle. Des mèches de cheveux adhéraient à son visage. Du sang coulait le long de sa joue et sur son mollet nu.

— Capitulez-vous, monsieur ? demanda-t-il.

Allez, allez, allez… Relève-toi qu'on en finisse ! Dépêche-toi !

Twelvetrees, le souffle coupé par sa chute, ne répondit pas. Au bout de quelques instants, il parvint à rouler sur le côté et à se redresser lentement, à genoux. Il rampa vers le sabre qu'il avait laissé tomber, le saisit et se releva péniblement. La lueur assassine dans son regard indiquait sans ambiguïté sa réponse.

Grey releva son arme juste à temps et leurs lames s'entrechoquèrent, glissant l'une contre l'autre jusqu'à la garde. Chacun poussa sur son pommeau, immobilisant l'adversaire. Grey frappa Twelvetrees au visage ; ce dernier riposta en saisissant sa tresse et tira d'un coup sec, le déséquilibrant. Toutefois, affaibli par son bras blessé, il ne put maintenir sa prise. Grey parvint à dégager son sabre et frappa furieusement son ennemi au flanc.

Jamie tiqua en entendant le cri de Twelvetrees. Il avait lui-même une cicatrice incurvée en travers des côtes, laissée par un sabre anglais à la bataille de Prestonpans.

En voyant Twelvetrees tituber en arrière, Grey voulut profiter de son avantage. Mais le furet était sournois. Il évita sa lame en se baissant dessous et projeta la sienne vers le haut, droit vers la poitrine découverte de Grey.

Non !

Les spectateurs retinrent leur souffle. Grey chancela en arrière, toussant, sa chemise se couvrant de rouge. Twelvetrees dut s'y reprendre à deux fois avant de parvenir à se relever. Ses jambes tremblaient.

Grey se laissa lentement tomber à genoux et oscilla d'avant en arrière, son sabre pendant mollement dans sa main.

Non...

— Relevez-vous, milord. Je vous en supplie, relevez-vous ! chuchotait Tom.

Il serrait convulsivement la manche de Harry Quarry. Celui-ci respirait en sifflant comme une bouilloire.

— Il doit lui demander de capituler, marmonna-t-il. Il doit le faire. Ce serait infâme de ne pas le... Oh, mon Dieu !

Twelvetrees avança d'un pas ivre vers Grey, ses traits tordus en un rictus féroce qui dévoilait ses dents. Ses lèvres remuèrent, mais aucun son n'en sortit. Il avança encore, levant son bras pour préparer sa lame ensanglantée. Il fit un autre pas.

Encore... un... pas...

Le sabre de Grey s'éleva soudain en fendant l'air, Grey bondissant derrière lui. La lame disparut dans le ventre du furet. Un son inhumain retentit. Jamie n'aurait su dire lequel des deux l'avait émis. Grey lâcha son arme et s'assit brusquement sur le sol, l'air surpris. Il tourna la tête et sourit vaguement à Tom, puis ses yeux se révulsèrent et il tomba à la renverse dans l'herbe mouillée, pissant le sang.

Oh, Seigneur...

Twelvetrees était toujours debout, fixant, hébété, le sabre planté dans son ventre et qu'il tenait des deux mains. Le docteur Hunter et le capitaine Honey se précipitèrent et le rejoignirent juste au moment où il s'effondrait, le rattrapant entre eux deux.

Jamie se demanda brièvement si Twelvetrees avait donné des instructions au capitaine Honey concernant sa dépouille, puis il courut vers son ami.

Emmenez-moi... Oh...

33

Billet doux

— Si la lame s'était enfoncée entre tes côtes, tu serais mort, tu sais.

Ce n'était pas la première fois que Grey l'entendait, même de la bouche de Hal, mais, cette fois, il eut la force de répondre :

— Je sais.

Comme l'en avait informé le docteur Hunter, puis le docteur Maguire, le médecin de famille des Grey, puis le docteur Latham, le médecin du régiment, la lame avait heurté sa troisième côte, puis avait glissé de biais sur quelques centimètres jusqu'à rencontrer son sternum. Sur le moment, il n'avait rien senti d'autre que la secousse due à la violence du coup.

Hal était assis sur le bord de son lit, l'examinant attentivement.

— Ça fait mal ?

— Oui, lève-toi de mon lit.

Hal ne bougea pas.

— Tu as retrouvé tous tes esprits ? demanda-t-il.

— Oui, et toi ?

Grey était de fort méchante humeur. Non seulement il avait très mal, en effet, mais il ne sentait plus ses fesses à force de rester alité, et maintenant que la fièvre était retombée, il avait très faim.

— Twelvetrees est mort ce matin.

— Ah.

Il ferma les yeux un moment, puis les rouvrit, soudain reconnaissant d'avoir mal et faim.

— Que son âme repose en paix.

Il avait su tout de suite que Twelvetrees n'avait pratiquement aucune chance de s'en sortir. Il était rare de survivre à une blessure grave au ventre. Il avait senti sa lame toucher un os puis traverser les entrailles de son adversaire. Si l'état de choc et la perte de sang ne l'avaient pas tué, une infection s'en serait chargée. Néanmoins, la nouvelle avait un côté définitif qui l'ébranla. Il s'éclaircit la gorge.

— Reginald Twelvetrees a-t-il déjà déposé une demande officielle pour ma tête ? Ou, du moins, mon arrestation ?

— Il ne peut rien dire, puisque tout le monde pense et raconte qu'Edward était un traître. Tu es plus ou moins considéré comme un héros.

— Moi ? Et pourquoi cela ?

— Après que tu as eu démasqué Bernard Adams comme étant un conjuré jacobite il y a deux ans ? Puis après ce que Fraser a dit à Twelvetrees au Beefsteak ? Tout Londres croit que tu l'as défié en raison de sa trahison, même si personne ne sait ce qu'il trahissait. Dieu merci !

— Mais ce n'est pas ce que…

— Oui, je sais très bien que ce n'est pas pour ça, crétin ! Mais puisque tu n'as pas publié d'encart dans le journal pour annoncer qu'il t'avait traité de pédéraste, et qu'il ne l'a pas fait non plus pour déclarer que tu étais une menace pour la société, l'opinion publique, comme toujours, en a tiré ses propres conclusions.

Grey avait le bras gauche en écharpe. Il se passa la main droite sur le visage. La nouvelle était troublante, mais il ne voyait pas ce qu'il pouvait y faire. Ni lui ni personne d'autre, maintenant que…

— Fichtre, la presse s'en est emparée, gémit-il.

— Tu peux le dire ! Minnie a mis de côté pour toi les articles les plus piquants. Quand tu t'en sentiras la force…

Grey lui lança un regard noir.

— Je m'en sens la force. D'ailleurs, j'ai un petit compte à régler avec ta femme.

Un large sourire illumina le visage de Hal.

— Pas sûr que tu sois suffisamment remis pour ça !

Il se leva, provoquant une secousse dans la jambe blessée de Grey.

— Tu as faim ? demanda-t-il. Le cuisinier t'a préparé un infâme gruau, ainsi que des toasts brûlés et de la gelée de bouillon de pied de veau.

— Pitié, Hal !

Son cri mi-scandalisé mi-implorant sembla émouvoir son frère.

— Bon, je vais voir ce que je peux faire.

Il se pencha vers lui et lui tapota l'épaule.

— Je suis content que tu ne sois pas mort. L'espace d'un instant, j'ai eu peur.

Là-dessus, il sortit avant que Grey puisse répondre. Ce dernier sentit les larmes lui monter aux yeux et s'essuya sur la manche de sa chemise de nuit tout en marmonnant dans sa barbe pour tenter de se convaincre qu'il n'était pas ému.

Quelques instants plus tard, il fut distrait par des bruits dans le couloir. Des enfants qui essayaient de rester discrets, chuchotant d'une manière sonore et se bousculant contre les murs.

— Entrez !

La porte s'ouvrit et une petite tête apparut dans l'entrebâillement.

— Bonjour, Ben. Que fais-tu là ?

Le visage inquiet de Benjamin se détendit.

— Tu vas bien, mon oncle ? Maman a dit que si l'épée était…

— Je serais mort, je sais. Mais, comme tu le vois, je suis toujours vivant.

Ben l'examina d'un air dubitatif, puis décida de le croire sur parole et, se retournant, dit quelques mots derrière lui. Il s'avança ensuite dans la chambre, suivi par ses deux petits frères, Adam et Henry. Tous les trois bondirent sur le lit, Benjamin et Adam empêchant de justesse Henry, qui n'avait que cinq ans, de sauter sur le ventre de son oncle.

— On peut voir par où est entré le sabre, oncle John ? demanda Adam.

— Pourquoi pas ?

Sa plaie était pansée mais, le docteur devant venir changer ses bandages dans la journée, il n'y avait sans doute pas de mal à l'aérer un peu. Il déboutonna sa chemise de nuit d'une main et souleva délicatement son pansement. Le chœur de « Oh ! » admiratifs de ses neveux compensa largement son inconfort.

Ben se pencha pour examiner sa blessure de plus près. Elle était plutôt impressionnante, reconnut Grey en baissant les yeux. Le médecin qui s'était occupé de lui (il n'avait pas été en état de remarquer lequel des trois c'était) avait élargi l'entaille originale pour extraire les éclats de sternum délogés par le sabre et les fragments de tissu enfoncés dans la plaie. Cela lui faisait une nouvelle cicatrice d'une quinzaine de centimètres de long sur le côté gauche de son torse, déjà passablement amoché. La plaie rouge sombre était entrelacée de sutures noires.

— Ça fait mal ? demanda gravement Ben.

— C'est supportable. Le pire, ce sont les démangeaisons dans ma jambe.

— Fais voir !

Henry se mit aussitôt à gratter les draps. Le chahut qui s'ensuivit manqua faire tomber Grey par terre. Il parvint à hausser la voix et à rétablir un semblant d'ordre, puis il repoussa la couverture et releva sa chemise pour dévoiler le haut de sa cuisse.

La blessure était superficielle mais longue. Si elle était encore sensible, il n'avait pas menti en déclarant que c'était surtout le picotement qui était le plus désagréable. Le docteur Maguire avait préconisé un cataplasme à base de sulfate de magnésium, de savon et de sucre, afin d'aspirer les poisons hors de la plaie. Le docteur Latham, arrivant une heure plus tard, l'avait enlevé en criant à l'ineptie, affirmant que la plaie devait respirer et être exposée à l'air libre.

Durant tout ce temps, Grey était resté inerte, ayant tout juste la force de remercier le ciel que le docteur Hunter ne soit pas venu à son tour donner son opinion. Il aurait probablement sorti une scie et se serait enfui avec sa jambe, closant ainsi le débat à sa manière. Depuis qu'il avait à nouveau croisé le chemin de Hunter, il ressentait plus de compassion pour Tobias Quinn et son angoisse de finir disséqué.

— Tu as une grande zigounette, oncle John, observa Adam.

— Il me semble qu'elle est dans la moyenne, pour un homme adulte. En tout cas, personne ne s'en est encore plaint.

Les garçons ricanèrent, même si Grey soupçonnait que Benjamin était le seul à savoir pourquoi. Il se demanda où son percepteur l'avait emmené récemment. Adam et Henry étaient encore trop jeunes pour des sorties pédagogiques, mais un jeune homme nommé Whibley était chargé d'initier Benjamin au latin. Selon Minnie, il passait plus de temps à faire les yeux doux à l'assistante du cuisinier qu'à diviser la Gaule en trois. Néanmoins, il lui arrivait d'emmener son élève au théâtre.

— Maman a dit que tu avais tué l'autre homme, déclara Adam. Où l'as-tu frappé?

— Au ventre.

— D'après le colonel Quarry, c'était un égumène infâme.

— Un *énergumène*. Oui, je suppose. Je l'espère.

— Pourquoi? demanda Adam.

— Si tu dois tuer quelqu'un, il vaut mieux avoir une bonne raison pour cela.

Les trois garçons hochèrent la tête d'un air grave, lui faisant penser à une nichée de chouettes. Puis ils demandèrent d'autres détails du duel, exigeant de savoir la quantité de sang versé, combien de fois l'oncle John avait pourfendu le vilain et ce qu'ils s'étaient dit.

— Est-ce qu'il t'a dit des gros mots et a prononcé un tas d'implications? demanda Benjamin.

— Des *imprécations*, corrigea Grey. Nous ne nous sommes pratiquement pas adressé la parole. Ce sont les seconds qui parlent. Ils discutent entre eux pour tenter d'arranger les choses et d'éviter le combat.

Cette idée saugrenue laissa son auditoire perplexe. Ses efforts pour expliquer pourquoi quelqu'un voudrait ne pas se battre l'épuisèrent et il accueillit avec soulagement l'arrivée d'un valet portant un plateau, même s'il n'y avait sur le plateau en question que deux bols, l'un contenant une mixture grisâtre et l'autre du pain trempé dans du lait.

Les garçons dévorèrent le pain et le lait, se passant le bol, salissant les draps et se chamaillant pour lui donner des nouvelles de la maisonnée. Nasonby avait raté une des marches du perron et avait désormais la cheville bandée. Le cuisinier s'était disputé avec le poissonnier, qui lui avait livré de la plie au lieu du saumon ; par conséquent, le poissonnier ne voulait plus les fournir et, au dîner de la veille, ils avaient dû manger des crêpes en faisant semblant d'être Mardi gras. Lucy l'épagneule avait mis bas dans le placard à linge du premier étage, et la gouvernante Mme Weston avait eu une attaque…

— Elle s'est roulée par terre avec de la bave aux lèvres ? demanda Grey, intrigué.

— Probablement, répondit joyeusement Benjamin. On ne nous a pas laissés voir. Mais le cuisinier lui a donné du cognac.

Henry et Adam s'étaient lovés contre lui. La chaleur de leurs corps à travers les draps et le doux parfum de leurs cheveux étaient un réconfort qui, dans son état de faiblesse, menaçait de le faire larmoyer à nouveau. Pour se ressaisir, il demanda à Ben de lui réciter quelque chose.

Ben plissa le front d'un air concentré. Il ressemblait tant à Hal contemplant un jeu de cartes que l'émotion de Grey se transforma aussitôt en amusement. Il parvint à ne pas rire (cela lui faisait un mal de chien) et se détendit. Ben se lança dans une interprétation exécrable des *Douze jours de Noël*, qui, fort heureusement, fut interrompue par l'arrivée de Minnie, suivie de Pilcock chargé d'un nouveau plateau d'où s'échappaient cette fois des odeurs alléchantes.

— Mais qu'avez-vous fait à votre pauvre oncle John ? s'exclama-t-elle. Regardez l'état de son lit ! Allez, ouste, tous autant que vous êtes !

La chambre se vida aussitôt. Elle baissa les yeux vers Grey en secouant la tête. Avec son minuscule bonnet en dentelle et ses cheveux blonds relevés en chignon, elle était ravissante.

— Hal dit que le docteur peut aller au diable et emporter le cuisinier avec lui. Il a décrété que tu aurais droit à du steak, des œufs et des légumes grillés. Je m'exécute donc, mais si tu meurs, exploses ou te décomposes sur place, je décline toute responsabilité.

· Grey avait déjà planté sa fourchette dans une succulente tomate grillée et mâchait d'un air extatique.

— Oh, Seigneur! déclara-t-il la bouche pleine. Merci! Merci, Hal, merci, le cuisinier, merci, tout le monde!

Il déglutit et enfourna aussitôt un champignon.

En dépit de sa réprobation, Minnie était contente. Elle adorait nourrir les autres. Elle fit signe au valet qu'il pouvait se retirer et s'assit sur le bord du lit.

— Hal me dit que tu veux me gronder?

Elle ne semblait pas inquiète le moins du monde.

— Je n'ai pas dit ça, protesta-t-il, un morceau de steak en suspens devant ses lèvres. Juste que je voulais te toucher deux mots.

Elle croisa les mains et le dévisagea sans sourciller, attendant.

— Eh bien… à vrai dire, je voulais te reprocher d'avoir exposé mes motivations à M. Fraser, mais tout compte fait…

— Donc, je les avais bien devinées?

Il haussa les épaules, la bouche trop pleine pour répondre.

— Naturellement, répondit-elle à sa place. D'autre part, M. Fraser n'étant point sot, il n'avait pas besoin que je les lui explique. Toutefois, comme il m'a demandé pourquoi tu avais défié Edward Twelvetrees, je le lui ai dit.

— Où est M. Fraser en ce moment?

Il engloutit le morceau de viande et planta aussitôt sa fourchette dans l'œuf au plat.

— Sans doute là où il est depuis trois jours, en train d'éplucher la bibliothèque de Hal, volume après volume. En parlant de lecture…

Elle lui montra une petite liasse de lettres sur le plateau. Il ne l'avait pas remarquée, étant trop absorbé par la nourriture. Elle s'en saisit et la déposa sur son ventre.

— Des billets doux de tes admiratrices, expliqua-t-elle.

— Quelles admiratrices? demanda-t-il en reposant sa fourchette. Et comment sais-tu que ce sont des billets doux?

— Parce que je les ai lus, dit-elle sans la moindre gêne. Je doute que tu connaisses beaucoup de ces dames, même si tu as dû déjà danser avec plusieurs d'entre elles. C'est fou le nombre de femmes, notamment parmi les plus jeunes et écervelées, qui se pâment devant les hommes qui se battent en duel. Enfin... devant ceux qui survivent.

Il en ouvrit une du bout du pouce et la lut sans cesser de manger. Il haussa les sourcils.

— Je n'ai jamais rencontré cette femme, observa-t-il. Pourtant, elle m'assure être folle de moi. Ça, pour être folle, je la crois volontiers. Elle se consume d'admiration pour mon grand courage, ma vigueur, mon... Oh, juste ciel.

Il se sentit rougir et reposa la missive.

— Toutes les lettres sont du même acabit ?

— Oh, il y en a de bien pires, lui assura-t-elle en riant. Tu n'as jamais songé au mariage, John ? C'est le seul moyen de te préserver contre ce genre d'attention, tu sais.

Il parcourut un autre billet tout en trempant un morceau de pain dans la sauce de son assiette et répondit d'un air absent :

— Non. Je ferais un piètre mari. Diantre ! Écoute ça : « Je suis envoûtée par le spectacle de votre virilité et de votre fougue, par l'éclat de votre puissante épée... » Cesse de rire, Minerva, tu vas te faire du mal. C'est étrange, mon duel contre Edwin Nicholls n'avait pas suscité autant d'émois...

— En fait, si, dit-elle en ramassant plusieurs lettres tombées sur le tapis. Tu n'étais pas là, t'étant lâchement enfui au Canada afin d'éviter d'épouser Caroline Woodford. Sans parler d'épouse, tu n'as donc pas envie d'avoir des enfants, John ? Un fils ?

— Après avoir passé une demi-heure avec les tiens, non merci !

Il n'était pas sincère et Minnie le savait. Elle se contenta de rire et remit la pile de lettres en ordre.

— En réalité, ton duel contre Nicholls a fait moins de bruit que celui-ci. D'une part, l'affaire a été étouffée autant que faire se peut ; de l'autre, il ne s'agissait que de défendre l'honneur d'une femme, pas celui du royaume tout entier. Hal m'a dit qu'il n'était

380

pas nécessaire de faire suivre ton courrier au Canada et donc, je ne t'ai rien envoyé.

Il lui rendit le paquet.

— Tiens, brûle-les.

— Si tu y tiens.

Elle se leva.

— Oh, attends, dit-elle soudain. Il y en a une que tu n'as pas ouverte.

— Je croyais que tu les avais déjà toutes lues…

— Uniquement celles des dames. Celle-ci paraît plus sérieuse.

Elle sortit une simple enveloppe blanche parmi les autres aux tons pastel et parfumées et la lui tendit. Il n'y avait pas d'adresse d'expéditeur, uniquement un nom écrit en petites lettres soignées. *H. Bowles.*

Une profonde révulsion l'envahit, lui coupant soudain l'appétit.

— Non, déclara-t-il en la lui rendant. Brûle celle-ci aussi.

———◀o▶———

34

Toutes les têtes se tournent sur le passage de la horde

Hubert Bowles était un des chefs des services secrets. Grey l'avait rencontré quelques années plus tôt, dans le cadre d'une enquête sur une affaire privée. Il ne pouvait imaginer ce que cet horrible petit bonhomme lui voulait à présent, et ne tenait aucunement à le savoir.

La visite des garçons et son repas l'avaient considérablement ragaillardi. Aussi, lorsque Tom réapparut (ce qu'il faisait avec la régularité d'un coucou suisse pour s'assurer que Grey n'avait pas trépassé en son absence), il se laissa raser, brosser et tresser les cheveux, puis, dans un élan d'audace, il se leva en s'accrochant au bras de son valet.

— Tout doux, milord. Tout doux…

La chambre tangua légèrement et il s'immobilisa. Au bout de quelques instants, l'étourdissement passa. Il marcha lentement en boitillant, soutenu par Tom, jusqu'à s'être assuré qu'il ne tomberait pas et ne ferait pas craquer les sutures de sa cuisse. Elles tiraient un peu, mais tant qu'il restait prudent elles tiendraient bon, lui sembla-t-il.

— Parfait. Je vais pouvoir descendre.

— Non, vous ne devez pas… D'accord, milord, reprit docilement Tom en voyant le regard menaçant de Grey. Je descendrai juste devant vous, qu'en dites-vous ?

— Pour que je te tombe dessus ? C'est très noble de ta part, Tom, mais ce ne sera pas nécessaire. Si tu y tiens, tu peux marcher derrière moi pour ramasser les morceaux.

Il descendit très lentement le grand escalier, Tom marmonnant dans sa barbe derrière lui quelque chose au sujet des chevaux du roi qui ne parvenaient pas à recoller des morceaux[20]. Il croisa Nasonby dans le couloir et, après l'avoir salué cordialement, prit des nouvelles de sa cheville.

Fraser était effectivement dans la bibliothèque, assis dans une bergère près de la fenêtre, une assiette de biscuits et une carafe de xérès sur le guéridon à côté de lui, et plongé dans la lecture de *Robinson Crusoé*. Il releva les yeux en l'entendant entrer et haussa les sourcils. Peut-être était-il surpris de le voir debout, à moins que ce ne fût la vue de sa robe de chambre en soie à rayures vertes et violettes.

— Vous ne me dites pas que si la lame avait pénétré entre mes côtes je serais mort ? observa Grey en s'asseyant précautionneusement dans le fauteuil en face du sien.

— Pourquoi ? Je sais bien que ce n'est pas le cas. Vous n'étiez pas mort quand je vous ai porté jusqu'à la voiture.

— Vous m'avez porté ?

— N'est-ce pas ce que vous m'aviez demandé ? Vous dégouliniez de sang, mais il ne giclait pas. Je vous entendais respirer et votre cœur battait.

— Ah. Merci.

Bigre, n'aurait-il pas pu attendre quelques minutes avant de perdre connaissance ?

Afin de ne pas s'attarder sur ce regret inutile, il piocha un biscuit dans l'assiette et demanda :

— Avez-vous parlé à mon frère, dernièrement ?

— Oui, pas plus tard qu'il y a une heure.

Jamie hésita, puis glissa le pouce dans son livre pour garder sa page.

— Il m'a offert de l'argent. « Pour me récompenser de mon aide », a-t-il dit.

— C'est amplement mérité.

Il espérait que Hal n'avait pas été trop maladroit.

— Je lui ai dit que son argent puait le sang et que je ne voulais pas y toucher… Il m'a alors rappelé que je n'avais pas agi par intérêt

---

20. Allusion à la célèbre comptine *Humpty Dumpty*, personnage représenté sous la forme d'un œuf. « Humpty Dumpty sur un muret perché / Humpty Dumpty par terre s'est écrasé / Ni les sujets du roi ni ses chevaux / Ne purent jamais recoller les morceaux. »

financier, ce qui est vrai. Il a même affirmé qu'il m'avait contraint, ce qui l'est moins, mais je n'étais pas d'humeur à tergiverser, et qu'il souhaitait me dédommager pour les inconvénients encourus.

Il esquissa une moue ironique.

— Je lui ai répondu qu'il raisonnait comme un jésuite, ce à quoi il a rétorqué qu'étant papiste moi-même, cela ne devrait pas me déranger. Il a également indiqué que je n'étais pas obligé de garder l'argent pour moi et qu'il serait ravi de le faire parvenir à qui je voudrais. Et que, après tout, il y avait encore des gens qui dépendaient de moi.

Grey remercia le ciel en silence. Hal ne s'y était pas trop mal pris, apparemment.

— En effet, déclara-t-il. Qui souhaitez-vous aider ?

Fraser y avait déjà réfléchi.

— Il y a ma sœur et son mari. Ils ont six enfants… Puis il y a mes métayers…

Il pinça les lèvres et se reprit :

— … ceux qui étaient autrefois mes métayers.

— Combien sont-ils ?

— Une quarantaine de familles. Peut-être moins, aujourd'hui.

Grey espéra que son frère avait réussi à rassembler une somme adéquate pour nourrir tout ce monde. Ne souhaitant pas s'attarder sur ce sujet, il sonna afin de demander à un valet de lui apporter à boire. Dans sa chambre, on ne lui servirait rien de plus fort que du sirop d'orgeat et il n'aimait pas le xérès.

— Pour en revenir à mon frère… reprit-il. Vous a-t-il dit quelque chose au sujet de la cour martiale ou de l'évolution de la… euh… de l'opération militaire ?

Il voulait parler de l'arrestation des officiers de la Brigade irlandaise.

Fraser plissa le front d'un air troublé.

— Oui. La cour martiale est prévue pour vendredi prochain. Il m'a demandé de rester, au cas où mon témoignage serait nécessaire.

Grey resta interdit. Il n'avait pas pensé que Hal ferait témoigner Fraser. Légalement, tout témoignage devant la cour martiale devait être versé au dossier public du juge-avocat général. Il serait impossible de cacher le rôle de Fraser dans l'enquête sur Siverly et la révélation de la trahison de Twelvetrees. Même si aucun lien direct avec le démantèlement du complot de la Brigade irlandaise n'était établi, les sympathisants jacobites, et ils étaient encore nombreux à Londres, ne manqueraient pas de faire le rapprochement. Les Irlandais étaient une nation rancunière et Jamie Fraser serait un homme traqué.

Grey était également consterné à l'idée que Hal puisse renvoyer Fraser à Helwater aussi rapidement. En réalité, ils n'avaient aucune raison de le retenir à Londres. Il avait fait ce qu'on lui avait demandé, bon gré mal gré.

Était-ce ce que Hal avait en tête ? Au cas où Fraser serait appelé à témoigner, l'expédier au plus tôt dans sa campagne perdue pour y reprendre sa vie cachée en tant qu'Alexander MacKenzie et échapper ainsi aux représailles ?

— Quant à l'opération militaire, poursuivit Fraser, j'ai cru comprendre qu'elle se déroulait comme prévu. Naturellement, je ne suis pas dans la confidence du duc, mais j'ai entendu le colonel Quarry lui annoncer que plusieurs arrestations avaient eu lieu hier.

— Ah, fit Grey en s'efforçant de conserver un ton neutre.

Ces arrestations ne devaient pas faire plaisir à Fraser, même s'il convenait qu'elles étaient nécessaires.

— M. Quinn... euh... fait-il partie des personnes arrêtées ?

— Non. Pourquoi, ils le recherchent aussi ?

Grey but une petite gorgée du cognac qu'on lui avait apporté. Il lui brûla agréablement la gorge.

— Ils connaissent son nom, son implication, répondit-il. C'est un franc-tireur. Il connaît sans doute certains membres de la Chasse fantastique. S'il les sait en danger, vous ne pensez pas qu'il tentera de les alerter ?

— Probablement.

Fraser se leva soudain et se tourna vers la fenêtre, les mains en appui sur le rebord.

— Vous savez où il est ? demanda doucement Grey.

Fraser fit non de la tête.

— Si je le savais, je ne vous le dirais pas. Mais je l'ignore.

— Vous le préviendriez, si vous le pouviez ?

— Oui, répondit Fraser sans hésiter.

Il se tourna à nouveau vers Grey, le visage impassible.

— Il était mon ami, autrefois, ajouta-t-il.

Moi aussi, pensa Grey. *Le suis-je encore ?*

Il but une nouvelle gorgée. Rien au monde n'aurait pu le pousser à lui poser la question.

———◄o►———

35

Justice

Le procès du major Gerald Siverly (décédé) fit salle comble. Tout le monde, depuis le duc de Cumberland (qui avait tenté de se faire nommer au conseil des juges mais en avait été empêché par Hal) jusqu'au dernier des journaleux de Fleet Street, s'entassa dans le Guildhall, qui abritait la plus grande salle qu'on ait pu trouver.

Lord John Grey, pâle et claudicant, mais le regard et la voix clairs, se présenta devant le conseil, celui-ci étant composé de cinq officiers tirés au sort dans différents régiments (hormis celui de Siverly) et du juge-avocat. Il témoigna avoir reçu les documents présentés au conseil des mains du capitaine Charles Carruthers au Canada, où Carruthers avait servi sous le commandement du major Siverly et où il avait été témoin des actions décrites dans lesdits documents. Il déclara également avoir entendu en personne le témoignage de Carruthers, ce qui l'incitait d'autant plus à croire à la véracité des informations consignées par écrit.

Les cours martiales ne suivaient pas de procédure établie. Il n'y avait pas de banc des accusés, pas de serment sur la Bible, pas de règles de preuve. Tous ceux qui le souhaitaient pouvaient témoigner et poser des questions, ce dont ne se priva pas le duc de Cumberland, qui bondit avant même que Grey ne se fût assis et le toisa d'un air mauvais en approchant son visage à quelques centimètres du sien.

— N'est-il pas vrai, milord, que le major Siverly vous a sauvé la vie lors du siège de Québec ?

— En effet.

— Et vous n'avez donc aucune honte à trahir votre dette envers un frère d'armes ?

— Non, aucune, répondit Grey calmement. Le comportement du major Siverly sur le champ de bataille fut honorable et valeureux. Il en aurait fait autant pour n'importe quel autre soldat, tout comme moi. Néanmoins, dissimuler les preuves de sa corruption et de ses détournements de fonds reviendrait à trahir toute l'armée que j'ai l'honneur de servir, ainsi que tous les camarades aux côtés desquels j'ai combattu durant toutes ces années…

— Bravo ! Bien dit ! lança une voix du fond de la salle.

Grey crut reconnaître celle de Harry Quarry. Un murmure général d'approbation s'éleva et Cumberland battit en retraite, sans se départir de son regard haineux.

Les témoignages se succédèrent toute la journée. Différents officiers du régiment de Siverly prirent la parole. Certains défendirent la personnalité du défunt, d'autres, beaucoup plus nombreux, racontèrent des incidents qui confirmaient les accusations de Carruthers. Au sein d'un régiment, la loyauté entre camarades était importante ; toutefois, l'honneur du régiment comptait encore plus.

Pour Grey, la journée devint bientôt un flou de visages, de voix, d'uniformes, de chaises dures, de cris résonnant sous les énormes poutres du plafond, d'empoignades sporadiques interrompues par l'huissier d'armes… Puis il se retrouva sur le trottoir, momentanément à l'écart de la foule qui se déversait hors du Guildhall.

Hal, qui avait été l'officier le plus haut gradé du tribunal, se trouvait de l'autre côté de la rue, en train de discuter passionnément avec le juge-avocat, qui ne cessait d'opiner du chef. Il était tard dans l'après-midi et les cheminées de Londres crachaient des nuages noirs tandis qu'on allumait les feux pour la soirée. Grey inspira une grande bouffée d'air enfumé, le trouvant rafraîchissant après l'atmosphère confinée du tribunal, qui avait empesté la sueur, la nourriture piétinée, le tabac, la fureur et la peur.

Hal avait soigneusement évité toute référence à la Brigade irlandaise, à la Chasse fantastique ou au plan pour s'emparer du roi. De nombreux comploteurs n'avaient pas encore été démasqués et il était inutile d'alarmer l'opinion publique a priori. Il avait néanmoins évoqué Edward Twelvetrees et son rôle de confident et de complice de Siverly. Grey frémit rétrospectivement en revoyant le visage de Reginald Twelvetrees. Assis à l'avant de la salle, le vieux colonel s'était tenu telle une statue de pierre, le regard brûlant, fixant Hal sans sourciller tandis que les accusations tombaient, les unes après les autres, en un torrent accablant.

Il n'avait pas prononcé un mot. Que pouvait-il dire ? Il s'était éclipsé sitôt le verdict prononcé. Coupable, naturellement. De tous les chefs d'accusation.

Grey aurait dû se sentir victorieux, ou du moins vengé. Il avait tenu sa promesse à Charlie, découvert la vérité bien au-delà de ce qu'il avait imaginé et, sans doute, obtenu justice.

Si l'on peut dire, pensa-t-il en regardant plusieurs plumitifs de Fleet Street se bousculer pour interviewer Eldon Garlock, l'enseigne qui avait été le plus jeune membre de la cour et donc le premier à annoncer son verdict.

Dieu seul savait ce qu'ils écriraient. Il espérait qu'ils l'oublieraient. Il avait déjà attiré l'attention de la presse par le passé, quoique sous un jour tout à fait favorable. Ayant vu comment les journalistes traitaient ceux qu'ils avaient à la bonne, il ne pouvait que ressentir de la compassion pour ceux qui avaient le malheur de leur déplaire.

Il s'était éloigné de la foule sans destination précise, cherchant simplement à mettre de la distance entre lui et les événements de la journée. Plongé dans ses pensées (au moins, Jamie Fraser n'avait pas eu à témoigner, ce qui était une bonne chose), il ne se rendit pas compte tout de suite qu'il était accompagné. Il fut soudain troublé par une certaine arythmie, comme un mauvais écho de ses propres pas, et lança un coup d'œil par-dessus son épaule.

Il s'arrêta net. Hubert Bowles, qui le suivait à un ou deux mètres, parvint à sa hauteur et s'inclina.

— Milord, comment allez-vous ?

— Pas très bien, monsieur Bowles. Je vous prie de bien vouloir m'excuser.

Il voulut repartir, mais Bowles l'arrêta d'une main sur le bras. Offusqué par la familiarité de son geste, Grey se libéra aussitôt.

— Je vous demande juste un peu de patience, milord. J'ai quelque chose d'important à vous dire et vous devez m'entendre.

Bowles zézayait légèrement. Il était petit et sans forme, avec une tête ronde, un dos voûté, une perruque miteuse et un manteau élimé. Personne ne se serait retourné sur son passage. Même son visage était aussi terne qu'un pudding bouilli, avec deux petites groseilles noires en guise d'yeux.

À contrecœur, Grey hocha la tête.

— Entrons prendre un café, proposa-t-il en indiquant un estaminet à l'angle de la rue.

Il n'était pas question de l'emmener dans aucun des clubs dont il était membre. Il ignorait tout des antécédents de cet homme, mais sa seule présence lui donnait envie de courir se laver.

— Il serait préférable que nous continuions à marcher, répondit Bowles en lui effleurant le coude.

Joignant le geste à la parole, il l'entraîna dans Gresham Street.

— Je suis très fâché contre vous, milord, déclara-t-il sur un ton détaché.

— Vraiment? Vous m'en voyez navré.

— Vous pouvez l'être. Vous avez tué l'un de mes meilleurs agents.

— J'ai… quoi?!

Stupéfait, Grey s'arrêta en dévisageant Bowles. Celui-ci l'incita à se remettre en marche.

— Depuis quelques années, Edward Twelvetrees œuvrait à la suppression des complots jacobites, expliqua-t-il.

Son zézaiement le fit buter sur le mot « suppression » et il esquissa une mimique agacée. Grey était trop troublé par sa révélation pour y puiser une quelconque satisfaction.

— Quoi, vous voulez dire qu'il travaillait pour « vous »?!

Il ne tenta même pas de cacher son dégoût. Bowles ne sembla pas s'en offusquer.

— C'est précisément ce que je viens de dire, milord. Il avait consacré un temps et des efforts considérables pour s'insinuer dans les bonnes grâces du major Siverly, après que nous eûmes décidé de surveiller ce dernier de plus près. Son père faisait partie de ces oies sauvages qui se sont envolées de Limerick, le saviez-vous ?

— Oui.

Bowles lui lança un regard réprobateur.

— Il est toujours fâcheux que des gentlemen se piquent de mener leur propre enquête plutôt que de laisser faire les professionnels.

— Navré de vous avoir incommodé, rétorqua Grey, qui sentait la moutarde lui monter au nez. Vous êtes en train de me dire qu'Edward Twelvetrees n'était pas un traître ?

— Bien au contraire, milord. Il a servi son pays de la manière la plus noble qui soit, en travaillant dans le secret et au mépris du danger afin de vaincre ses ennemis.

Pour une fois, il y avait une note d'émotion dans sa voix monocorde. Grey jeta un coup d'œil à son compagnon importun et se rendit compte qu'il était lui aussi en colère, très en colère même.

— Mais pourquoi diable ne m'a-t-il rien dit en privé ?

— Pourquoi vous aurait-il fait confiance, milord ? Vous êtes issu d'une famille qui porte elle-même la marque de la trahison…

— Pas du tout !

— Peut-être pas dans les faits, mais dans la perception qu'on en a. Vous avez bien agi en démasquant Bernard Adams et ses acolytes, mais d'avoir lavé le nom de votre père n'efface pas la tache. Seul le temps pourra s'en charger. Le temps ainsi que les actions de votre frère et de vous-même.

— Que voulez-vous dire par là, nom de nom ?

Bowles haussa mollement une épaule et ne répondit pas directement.

— Edward Twelvetrees ne pouvait parler de ses activités à personne, et je dis bien « personne », milord, sans risquer de détruire tout ce pour quoi il avait œuvré… ce pour quoi nous avions œuvré. Certes, le major Siverly était mort, mais…

— Un instant. Si ce que vous me dites est vrai, pourquoi Twelvetrees a-t-il tué Siverly ?

— Oh, ce n'était pas lui, répondit Bowles, comme si cela n'avait aucune importance.

— Comment ? Mais qui l'a tué, alors ? Je vous assure que ce n'était pas moi !

Bowles se mit à rire, émettant un petit grincement qui le fit se voûter encore un peu plus.

— Bien sûr que non, milord. Edward m'a dit que c'était un Irlandais, un maigre aux cheveux bouclés. Il a été attiré par des éclats de voix et a entendu cet homme accuser le major d'avoir volé l'argent. Ils se sont disputés et en sont venus aux mains. Ne voulant pas révéler sa présence, Twelvetrees s'est approché discrètement de la folie puis a vu cet homme sauter par-dessus la balustrade, éclaboussé de sang, et s'enfuir. Il s'est précipité sans parvenir à le rattraper. Peu après, il vous a vu accourir et s'est caché dans le bois jusqu'à ce que vous soyez passé. Il est ensuite parti dans l'autre direction. Il n'avait encore jamais vu ce monsieur irlandais et n'a trouvé personne dans le coin qui puisse l'identifier. Compte tenu de la situation, il n'a pas osé pousser son enquête trop loin.

Il se tourna vers Grey.

— Vous ne sauriez pas qui il est, par hasard ?

— Il s'appelle Tobias Quinn, répondit sèchement Grey. Et si je devais absolument deviner ses motifs, je dirais qu'il est un fervent jacobite lui-même. Il soupçonnait Siverly de vouloir s'enfuir avec l'argent qu'il avait collecté pour les Stuarts.

— Ah, fit Bowles, apparemment satisfait. Vous voyez, milord, c'est précisément ce que je voulais dire au sujet de votre frère et de vous. Votre position vous permet d'obtenir tout un tas d'informations utiles. Le capitaine Twelvetrees m'avait effectivement rapporté que Siverly s'apprêtait à filer en Suède avec les fonds jacobites. Nous avions l'intention de le laisser faire, car cela aurait étouffé dans l'œuf les plans des Irlandais. J'ignore comment ces derniers ont appris ses projets, mais quelqu'un les en a clairement informés.

Il s'interrompit quelques instants, sortit un mouchoir propre de sa poche, un carré de soie bordé de dentelle, et se moucha délicatement.

— Sauriez-vous où se trouve actuellement ce M. Quinn, milord? Et sinon, pourriez-vous vous renseigner discrètement auprès de vos accointances irlandaises?

Grey se tourna brusquement vers lui, furieux.

— Quoi, vous me demandez d'espionner pour vous?!

— Absolument, répondit Bowles sans se démonter. Mais, pour en revenir à Edward Twelvetrees, pardonnez-moi d'insister mais c'était un homme très précieux, il ne pouvait rien dire sur ses activités, même en privé, de peur que ces dernières soient révélées au grand jour avant que notre plan ait été mené à son terme.

La compréhension commençait à se frayer un chemin à travers la brume de stupeur et de colère. Grey se sentit soudain nauséeux. Un voile de transpiration perlait sur son visage.

— Quel... plan?

— Mais... l'arrestation des officiers de la Brigade irlandaise impliqués dans la conspiration, pardi! Vous êtes au courant, je suppose?

— Oui. Et vous, comment le savez-vous?

— Edward Twelvetrees. Il m'a exposé les grandes lignes de leur projet, mais n'a pas eu le temps de me fournir une liste exhaustive des conspirateurs. Ils se font appeler «la Chasse fantastique». Très poétique, mais on n'en attendrait pas moins de la part d'Irlandais. La mort prématurée d'Edward...

Une pointe d'ironie amère perça dans sa voix.

— ... nous a empêchés de connaître les noms de tous les coupables. Votre frère est parvenu à en arrêter quelques-uns, mais cela n'a fait que sonner l'alerte. D'autres ont quitté le pays pour aller semer le trouble ailleurs, ou se terrent.

Grey ouvrit la bouche, mais ne trouva rien à dire. La plaie sur son torse le lançait à chaque battement de cœur, mais ce n'était rien à côté du souvenir du visage de Reginald Twelvetrees, taillé dans le granit, assistant à la destruction de la réputation de son frère.

— J'ai pensé que vous deviez le savoir, ajouta Bowles presque gentiment. Bonne soirée, milord.

Grey avait vu un jour le cuisinier de Minnie creuser la chair d'un melon en petites boules à l'aide d'une cuillère dentée. Chacune des paroles de Bowles avait été comme un plongeon de cette cuillère dans ses entrailles et son cœur, le laissant évidé.

Il ne se souvenait pas d'être rentré à Argus House. Soudain, il se retrouva devant la porte. Nasonby lui ouvrit et lui dit quelque chose. Grey passa devant lui sans répondre et se rendit droit dans la bibliothèque.

Dieu merci, Hal n'est pas à la maison. Je vais devoir lui dire, mais pas maintenant !

Il ressortit par la porte-fenêtre et traversa le jardin. Il avait besoin d'un refuge, même s'il savait déjà qu'il ne trouverait pas la paix.

Il se glissa derrière l'abri de jardin et s'assit sur le seau retourné. Il posa les coudes sur ses genoux et se prit la tête dans les mains.

Il entendait le tic-tac de sa montre dans son gilet. Chaque seconde semblait durer une éternité et elles s'égrenaient à l'infini. Comme le temps lui paraîtrait long avant qu'il ne repose enfin dans sa tombe ! Car seule sa mort ferait taire l'écho des paroles de Bowles dans son esprit vide.

Il ignorait depuis combien de temps il se tenait assis là, écoutant son cœur battre comme un reproche. Il n'ouvrit même pas les yeux en entendant des pas approcher. Puis une ombre fraîche s'étira sur la peau brûlante de son visage.

Il y eut un bref soupir, puis des mains lui empoignèrent les épaules et le hissèrent debout.

— Venez avec moi, dit doucement Fraser. Marchons. Ce sera plus facile pour vous de me raconter ce qui s'est passé.

Il allait protester mais n'en eut pas la force. Fraser lui prit le bras et l'entraîna vers la porte au fond du jardin. Elle donnait sur une petite allée, juste assez large pour laisser passer les carrioles et les charrettes des fournisseurs. Il était tard et elle était plongée dans la pénombre. Il n'y avait là que quelques servantes qui s'attardaient devant les portes de service des hôtels particuliers, commérant ou attendant que leurs galants viennent les chercher. Elles lancèrent des regards curieux vers les deux hommes puis poursuivirent leurs conversations à voix basse. Il aurait tellement aimé être l'une d'elles, pour avoir encore le droit de se fondre dans une vie ordinaire.

Le nœud dans sa gorge était dur et rond comme une noix. Aucun mot ne pourrait jamais le franchir. Fraser le tenait toujours fermement, lui faisant traverser la rue et l'entraînant dans Hyde Park.

Il faisait presque nuit. On ne voyait que les petits feux de camp allumés par les bohémiens et les vagabonds qui dormaient dans le parc. Dans le coin où les polémistes, les propagandistes en campagne et tous les hommes pourvus d'opinions bien arrêtées venaient haranguer les foules, un plus grand feu était en train de mourir faute d'entretien, dégageant une odeur de papier brûlé. Une effigie était pendue à la branche d'un arbre voisin, à moitié calcinée. La pancarte carrée punaisée sur son torse était illisible dans l'obscurité.

Ils avaient déjà parcouru la moitié du parc quand il trouva enfin la force de parler. Fraser avait lâché son bras et marchait patiemment à ses côtés. Les mots sortirent d'abord péniblement, désarticulés et réticents, puis dans un flot continu. Il était surpris d'avoir pu tout dire si rapidement.

Fraser émit un petit bruit, une sorte de grognement comme s'il avait reçu un coup de poing dans le ventre, mais il se tut jusqu'à ce que Grey eût terminé.

— *Kyrie eleison*, murmura-t-il alors. Seigneur, prends pitié de nous.

— Je vous envie, dit Grey sans la moindre rancœur. Cela doit vous soulager de penser qu'il existe un sens ultime à toutes choses.

— Parce que vous ne le croyez pas ? demanda Fraser, intrigué. Vous pouvez l'appeler le sens ultime, ou l'effet final, ou Dieu, ou simplement le bon sens. Je vous ai entendu parler avec admiration de la logique et de la raison.

— Quelle est la logique, dans tout ça ? s'écria Grey en levant les bras.

— Vous le savez aussi bien que moi. C'est la logique du devoir, tel que chacun d'entre nous, vous, moi ou Edward Twelvetrees, le conçoit.

— Je...

Il s'interrompit, incapable de formuler ses pensées d'une manière cohérente. Elles étaient trop nombreuses.

— Je sais, nous sommes responsables de la mort de cet homme, tous les deux, reprit Fraser. Je comprends ce que vous voulez dire, et je sais ce que vous ressentez.

Il s'arrêta de marcher et se tourna vers lui, le dévisageant attentivement. Ils se tenaient devant la maison du comte de Prestwick. Les lanternes avaient été allumées et les illuminaient à travers la grille, les couvrant de rayures.

— Je l'ai accusé de trahison en public afin de l'empêcher de commettre des actions qui auraient nui à mes gens. Il m'a défié en duel, afin d'écarter les soupçons et de pouvoir continuer à mener ses actions secrètes. Puis vous l'avez défié à votre tour, ostensiblement, pour laver votre honneur et réfuter ses accusations de sodomie.

— « Ostensiblement »... répéta Grey. Et comment auriez-vous souhaité que je le défie ?

Les yeux de Fraser sondèrent son visage. Grey ressentit une étrange sensation. Il s'efforça de masquer son trouble sans être sûr d'y parvenir.

— D'après madame la duchesse, vous l'avez fait par amitié pour moi, répondit enfin Fraser. Et j'ai tendance à penser qu'elle a raison.

— Madame la duchesse ferait mieux de se mêler de ce qui la regarde, grogna Grey en se remettant à marcher.

Fraser le rattrapa en quelques pas, le bruit de ses talons étouffé sur le sentier sablonneux. Des petites silhouettes fusaient ici et là, apparaissant brièvement dans les taches de lumière projetées par les lanternes. Principalement des enfants, ramassant les piles de crottin sur l'allée cavalière.

Grey avait remarqué la distinction subtile : « par amitié pour moi », au lieu du plus simple mais nettement plus délicat « pour moi ». Il ignorait si cette distinction était le fait de Minnie ou de Fraser. Cela n'avait sans doute pas d'importance. Les deux cas étaient vrais. Si Fraser préférait la distance du premier, grand bien lui fasse.

— Nous sommes tous les deux coupables de sa mort, répéta Fraser. Mais il l'est tout autant.

— Comment ça ? Il ne pouvait laisser passer votre accusation sans réagir. Et il ne pouvait pas non plus vous dire la vérité, même sous le sceau du secret.

— Si, il aurait pu, corrigea Fraser. Mais il a estimé qu'il était de son devoir de ne pas le faire.

— Bien sûr que c'était son devoir, dit Grey, qui ne pouvait le concevoir autrement.

Fraser détourna la tête et Grey crut détecter un semblant de sourire sur son visage.

— Vous êtes décidément anglais, déclara-t-il. Tout comme lui. S'il n'avait pas tenté de vous tuer à la fin du…

— Il n'avait pas le choix, le coupa Grey. Son unique autre option était de me demander de capituler, et il savait pertinemment que j'aurais refusé.

Fraser inclina la tête dans sa direction.

— Ne vous ai-je pas dit que c'était logique ?

— Si, mais…

Il n'acheva pas sa phrase. Emporté par la puissance de ses remords, il n'avait pas réfléchi au fait que Fraser avait sa part de responsabilité dans la mort de Twelvetrees et qu'il partageait donc son repentir.

— « Si, mais »… répéta doucement Fraser. J'en aurais fait autant. Vous avez déjà tué des hommes, dont certains étaient probablement plus valeureux que Twelvetrees.

— Certes, mais ils étaient des ennemis. Je faisais mon devoir.

Les choses se seraient-elles déroulées autrement s'il n'y avait pas eu l'histoire d'Esmé et de Nathaniel ? Oui, probablement.

— Vous considériez aussi Twelvetrees comme un ennemi, non ? Le fait qu'il ait joué un double jeu n'est en rien de votre faute.

— Votre argument est très alambiqué…

— Ce qui ne veut pas dire qu'il soit faux.

— Vous voulez me convaincre de ma propre innocence ? demanda Grey, agacé. Me persuader que j'ai tort d'être horrifié et contrit ?

— Oui, il est impossible de tenir un discours rationnel quand on est en proie à de puissantes émotions.

— Quoi, vous estimez que tout discours passionné est illogique ?! Que pensez-vous alors de la déclaration d'Arbroath[21] ?

— Un discours peut être conçu avec passion, admit Fraser, mais il est généralement prononcé de sang-froid. La déclaration a été rédigée, ou du moins signée, par de nombreux hommes. Ils ne peuvent pas avoir tous été en proie à la passion au moment des faits.

Grey émit un petit rire.

— Vous essayez de me détourner du sujet principal…

— Non, je m'efforce de vous convaincre qu'un homme a beau tenter de faire ce qui lui semble juste, l'issue n'est pas forcément ce qu'il avait escompté ou désiré. Cela peut engendrer des regrets, parfois de profonds regrets, mais ne devrait pas susciter en lui un sentiment de culpabilité éternel. C'est pour cela que nous devons implorer la grâce de Dieu et espérer la recevoir.

— Vous parlez d'expérience…

Grey n'avait pas voulu le provoquer, mais Fraser expira bruyamment par son long nez écossais.

— En effet, répondit-il après une longue pause. Lorsque j'étais laird de Lallybroch, une métayère est venue me demander mon aide. C'était une vieille femme, inquiète pour son petit-fils. Son père le battait et elle craignait qu'il ne finisse par le tuer. J'ai accepté de le prendre chez moi comme garçon d'écurie. Quand j'en ai parlé au père en question, il n'a rien voulu entendre et m'a accusé de vouloir lui voler son fils. J'étais jeune et sot. Je l'ai frappé. À dire vrai, je lui ai flanqué une belle rossée, jusqu'à ce qu'il cède. J'ai emmené le garçon avec moi. Il s'appelait Rabbie. Rabbie MacNab.

---

21. Déclaration d'indépendance écossaise, rédigée sous le règne de Robert Ier, le 6 avril 1320.

Grey sursauta, mais ne dit rien.

— Inconsolable et furieux, Ronald MacNab, le père, m'a dénoncé à la Garde anglaise. J'ai été arrêté et emprisonné. J'ai pu m'évader…

Il hésita, se demandant s'il pouvait en dire plus, puis reprit :

— Plus tard, quand je suis rentré à Lallybroch, au début du Soulèvement, j'ai appris que sa ferme avait été incendiée, et lui avec.

— Je suppose que ce n'était pas un accident ?

— Non. Les autres métayers avaient appris qu'il m'avait trahi et l'avaient tué. Ils avaient fait ce qui leur semblait juste, leur devoir envers moi. Tout comme j'avais fait ce que je considérais être mon devoir de laird. Au bout du compte, cela a débouché sur la mort. Ce n'était pas du tout ce que j'avais prévu.

Ils marchaient lentement sous la grande rangée d'ormes à l'est du parc. Leurs pas ne faisaient pratiquement aucun bruit.

— Je vois où vous voulez en venir, déclara enfin Grey. Qu'est-il advenu du garçon ? Rabbie ?

— Il a vécu chez nous avec sa mère durant le Soulèvement. Ensuite… ma sœur m'a dit qu'il avait décidé de partir vers le sud pour chercher du travail. Il n'y avait plus rien pour un jeune homme dans les Highlands, hormis l'armée, et il refusait de s'enrôler.

Grey osa poser une main sur le bras de Fraser, très doucement.

— Vous avez dit qu'on ne pouvait jamais prévoir les conséquences de nos actes. Dans ce cas précis, je peux vous dire comment le vôtre a abouti.

Fraser se tourna brusquement, soit par surprise, soit en raison du contact de Grey, mais il ne retira pas son bras.

— Je sais ce qui est arrivé à Rabbie MacNab. Il est, ou était la dernière fois que je l'ai vu, porteur de chaise à Londres, et il envisageait de se marier.

Il se garda de dire que sa promise était une connaissance, Nessie, ne sachant pas si la position des catholiques écossais sur la question de la prostitution était aussi rigide que celle des presbytériens écossais, ces derniers ayant des opinions plutôt sévères et restrictives sur les plaisirs de la chair.

La main de Fraser se referma sur son avant-bras, faisant sur-sauter Grey.

— Vous savez où il est ? demanda-t-il d'un ton excité. Vous pouvez me dire où le trouver ?

Grey fouilla rapidement dans sa mémoire confuse, essayant de se remémorer les paroles d'Agnès : « Ma nouvelle adresse… au fond de Brydges Street… Mme Donoghue… »

— Oui, je peux le retrouver. J'en suis même sûr.

— Je… Merci, milord.

Grey se sentait mieux mais soudain très las.

— Ne m'appelez plus comme ça. Si nous partageons le poids de la culpabilité et du remords pour ce que nous avons fait à cette ordure de Twelvetrees, vous pourriez au moins m'appeler par mon prénom, non ?

Fraser avança en silence, réfléchissant.

— Je le pourrais, oui, mais ensuite, quand je serai de retour à… dans ma campagne, cela ne conviendra plus. Je risquerais de m'habituer à cette familiarité entre nous, et il me serait ensuite pénible de revenir en arrière.

— Vous n'avez pas besoin d'y retourner.

Grey n'avait pas le pouvoir de commuer la peine de Fraser. Il n'aurait jamais dû suggérer une telle chose sans l'assentiment de Hal, mais il pensait néanmoins que c'était possible.

L'Écossais fut pris de court. Il s'écarta légèrement, sans cesser de marcher à ses côtés. Quand il reprit la parole, sa voix était étrange :

— Je… je vous suis très reconnaissant. Je… même si cela était possible… je… je ne souhaite pas quitter Helwater.

Se méprenant sur le sens de sa réponse, Grey voulut le rassurer :

— Je ne voulais pas dire par là que vous retournerez en prison, ni même que vous serez en liberté conditionnelle à Londres. Compte tenu du grand service que vous avez rendu au gouver-nement, il sera sans doute possible de vous faire gracier. Vous pourriez être… libre.

— J'ai bien compris, milord. Et je vous suis sincèrement recon-naissant mais, c'est que… j'ai quelqu'un à Helwater. Quelqu'un auprès de qui je souhaite retourner.

— Qui ? demanda Grey, stupéfait.

— Elle s'appelle Betty Mitchell. C'est l'une des femmes de chambre.

— Vraiment ?

En se rendant compte qu'il se montrait impoli, il se hâta d'ajouter :

— Je… je vous félicite.

— C'est encore un peu tôt, milord. Je ne lui ai pas encore fait ma demande officiellement. Cependant, nous avons… comment dire… une sorte d'accord.

Grey avait l'impression qu'il venait de marcher sur un râteau dont le manche lui était revenu en plein nez. Il ne se serait jamais attendu à ça, non seulement en raison des différences sociales qu'il pouvait y avoir entre une femme de chambre et un laird même destitué (quoiqu'il se souvînt soudain de Hal et de Minnie, ainsi que d'un certain tapis aux franges roussies), mais surtout parce qu'il avait toujours pensé que Fraser était encore très attaché à son épouse défunte.

Il se souvenait vaguement d'avoir vu la femme de chambre en question lors de ses visites à Helwater. Elle était très jolie, certes, mais… ordinaire. Rien à voir avec la première épouse de Fraser, qui elle, n'avait rien eu d'ordinaire.

« Bon sang, *Sassenach*. J'ai besoin de toi. »

Il était choqué et fit de son mieux pour le cacher. D'un autre côté, la femme de Fraser était morte depuis longtemps et il n'était qu'un homme. Et un homme d'honneur, de surcroît.

« *Il vaut mieux se marier que de brûler* », disait-on. *Qu'en saurais-je ?*

— Je vous souhaite d'être heureux, dit-il sur un ton formel.

Ils étaient parvenus devant l'Alexandra Gate. L'air était doux, rempli d'odeurs de sève, de fumée et des effluves lointains de la ville. Il se rendit compte qu'il avait très faim et aussi, avec un mélange de honte et de résignation, qu'il était heureux d'être en vie.

Ils étaient très en retard pour le dîner.

— Vous feriez mieux de vous faire porter un plateau, conseilla-t-il tandis qu'ils gravissaient le perron en marbre. Je dois rapporter à Hal les paroles de Bowles et il est inutile que vous y soyez mêlé davantage.

Fraser l'examina d'un air grave à la lueur de la lanterne accrochée au-dessus de la porte.

— Vous allez parler à Reginald Twelvetrees, n'est-ce pas ?

— Oh oui.

Il avait repoussé cette obligation au fond de son esprit durant leur conversation, mais elle ne l'avait pas quitté. Elle se balançait au-dessus de sa tête, telle une épée de Damoclès.

— Demain.

— Je viendrai avec vous, déclara Fraser d'une voix calme mais ferme.

Grey poussa un profond soupir et s'efforça de sourire.

— Non. Je vous remercie... monsieur Fraser. Mon frère m'accompagnera.

36

Teind

Les frères Grey se présentèrent au domicile de Reginald Twelve-trees le lendemain matin. Ils en ressortirent sombres et silencieux et rentrèrent droit à Argus House. Grey fila vers la serre, et Hal vers son bureau. Ils ne voulaient parler à personne.

Jamie avait de la compassion pour eux, ainsi que pour les Twelvetrees. Il s'assit dans son fauteuil favori de la bibliothèque et, sortant son rosaire, récita plusieurs dizaines en priant pour que toutes les âmes concernées trouvent la paix. Il y avait de ces situations face auxquelles les hommes restaient impuissants. Ils n'avaient alors d'autre solution que de s'en remettre à Dieu.

Au bout d'un moment, il perdit le compte, distrait par l'image des frères Grey partant ensemble pour affronter ce qui devait l'être. Il pensait également à Reginald Twelvetrees, pleurant seul la mort de ses deux frères.

Il avait perdu son propre frère très jeune : il avait six ans quand Willie, de cinq ans son aîné, avait été emporté par la variole. Il pensait rarement à lui, mais la douleur de son absence était toujours là, parmi les autres cicatrices laissées dans son cœur par tous ceux qui étaient partis. Il enviait les Grey de pouvoir se reposer l'un sur l'autre.

Penser à Willie lui rappela un autre William, et sa peine s'apaisa légèrement. Parfois, quand la vie vous prenait un être cher, elle vous en donnait un autre. Après la mort de Willie, Ian Murray était devenu son frère de sang. Un jour, il le retrouverait ; en attendant, de le savoir dans ce monde, veillant sur Lallybroch, était un vrai réconfort. Quant à son fils…

Quand tout ceci serait fini, et il priait Dieu qu'il n'y en ait plus pour longtemps, il reverrait William. Il serait à ses côtés. Et peut-être…

— Monsieur ?

Il ne comprit pas tout de suite que le majordome s'adressait à lui. Nasonby répéta « Monsieur » avec plus d'insistance et, quand il releva la tête, il le vit, debout devant lui, lui présentant un plateau en argent. Dessus était posé un petit morceau de papier grossier, plié et scellé avec quelques gouttes de cire de chandelle sur lesquelles on avait pressé un pouce.

Il le prit et remercia le majordome, puis monta lire la lettre dans sa chambre. En l'ouvrant, il trouva un message rédigé d'une écriture élégante qui contrastait avec le papier de mauvaise qualité. Il était en irlandais mais suffisamment simple pour qu'il le comprenne.

Shéamais Mac Bhrian,
Pour l'amour de Dieu, de Marie et de saint Patrick, viens tout de suite.

Tobias Mac Gréagair, des Quinn de Portkerry

En bas de la feuille, on avait dessiné une ligne droite au-dessus de laquelle étaient perchées plusieurs cases. L'une d'elles était rayée d'une croix. Dessous était écrit : *Civet Cat Alley.*

Jamie sentit un frisson glacé lui parcourir l'échine. Ce n'était pas le style histrionique habituel de Quinn, ni une manigance comme son précédent billet dénonçant Twelvetrees comme l'assassin de Siverly. La simplicité du message et le fait qu'il l'ait signé de son nom entier trahissaient un sentiment d'urgence.

En dévalant l'escalier, il croisa lord John qui montait vers sa chambre.

— Où se trouve Civet Cat Alley ? demanda-t-il.

Grey cligna des yeux et aperçut le billet dans sa main.

— Dans le Rookery, le quartier irlandais. J'y suis déjà allé. Vous voulez que je vous y conduise ?

— Je…

Jamie fut sur le point de répondre qu'il préférait y aller seul, mais il ne connaissait pas Londres. S'il devait s'y rendre à pied en demandant son chemin ici et là, cela lui prendrait des heures. Or, son intuition lui disait qu'il n'y avait pas une minute à perdre.

Son ventre était noué par l'angoisse. Quinn était-il sur le point d'être arrêté ? Dans ce cas, il ne pouvait pas emmener Grey. À moins que, apprenant qu'ils avaient été trahis, les conspirateurs jacobites n'aient décidé que Quinn était le coupable. Seigneur, si tel était le cas…

Quelque chose dans la caverne sombre de son cœur émettait un écho métallique, une note lugubre aussi inexorable que le tic-tac de la montre de gousset de Grey, comptant à rebours les derniers instants de la vie de Quinn.

— Oui, acquiesça-t-il. Tout de suite.

Naturellement, il avait compris dès l'instant où il avait lu le message. Néanmoins, il pressa le cocher et, une fois dans Civet Cat Alley, courut jusqu'à la maison, le cœur battant et le souffle court. Il fit irruption dans la première pièce et, tombant sur une jeune souillon portant un bébé, lui agrippa le bras en lui demandant où logeait Tobias Quinn.

— Là-haut, répondit-elle. Quatrième étage au fond du couloir. Qu'est-ce que vous lui voulez ?

Il ne répondit pas. Il grimpait déjà l'escalier quatre à quatre, laissant Grey se dépatouiller avec l'attroupement d'Irlandais intrigués et à demi hostiles qui avaient suivi leur voiture dans les rues.

La porte n'était pas fermée. La chambre était bien ordonnée et paisible.

Quinn était étendu sur le lit, tout habillé. Sa veste en soie était pliée à ses pieds, du côté des carreaux. Il avait méticuleusement retroussé sa manche et s'était tranché les veines du poignet. Celui-ci pendait au-dessus de la *Cupán* posée sur le plancher. En débordant, le sang s'était répandu presque jusqu'à la porte, formant comme un tapis royal. Sur le mur au-dessus de son misérable lit de camp, aussi soigneusement qu'un homme pouvait le faire en trempant le doigt dans son propre sang, il avait écrit *TEIND*. La dîme des enfers.

Jamie resta immobile, haletant.

— Que son âme repose en paix, dit doucement Grey derrière lui. C'est la fameuse coupe ?

Jamie hocha la tête. Le chagrin et le sentiment de culpabilité qui l'étranglaient l'empêchaient de parler. Grey s'approcha, puis secoua la tête et soupira.

— Je vais chercher Tom Byrd, annonça-t-il.

Puis il laissa Jamie seul avec le mort.

37

Le seul témoin

Inchcleraun

Quinn ne pouvait reposer en terre consacrée, naturellement, mais le père Michael lui avait proposé l'aide des frères pour l'ensevelir. Bien que reconnaissant, Jamie avait décliné son offre. Le cercueil en bois installé sur le traîneau que les moines utilisaient pour transporter les mottes de tourbe, il se mit en route, une corde autour de l'épaule, traînant sa charge qui tantôt cahotait tantôt flottait derrière lui.

Lorsqu'il atteignit le monticule au milieu de la tourbière, il prit la pelle que frère Ambrose lui avait prêtée et se mit à creuser.

Le seul témoin, le seul deuilleur. Il avait déclaré aux frères Grey qu'il irait seul en Irlande pour enterrer Quinn. Ils s'étaient regardés, pensant visiblement la même chose, et n'avaient soulevé aucune objection, posé aucune condition. Ils savaient qu'il reviendrait.

D'autres avaient vu le corps, mais il était le seul vrai témoin de la mort de Quinn. Il pouvait la comprendre mieux que personne et savait ce que signifiait d'avoir perdu le sens de sa vie. Si Dieu ne l'avait pas attaché à la terre avec des liens de sang et de chair, il aurait lui-même pu choisir la même fin.

Le sol était dur et caillouteux, mais uniquement en surface. Dessous se trouvait une terre riche de limon lacustre et de sphaigne décomposée. La tombe s'ouvrit facilement, s'approfondissant au rythme de ses pelletées.

Teind. Lequel d'entre eux était censé représenter la dîme versée aux enfers ? Quinn ou lui ? Quinn s'était sans doute désigné lui-même, s'attendant à aller en enfer en tant que suicidé. Pourtant, un doute le rongeait : pourquoi avoir écrit le mot avec son sang ? Était-ce une confession ou une accusation ? S'il savait ce que Jamie avait fait, il aurait dû écrire *Fealltór*. Traître. Toutefois, il était irlandais et donc d'un tempérament poétique. Le mot *Teind* était bien plus chargé de connotations symboliques.

Il faisait chaud et, au bout d'un moment, il ôta sa culotte, puis sa chemise, travaillant nu, ne portant que ses sandales et un mouchoir noué sur le crâne pour empêcher la sueur de lui couler dans les yeux. Il n'y avait personne pour voir ses cicatrices, hormis Quinn, et cela ne le dérangerait pas.

Il était tard quand il eut fini de creuser une tombe convenable. Elle était assez profonde pour que l'eau commence à suinter dans le fond et pour qu'aucun renard ne puisse gratter la terre jusqu'au cercueil. Ce dernier pourrirait-il en même temps que le corps ? À moins que l'eau brune de la tourbière ne préserve Quinn comme l'inconnu à l'anneau d'or tué trois fois ?

Il lança un regard vers l'autre tombe, un peu plus haut sur le monticule. Au moins, Quinn ne serait pas seul.

Il avait apporté la coupe. Elle était enveloppée dans sa cape, attendant d'être restituée. À qui ? Après avoir demandé s'il s'agissait bien de la *Cupán Druid riogh*, Grey n'en avait plus parlé. L'abbé ne la lui avait pas demandée non plus. Jamie se rendit soudain compte qu'elle lui avait été confiée afin qu'il en fasse ce que bon lui semblait. Or, il voulait plus que tout s'en débarrasser.

— « Mon père, que cette coupe s'éloigne de moi ! » marmonna-t-il en traînant le cercueil jusqu'au bord de la fosse.

Il le poussa de toutes ses forces et le cercueil tomba au fond de la tombe avec un craquement sonore. Il se redressa, les muscles encore tremblants de son effort, et essuya son front du dos de la main. Il vérifia que le couvercle ne s'était pas ouvert, que le cercueil n'était pas tombé de biais et que le bois ne s'était pas fendu. Puis il reprit sa pelle.

Le soleil s'approchait de la ligne d'horizon. Il travaillait vite, soucieux de ne pas se retrouver coincé sur le monticule par la nuit. L'air s'était rafraîchi et les moucherons étaient de sortie. Il s'interrompit un instant pour enfiler sa chemise. La lumière rasante faisait miroiter la surface de l'eau, projetant des éclats dorés et noirs. Il se remit à combler la tombe, puis entendit un bruit qui le fit se retourner.

Ce n'était pas un oiseau, ni la cloche du monastère. C'était un son qu'il n'avait encore jamais entendu et qui, pourtant, lui parut familier. Un profond silence s'était abattu sur la tourbière, même le bourdonnement des moucherons avait cessé. Il tendit l'oreille, mais le bruit ne se répéta pas. Il reprit ses pelletées, s'interrompant de temps à autre pour écouter… sans savoir ce qu'il guettait.

Cela recommença alors qu'il avait presque terminé. Le crépuscule commençait à s'étendre sur la terre. La tombe était comblée et il avait laissé un trou à son sommet afin d'y enfouir la *Cupán*. Quinn pourrait emporter ce foutu bibelot en enfer avec lui, si cela lui chantait. Au moment où il saisissait sa cape pour déballer la coupe, le bruit se produisit à nouveau, clairement cette fois. Un cor.

Des cors. Ils émettaient un son cuivré, comme il n'en avait encore jamais entendu. Tous les poils de son corps se hérissèrent.

Ils arrivent.

Il ne se demanda même pas qui et passa rapidement sa culotte et sa veste. Il ne lui vint pas à l'esprit de s'enfuir et, l'espace d'un instant, il se demanda pourquoi car l'air autour de lui vibrait d'étrangeté.

Parce qu'ils ne viennent pas pour toi, dit une voix calme en lui. Ne bouge pas.

Il pouvait les voir, à présent. Des silhouettes se détachaient au loin, prenant forme à mesure qu'elles approchaient comme si elles se matérialisaient à partir du néant. Ce qui, pensa-t-il, était précisément ce qu'elles venaient de faire.

Il n'y avait pas de brume au-dessus de la tourbière. Le groupe qui venait vers lui, semblant composé d'hommes et de femmes, avait surgi de nulle part car il n'avait nulle part d'où surgir. Il n'y avait rien derrière lui qu'une étendue de marécage s'étirant jusqu'au lac, plus loin.

Les cors retentirent à nouveau, émettant des notes monotones et discordantes (l'aurait-il su, si elles avaient été mélodieuses ?).

Il distinguait leurs instruments à présent, des tubes incurvés qui reflétaient les derniers feux du jour, brillants comme de l'or. Il comprit soudain ce que lui rappelait ce son : le cacardement des oies sauvages.

Ils étaient désormais si près qu'il devinait leurs traits et les détails de leurs vêtements. La plupart portaient des tenues simples en grosse toile et homespun, sauf une femme, toute vêtue de blanc.

Comment se fait-il que sa jupe ne soit pas éclaboussée de boue ? se demanda-t-il. Puis il se rendit compte avec effroi que ses pieds ne touchaient pas le sol, tout comme ceux des autres. Elle brandissait un couteau à la longue et courbe lame et au pommeau étincelant.

Il faut que je me souvienne de dire au père Michael que ce n'était pas une épée...

Il remarqua une autre silhouette qui se détachait de la foule, car c'était bien une foule. Ils étaient une bonne trentaine. Derrière la femme venait un homme, grand, portant une culotte s'arrêtant aux genoux, torse nu, les épaules drapées d'un manteau tissé dans une étoffe à carreaux. Il avait une corde autour du cou. Jamie retint son souffle, ayant la sensation que le nœud se resserrait autour de sa propre gorge.

Quels étaient les noms qu'avait prononcés le père Michael ?

— Esus, dit-il à voix haute, sans même s'en rendre compte. Teutatès et Taranis.

Comme s'il les avait appelés, un homme tourna la tête vers lui, puis un autre, puis enfin la femme.

Il se signa et invoqua la Sainte Trinité d'une voix sonore. Les dieux anciens se détournèrent. Il remarqua que l'un d'eux portait une masse d'armes.

Il s'était toujours interrogé sur la femme de Lot, se demandant comment elle avait pu se transformer en statue de sel. Il le comprenait, à présent. Il contemplait, pétrifié, le groupe, le vit s'arrêter tandis que les cors résonnaient une troisième fois. Ils flottaient quelques centimètres au-dessus de la surface de la tourbière et formèrent un cercle autour de l'homme le plus grand. Il dépassait tous les autres d'une tête. Le soleil illuminait ses cheveux tel un halo flamboyant. La femme en blanc s'approcha en levant sa lame ; l'homme portant la masse vint se placer cérémonieusement derrière lui ; le troisième saisit l'extrémité de la corde enroulée autour de son cou…

— Non ! hurla Jamie, sortant soudain de sa transe.

Il prit son élan et lança la coupe de toutes ses forces au milieu de la foule surnaturelle. Elle s'écrasa dans le marécage avec une grande éclaboussure et ils disparurent.

Il cligna des yeux, puis mit sa main en visière pour se protéger du soleil couchant. Plus rien ne bougeait à la surface de la tourbière. Pas un seul oiseau ne chantait. Avec toute l'énergie d'un possédé, il reprit sa pelle, combla frénétiquement la fosse, aplatit la terre puis, sa cape roulée en boule sous un bras, courut, pataugeant dans l'eau jusqu'à ce qu'il rejoigne le chemin en planches à demi submergé.

Derrière lui, il crut entendre à nouveau l'appel des oies sauvages et, malgré lui, il se retourna.

Ils avaient réapparu et s'éloignaient, lui tournant le dos et se dirigeant vers le soleil couchant. Il ne voyait plus l'éclat des cors, mais crut apercevoir un manteau à carreaux dans la foule. C'était peut-être celui du grand homme. Sans doute était-ce un effet de la lumière du crépuscule qui baignait l'étoffe d'une lueur rosée.

———◄○►———

CINQUIÈME PARTIE

FILIATION

38

Résurgences

Ils ne parlèrent pas beaucoup, sur la route qui les menait à Helwater. Tom Byrd les accompagnait, naturellement, mais, au-delà de quelques observations pratiques, il n'y avait pas grand-chose à dire.

C'était le début de l'automne et le temps était exécrable. Des pluies diluviennes avaient transformé les chemins en bourbiers. Le vent arrachait les feuilles des arbres si bien que, outre le fait d'être trempés et couverts de boue, ils se retrouvaient pailletés de taches rouges et dorées. Chaque soir, ils s'arrêtaient dans une auberge, transis et les lèvres bleuies, n'aspirant qu'à un peu de chaleur et à un plat chaud.

Ils partageaient la chambre, jamais un lit. Lorsqu'il n'y en avait qu'un, Jamie dormait sur le sol avec Tom, enveloppé dans sa cape. John aurait aimé pouvoir rester allongé dans le noir et les écouter respirer, mais la fatigue l'emportait généralement dès que sa tête touchait l'oreiller.

Il avait presque l'impression de conduire Fraser à son exécution. Certes, ce dernier continuerait de vivre, heureux, espérait-il, mais leur arrivée à Helwater sonnerait le glas de la relation qui s'était développée entre eux. Ils ne pourraient plus se comporter d'égal à égal.

Ils se verraient de temps à autre, comme auparavant, mais leurs rapports reprendraient le ton formel de ceux d'un geôlier et de son prisonnier.

Tu me manqueras, pensa-t-il en regardant la nuque de Fraser.

L'Écossais négociait une pente raide devant lui, penché en avant sur sa selle, sa tresse rouge se balançant tandis que sa monture glissait dans la boue. John se demanda avec une pointe de mélancolie si Jamie regretterait lui aussi leurs conversations. Il valait mieux ne pas se poser la question.

Il fit claquer sa langue et son cheval entama l'ultime descente vers Helwater.

L'allée était longue et sinueuse. Après le dernier tournant, il aperçut plusieurs silhouettes emmitouflées prenant l'air sur la pelouse devant le manoir. Il n'y avait que des femmes : lady Dunsany, lady Isobel et deux servantes, Peggy la nourrice, portant William dans ses bras… et Betty Mitchell.

À ses côtés, Fraser se raidit et se haussa légèrement sur sa selle. Le cœur de Grey se serra en sentant l'excitation soudaine de l'Écossais.

C'est son choix, se rappela-t-il.

Il suivit son prisonnier de retour dans sa prison.

Hanks était mort.

— Il est parti plus tôt que prévu, le couillon, observa Crusoe sans émotion particulière. Il est tombé de l'échelle un matin et s'est brisé le cou. On l'a trouvé mort.

Il lança un regard de biais à Jamie, ne sachant pas trop quoi penser de sa réapparition. D'un côté, il ne pouvait pas effectuer tout le travail tout seul, ni même la moitié, et Jamie n'avait pas besoin d'être formé. De l'autre, Jamie risquait de prendre la place de chef palefrenier dévolue jusque-là à Hanks, et Crusoe n'était pas sûr de le supporter.

— Que son âme repose en paix, dit Jamie en se signant.

Il laissa en suspens la question de savoir qui reprendrait la charge de Hanks. Si Crusoe voulait assumer toutes les responsabilités, qu'il les prenne. Sinon, il serait toujours temps d'y réfléchir.

— Je m'occuperai donc de sortir Eugénie et les autres, d'accord ? déclara-t-il comme si de rien n'était.

Crusoe acquiesça, légèrement hésitant, puis Jamie grimpa dans le fenil pour y déposer son sac.

Il était rentré mieux habillé qu'il n'était parti. Sa chemise et sa culotte étaient neuves, et il possédait trois paires de bas de laine, une bonne ceinture en cuir et un chapeau mou en feutre noir, cadeau de Tom Byrd. Il rangea ses affaires dans le coffre au pied de sa paillasse, tout en vérifiant que ses maigres biens étaient toujours là.

Ils y étaient : la petite Vierge que lui avait envoyée sa sœur, une patte de taupe séchée à porter sur soi pour se protéger des rhumatismes (il la sortit et la glissa dans la petite bourse en peau de chèvre accrochée à sa ceinture : depuis l'Irlande, son genou lui faisait mal les matins pluvieux) ; un bout de crayon ; un briquet à amadou ; un bougeoir en terre cuite ébréché contenant encore un peu de cire fondue. Il y avait également une poignée de cailloux, chacun ramassé en raison de sa jolie couleur et de sa texture agréable au toucher. Il les compta. Ils étaient onze, un pour chaque membre de sa famille : sa sœur, Ian, le petit Jamie, Maggie, Kitty, Janet, Michael et petit Ian. Il y en avait un pour sa fille Faith, morte à la naissance ; un autre pour l'enfant que Claire portait en elle lors de son départ ; et enfin, bien sûr, celui de Claire elle-même, un éclat d'améthyste brute. Il devait en trouver un beau pour William. Il se demanda pourquoi il ne l'avait pas encore fait. Sans doute parce qu'il n'avait pas osé revendiquer son fils, même dans l'intimité de son propre cœur.

Il était ravi, et légèrement surpris, de retrouver ses affaires intactes. Certes, il n'y avait rien parmi elles qui méritât d'être volé. À moins qu'ils ne se soient attendus à ce qu'il revienne et n'aient craint sa réaction. Toutefois, quelqu'un lui avait pris sa couverture.

Heureusement, son souvenir le plus précieux ne pouvait être dérobé ni perdu. Il fléchit sa main gauche. La petite cicatrice blanche en forme de *C* apparut dans le gras de son pouce. Le *J* qu'il avait tracé dans la main de Claire devait, lui aussi, être toujours visible. Il l'espérait.

Il lui restait une chose à ranger. Il sortit la bourse lourde du fond de son sac et la cacha sous ses bas enroulés. Puis il referma le coffre et descendit l'échelle, agile comme une chèvre.

Le sentiment de paix qu'il éprouva dans l'écurie l'étonna. Ce n'était pas vraiment un retour au bercail. Ce lieu ne serait jamais chez lui. Mais c'était un endroit familier. Il était accoutumé à sa routine et à ses rythmes quotidiens. Il y avait le grand air et la présence apaisante des bêtes, indépendamment des gens qui l'habitaient.

Il conduisit son groupe de chevaux sur la route qui longeait l'étang, puis au-delà des derniers enclos, là où la piste envahie par les herbes grimpait sur une succession de collines. Il s'arrêta au sommet de la plus haute et contempla le domaine de Helwater à ses pieds. Il aimait cette vue, quand le temps permettait de voir quelque chose. La grande et vieille demeure était confortablement nichée dans son bosquet de hêtres pourpres. Derrière, les eaux argentées du lac étaient ridées par la brise. En été et au printemps, les roseaux qui le bordaient étaient toujours peuplés de merles, leur chant clair et haut perché parvenant parfois jusqu'à lui lorsque le vent soufflait dans la bonne direction.

Aujourd'hui, il ne voyait aucun oiseau, hormis un petit rapace qui décrivait des cercles au pied de la colline, cherchant des mulots dans les herbes sèches. Deux petites silhouettes avançaient sur l'allée. Deux hommes à cheval : lord Dunsany et lord John. Il reconnut le premier à son dos voûté et à sa tête penchée en avant ; le second à son dos droit et à sa manière élégante de se tenir en selle, les rênes dans une seule main.

— Que Dieu t'accompagne, petit Anglais, murmura-t-il.

Il sourit en repensant à l'expression comique de lord John, s'efforçant de cacher sa consternation par courtoisie, quand il lui avait annoncé son intention de demander la main de Betty Mitchell. Quoi qu'il en ait pensé, il l'avait raccompagné à Helwater.

Grey repartirait sans doute dans quelques jours. Il ignorait s'ils auraient à nouveau l'occasion de se parler avant son départ et, le cas échéant, quel ton ils adopteraient. Cette étrange amitié qu'ils avaient nouée par la force des choses ne pouvait s'oublier, mais ils ne pouvaient non plus ignorer leurs positions actuelles, qui revenaient essentiellement à celles du maître et de l'esclave. Pourraient-ils de nouveau se rencontrer d'égal à égal ?

— *A posse ad esse non valet consequentia*, marmonna-t-il.

« De la possibilité d'une chose on ne doit pas en inférer son existence. » Il reprit ses rênes et cria « Hue ! » aux chevaux. Ils s'élancèrent et dévalèrent la pente dans un joyeux galop, droit sur l'écurie.

Il faisait froid et venteux, mais le ciel était clair. Les feuilles de hêtres pourpres filaient devant eux en tourbillonnant, comme si elles étaient poursuivies. Grey avait d'abord été inquiet quand Dunsany lui avait proposé une promenade à cheval. Le vieil homme paraissait très fragile, plus encore que lors de sa dernière visite. Toutefois, le grand air semblait le revigorer. Ses joues creuses avaient repris un peu de couleur et il tenait fermement ses rênes. Grey veillait néanmoins à ne pas aller trop vite et le surveillait du coin de l'œil.

Au bout de l'allée, ils prirent la route qui longeait le lac. Elle était boueuse (Grey ne l'avait jamais connue autrement) et la terre retournée portait de nombreuses traces de sabots, formant des ornières qui se remplissaient lentement d'eau. Un groupe de chevaux était passé par là peu de temps auparavant. Tout en sachant qu'il était peu probable qu'il rencontre Jamie Fraser (il y avait d'autres palefreniers travaillant dans les écuries), Grey ne put s'empêcher d'étirer le cou pour voir s'il ne l'apercevait pas au loin.

La route était déserte et il se tourna à nouveau vers lord Dunsany, qui avait ralenti sa monture et avançait au pas.

— Votre cheval a un caillou coincé dans son sabot ? demanda-t-il.

Il s'apprêtait déjà à descendre de selle pour y remédier.

— Non, non, s'empressa de le rassurer le vieil homme. Je voulais vous parler, lord John. Seul à seul.

— Ah… Oui, bien sûr, répondit Grey prudemment. Il s'agit, euh… de Fraser ?

Dunsany parut surpris.

— Non, mais puisque vous abordez le sujet, souhaitez-vous que nous… trouvions un nouvel arrangement pour lui ?

Grey se mordit l'intérieur de la joue.

— Non. Pas pour le moment.

— C'est un excellent palefrenier, observa Dunsany. Les autres domestiques lui mènent la vie dure, ce qui était prévisible, n'est-ce pas ? La plupart du temps, il les évite et reste dans son coin.

Il reste dans son coin… Cela résumait la vie de Fraser à Helwater. John eut un léger pincement au cœur. S'il n'avait pas empêché sa déportation, il serait resté avec d'autres Écossais et se serait senti moins seul.

Encore aurait-il fallu qu'il survive à la traversée, pensa-t-il.

Ses remords s'envolèrent, remplacés par une autre idée. Était-ce la raison pour laquelle Fraser voulait épouser Betty Mitchell ?

La jeune femme avait été la camériste de Geneva avant de devenir celle d'Isobel. Elle avait l'esprit vif, était jolie et semblait appréciée des autres domestiques. En étant marié avec elle, Jamie serait sans doute mieux accepté par les autres et davantage intégré à Helwater.

Même si ce n'était pas sa manière de penser, il devait reconnaître que c'était un moyen comme un autre de lutter contre l'isolement et la solitude. Mais…

Il se rendit compte que Dunsany était en train de lui parler.

— Je vous demande pardon ? Je n'ai pas bien entendu…

Il avait parfaitement entendu, mais refusait d'en croire ses oreilles.

Dunsany se pencha vers lui et haussa la voix :

— Je disais que je souhaitais modifier mon testament et voulais vous demander votre autorisation pour ajouter une clause. J'aimerais vous nommer tuteur légal de mon petit-fils, William.

— Je… c'est que… oui. Naturellement, si tel est votre souhait. Mais… il y a sûrement d'autres hommes mieux qualifiés pour cette tâche. Un parent… quelqu'un du côté de la famille du père de William…

— Il ne reste personne, répondit Dunsany avec un léger haussement d'épaules. Il n'a plus aucun parent masculin, uniquement deux cousines éloignées, et aucune des deux n'est mariée. Dans ma propre famille, il n'y a personne de suffisamment proche, géographiquement ou en lien de parenté, pour être un tuteur compétent. Je ne veux pas que l'enfant soit envoyé dans les colonies, à Halifax ou en Virginie…

— Non, bien sûr.

Grey ne voyait pas comment se dépêtrer de cette situation. Il comprenait que Dunsany veuille revoir son testament. Avec son âge et sa santé fragile, il n'était pas sûr de passer l'hiver. Il aurait été irresponsable de sa part de mourir sans avoir assuré l'avenir de William. Toutefois, la proximité éventuelle de son décès rendait les nouvelles responsabilités de Grey dangereusement proches également.

— En plus de ne pas vouloir déraciner l'enfant et du fait que mon épouse et Isobel auraient le cœur brisé de le voir partir, il est l'héritier d'Ellesmere. Il possède des terres considérables dans la région. Il doit être élevé en conséquence et apprendre à les gérer.

— Oui… oui, bien sûr, dit Grey.

Dunsany perçut son hésitation.

— Je sais que c'est très présomptueux de ma part, reprit-il. Vous ne vous attendiez sûrement pas à cette requête. Voulez-vous prendre le temps d'y réfléchir ?

— Je… non, répondit Grey en prenant subitement sa décision.

Il n'avait pas beaucoup vu William, mais l'enfant lui était sympathique. Tant qu'il était petit, il ne pourrait pas beaucoup l'aider ; lady Dunsany et Isobel s'en chargeraient fort bien. Lui-même n'aurait qu'à effectuer des séjours plus longs à Helwater. Plus tard, quand William irait à l'école, il pourrait passer ses vacances avec lui à Londres, ou ils reviendraient tous les deux au domaine.

Comme il l'avait fait autrefois avec son ami Gordon Dunsany. Lorsque Gordon avait été tué à Culloden, Grey était revenu seul, pour le pleurer et réconforter les siens. Au fil du temps, il était presque devenu un fils adoptif des Dunsany. C'était grâce à cette intimité qu'il avait pu organiser la libération conditionnelle de Fraser à Helwater. Si un fils jouissait de privilèges au sein de sa famille, il avait également des obligations.

— Je suis très honoré par votre demande, ajouta-t-il. Je vous promets de m'acquitter de ma tâche de mon mieux.

Le visage ridé de Dunsany s'illumina.

— À la bonne heure ! Vous n'imaginez pas à quel point vous me soulagez, lord John ! Cette question me tracassait plus que je ne saurais vous le dire.

Il sourit, paraissant soudain en bien meilleure santé.

— Finissons notre balade et rentrons prendre le thé. Pour la première fois depuis des mois, je me sens en appétit !

Grey sourit à son tour et tapa dans la main du vieux baron pour conclure leur accord. Puis il le suivit au petit galop le long des eaux ondulées de l'étang. Un mouvement au loin attira son attention et il aperçut un groupe de chevaux dévalant un coteau, gracieux comme des feuilles mortes emportées par une rafale. Ils étaient conduits par un cavalier.

Ils étaient trop loin pour qu'il en soit sûr, mais il le fut néanmoins. Il ne les quitta pas des yeux jusqu'à ce qu'ils aient disparu au pied de la colline.

Son raisonnement précédent, interrompu par la demande de Dunsany, refit surface. Certes, épouser Betty Mitchell rendrait la vie de Jamie Fraser plus confortable à Helwater. Cependant, il aurait pu aller ailleurs. C'était son choix. Ce devait donc bien être Betty qui l'avait fait revenir.

— De quoi je me mêle ? C'est sa vie, après tout ! bougonna-t-il.

Il éperonna son cheval et rattrapa Dunsany sur la route.

Jamie était surpris de constater à quelle vitesse Helwater l'avait réabsorbé. Il n'aurait pourtant pas dû s'en étonner. Le domaine, en dépit de la grandeur de son manoir, était comme toutes les exploitations agricoles, doté d'une vie à soi et d'un cœur qui battait lentement. Or, tous ceux qui habitaient dans une ferme entendaient ce cœur et vivaient à son rythme.

Le rythme de Lallybroch était imprimé dans ses os et le serait toujours. C'était à la fois triste et réconfortant ; surtout réconfortant, car il savait que, même s'il n'y retournait jamais, il le porterait toujours en lui.

« Et le lieu qu'il habitait ne le connaîtra plus », disait la Bible. Il ne le croyait pas vraiment. Son lieu le reconnaîtrait toujours.

Toutefois, il ne retournerait pas à Lallybroch avant longtemps.

Si j'y retourne un jour…

Il chassa rapidement cette pensée et tendit l'oreille, écoutant la terre de Helwater. Son rythme était plus rapide. Il le soutenait dans ses moments de faiblesse, le consolait quand il se sentait seul. Il entendait ses eaux gargouiller, son herbe pousser, les mouvements des chevaux et le silence de ses rochers. Les êtres humains faisaient partie de cette terre, d'une manière plus éphémère mais non négligeable néanmoins. Un de ces êtres humains s'appelait Betty Mitchell.

Il ne pouvait plus retarder l'échéance. Après le petit-déjeuner, il s'attarda dans la cuisine pour parler à Keren-happuch, l'aide-cuisinière, une Galloise d'âge mûr austère et revêche, qui, pour une raison quelconque, l'aimait bien. Profondément religieuse, comme en témoignait son prénom[22], elle le considérait néanmoins comme un hérétique et ne tolérait aucun écart de conduite. Toutefois, lorsqu'il lui dit avoir des nouvelles d'un parent de Betty, elle accepta de lui transmettre un message.

Ainsi, dans l'après-midi, une heure avant le thé, il se rendit dans le potager où Betty l'attendait.

Elle avait mis un fichu propre et portait une petite broche en argent. Elle leva le menton et le regarda par-dessous ses sourcils noirs et droits, telle une femme qui n'est pas tout à fait sûre de son pouvoir mais ne doute pas d'en avoir. Il lui faudrait marcher sur des œufs.

— Mademoiselle Betty, dit-il en s'inclinant courtoisement.

Comme elle lui tendait la main, il fut bien obligé de la prendre, en veillant toutefois à ne pas la serrer.

— Je suis venu vous parler de Toby, déclara-t-il d'emblée.

Elle cligna des yeux et son regard se fit plus perçant. Elle ne lâcha pas sa main pour autant.

— Toby Quinn ? Que lui est-il arrivé ?

— Il est mort. Je suis désolé.

— Mort ! Mais comment ?

---

22. Dans l'Ancien Testament, Keren-happuch (« flacon de fard ») est le prénom de la troisième fille de Job.

— Au service de son roi. Il est enterré chez lui, en Irlande.

Bien que sous le choc, elle gardait la tête sur les épaules.

— J'ai demandé comment. Qui l'a tué ?

Moi, pensa-t-il.

— Il a pris sa propre vie. Je suis navré.

Elle lâcha sa main, se tourna et fit quelques pas. Elle tendit un bras et se tint à l'un des poiriers en espalier qui poussaient le long du mur. Il paraissait grêle et vulnérable, sans ses feuilles.

Elle resta ainsi quelques instants, s'accrochant à la branche, la tête baissée. Elle avait manifestement été très attachée à ce pauvre Quinn.

— Vous étiez avec lui ? demanda-t-elle enfin sans le regarder.

— Si ç'avait été le cas, j'aurais retenu son geste.

— Non, je voulais dire, étiez-vous avec lui quand… vous êtes parti d'ici ?

— Oui, nous avons passé un moment ensemble.

— Les soldats qui vous ont emmené, ils l'ont attrapé, lui aussi ?

— Non.

Il comprit enfin ce qu'elle voulait savoir : si c'était la perspective de la captivité, de la déportation ou de la pendaison qui l'avait poussé à mettre fin à ses jours.

— Pourquoi alors ? s'écria-t-elle. Pourquoi l'a-t-il fait ?

Il déglutit en revoyant la petite chambre sombre empestant le sang et les excréments, et le mot *Teind* sur le mur.

— Par désespoir, répondit-il doucement.

Elle émit un petit hoquet et secoua la tête d'un air écœuré.

— Il était papiste. Je croyais que le désespoir était un péché, pour vous autres catholiques.

— Les gens font beaucoup de choses qu'ils considèrent comme des péchés.

— Oui, en effet.

Elle fixa les dalles de l'allée un moment, puis se tourna vers lui avec véhémence.

— Je ne comprends pas comment il a pu… Qu'est-ce qui le désespérait à ce point ?

Oh, Seigneur, implora Jamie. *Guide mes paroles.*

— Vous savez qu'il était jacobite, n'est-ce pas ? Il était impliqué dans un vaste complot qui aurait pu avoir de grandes conséquences, qu'il réussisse ou qu'il échoue. Il a échoué et Tobias a perdu sa raison de vivre.

Ses épaules s'affaissèrent et elle sembla se dégonfler sous ses yeux.

— Les hommes, soupira-t-elle. Les hommes sont des idiots.

— En effet, nous sommes d'accord sur ce point.

Il espérait qu'elle ne lui demanderait pas s'il était impliqué lui aussi dans le complot, ni pourquoi les soldats l'avaient emmené.

Il devait prendre congé avant que la conversation ne prenne un tour personnel. Elle reprit sa main, la tenant entre les deux siennes, et il sentit qu'elle allait lui dire quelque chose qu'il ne voulait pas entendre. Il allait se dégager quand il entendit des pas lourds et rapides sur l'allée derrière lui.

— Que se passe-t-il, ici ?

Dieu soit loué, Roberts tombait à pic. Pour un peu, Jamie l'aurait embrassé.

— J'ai apporté de tristes nouvelles à Mlle Betty, annonça-t-il en libérant sa main. La mort d'un parent.

Le regard suspicieux de Roberts alla de l'un à l'autre, mais la mine affligée de Betty n'était pas feinte. Il se précipita vers elle et lui prit le bras.

— Cela va aller, ma chère ?

— Je… oui. C'est juste que… Oh, le pauvre Toby !

Elle fondit en larmes et enfouit son visage dans le creux de son épaule.

Jamie remercia le ciel et, murmurant des condoléances, s'éclipsa rapidement.

En dépit du vent froid, il transpirait. Il reprit le chemin des écuries et croisa Keren-happuch, qui attendait devant le potager, un panier de légumes sous le bras. Elle était sans doute venue vérifier qu'il n'avait pas eu d'intentions lubriques.

— Son parent est mort ? demanda-t-elle.

— Oui, hélas. Vous voulez bien réciter une prière pour l'âme de Tobias Quinn ?

Elle tiqua.

— Pour un papiste ?

— Pour un pauvre pécheur.

Elle plissa les lèvres, pensive, puis acquiesça à contrecœur.

— Oui, je suppose que ça peut se faire.

Il effleura son épaule de la main, la remerciant, et reprit son chemin.

L'Église considérait le désespoir comme un péché, mais le suicide était impardonnable, car le pécheur ne pouvait se repentir. Le suicidé était donc condamné à l'enfer, et prier pour son âme ne servait à rien. Toutefois, ni Keren ni Betty n'étaient papistes, et les prières protestantes seraient peut-être entendues.

Pour sa part, il priait tous les soirs pour Quinn. Après tout, cela ne pouvait pas faire de mal.

◄○►

39

Quand tombe la brume

Bowness-on-Windermere était un bourg prospère, avec un dédale de petites rues pavées qui sinuaient autour du centre-ville puis s'étiraient en pente douce vers le lac, bordées de cottages et de fermettes, jusqu'à un petit port de pêche. Depuis Helwater, cela faisait une bonne distance à parcourir. Dans la voiture qui les emmenait, lord Dunsany s'était excusé pour le désagrément, expliquant que son notaire avait choisi de s'établir là-bas, ayant fui l'atmosphère viciée de Londres pour ce qu'il pensait être les plaisirs bucoliques de la campagne.

— Il n'imaginait pas le genre d'embrouillaminis qu'il allait y trouver, ajouta-t-il sombrement, tandis qu'ils descendaient de la voiture.

— Quel genre d'embrouillaminis ? demanda Grey, intrigué.

— Ah ça…

Dunsany parut légèrement embarrassé. Sa canne tapait doucement sur les pavés tandis qu'il remontait en boitillant la rue dans laquelle se trouvait l'étude notariale.

— Eh bien, par exemple, il y a eu l'affaire de Morris Huckabee et de sa femme, sauf que ce n'était pas sa femme mais sa fille. Et la fille de sa fille n'était pas de Morris mais du valet d'écurie des Grape, comme sa mère elle-même l'a avoué devant le tribunal. D'ordinaire, l'épouse hérite. C'est que le vieux Morris est mort, voyez-vous, ce qui a considérablement compliqué la situation. Ce vieux bougre ne s'était jamais marié officiellement. Il a simplement dit à tout le monde qu'elle était sa femme et personne ne s'est posé de questions. D'où le problème : un concubinage reposant sur une relation incestueuse est-il valide ? Car, si ce n'est pas le cas, la fille, je veux dire la fille-épouse, et non pas la fille de la fille, ne peut hériter du domaine. Dans de telles circonstances, l'héritage aurait dû revenir à l'enfant ou aux enfants du mariage, sauf que dans ce cas la fille unique n'était pas vraiment la fille de Morris. Bien que, selon la loi, tout enfant né pendant le mariage soit considéré comme légitime, que le géniteur soit le mari légal, le boucher ou le postier, dans cette affaire précise il…

— Oui, je vois, dit précipitamment Grey. C'est vertigineux.

Dunsany lui adressa un sourire qui révéla qu'il possédait encore presque toutes ses dents, même si elles étaient usées et jaunies.

— En effet. Ce pauvre maître Trowbridge a eu un choc. Il a envisagé de rentrer immédiatement à Londres, puis a décidé de s'accrocher.

— Trowbridge ? Je croyais que votre notaire était maître Wilberforce…

— Il l'était en effet, répondit Dunsany, soudain plus grave. Je veux dire, il l'est toujours, pour la plupart des actes. Toutefois, pour cette affaire particulière, j'ai préféré faire appel à un autre, vous comprenez.

Non, Grey ne comprenait pas, mais il n'en acquiesça pas moins.

— Je m'inquiète pour cette pauvre Isobel, soupira Dunsany.

Grey pensa qu'il avait raté un passage de la conversation établissant un lien entre maître Wilberforce et Isobel, puis il se souvint d'avoir entendu lady Dunsany dire que le notaire semblait beaucoup s'intéresser à sa fille. À son ton, il était clair qu'elle n'en était pas ravie.

— Oui, je comprends, dit-il.

Ils se rendaient à l'office notarial afin d'ajouter au testament de Dunsany une disposition confiant la tutelle de William à lord John. Si maître Wilberforce avait des vues sur Isobel, Grey comprenait que Dunsany ne tienne pas à lui confier les détails de sa succession.

— Le mariage de la pauvre sœur d'Isobel fut un tel…

Les lèvres de Dunsany disparurent dans les rides de son visage.

— Enfin, comme je le disais, je suis très préoccupé, reprit-il. Mais chaque chose en son temps. Venez, lord John, nous ne devons pas être en retard.

C'était une journée splendide, le chant du cygne de ce que les gens appelaient « l'été de la Saint-Martin », avant que les pluies glacées et le brouillard ne déferlent sur les montagnes. Même ainsi, Crusoe leva une mine renfrognée vers le ciel.

— Ça va se gâter, maugréa-t-il. Je le sens dans mes os.

Comme pour illustrer ses propos, il s'étira le dos avec un craquement sinistre et gémit.

Jamie fléchit discrètement sa main droite. Lui aussi, il sentait souvent le mauvais temps venir. Le froid s'infiltrait dans les interstices entre ses os mal ressoudés. Pour le moment, il ne ressentait aucune douleur, mais il ne tenait pas à contredire Crusoe.

— C'est possible, convint-il. Cependant, lady Isobel et lady Dunsany veulent emmener le petit William à la vieille cabane du berger pour lui faire prendre un peu l'air.

Après avoir entendu les hurlements en passant sous les fenêtres de la nursery après le petit-déjeuner, il était plutôt enclin à penser que la promenade était le résultat d'un conseil de famille aux abois.

Dans les cuisines, il avait appris que William avait une molaire qui poussait. C'était particulièrement pénible, surtout pour son entourage. Pour le soulager, les avis divergeaient : certains conseillaient une sangsue sur les gencives, d'autres une saignée, d'autres encore un cataplasme à la farine de moutarde appliqué sur la nuque. Jamie supposait que n'importe laquelle de ces mesures détournerait au moins l'attention de l'enfant de sa dent, lui donnant une autre bonne raison de brailler. Pour sa part, il lui aurait plutôt frotté les gencives avec du whisky.

Il sourit en revoyant sa sœur Jenny. « Ne lésine pas sur la dose, ça les calmera, avait-elle conseillé en enfonçant un doigt expert dans la bouche de sa nouvelle nièce. Sers-t'en un petit verre toi aussi, au cas où ça ne marcherait pas. »

Ayant décidé qu'une promenade distrairait l'enfant, Isobel avait demandé qu'on selle des chevaux et qu'on mette un palefrenier à leur disposition. La vieille nourrice Elspeth ayant catégoriquement refusé de monter sur un cheval et Peggy s'étant blessée à la jambe, Betty avait donc été réquisitionnée pour s'occuper de l'enfant (Jamie lui souhaitait bonne chance !). Ainsi, l'expédition était composée de lady Dunsany, de lady Isobel, de William, de Betty, de maître Wilberforce et de lui-même.

Il se demanda ce que penserait lady Isobel quand elle se rendrait compte qu'il avait été chargé de les escorter, mais il était trop heureux de passer quelques heures près de Willie, braillant ou pas, pour s'en soucier.

En réalité, lady Isobel remarqua à peine sa présence. Elle avait le teint rose et l'air joyeuse, sans nul doute en raison de la présence du notaire. Sa gaieté semblait toutefois un peu forcée. Même lady Dunsany, qui ne quittait pas William des yeux, se tourna vers elle avec un léger sourire.

— Vous paraissez de bien bonne humeur, ma fille.

Lady Isobel renversa sa tête en arrière, présentant son visage au soleil d'une manière théâtrale.

— Comment ne pas l'être par un jour aussi radieux ! s'exclama-t-elle.

Le ciel était d'un bleu vif. Les hêtres pourpres autour de la maison, rouille et or, bruissaient doucement dans le vent. Jamie se souvint soudain d'un autre jour où l'air avait été aussi grisant. Il était avec Claire.

Seigneur, faites qu'elle soit en sécurité. Elle et l'enfant.

L'espace d'un instant, il eut l'impression d'être sorti de lui-même et de sentir la main chaude de Claire sur son bras. Elle regardait William en souriant. Les traits rougis et baignés de larmes, il souffrait visiblement, mais c'était néanmoins un ravissant petit garçon.

Puis la réalité reprit ses droits. Il souleva l'enfant pour l'installer devant Betty sur sa selle. William lui donna des coups de pied dans le ventre et se mit à hurler.

— Nooooooon ! Veux pas aller avec elle. Pas avec ELLE. Je veux aller avec toiiiiiii, Mac !

Il le coinça sous un bras afin que ses petites jambes vigoureuses ne frappent que l'air et se tourna vers les dames d'un air interrogateur.

À la mine de Betty, elle aurait préféré chevaucher avec un chat sauvage, même si elle se gardait bien de le dire. Le regard hésitant de lady Dunsany allait de la cámeriste au palefrenier, puis lady Isobel, interrompue dans sa conversation avec maître Wilberforce, tira sur ses rênes et lâcha, sur un ton impatient :

— Qu'il fasse donc comme il veut !

Ils partirent ainsi vers la montagne, contournant la mousse, même si, à cette saison, elle était sèche et peu dangereuse. William respirait par la bouche, ayant le nez bouché après avoir tant pleuré, et bavait un peu. Jamie était enchanté de le sentir contre lui, mais fut troublé en constatant qu'il portait un corset sous sa chemise.

Dès que le groupe parvint à un endroit de la route où les chevaux n'étaient plus contraints d'avancer à la queue leu leu, il manœuvra sa monture de manière à se retrouver à côté de Betty, qui fit semblant de ne pas s'en apercevoir.

— Il n'est pas un peu jeune pour être ainsi troussé comme une dinde de Noël ? demanda-t-il.

Surprise, Betty battit des paupières.

— Comme une… Ah, vous voulez parler de son corset ? Il est très léger, à peine baleiné. On ne lui en mettra pas un vrai avant qu'il ait cinq ans. Toutefois, sa grand-mère et sa tante ont pensé qu'il serait aussi bien qu'il commence à s'y habituer. Pendant qu'elles peuvent encore le maîtriser, ajouta-t-elle avec une pointe d'amusement. Hier, le petit monstre a percé un des murs de la nursery à coups de pied. Le jour d'avant, il a cassé six des meilleures tasses à thé de la maison. Il les a prises sur la table et les a lancées contre le mur pour entendre le bruit que cela faisait, sans cesser de rire aux éclats. Croyez-moi, cela promet quand il sera plus grand !

Elle indiqua l'enfant du menton. Celui-ci suçait son pouce d'un air rêveur, bercé par les mouvements du cheval.

Jamie émit un son neutre du fond de la gorge tout en sentant ses oreilles lui chauffer. Ils refusaient de donner une correction au garnement quand il la méritait, mais n'hésitaient pas à martyriser son petit corps avec une cage rigide.

Il savait que les riches Anglais avaient l'habitude de faire porter des corsets aux enfants afin de façonner leur corps, leur donnant la posture raide qui était à la mode : les reins cambrés, le torse bombé et les épaules basses. Cela ne se faisait pas dans les Highlands, hormis, peut-être, chez certains aristocrates. La gaine rigide (il pouvait sentir son bord dur mordant la chair tendre du garçonnet juste sous les aisselles) lui donnait envie d'éperonner son cheval et de galoper à bride abattue jusqu'à la frontière, ne s'arrêtant que le temps d'arracher l'immonde sous-vêtement et de le balancer dans un lac.

Il ne le pouvait pas et poursuivit donc son chemin, un bras autour de William, rongeant son frein.

Betty l'arracha à ses sombres ruminations en chuchotant :

— Il essaie de se vendre, mais lady D n'est pas acheteuse. Pauvre Isobel !

— Pardon ?

Elle pointa le menton devant eux et il suivit son regard. Maître Wilberforce avançait entre les deux femmes, lançant de temps à autre des regards possessifs vers lady Isobel mais consacrant le plus gros de son énergie à faire des sourires gracieux à lady Dunsany, qui, comme le disait Betty, ne paraissait pas sous le charme.

— Pourquoi « pauvre » Isobel ? demanda-t-il.

— Parce qu'il lui plaît bien, nigaud ! Ça crève pourtant les yeux.

— Oui, et alors ?

Betty soupira et leva les yeux au ciel.

— Lady Isobel aimerait bien l'épouser, expliqua-t-elle. Enfin, à dire vrai, elle veut surtout ne pas rester vieille fille et il est le seul dans le comté qui soit plus ou moins présentable. Malheureusement, je crains que « plus ou moins » ne suffise pas.

Elle fit à nouveau un signe vers Wilberforce, qui se contorsionnait sur sa selle en essayant d'adresser un compliment à lady Dunsany. Celle-ci faisait mine d'être un peu sourde.

Lady Isobel fixait sa mère avec un mélange d'exaspération et d'appréhension. Lady Dunsany chevauchait tranquillement en se balançant légèrement sur sa selle. Elle lançait parfois de brefs regards vers le notaire, l'air de dire « Tiens, vous êtes encore là ? ».

— Pourquoi les Dunsany ne veulent-ils pas de lui comme gendre ? demanda Jamie malgré lui. Ils ne souhaitent pas marier leur fille ?

— Après ce qui est arrivé à Geneva ? rétorqua-t-elle en indiquant William d'un signe de tête.

Elle releva les yeux vers lui avec un petit sourire narquois. Il resta imperturbable et ne répondit pas.

Ils avancèrent sans rien dire un moment, mais le tempérament nerveux de Betty ne supportait pas le silence trop longtemps.

— Ils aimeraient sans doute qu'elle fasse un bon mariage, mais ils ne tiennent pas à ce qu'elle se jette au cou du premier venu. Surtout à celui d'un homme qui fait jaser.

— Ah oui ? Et que dit-on de lui ?

Jamie se souciait comme d'une guigne de Wilberforce, et guère plus de lady Isobel. Cependant, la conversation le distrayait du corset de William.

— On dit qu'il consacre beaucoup de temps à celles de ses clientes qui n'ont pas de mari. Plus qu'il ne le devrait. On dit aussi qu'il vit très au-dessus de ses moyens.

Cette dernière accusation était sans doute la plus inquiétante. Étant la seule enfant survivante des Dunsany, Isobel aurait sans doute une dot confortable, même si le domaine reviendrait à William.

En remontant le sentier qui menait à la cabane du berger, Jamie sentit son ventre se nouer. Toutefois, il n'y avait personne. Il poussa un léger soupir de soulagement et récita une prière pour le salut de l'âme de Quinn. Ils avaient emporté un panier avec du poulet rôti, une miche de pain, de bons fromages et une bouteille de vin. Sorti de sa torpeur, William redevint irascible et pleurnichard. Il refusait de manger. Maître Wilberforce, histoire de se faire bien voir, lui ébouriffa les cheveux et tenta de le faire rire. Il fut récompensé par une morsure à la main.

— Espèce de petit... éructa-t-il.

Le teint rouge, il se rattrapa de justesse et reprit, sur un ton compassé :

— Pauvre petit ! Je suis navré de le voir souffrir autant.

Le regard de Jamie croisa celui de lady Dunsany et ils se comprirent parfaitement. Si cela avait duré un instant de plus, l'un d'eux aurait éclaté de rire. Puis lady Dunsany se détourna en toussotant et, saisissant une serviette, la tendit au notaire.

— Vous saignez, monsieur Wilberforce ? demanda-t-elle.

— William ! gronda Isobel. Tu es très vilain ! Demande pardon à M. Wilberforce tout de suite !

— Non, répondit William.

Il se laissa tomber dans l'herbe sur les fesses et porta son attention vers un insecte qui passait par là.

Isobel hésita, tiraillée entre le besoin d'apparaître comme l'image même de la douceur féminine devant le notaire et l'envie, tout aussi puissante, de gifler le gamin. Maître Wilberforce l'implora de s'asseoir et de boire un verre de vin. Avec un soupir résigné, Betty s'accroupit près de William et, arrachant quelques brins d'herbe, lui montra comment torturer le malheureux coléoptère en l'obligeant à aller et venir.

Jamie entrava les chevaux, les laissant paître les herbes courtes derrière la cabane. Il sortit le pain et le fromage que la cuisinière avait préparés pour lui et, tournant le dos au groupe, s'assit sur un muret pour savourer un moment de solitude.

Il devait prendre garde à ne pas trop montrer son intérêt pour William, mais il ne put s'empêcher de se retourner en entendant son tapage lorsqu'il introduisit l'insecte dans l'une de ses narines et se mit à hurler.

La pauvre Betty se fit sévèrement réprimander par les trois autres. Le charivari empira encore lorsque William décida de mettre le coléoptère dans sa bouche avant de brailler de plus belle.

— Allez-vous-en ! cria Isobel à Betty. Rentrez à la maison, vous ne nous êtes d'aucune utilité ici !

Jamie avait la bouche pleine de pain et de fromage. Il faillit s'étrangler en voyant Betty accourir vers lui, en larmes.

— Mon cheval ! sanglota-t-elle. Donnez-moi mon cheval…

Il alla aussitôt chercher l'animal et croisa les mains pour lui soutenir le pied. Elle sauta en selle dans un frémissement de jupons et cingla l'encolure de sa monture avec l'extrémité de ses rênes. Le cheval partit aussitôt au galop comme s'il avait la queue en feu.

Les autres s'agitaient autour de William, qui n'en faisait qu'à sa tête et refusait tout ce qu'on lui proposait. Jamie tourna les talons et remonta plus haut sur la montagne pour ne plus les entendre. L'enfant finirait par se fatiguer de lui-même, surtout s'ils cessaient de s'occuper de lui.

Plus haut, il n'y avait aucun endroit où s'abriter du vent. Son sifflement sourd étouffait tous les autres bruits en contrebas. En baissant les yeux, il aperçut William couché en chien de fusil contre sa tante, sa veste sur la tête, sa culotte salie et son foutu corset lui remontant presque autour du cou. Au loin, il voyait Betty galopant sur la mousse. Il plissa les lèvres. Il fallait espérer que son cheval ne tomberait pas dans un trou bourbeux et ne se casserait pas une jambe.

— Fichue bonne femme, marmonna-t-il.

En dépit des tensions entre eux, il avait de la peine pour elle. Il était également intrigué.

Sans être franchement amicale, elle lui avait parlé aujourd'hui avec une spontanéité inattendue. Après ce qui s'était passé entre eux, il s'était attendu à ce qu'elle l'ignore ou le traite sèchement. Pourquoi ce changement d'attitude ?

« Elle ne veut pas rester vieille fille », avait-elle dit d'Isobel. Elle non plus, probablement. Elle était largement en âge de convoler. Il avait cru qu'elle voulait simplement coucher avec lui, par lubricité ou curiosité. Il était presque sûr qu'elle savait ce qui s'était passé entre Geneva et lui. Et si elle le préférait à George Roberts en tant que mari putatif ? Fichtre, il espérait que Grey ne lui avait rien dit. Cette idée le troublait profondément.

Il ne pouvait imaginer qu'une femme puisse l'envisager comme un parti intéressant. Il n'avait ni argent, ni biens, ni liberté. Il ne pouvait probablement même pas se marier sans l'accord de lord John. Betty ne pouvait ignorer sa situation. Tout le domaine savait exactement ce qu'il en était, à défaut de savoir qui il était.

En analysant ses sentiments, un mélange de surprise, d'inquiétude et une certaine révulsion, il constata piteusement qu'ils comportaient également une part d'orgueil. Betty était une fille du peuple, l'enfant d'un pauvre métayer des Dunsany. Il était consterné de découvrir que, en dépit des circonstances, il se considérait toujours comme le laird de Lallybroch.

— C'est absurde, bougonna-t-il en chassant un nuage de mouches qui tournait autour de sa tête.

Il avait épousé Claire sans une seule pensée pour son rang ni le sien. En vérité, il l'avait même prise pour une… Non. Il sourit en lui-même. À l'époque, il était exilé, sa tête mise à prix. Et il ne l'avait jamais prise pour une traînée ni pour une paysanne.

— Même ainsi, je t'aurais épousée, *Sassenach*, murmura-t-il. Il fallait que tu sois à moi, même si j'avais su qui tu étais dès le début.

Il se sentit légèrement mieux. Au fond, il se fichait bien d'où venait Betty, mais il ne pouvait supporter l'idée d'être marié à une autre que Claire.

Il se figea brusquement en apercevant le coin du mur où Quinn avait été assis, la ferveur faisant briller ses yeux clairs. Betty était sa belle-sœur ; naturellement elle savait qui il était, ou avait été.

Un courant froid caressa sa nuque. Il perçut un changement dans l'air et se retourna. La brume descendait des sommets. En montagne, les brouillards étaient soudains et dangereux. Il voyait celui-ci progresser rapidement, déployant son manteau gris sale, telle une bête sauvage se hissant hors de sa tanière. Des bras de brume rampaient sur le sol, comme les tentacules d'une pieuvre.

Il dévala le versant en direction des chevaux. Ils avaient cessé de paître et redressaient la tête, agitant nerveusement la queue et regardant vers le brouillard. Il décida d'aller d'abord prévenir les Dunsany et de les presser de rassembler leurs affaires. Désentraver les bêtes ne serait l'affaire que de quelques minutes.

Il se tourna vers le groupe, le compta machinalement. Trois têtes et… C'était tout. Ils n'étaient plus que trois. Il courut vers eux, bondissant par-dessus les pierres et trébuchant dans les touffes d'herbes.

En l'entendant accourir, ils se tournèrent vers lui, surpris.

— Où est William ? haleta-t-il. L'enfant ? Où est-il ?

Le garçon n'avait pas trois ans, il ne pouvait être allé bien loin. Du moins, c'était ce dont Jamie essayait de se convaincre, s'efforçant de refouler la panique qui montait en lui aussi rapidement que le brouillard se répandait sur la montagne.

— Ne bougez pas d'ici et restez groupés, ordonna-t-il aux femmes qui le dévisageaient, interdites. Appelez-le, encore et encore, sans avancer d'un pas. Vous, tenez les chevaux.

Il mit les rênes dans la main de Wilberforce. Celui-ci ouvrit la bouche pour protester, mais Jamie n'attendit pas de savoir ce qu'il avait à dire.

— William ! rugit-il en plongeant dans le brouillard.

— Willie ! Willie !

Les voix plus hautes des femmes reprenaient son appel, retentissant comme la cloche sur une balise en mer et servant la même fonction.

— Willie ! Où es-tuuuuuu ?

L'air était devenu épais. Les bruits semblaient monter de partout et de nulle part.

— William ! William !

Le son se répercutait sur les rochers.

L'enfant était peut-être parti explorer la cabane du berger. Jamie remonta la pente. Wilberforce s'était joint aux femmes et appelait à son tour, ne parvenant pas à crier à l'unisson et formant un contrepoint plus grave.

Jamie avait l'impression de ne plus pouvoir respirer, comme si la brume l'étouffait.

— William !

Ses tibias butèrent contre un des murs à demi effondrés de la cabane. Il en distinguait à peine les contours et devait avancer à tâtons, palpant les pierres, appelant. Toujours rien.

Les brouillards pouvaient durer une heure, ou toute une journée.

— Wille-iam-Wil-Willie-iam-WILLIE !

Il aurait aimé qu'elles se taisent de temps à autre. Il risquait de ne pas entendre l'enfant s'il répondait. S'il était capable de répondre. L'herbe était glissante et le terrain caillouteux. S'il avait dévalé la pente jusqu'à la mousse…

Il escalada les amoncellements de pierres, se cognant les orteils. Il marcha sur une surface molle… la veste de William.

— WILLIAM !

Qu'était ce bruit ? Un gémissement ? Il s'arrêta net, tendant l'oreille, écoutant au-delà du sifflement du vent et de la cacophonie des voix hurlantes.

Puis, soudain, il l'aperçut, recroquevillé dans une petite dépression de la roche, le jaune de sa chemise apparaissant brièvement dans un remous de brume. Il se précipita avant qu'il ne disparaisse à nouveau et le prit dans ses bras.

— Tout va bien, *a chuisle*. Tout va bien, à présent. Je vais te ramener à ta grand-mère, d'accord ?

— Mac ! Mac ! Oh, Mac !

Willie s'accrochait à lui comme une tique, enfouissant la tête dans son torse. Jamie le serra fort contre lui, trop ému pour parler.

Jusqu'à cet instant, il n'aurait pas vraiment pu dire qu'il aimait William ; il sentait surtout le terrible poids de sa responsabilité. Il pensait à lui comme s'il était une gemme dans sa poche, la caressant parfois en s'émerveillant de sa douceur. Mais à présent qu'il sentait la perfection du dos de l'enfant à travers sa chemise, ses vertèbres lisses comme des billes sous ses doigts, qu'il sentait son odeur, riche du parfum de l'innocence mêlée à un peu d'urine et de linge propre, il crut que son cœur allait fondre d'amour.

◄○►

40

Gambit

Grey entrevoyait parfois Jamie, le plus souvent de loin, tandis qu'il vaquait à ses tâches. Ils n'avaient pas eu l'occasion de se reparler. Il ne parvenait pas à trouver un prétexte pour le faire et, quand bien même il en aurait trouvé un, il n'aurait pas su quoi lui dire. Il se sentait terriblement gauche, comme un puceau incapable d'adresser la parole à une jolie fille. Pour un peu, il en aurait rougi.

Trois jours avant la date prévue de son départ, il se leva un matin, convaincu qu'il devait trouver un moyen de lui parler. Non pas de la manière guindée d'un entretien entre un prisonnier et un officier de la couronne, mais pour échanger quelques mots simples, d'homme à homme. S'il y parvenait, il pourrait rentrer à Londres le cœur plus léger, sachant qu'un jour, quelque part, ils pourraient à nouveau être amis.

Il prit son petit-déjeuner et demanda à Tom de préparer ses affaires d'équitation. Puis, le cœur battant un peu plus vite qu'à l'accoutumée, il se dirigea vers les écuries.

Il l'aperçut au loin. Il ne pouvait le confondre avec un autre, même sans sa tignasse rousse. Il avait simplement noué ses cheveux sans les tresser et sa queue-de-cheval se balançait sur sa chemise en flanelle blanche telle une petite flamme.

William se trouvait avec lui, trottant sur ses talons et jacassant comme une pie. Grey sourit. Avec sa petite culotte et sa chemise ample, l'enfant ressemblait à un cavalier en miniature.

Il hésita un instant, ne voulant pas interrompre Fraser dans son travail. Puis il les vit se diriger vers un paddock et les suivit.

Un jeune homme qu'il ne connaissait pas les attendait. Il inclina la tête devant Fraser, qui lui tendit la main et lui parla. Ce devait être le nouveau palefrenier. La veille, pendant le thé, Dunsany avait déclaré rechercher quelqu'un pour remplacer Hanks.

Les hommes discutèrent quelques minutes, Fraser faisant des gestes vers les chevaux dans l'enclos : trois jeunes étalons de deux ans. Ils s'ébattaient, galopaient et jouaient à se mordre. Fraser saisit un licou enroulé autour d'un poteau ainsi qu'un sac d'avoine et les tendit au jeune homme.

Le nouveau palefrenier les saisit et ouvrit la porte du paddock. Sa nervosité sembla s'envoler dès qu'il approcha des chevaux, ce qui était bon signe. Fraser semblait le penser, lui aussi. Il hocha la tête d'un air satisfait et, croisant les bras, s'accouda à la clôture.

Willie tira sur la culotte de Fraser, voulant grimper sur la barrière pour regarder lui aussi. Plutôt que de le porter, Fraser lui montra comment poser un pied sur les pièces de bois pour se hisser, le soutenant d'une main sous les fesses. William parvint au sommet et roucoula de plaisir. Fraser lui sourit, lui dit quelque chose, puis se tourna à nouveau vers l'enclos pour voir comment s'en sortait le jeune homme.

Parfait. Grey pouvait s'approcher pour regarder, lui aussi, rien de plus naturel.

Il salua Fraser d'un signe de tête et s'accouda à son tour. Ils contemplèrent en silence le palefrenier. Il était parvenu à attirer les chevaux en sifflant et en agitant le sac d'avoine, puis à passer le licou autour du cou de l'un d'eux. Les deux autres piaffèrent et s'enfuirent. Celui qui était entravé voulut les rejoindre et, n'y parvenant pas, se cabra.

Le jeune homme ne tenta pas de tirer sur la corde. Sans la lâcher, il s'approcha rapidement du cheval, agrippa sa crinière et, en un clin d'œil, se retrouva sur son dos. Il adressa un grand sourire à Fraser, qui se mit à rire et brandit un pouce.

— Bravo ! lança-t-il. Fais-lui faire quelques tours.

— Bravo ! répéta Willie, qui sautillait sur la clôture comme un moineau.

Fraser lui toucha l'épaule et l'enfant se calma aussitôt. Ils contemplèrent tous les trois le palefrenier chevauchant le jeune étalon à cru, tenant bon en dépit des ruades et des dérobades, jusqu'à ce que l'animal se mette à trotter paisiblement.

L'excitation des spectateurs céda lentement le pas à une attention plus relâchée. Soudain, Grey trouva les mots :

— Le chevalier de la reine blanche prend la reine noire, déclara-t-il doucement.

C'était une ouverture risquée.

Fraser ne bougea pas, mais il sentit son regard se poser brièvement sur lui. Après une longue hésitation, il répondit :

— Le chevalier du roi noir prend le fou blanc.

Grey se sentit rasséréné. C'était la réponse au gambit de Torremolinos, qu'il avait utilisé ce lointain soir désastreux à Ardsmuir, lorsqu'il avait posé la main sur Fraser pour la première fois.

— Bravo, bravo, bravo, chantonnait Willie. Bravo, bravo, bravo !

———◄O►———

41

Rapt au clair de lune

Ce n'était pas encore l'heure du thé, mais le soleil était suspendu juste au-dessus des hêtres dénudés. Chaque jour, le soir tombait un peu plus tôt. Jamie se rendait à la grange où dormaient les chevaux de ferme. Trois jeunes hommes du village étaient chargés de s'en occuper, les nourrissant, les brossant et nettoyant leurs litières. Jamie passait tous les jours une fois les bêtes rentrées, pour vérifier leur état de santé général. À leur manière, les chevaux de bât étaient aussi précieux que les étalons.

Joe Gore, l'un des garçons de ferme, l'attendait devant la grange, l'air angoissé. Dès qu'il le vit, il courut vers lui en agitant les bras.

— Fanny a… disparu! balbutia-t-il.

— Comment? demanda Jamie, surpris.

Fanny était une grande jument de trait belge à la robe fauve mesurant dix-sept paumes au garrot. Elle ne passait pas vraiment inaperçue, même dans la lumière faiblissante.

Joe avait peur et se tenait sur la défensive.

— Ben… qu'est-ce que j'en sais? Ike a heurté une pierre et voilà-t-y pas qu'il a cabossé une jante de la carriole. On a dételé la Fanny et on l'a laissée brouter pendant qu'il emportait la roue chez le charron. Quand j'ai voulu la récupérer, la gueuse était plus là.

— Tu as vérifié les haies?

Jamie était déjà en route vers le champ de maïs au loin, Joe sur ses talons. Le champ n'était pas clôturé mais bordé par un muret en pierres sèches sur trois côtés et par une haie coupe-vent sur le dernier. L'idée de Fanny bondissant par-dessus les murs était absurde, mais elle était assez puissante pour se frayer un chemin à travers la haie.

— Tu me prends pour un bleu ? Bien sûr que j'ai vérifié !

— Grimpons là-haut.

Jamie indiqua la route qui longeait la propriété à l'est. Elle montait vers le flanc d'une colline d'où ils auraient une vue panoramique sur les champs.

Ils avaient à peine rejoint la route que Joe s'écria en pointant le doigt :

— Je la vois, là-bas ! Mais... qui c'est donc qu'est grimpé dessus ?

Jamie plissa les yeux et sursauta. La petite silhouette perchée sur le grand cheval, donnant des coups de talon frustrés dans ses flancs impassibles, était celle de Betty Mitchell.

Fanny avançait lentement d'un pas lourd. Soudain, elle releva la tête et pinça les naseaux, puis s'élança dans un galop puissant. Betty poussa un cri et tomba à la renverse.

Jamie laissa Joe s'occuper de Fanny. Il courut vers Betty et fut soulagé de la voir se relever péniblement, en lâchant force gros mots. Il n'avait jamais entendu une femme jurer autant... à part Claire.

Il la saisit sous un bras et l'aida à se relever.

— Que... commença-t-il.

— Isobel ! l'interrompit-elle en soufflant comme un bœuf. Cette ordure de notaire l'a enlevée ! Vous ne devez pas attendre !

— Attendre quoi ?

Elle oscillait sur ses jambes et il la retint pour la stabiliser.

— Vous voulez parler de M. Wilberforce ?

— Ben oui ! De qui d'autre ? s'énerva-t-elle. Il est venu la chercher en cabriolet. Elle était déjà dans la cour avec son bonnet, en train de monter dans sa voiture, quand je l'ai aperçue par la fenêtre. Je me suis précipitée et je lui ai demandé si elle n'avait pas perdu l'esprit. Elle ne pouvait pas partir toute seule avec lui. Lady Dunsany m'aurait arraché la tête !

Elle s'interrompit un instant pour reprendre son souffle, puis reprit :

— Elle ne voulait pas que je vienne, mais il s'est mis à rire en disant que j'avais raison : il n'était pas convenable qu'une jeune femme non mariée sorte avec un homme sans chaperon. Elle a fait la grimace puis a soupiré en disant : « Oh, bon d'accord. Qu'elle vienne. »

Elle se tourna et lui montra la route du doigt.

— Quand on est arrivés à la limite de Helwater, il s'est arrêté et on est tous descendus pour admirer la vue. Je me tenais là à me dire qu'il faisait un froid de gueux et que je n'avais que mon châle, maudissant Isobel de se comporter comme une gourde, quand il m'a attrapée par les épaules et m'a poussée dans le fossé, le bâtard ! Non mais regardez-moi ça !

Elle agita ses jupes crottées sous le nez de Jamie, lui montrant une grande déchirure.

— Où sont-ils partis, vous le savez ?

— Je n'ai pas besoin d'un dessin ! À Gretna Green, pardi !

— Bon sang !

Il inspira profondément, essayant de réfléchir.

— Il n'y arrivera pas ce soir… pas en cabriolet, déclara-t-il.

Elle haussa les épaules, exaspérée.

— Eh bien, qu'est-ce que vous faites encore, planté là ? Rattrapez-les !

— Moi ? Mais pourquoi ?

— Parce que vous galopez vite ! Et parce que vous êtes suffisamment costaud pour la forcer à revenir avec vous ! Et parce que vous ne direz rien !

En voyant qu'il ne bougeait toujours pas, elle tapa du pied.

— Vous êtes sourd ou quoi ? Vous devez y aller maintenant ! S'il la déflore, la pauvre dinde sera baisée à plus d'un titre. Ce salaud est marié.

— Quoi ? Marié ?

— Vous avez fini de répéter tout ce que je dis comme un perroquet ? Oui, il s'est marié avec une fille à Pertshire, il y a cinq ou six ans. Elle l'a quitté et est retournée vivre chez ses parents, et il est venu s'installer à Derwentwater. Je le tiens de… Oh, et puis on s'en fout de qui je le tiens… Allez-y ! Partez ! Rattrapez-les !

— Mais vous…

— Je me débrouillerai. PARTEZ ! hurla-t-elle.

Dans les dernières lueurs du jour, son visage était rouge vif.

Jamie partit.

Sa première idée avait été de retourner à l'écurie principale, mais cela lui aurait pris trop de temps et il aurait dû fournir des explications qui, outre le retarder davantage, auraient mis sens dessus dessous toute la maisonnée.

« Et parce que vous ne direz rien », avait dit Betty. Même si cela ne lui plaisait pas, il était effectivement la personne la plus indiquée pour éviter que cette affaire ne tourne au scandale.

Il ne pouvait poursuivre Wilberforce sur l'un des chevaux de ferme, quand bien même ces derniers n'auraient pas été épuisés par leur journée de travail. En revanche, il y avait deux bonnes mules, Whitey et Mike, qui servaient à tirer la charrette de foin. Elles étaient habituées à la selle et avaient passé la journée au pâturage.

Il fouilla dans la sellerie à la recherche d'un mors et, dix minutes plus tard, talonnait un Whitey surpris et outragé, trottant vers la route sous le regard médusé des trois garçons de ferme. Il aperçut Betty au loin. Elle rentrait au manoir en boitant, encore toute tremblante d'indignation.

Lui-même était en proie à de violentes émotions. Sa première impulsion avait été de se dire qu'après tout Isobel avait bien cherché ce qui lui arrivait. D'un autre côté, elle était très jeune et ne connaissait rien aux hommes, surtout aux crapules comme Wilberforce.

En outre, comme l'avait dit Betty si élégamment, après avoir perdu sa virginité, elle serait « bien baisée ». Autrement dit, sa vie serait fichue. Cela ferait un tort considérable à sa famille. Les Dunsany avaient déjà perdu deux de leurs trois enfants.

Il pinça les lèvres. Il devait à Geneva de sauver sa petite sœur.

Il regretta de ne pas avoir demandé à Betty de prévenir lord John, mais il était trop tard. En outre, il n'aurait pu attendre que Grey le rejoigne. Le soleil avait sombré derrière les arbres, à présent. Il lui restait à peine une heure avant la nuit. Cela lui suffirait peut-être pour rejoindre la grand-route.

Si Wilberforce avait l'intention d'emmener Isobel à Gretna Green, juste de l'autre côté de la frontière écossaise, où il pourrait l'épouser sans le consentement de ses parents et sans qu'on leur pose trop de questions, il prendrait la grand-route qui menait de Londres à Édimbourg. Elle passait à quelques kilomètres de Helwater et était bordée d'auberges.

Même une ordure en fuite ne tenterait pas de rejoindre Gretna d'une traite en cabriolet. Ils devraient s'arrêter quelque part pour la nuit.

Il pouvait encore les rattraper.

Lorsqu'il aperçut les lumières du premier relais de poste, il grelottait (il ne portait qu'un simple gilet en cuir) et pestait d'une manière qui aurait fait rougir Betty.

Il confia sa mule à un valet d'écurie pour qu'il la fasse boire et lui demanda s'il avait vu un cabriolet avec un homme élégant et une jeune femme.

Le jeune homme les avait aperçus, juste avant la tombée du soir, et avait trouvé que l'homme en question conduisait comme un pied.

— À combien se trouve la prochaine auberge ? demanda Jamie.

— À environ trois kilomètres, répondit le valet, intrigué. Vous le pourchassez, hein ? Qu'est-ce qu'il a fait ?

— Rien. C'est un notaire. Il se précipite au chevet d'un client mourant qui veut modifier son testament. Il a oublié des papiers importants et on m'envoie les lui apporter.

— Ah.

Comme la plupart des gens, le valet n'avait que faire des questions juridiques.

N'ayant pas d'argent, Jamie partagea l'eau de sa mule, buvant dans sa main en coupe. Quand le valet voulut protester, il l'arrêta d'un regard menaçant, le faisant battre en retraite, à marmonner des insultes, depuis une distance suffisante.

Après un bref concours d'opiniâtreté avec Whitey, il reprit la route. Une demi-lune se levait, éclairant progressivement la voie et lui évitant de s'égarer dans les fossés.

Biddle était un petit hameau suffisamment grand pour posséder une taverne. Le cabriolet de Helwater se trouvait devant la porte, dételé. Jamie récita rapidement un « Je vous salue Marie » de remerciement, y ajouta un « Notre Père » pour faire bonne mesure, puis descendit de selle.

Il attacha Whitey à un poteau puis se frotta le menton, réfléchissant à la meilleure manière de procéder. Il y avait deux possibilités, selon qu'ils avaient pris des chambres séparées ou une seule. Si Wilberforce était le genre d'homme que pensait Betty, Jamie penchait plutôt pour la seconde. Le notaire ne voudrait pas risquer d'être arrêté avant d'avoir défloré la fille. Une fois qu'il lui aurait pris sa virginité, il n'y aurait plus de retour en arrière possible.

Il ne pouvait entrer dans l'auberge et demander où se trouvaient Wilberforce et Isobel. Le but de l'opération était de sauver la jeune cruche en évitant un scandale qui ternirait à jamais sa réputation. Il fit donc discrètement le tour du bâtiment en examinant les fenêtres.

C'était un petit établissement, ne comptant que deux chambres à l'étage. Il n'y avait de la lumière que dans l'une d'elles. Les volets étaient fermés, mais il aperçut une ombre derrière l'interstice entre les deux panneaux de bois. Quelques instants plus tard, il entendit le rire aigu et nerveux d'Isobel, suivi de la voix plus grave de Wilberforce.

Il n'était peut-être pas encore trop tard.

Tandis qu'il fouillait dans une remise délabrée derrière l'auberge, les paroles d'une vieille ballade des Highlands lui revinrent en mémoire. Elle parlait d'une jeune fille enlevée pour être mariée contre son gré. Il se prit à fredonner tout bas :

— « ... dans un lit ils étaient couchés, étaient couchés, dans un lit ils étaient couchés... »

Dans la chanson, la jeune fille résistait farouchement aux assauts de son prétendant, qui tentait de la violer.

— « Avant de perdre mon hymen, je me battrai jusqu'à l'aube, jusqu'à l'aube, je me battrai jusqu'à l'aube… » chantonnait-il tout en tâtonnant dans le noir.

Un tonneau de bière ferait l'affaire. En grimpant dessus, il pourrait atteindre le rebord de la fenêtre.

À l'aube, la valeureuse jeune fille émergeait triomphante de la chambre et exigeait que ses ravisseurs la ramènent chez elle… « aussi vierge que je suis venue, venue, aussi vierge que je suis venue ».

Il n'y avait aucun tonneau, mais il trouva beaucoup mieux : une échelle de chaumier couchée sur le côté. Il la transporta le plus silencieusement possible, la dressa contre le mur.

Il y avait du bruit dans la salle, au rez-de-chaussée de l'auberge. Le brouhaha habituel, accompagné d'une odeur de viande rôtie qui le fit saliver en dépit de son inquiétude. Il déglutit et posa le pied sur le premier échelon.

Isobel hurla.

Son cri fut vite étouffé, comme si on avait plaqué une main sur sa bouche. Trois secondes plus tard, Jamie défonçait les volets d'un grand coup de pied et plongeait dans la chambre la tête la première.

Wilberforce glapit de surprise. Isobel de même. Il l'avait plaquée sur le lit et était couché sur elle, en chemise, ses fesses velues pointant d'une manière obscène entre les cuisses blanches et dodues de la jeune femme.

Jamie atteignit le lit en deux enjambées, empoigna le notaire par les épaules, le souleva et lui envoya son poing en pleine figure, le projetant contre le mur. Il saisit un bougeoir et lança un bref regard entre les jambes d'Isobel. Il ne vit pas de trace de sang ni aucun autre signe d'intrusion. Il reposa la chandelle, rabattit la chemise de nuit de la jeune femme sur ses jambes, la hissa debout et se dirigea vers la fenêtre. Puis, réflexion faite, il revint prendre une couverture.

Quelqu'un appelait dans l'escalier, voulant savoir d'où venait le raffut.

Jamie montra les dents à Wilberforce et se passa un doigt sous la gorge, lui intimant l'ordre de se taire. Le notaire était assis sur le sol, le dos contre la porte. Il paraissait étourdi et ne broncha pas.

Isobel tremblait des pieds à la tête et répétait :

— Je ne peux pas ! Je ne peux pas !

Il ignorait si elle voulait dire qu'elle ne pouvait pas descendre l'échelle dans le noir ou si elle faisait simplement une crise d'hystérie. Il n'avait pas le temps de le lui demander. Il la bascula sur son épaule, jeta la couverture sur elle et ressortit par la fenêtre.

L'échelle n'avait pas été conçue pour les fugues nocturnes. Un échelon céda sous son poids et il glissa pratiquement jusqu'à terre, s'accrochant désespérément aux montants en sentant l'échelle basculer sur le côté. Il atterrit debout, mais lâcha Isobel, qui s'écrasa sur le sol avec un bruit sourd et un cri étouffé.

Il ne lui laissa pas le temps de se remettre, la souleva à nouveau et courut vers sa mule. Il donna une tape sur les fesses d'Isobel pour faire taire ses gémissements et la percha en selle. Il détacha Whitey et ils filaient déjà grand train lorsque la porte de l'auberge s'ouvrit. Une voix mâle beugla :

— Je t'ai vu, canaille ! Je t'ai vu !

Isobel ne prononça pas un mot jusqu'à Helwater.

Confortablement allongé sur son lit, John Grey était plongé dans la lecture d'*Un amour excessif*, de Mme Haywood, quand il entendit un grand bruit dans le couloir. Tom était monté se coucher depuis longtemps dans les mansardes des domestiques. Il repoussa le couvre-lit et attrapa sa robe de chambre. Il l'avait à peine enfilée qu'on frappait d'un coup sec et impérieux à sa porte, faisant trembler le chambranle.

Il ouvrit et Jamie Fraser entra, dégoulinant sur le tapis et portant quelqu'un enveloppé dans une couverture. Hors d'haleine, il se dirigea droit vers le lit et déposa son fardeau sur les draps froissés. Le fardeau en question émit un petit cri et serra la couverture autour de lui.

Grey lança un regard stupéfait à Fraser.

— Isobel ? Que s'est-il passé ? Elle est blessée ?

— Vous devez la calmer et la ramener dans sa chambre, déclara Fraser en allemand.

Cela surprit Grey presque autant que son irruption. Il ignorait que Fraser parlait cette langue et il songea brièvement à Stephan von Namtzen. Bigre, il espérait qu'ils ne s'étaient rien dit de compromettant devant lui.

— Que vous est-il arrivé, ma chère ?

Isobel s'était assise sur le bord du lit, les épaules voûtées. Elle reniflait, secouée de sanglots. Son visage était bouffi, ses cheveux blonds dénoués retombaient sur ses épaules, mouillant sa chemise. Grey s'assit à ses côtés et lui frotta doucement le dos.

— Je… je suis une idiote, dit-elle avant d'enfouir son visage dans ses mains.

— Elle s'est enfuie avec le notaire, Wilberforce, expliqua Jamie. Sa cameriste est venue me prévenir et j'ai pu les rattraper.

Toujours en allemand, il résuma les faits à Grey, sans oublier l'existence d'une épouse de Wilberforce et la situation précise dans laquelle il les avait retrouvés.

— Le *Schwanzlutscher* ne l'avait pas encore pénétrée, mais il s'en est fallu de peu.

Épuisée, Isobel avait posé la tête sur l'épaule de Grey. Il glissa un bras autour de sa taille.

— Tout va bien, ma chérie. Vous êtes hors de danger.

La couverture trempée était tombée de ses épaules et il constata avec un pincement au cœur qu'elle portait une chemise de nuit fine en linon, avec des entre-deux en broderie anglaise et un ruban en soie rose pâle entrelacé autour du col. Elle s'était préparée pour sa nuit de noces, sans se rendre compte de ce qui l'attendait.

— Qu'avez-vous fait du notaire ? demanda-t-il à Fraser en allemand. Vous ne l'avez pas tué, j'espère ?

Il tombait des cordes dehors. Il espérait ne pas avoir à sortir pour se débarrasser du cadavre de Wilberforce.

— *Nein*, répondit Fraser sans plus de précision.

Il s'accroupit devant Isobel.

— Personne ne sait rien, lui dit-il doucement. Et personne n'a besoin de savoir.

Elle fuyait son regard. Grey sentait sa résistance. Toutefois, au bout d'un moment, elle releva la tête et acquiesça en pinçant les lèvres.

— Je… je vous remercie, parvint-elle à dire.

Si les larmes coulaient toujours le long de ses joues, elle ne sanglotait et ne tremblait plus. Son corps commençait à se détendre.

Fraser se releva et se dirigea vers la porte. Grey tapota la main d'Isobel avant de le rejoindre sur le seuil.

— Si vous parvenez à la raccompagner jusqu'à sa chambre sans être vus, Betty s'occupera d'elle, lui dit Fraser à voix basse. Quand elle se sera calmée, dites-lui d'oublier. Elle ne le pourra pas, bien entendu, mais je ne veux pas qu'elle se sente redevable envers moi. Ce serait gênant pour tous les deux.

— Elle le sera quand même. C'est une femme honorable. Elle voudra vous récompenser, d'une manière ou d'une autre. Laissez-moi trouver une solution.

— Je vous remercie, dit Fraser en observant Isobel sur le lit. Il y aurait bien… si elle acceptait…

Jamie avait les traits tirés et les yeux rouges. Grey remarqua que les articulations de sa main gauche étaient enflées et écorchées. Il avait dû envoyer son poing dans la figure de Wilberforce.

— Il y a une chose qui me ferait très plaisir, reprit Fraser. Mais je ne voudrais surtout pas que ce soit interprété comme un marché ou du chantage. Si vous pouviez trouver une manière de le leur suggérer avec tact…

— Je vois que votre sens de la diplomatie a considérablement évolué. De quoi s'agit-il ?

— L'enfant. Ils le forcent à porter un corset. Je serais très heureux de l'en voir débarrassé.

Profondément surpris, Grey acquiesça néanmoins.

— D'accord, j'y veillerai.

— Pas ce soir, ajouta précipitamment Fraser.

Isobel s'était effondrée avec un petit soupir, la joue sur l'oreiller de Grey et les pieds encore sur le sol.

— Non, pas ce soir, confirma Grey.

Il referma doucement la porte sur Fraser et revint s'occuper de la femme étendue sur son lit.

42

Le point de départ

Tom avait chargé les bagages sur la mule et les chevaux étaient prêts. Lord John embrassa lady Dunsany et, très délicatement, lady Isobel. Puis il serra la main de lord Dunsany. Les doigts du vieil homme étaient glacés et ses os paraissaient aussi friables que des brindilles. Il eut un pincement au cœur en se demandant s'il serait toujours en vie lors de son prochain séjour, suivi d'une pointe d'angoisse en se rendant compte de ce que sa mort impliquerait pour lui, au-delà de la perte d'un vieil ami.

Bah… il s'en soucierait le moment venu et d'ici là prierait pour qu'elle vienne le plus tard possible.

Dehors, le temps se gâtait, les premières gouttes s'écrasant sur les dalles. Les chevaux agitaient les oreilles dans un sens puis dans l'autre. Ils ne craignaient pas la pluie et avaient hâte de se mettre en route.

Jamie tenait le hongre de Grey. Il inclina la tête respectueusement et s'écarta pour lui permettre de monter en selle. Au moment où John posait une main sur le pommeau, il entendit l'Écossais lui glisser :

— La tour de la reine prend le pion huit du roi. Échec.

Grey éclata de rire.

— Ha ! fit-il. Le fou de la reine prend le pion quatre du roi. Échec et mat… monsieur MacKenzie.

Cette fois, Jamie ne pouvait demander son aide à Keren. Il attendit donc que Peggy vienne chercher William à la nursery pour l'emmener prendre son goûter et lui demanda de transmettre un billet à Betty. Peggy ne savait pas lire. Elle pourrait dire à quelqu'un qu'il allait retrouver la camériste, mais pas où. Il ne voulait surtout pas risquer d'être entendu.

Betty l'attendait derrière la grange à foin. Elle examinait d'un air pincé un immense tas de fumier, et tourna son regard réprobateur vers lui en l'entendant approcher.

— J'ai un petit quelque chose pour vous, annonça-t-il sans préambule.

— Il était temps, répliqua-t-elle avec un petit sourire coquet. J'espère que ce n'est pas si petit que ça et que vous allez me le montrer ailleurs qu'ici...

Elle indiqua le fumier d'un mouvement de la tête. Il était trop tard dans la saison pour les mouches. Jamie trouvait l'odeur plutôt agréable, mais il était clair à la mine de la jeune femme qu'elle ne partageait pas son opinion.

— Cet endroit fera l'affaire. Donnez-moi votre main.

Elle s'exécuta volontiers. Son expression coquine se mua en surprise quand il déposa une petite bourse dans sa paume.

— Qu'est-ce que c'est?

Le tintement de pièces quand elle soupesa la bourse était suffisamment éloquent.

— Votre dot, répondit-il.

Elle le dévisagea d'un air soupçonneux, se demandant s'il ne se payait pas sa tête.

— Une fille comme vous devrait se marier, poursuivit-il. Mais pas avec un homme comme moi.

— Et pourquoi pas? le défia-t-elle.

— Parce que, à l'instar du vilain Wilberforce, j'ai déjà une femme.

Elle cligna des yeux.

— Ah bon? Où?

Ah, excellente question. Où était sa femme?

— Quand j'ai été capturé après Culloden, elle n'a pas pu m'accompagner. Mais elle vit toujours.

Seigneur, faites qu'elle soit en sécurité...

— Toutefois, il y a quelqu'un qui vous désire plus que tout, et vous le savez. George Roberts est un homme bien. Avec cet argent, vous pourriez peut-être acheter un petit cottage…

Elle fit la moue sans répondre. Il devinait qu'elle imaginait la scène.

— Vous auriez votre propre foyer et, peut-être, un berceau près de la cheminée, avec votre propre enfant dedans.

Elle déglutit. Pour la première fois depuis qu'il la connaissait, elle paraissait craintive et hésitante.

— Je… mais… pourquoi ? Vous-même, vous n'avez pas besoin de cet argent ?

— Croyez-moi, rien ne me fait plus plaisir que de vous le donner. Acceptez ma bénédiction et, si vous voulez bien, vous pourrez appeler votre premier-né Jamie, si c'est un garçon.

Il lui sourit, sentant la chaleur dans sa poitrine remonter jusque dans ses yeux.

Elle émit un petit son étrange puis s'avança vers lui, se hissa sur la pointe des pieds et déposa un baiser sur sa bouche.

Un cri étranglé les fit sursauter. Crusoe les observait derrière le coin de la grange.

— Qu'est-ce que vous avez, à nous lorgner comme ça ? lui lança Betty. Vous n'avez rien de mieux à faire ?

— Si, si. Pa… pardon, mademoiselle, balbutia Crusoe avant de plaquer une grosse main sur sa bouche.

———◀◯▶———

43

Succession

26 octobre 1760

Grey arriva à Londres au son funèbre du glas.

— Le roi est mort ! Vive le roi !

Le cri se propageait dans toute la ville, répercuté par les crieurs de gazettes, les camelots et les gamins des rues.

Dans les préparatifs frénétiques des funérailles royales, l'arrestation des derniers comploteurs jacobites, ceux qui se faisaient appeler « la Chasse fantastique », passa inaperçue. Harold, duc de Pardloe, et son frère y consacrèrent tous leurs efforts plusieurs jours durant, ne prenant le temps ni de manger ni de dormir. Aussi, c'est dans un état quasi comateux qu'ils arrivèrent à l'abbaye de Westminster, le soir des obsèques.

Le duc de Cumberland ne semblait pas en meilleur état. Grey vit Hal l'observer avec une expression étrange, entre la satisfaction sans joie et une compassion réticente. Le duc avait subi une attaque d'apoplexie quelques semaines plus tôt, et un côté de son visage était affaissé, l'œil droit presque fermé. L'œil gauche, lui, était toujours aussi pugnace et fixait Hal avec haine depuis l'autre côté de la chapelle Henry VII. Puis l'attention de Cumberland fut attirée par son propre frère, le duc de Newcastle, qui pleurait à chaudes larmes et tantôt s'essuyait les yeux, tantôt ajustait son lorgnon pour scruter la foule et voir qui était là. Cumberland eut une moue dégoûtée et tourna son regard vers la crypte, où se dressait l'immense cercueil drapé de velours violet et illuminé par six énormes chandeliers d'argent.

— Cumberland doit se dire qu'il s'y trouvera lui-même avant longtemps, chuchota Horace Walpole.

Il se tenait juste derrière Grey et celui-ci se demanda si la remarque s'adressait à lui ou si l'esthète parlait tout seul. Horry était un incorrigible bavard et, la plupart du temps, il se souciait peu qu'on l'écoutât ou non.

On pouvait dire ce qu'on voulait sur la famille royale (et il y avait beaucoup à dire), elle savait faire preuve de stoïcisme dans le deuil. Les funérailles duraient depuis plus de deux heures et les pieds de Grey n'étaient plus que deux blocs de glace à force de se tenir debout sur les dalles de marbre. Pourtant, Tom lui avait fait enfiler deux paires de bas et un caleçon en laine.

Newcastle s'était discrètement placé sur la traîne d'un mètre cinquante de la cape de son frère afin de se protéger du sol froid. Grey espérait qu'il oublierait d'en descendre avant que Cumberland se remette à marcher. Ce dernier se tenait immobile tel un rocher, en dépit de sa mauvaise jambe. Il avait choisi de porter (Dieu seul savait pourquoi) une perruque brune dans le style « Adonis » qui donnait un air encore plus étrange à son visage tordu et bouffi. Horry avait sans doute raison. Il n'en avait plus pour longtemps.

Le spectacle dans la crypte était impressionnant. George II était désormais et pour toujours à l'abri de la Chasse fantastique, et de toute autre menace terrestre. Trois officiers de la Brigade irlandaise avaient été discrètement jugés en cour martiale et condamnés à la pendaison. Leurs exécutions ne seraient pas publiques. La monarchie était hors de danger. Le peuple ne saurait jamais rien.

Tu as gagné, Charlie. Adieu.

Alors, les larmes brouillèrent la vue de John, rendant la lueur des chandelles floue et immense. Personne ne le remarqua car nombre des présents étaient émus aux larmes par la cérémonie. Charles Carruthers était mort seul dans une mansarde, au Canada. Il n'avait même pas été enseveli. Grey l'avait fait incinérer et avait répandu ses cendres. La liasse de documents soigneusement compilés serait son unique monument funéraire.

Derrière lui, Walpole, qui était un homme extrêmement menu, déclarait à Grenville :

— Quel soulagement, mon cher. J'étais sûr qu'ils me place-raient à côté d'un enfant de dix ans, et les jeunes ont si peu de conversation !

La haute crypte gothique de l'abbaye grouillait et pépiait comme si elle était remplie de chauves-souris, faisant contrepoint au son continu des cloches et aux tirs des canons à l'extérieur. Grey vit Hal fermer les yeux. Il souffrait d'une terrible migraine et tenait à peine debout. Heureusement, il n'y avait pas d'encens, car cela l'aurait achevé. Il avait cru que son frère allait se mettre à vomir, un peu plus tôt, quand Newcastle était passé devant eux, laissant un nuage de bergamote et de vétiver dans son sillage.

En dépit de l'absence d'encens, la cérémonie était assez luxueuse pour plaire à un cardinal. L'évêque avait accumulé les erreurs au cours des prières, mais personne ne s'en était rendu compte. À présent, l'hymne n'en finissait plus, d'un ennui à peine soutenable. Grey se demanda comment le percevrait Jamie Fraser, lui qui n'entendait pas la musique.

Il chassa aussitôt cette pensée, mais son esprit errant l'entraîna alors vers Percy Wainwright. Ils s'étaient tenus ainsi côte à côte dans une église, lors du mariage de la mère de Grey et du père de Percy, si près qu'ils s'étaient discrètement tenus par la main sans que personne ne les voie.

Il ne voulait pas non plus songer à Percy. Aussitôt, ses pensées le ramenèrent vers Jamie Fraser.

Vas-tu enfin me ficher la paix ?

Il tenta de se concentrer sur le spectacle devant lui. Il y avait des gens partout, s'entassant dans les moindres recoins de la cha-pelle, assis sur la moindre surface disponible. Le souffle blanc de la foule se mêlait à la fumée des torches dans la nef. Si Hal tour-nait de l'œil, il ne risquait pas de tomber : il n'y avait pas de place. Il se rapprocha néanmoins de son frère, effleurant son épaule de la sienne.

— Au moins, nous aurons enfin un souverain qui parle plus ou moins l'anglais, déclara cyniquement Walpole.

Grey lança un coup d'œil vers le nouveau roi. George III res-semblait à tous les membres de la maison de Hanovre, nez crochu, paupières lourdes, yeux glacés que n'avait pu adoucir aucune tendresse maternelle. Ils avaient tous eu le même air depuis un millier d'années et l'auraient encore sans doute mille ans plus tard. Toutefois, le nouveau roi n'avait que vingt-deux ans. Grey se demanda s'il saurait résister à l'influence de son oncle Cumberland, au cas où ce dernier parviendrait à se détourner des courses de chevaux pour s'intéresser à la politique.

Il n'en aurait peut-être pas la possibilité. Il paraissait aussi mal en point que Hal. Grey ignorait si la cour martiale de Siverly avait précipité son attaque, mais les deux événements avaient coïncidé.

L'hymne sembla entamer ses derniers accords et il y eut un soupir de soulagement collectif dans l'abbaye. C'était une fausse alerte, et le refrain solennel repartit de plus belle, entonné cette fois par un chœur de jeunes garçons aux visages angéliques. La foule sombra à nouveau dans une torpeur résignée. Peut-être le but des funérailles était-il d'épuiser l'assistance, émoussant ainsi les émotions les plus vives.

En dépit de son ennui, Grey trouvait la cérémonie rassurante, avec sa pompe solennelle, son insistance sur la permanence face au caractère transitoire de l'existence, sur l'assurance d'une succession. Bien que fragile, la vie suivait son cours. De roi en roi, de père en fils…

De père en fils… Par cette seule pensée, toutes les bribes éparses dans son esprit se fondirent en une seule image soudain parfaitement nette : Jamie Fraser, de dos, accoudé au paddock à Helwater, contemplant les chevaux. À ses côtés, se tenant à la clôture, William, comte d'Ellesmere. Le port de tête, la tenue des épaules, les jambes bien plantées… c'étaient les mêmes. Pour celui qui savait regarder, c'était aussi visible que le nez au milieu du visage du nouveau roi.

Un profond sentiment de paix l'envahit, alors que l'hymne s'achevait enfin et qu'un immense soupir se propageait dans l'abbaye. Il revit le visage de Jamie lorsqu'ils étaient rentrés à Helwater, s'illuminant en apercevant les femmes sur la pelouse… avec William.

Il avait eu un soupçon le jour où il avait surpris Fraser dans la chapelle de Helwater, seul avec le cercueil de Geneva, peu avant l'enterrement de cette dernière. À présent, il savait, sans l'ombre d'un doute. Il comprenait également pourquoi l'Écossais ne souhaitait pas retrouver sa liberté.

Une tape dans son dos l'arracha à sa révélation.

— Je crois que Pardloe est sur le point de rendre l'âme, lui glissa Walpole.

Une petite main soignée se fraya un chemin entre les deux frères, tenant une fiole.

— Voulez-vous un peu de mes sels ?

Grey se tourna vers Hal. Il était blanc comme un linge et transpirait profusément. Ses pupilles étaient dilatées et il oscillait sur place. Grey lui attrapa le bras et saisit le flacon de l'autre main.

À l'aide des sels et par la force de sa volonté, Hal parvint à rester debout et, Dieu merci, la cérémonie s'acheva à peine dix minutes plus tard.

George Grenville était venu en chaise à porteurs. Ces derniers l'attendaient sur le quai. Il la céda volontiers à Hal, qui fut transporté au petit trot jusqu'à Argus House, à demi inconscient. Grey prit congé de ses amis dès que ce fut décemment possible et rentra à pied.

Les rues sombres autour de l'abbaye grouillaient de monde. Le petit peuple de Londres était venu rendre hommage au défunt roi. Les gens feraient la queue toute la nuit et une grande partie du lendemain pour s'incliner devant sa dépouille avant que la crypte ne se referme à nouveau. Grey parvint néanmoins à s'extirper de la cohue au bout de quelques minutes. Il se retrouva plus ou moins seul sous le ciel nocturne, du même violet que le linceul pourpre qui avait recouvert le cercueil du vieux roi.

Il se sentait à la fois paisible et euphorique, ce qui était une combinaison singulière à la sortie d'un enterrement.

C'était en partie grâce à Charlie, naturellement, et au fait de savoir qu'il n'avait pas failli à son ami mort. Au-delà, il savait également qu'il serait en mesure d'accomplir une tâche tout aussi importante pour un autre ami, bien vivant lui. Il pourrait aider Jamie Fraser.

Il se mit à pleuvoir, mais ce n'était qu'une bruine légère et il ne hâta pas le pas. Lorsqu'il arriva à Argus House, il était néanmoins trempé, glacé et avait une faim de loup. Il dut toutefois reporter son dîner à plus tard car un écuyer l'attendait patiemment dans le vestibule.

Stephan, pensa-t-il en reconnaissant l'extravagante livrée mauve et vert de la maison des von Erdberg. Lui était-il arrivé quelque chose ?

Après une profonde courbette, le serviteur souleva un panier en osier posé à ses pieds et le lui présenta comme s'il contenait un trésor.

— Milord, son excellence le landgrave espère que vous accepterez ce gage de son amitié.

Perplexe, Grey souleva le couvercle et, à la lueur des chandelles, découvrit deux yeux noirs et brillants le fixant. Un petit chiot, en boule sur une serviette blanche. Il avait un museau pointu, de grandes oreilles pendantes, des petites pattes robustes et une longue queue gracieuse qui s'agitait timidement.

Grey se mit à rire, aussitôt sous le charme. Il le prit délicatement dans ses bras. C'était un teckel, un de ces petits bassets que Stephan élevait pour la chasse aux blaireaux. Il sortit une minuscule langue rose et lui lécha les doigts.

— Salut, toi, dit-il au chiot. Tu as faim ? Moi aussi. Si nous allions te chercher de quoi manger ?

Il sortit une pièce de sa poche et la tendit à l'écuyer, se rendant soudain compte que celui-ci tenait à présent un billet cacheté. Il le plaça dans la main de Grey avec une autre courbette obséquieuse.

Ne voulant pas lâcher son nouvel ami, Grey parvint à le décacheter du pouce et déplia le billet. En s'approchant d'une applique, il lut le message de Stephan, rédigé d'une main ferme.

Amène-le avec toi quand tu viendras me voir.
Nous pourrons peut-être aller chasser ensemble.
S.

Il faisait froid dans le fenil et les courants d'air glacés s'enroulaient autour de son esprit endormi, éparpillant ses pensées à moitié formées.

Brave garçon…

Le vent ébranla l'écurie et rugit autour du toit. Une odeur de neige s'infiltra dans le bâtiment. Plusieurs chevaux s'ébrouèrent et renâclèrent.

Helwater. La conscience du lieu où il se trouvait s'imposa en lui. Les fragments d'Écosse et de Lallybroch tombèrent en poussière, aussi fragiles que de la boue sèche.

Helwater. La paille qui bruissait sous lui, les brins qui transperçaient la toile du matelas et lui piquaient la peau à travers sa chemise…

Brave garçon…

Ils avaient apporté la bûche de Noël au manoir aujourd'hui. Toute la maisonnée avait participé, les femmes emmitouflées jusqu'aux yeux, les hommes le teint rouge, soufflant sous l'effort, glissant dans la neige et traînant le tronc monstrueux à l'aide de cordes. Son écorce était saupoudrée de blanc et il laissait un profond sillon sur son passage.

Willie était grimpé sur l'arbre abattu, criant de plaisir, s'accrochant à la corde. Une fois au manoir, Isobel avait tenté de lui apprendre à chanter *Le bon roi Wenceslas*, vainement. L'enfant était trop excité et courait dans tous les sens. Au point que sa grand-mère, étourdie, avait demandé à Peggy de le conduire à l'écurie afin qu'il aide Jamie et Crusoe à apporter les branches de sapin fraîchement coupées.

Ravi, Willie s'était accroché au pommeau de selle de Jamie tandis qu'ils se rendaient à la pinède, puis était sagement resté assis sur la souche où Jamie l'avait déposé, hors de portée des haches et des rameaux qui s'écrasaient sur le sol. Plus tard, il avait aidé les hommes, portant deux ou trois ramilles odorantes pressées contre son torse, les lançant vers l'immense hotte avant de revenir en courant en chercher d'autres sans se soucier de l'endroit où les premières étaient tombées.

Jamie se retourna, se tortilla sous les couvertures et les resserra autour de lui tout en se remémorant la scène. Le gamin avait continué, allant et venant, allant et venant, rouge et haletant, jusqu'à ce que la dernière branche ait rejoint le tas. En baissant les yeux, Jamie avait vu l'enfant le regarder avec un sourire radieux, rayonnant de fierté. Il s'était mis à rire et avait déclaré :

« Tu es un brave garçon. Viens. On rentre à la maison. »

William s'était endormi en chemin, sa tête lourde comme un boulet contre le torse de Jamie. Celui-ci était descendu de selle prudemment, le tenant dans un bras. L'enfant avait soudain rouvert les yeux, battu des paupières, avait lancé d'une voix claire « WEN-ceslas ! » et s'était rendormi aussitôt. Il s'était réveillé à nouveau quand Jamie l'avait confié à la vieille Elspeth. En s'éloignant, Jamie l'avait entendu déclarer à sa nourrice :

« Je suis un brave garçon ! »

Toutefois, ces mots qui résonnaient dans ses rêves semblaient venir de plus loin encore. N'était-ce pas la voix de son père qu'il entendait ?

L'espace d'un très bref instant, il se retrouva avec son père et son frère, Willie, excité comme une puce, brandissant son premier poisson qui frétillait au bout de sa ligne. Les deux autres riaient avec lui. « Brave garçon ! »

Willie ! Seigneur, je suis si heureux qu'ils lui aient donné ton nom !

Même s'il pensait rarement à son frère, il le sentait parfois à ses côtés. D'autres fois, c'étaient son père et sa mère. Le plus souvent, c'était Claire.

J'aimerais tellement que tu le voies, Sassenach. C'est un brave petit garçon. Il est infernal et mal élevé, mais tellement brave.

Que penseraient ses parents de William ? Ils n'avaient pas vécu assez longtemps pour voir leurs petits-enfants.

Il resta un long moment étendu dans le noir, tendant l'oreille, écoutant les voix de ses morts dans le vent. Ses pensées devinrent de plus en plus vagues et sa douleur s'atténua, apaisée par l'assurance que l'amour était toujours là, bien vivant.

Il caressa le crucifix en bois sur son torse et murmura :

— Seigneur, faites qu'elle soit en sécurité. Elle et mes enfants.

Alors, il tendit sa joue vers elle et rencontra sa main à travers le voile du temps.

Notes de l'auteure

La Chasse fantastique

Le concept de la Chasse fantastique, une horde de spectres volant dans le ciel nocturne ou rasant le sol, traquant des proies inconnues, ne vient pas de la mythologie celtique mais de celles du centre, du nord et de l'ouest de l'Europe. La mythologie celtique étant particulièrement malléable (il suffit de voir avec quelle facilité elle a absorbé la théologie catholique en Écosse et en Irlande, où les gens peuvent réciter une prière à sainte Bride puis, dans le même souffle, une incantation contre les méchants lutins), il n'y a rien d'étonnant à ce qu'on retrouve cette diversité chez les Celtes. Sans compter qu'un Celte ne peut passer à côté d'une bonne histoire sans se l'approprier.

Dans certaines formes de cette légende, la horde est composée de fées ; dans d'autres, d'âmes damnées. Quoi qu'il en soit, mieux vaut ne pas la croiser la nuit, pleine lune ou pas. Les versions britanniques les plus connues sont *Tam Lin* et *Thomas le Rhymer* (il en existe des douzaines de variantes), où un jeune homme rencontre la reine des fées, qui l'enlève plus ou moins.

Dans presque tous les contes, il est question d'humains enlevés par la horde. C'est peut-être cet aspect qui a convaincu les comploteurs jacobites irlandais d'adopter ce nom de guerre, puisqu'ils projetaient de kidnapper George II. Ce pourrait également être une référence ou une extension de l'ancienne dénomination « les oies blanches », utilisée par les jacobites irlandais de la fin du XVIIe siècle. L'idée du *teind*, la dîme de l'enfer, vient de *Tam Lin*. Ce terme trouvait probablement un écho auprès de gens qui obéissaient à un code d'honneur rigoureux et pour qui la trahison se payait au prix fort.

> *La cohorte chevauche du Knocknarea*
> *À la tombe de Clooth-na-Bare,*
> *Caoilte secouant sa chevelure de flammes,*
> *Et Niamh appelant : Là-bas, viens-t'en là-bas,*
> *Vide ton cœur de son rêve mortel.*
> *Les vents s'éveillent, les feuilles tournoient,*
> *Nos joues sont pâles, notre chevelure dénouée,*
> *Notre poitrine palpite, nos yeux rayonnent,*
> *Nos bras appellent, nos lèvres s'entrouvrent ;*
> *Et s'il en est un qui contemple notre troupe impétueuse,*
> *Nous nous plaçons entre lui et l'acte de sa main,*
> *Nous nous plaçons entre lui et l'espoir de son cœur.*
> *La cohorte se précipite entre la nuit et le jour,*
> *Et où y a-t-il espoir ou acte aussi beau ?*
> *Caoilte secouant sa chevelure de flammes*
> *Et Niamh appelant : Là-bas, viens-t'en là-bas.*

William Butler Yeats, *L'Appel des Sidhe*
(traduction Jacqueline Genet)

(Note : Il existe une intéressante variante moderne de la Chasse fantastique produite par la BBC sous forme de feuilleton télévisé, *Quartermass and the Pit*, réalisé par Nigel Kneale et diffusé en décembre et janvier 1958-1959. Dans cette série de science-fiction, le concept de la horde devient une métaphore très littérale des pulsions assassines et bestiales de l'être humain. C'est tantôt terrifiant, tantôt hilarant. Les acteurs sont formidables !)

✳

Thomas Lally

Thomas Arthur, comte de Lally, baron de Tollendal, est l'un des personnages historiques de ce roman, avec George II, George III et Horace Walpole. Né d'un père irlandais et d'une mère française (à qui il devait ses titres de noblesse), il servit dans le célèbre régiment irlandais de l'armée française à Fontenoy et obtint le grade de général durant la guerre de Sept Ans. Il fut effectivement aide de camp de Charles-Édouard Stuart lors de la bataille de Falkirk en 1746 et fut impliqué dans divers complots jacobites, dont celui fomenté en Irlande dans les années 1760.

J'ai néanmoins pris quelques libertés avec lui. Il fut capturé par les Anglais après le siège de Pondichéry et ramené en Angleterre en 1761 (et non en 1760). Compte tenu de son implication réelle avec les jacobites irlandais et de ses affinités évidentes avec Jamie Fraser en tant que prisonnier des Anglais, j'ai pensé que ce petit déplacement dans le temps en valait la peine.

Une note intéressante, quoique triste, concernant la vie de Lally : il était outré par les atteintes à sa réputation après la défaite française en Inde. Il fit des pieds et des mains pour revenir en France et se défendre devant une cour martiale. Après avoir harcelé les autorités britanniques pendant cinq ans, celles-ci le renvoyèrent enfin à Paris où, en 1766, il fut promptement condamné pour trahison et décapité.

Vingt ans plus tard, un tribunal révisa son procès et cassa sa condamnation, ce qui, nul doute, dut le satisfaire.

Les hommes des tourbières

J'ai toujours été fascinée par ces momies préservées dans des tourbières. Les vêtements et les objets découverts avec le corps à Inchcleraun (qui est un lieu réel, avec un monastère qui l'est tout autant) sont un composite d'articles trouvés sur ou autour d'autres hommes des tourbières en Europe. Mes remerciements au Muséum d'histoire naturelle de Los Angeles, dont l'exposition sur ce thème m'a fourni de nombreuses informations utiles, ainsi qu'au British Museum, où est conservé l'Homme de Lindow, qui m'a toujours fortement inspirée.

✳

George II, George III et Horace Walpole

J'adore Horace Walpole, comme tous ceux qui s'intéressent à la société anglaise du XVIIIᵉ siècle. Quatrième fils de Robert Walpole, qui fut le premier Premier ministre d'Angleterre (bien qu'il n'ait jamais utilisé ce titre), Horace ne s'intéressait pas beaucoup à la politique, n'occupait pas une position sociale éminente, n'était pas physiquement attirant ni très remarquable à de nombreux égards. En revanche, il était intelligent, fin observateur, spirituel, caustique et, apparemment, immunisé contre la crampe de l'écrivain. Sa correspondance nous offre l'un des tableaux les plus détaillés et intimes de la société anglaise de cette époque. Je me suis beaucoup inspirée de l'une de ses lettres pour écrire la scène où lord John assiste aux funérailles royales de George II.

Vous trouverez ci-dessous le texte de Walpole où il relate les funérailles. Vous estimerez peut-être intéressant de le comparer à ma vision romancée dans le chapitre 43.

Devant une description historique aussi précise et éloquente, il est tentant de tout réutiliser… tentation à laquelle il convient de résister. L'intérêt de la fiction est de raconter une histoire particulière, et un excès de détails, aussi fascinants soient-ils, ne peut que nuire à la narration.

Dans ce cas précis, l'intérêt d'insérer les funérailles royales dans le roman est principalement d'offrir à lord John l'occasion de comprendre pourquoi Jamie tient tant à rester à Helwater. D'autre part, elles représentent un tournant historique qui a) ancre le lecteur dans l'époque du roman, b) souligne métaphoriquement la fin de la quête des frères Grey, c) marque un changement radical dans les relations entre lord John et Jamie Fraser, d) ouvre la voie à une nouvelle ère, tant sur le plan personnel que public. En effet, George III (qui était le petit-fils et non le fils de George II) est le roi contre lequel les colonies d'Amérique vont se rebeller, et nous pouvons constater, dans les derniers tomes de la série *Outlander*, à quel point cela affectera les vies de lord John, de Jamie Fraser et de William.

À Monsieur George Montagu,
Arlington Street, le 13 novembre 1760,
Au fait, j'ai eu la curiosité d'aller à l'enterrement l'autre soir. Figurez-vous que je n'avais jamais vu de funérailles royales. Je m'y suis rendu en tant qu'homme de qualité, pensant, sans me tromper, que c'était encore la meilleure manière d'y assister. Ce fut absolument grandiose. La chambre du prince, toute drapée de violet, illuminée par d'innombrables lampes d'argent, le cercueil exposé sous un catafalque en velours violet et entouré par six immenses chandeliers d'argent sur de hauts piédestaux, tout était du plus bel effet. L'ambassadeur de Tripoli et son fils y furent conduits en grande pompe. La procession, menée par une colonne de grenadiers dont un sur sept portait une torche, et encadrée par des Horse Guards à cheval, sabre au clair et ceints d'une écharpe en crêpe, les tambours voilés, les fifres, le glas, les tirs de canon... tout ceci était fort solennel. Toutefois, le plus réussi fut l'arrivée à l'abbaye, où nous fûmes accueillis par le doyen et les chanoines en grandes robes, le chœur et les aumôniers brandissant des torches. L'abbaye tout entière était tellement illuminée qu'on y voyait plus clair qu'en plein jour ; les tombes, les bas-côtés et le plafond chantourné se détachaient distinctement dans un clair-obscur des plus heureux. Il ne manquait plus que de l'encens et quelques chapelles ici et là avec des prêtres récitant des messes pour le salut du défunt. Toutefois, personne ne pourra se plaindre que la cérémonie n'ait pas été suffisamment catholique. Je redoutais que l'on m'associât à un garçon de dix ans ; les aboyeurs n'étant pas très précis, je me suis trouvé à marcher aux côtés de George Grenville, plus grand et plus âgé. Lorsque nous arrivâmes dans la chapelle Henry VII,

la solennité et le décorum s'envolèrent. Plus aucun ordre n'était respecté; les gens se tenaient ou s'asseyaient là où ils voulaient ou pouvaient. Les hallebardiers de la garde royale appelaient à l'aide, écrasés par le poids du cercueil. L'évêque lut atrocement et s'embrouilla dans les prières. Le beau chapitre « L'homme né de la femme » fut psalmodié plutôt que lu; quant à l'hymne, outre d'être extrêmement fastidieux, il aurait mieux convenu à des noces. La seule note grave était donnée par le duc de Cumberland, riche de ses mille infortunes récentes. Il était coiffé d'un adonis brun et portait une cape noire avec une traîne de quatre mètres cinquante. D'assister aux funérailles de son père ne devait certes pas être une partie de plaisir: en dépit de sa très mauvaise jambe, il dut rester debout près de deux heures, le visage bouffi et déformé par sa dernière attaque apoplectique qui a également affecté un de ses yeux. Il était placé juste à l'entrée de la crypte, où, sans nul doute, il ne tardera pas à descendre à son tour. Imaginez une situation plus déplaisante! Il endura le tout avec une mine ferme et impassible. L'austérité de cette scène fut fortement contrastée par le burlesque duc de Newcastle. Ce dernier éclata en sanglots dès qu'il pénétra dans la chapelle et se laissa tomber dans une stalle, l'archevêque s'agitant autour de lui avec un flacon de sels. Deux minutes plus tard, sa curiosité eut raison de son hypocrisie et il courait partout dans la chapelle avec son lorgnon pour voir qui était là et qui n'y était pas, épiant d'une main, s'épongeant les yeux de l'autre. Puis il craignit de s'enrhumer. Se sentant soudain lesté, le duc de Cumberland se retourna et découvrit le duc de Newcastle se tenant sur sa traîne afin de se protéger du sol en marbre glacé. La vue dans la crypte était très théâtrale, avec le cercueil entouré d'hommes tenant des lampes. Clavering, gentilhomme de la chambre du lit, a refusé de veiller le mort et a été congédié par le roi.

Je n'ai rien d'autre à vous dire, hormis une vétille, une menue vétille. Le roi de Prusse a écrasé le maréchal Daun. La nouvelle, qui aurait fait sensation il y a un mois, ne représente plus rien aujourd'hui, cédant le pas à des questions plus urgentes: Qui sera le prochain gentilhomme de la chambre du lit? Quelle charge sera attribuée à sir T. Robinson? Je me suis rendu à Leicester-fields *aujourd'hui ; la foule était immense. Je doute que cela dure. Bonne nuit.*

Votre dévoué.

✳

Plan B

L'un de mes éditeurs et l'un de mes correcteurs se sont demandé si « Plan B » n'était pas un anachronisme. Ce n'était pas mon avis et j'ai expliqué pourquoi :

Cher Bill,
J'y ai bien réfléchi. D'un côté, il existe le film de science-fiction Plan B from Outer Space *et d'autres titres de ce genre qui laissent à penser que « Plan B » est une expression moderne. Le fait est que nous l'employons couramment aujourd'hui pour désigner une solution de secours.*

D'un autre côté... ils élaboraient certainement des plans au xviiie *siècle (dans le sens où lord John utilise le mot « plan »), et on peut présumer qu'un homme à l'esprit méthodique les classerait en plans 1, 2, 3, ou A, B, C (voire I, II, III). Ce que je veux dire par là, c'est que le terme peut être considéré comme un énoncé logique issu du bon sens, plutôt que comme une expression toute faite... et, dans ce cas, ce n'est pas un anachronisme.*

Néanmoins, si vous pensez que cela risque de perturber le lecteur outre mesure, je peux modifier le langage de sa seigneurie, à défaut de ses plans.

Ce à quoi l'éditeur a répondu, fort heureusement :

Chère Diana,
Tout ceci me semble très logique. De fait, plus j'y pense, plus cela me paraît l'expression naturelle d'un esprit méthodique du xviiie *siècle. Nous le conservons donc.*

*

Gàidhlig / gaeilge

Les langues celtiques parlées en Irlande et en Écosse étaient essentiellement une même langue, l'erse, jusque vers 1600. Après cette date, les différences locales se sont accentuées, puis un grand changement orthographique a définitivement distingué le gaélique des Highlands (gàidhlig) de celui d'Irlande (gaeilge). Les deux langues conservent beaucoup de points communs (un peu comme l'espagnol et l'italien) mais, même en 1760, elles présentaient des différences notables.

En ce qui concerne mes romans : lorsque j'ai commencé à écrire *Le Chardon et le Tartan*, je savais qu'on parlait le gaélique dans les Highlands écossaises. Trouver quelqu'un le parlant à Phoenix, dans l'Arizona (en 1988), était une autre paire de manches. J'ai fini par tomber sur un libraire (Schoenhof's Foreign Books, à Boston) qui m'a procuré un dictionnaire anglais-gaélique, que j'ai utilisé pour ce premier roman.

Le livre vendu, l'éditeur m'a offert un contrat pour trois autres romans. J'ai dit alors à mon mari : « Je crois vraiment que je devrais me rendre sur place. » Nous sommes donc allés en Écosse, où j'ai trouvé un dictionnaire bilingue beaucoup plus sophistiqué, que j'ai utilisé pour *Le Talisman*.

Puis j'ai fait la connaissance de Iain MacKinnon Taylor. Il m'a envoyé une lettre dans laquelle il disait toutes sortes de choses merveilleuses sur mes romans, puis il ajoutait : « Il y a ce petit détail que j'ose à peine mentionner. Je suis né sur l'île de Harris et le gaélique est ma langue maternelle. J'ai l'impression que vous utilisez un dictionnaire. » Il m'a alors généreusement prêté son temps et son talent pour réaliser des traductions. Les passages en gaélique dans *Le Voyage*, *Les Tambours de l'automne*, *La Croix de feu* et *Un tourbillon de neige et de cendres* sont le fruit de ses efforts, ainsi que de ceux de son frère jumeau et des autres membres de sa famille vivant encore sur Harris.

Lorsqu'il n'a plus été en mesure de m'aider, j'ai eu la chance extraordinaire qu'une amie, Catherine MacGregor, qui étudiait le gaélique, connaisse Catherine-Ann MacPhee, artiste mondialement connue originaire de Barra et qui chante dans sa langue maternelle. Les deux Cathy m'ont généreusement secourue pour *L'Écho des cœurs lointains*.

Puis j'ai entrepris la tâche déraisonnable d'écrire un roman où non seulement cohabitent gaélique écossais et gaélique irlandais, mais où la langue est l'un des éléments de l'intrigue. Une fois de plus, les deux Cathy ont relevé le défi et ont embrigadé leur ami Kevin Dooley, musicien et auteur parlant couramment l'irlandais.

Le gaélique a la particularité de ne pas se prononcer du tout comme il s'écrit. Mes traducteurs ont eu l'idée de s'enregistrer en lisant à voix haute les dialogues en gaélique du roman, pour ceux qui seraient curieux d'entendre à quoi cela ressemble. Vous trouverez ces enregistrements (ainsi qu'un guide de prononciation) sur mon site : www.dianagabaldon.com, ou sur ma page Facebook : www.facebook.com/AuthorDianaGabaldon.

Remerciements

À Jennifer Hershey et Bill Massey, mes éditeurs, qui ont si gracieusement et habilement publié un livre simultanément à partir de deux pays, deux sociétés et deux points de vue différents...

À la délicieuse secrétaire d'édition Kathy Lord, qui sait combien de « s » il y a dans *nonplussed* et qui me sauve régulièrement la mise en connaissant l'âge de tous les personnages ainsi que la distance entre un point A et un point B, la géographie et la chronologie n'étant pas du tout, du tout, mon fort...

À Jessica Waters, assistante d'édition, qui parvient à jongler avec plusieurs manuscrits volumineux, les demandes d'interviews et une foule de petits détails à propos de tout et de rien...

À Virginia Norey (alias « la déesse du livre »), qui a conçu l'élégant volume que vous tenez entre vos mains...

À Vincent La Scala, Maggie Hart et la multitude de personnes à la patience infinie travaillant dur dans le service de production de Random House...

À Catherine-Ann MacPhee, radieuse fille de Barra, actrice, présentatrice, chanteuse traditionnelle et enseignante, dont on peut écouter les superbes chansons en gaélique sur www.greentrax.com et qui a réalisé les traductions merveilleusement nuancées du gaélique écossais dans ce livre...

À Kevin Dooley, irlandophone, musicien, conteur et auteur (voir www.kevindooleyauthor.blogspot.com), pour ses belles traductions du gaélique irlandais. Toute absence de *fadas* (ces petits accents qui saupoudrent les textes en irlandais comme des grains de poivre) est de ma faute ou une erreur dans la composition, et nous nous en excusons par avance...

À Catherine MacGregor (lectrice généreuse et incroyablement perceptive), pour ses traductions, ses enregistrements en gaélique, ses commentaires utiles sur le manuscrit et son sens du détail particulièrement affûté...

À Barbara Schnell et Sarah Meral, pour les parties allemandes...

À Laura Bailey, pour ses renseignements utiles sur les guêtres et autres articles vestimentaires du XVIIIe siècle...

À Allene Edwards, qui n'a pas son pareil pour repérer les coquilles...

À Claudia Howard, productrice de Recorded Books, pour son ouverture d'esprit et sa courtoisie tandis qu'elle se démenait pour faire en sorte que la version audio de *Lord John et le Prisonnier écossais* sorte en même temps que la version papier...

À Malcolm Edwards et Orion Publishing, pour leur soutien sans faille et leur foi en ce livre...

À mon mari, Doug Watkins, pour ses informations utiles sur les chevaux, les mules, les harnais et les états d'âme des petits garçons...

À Karen Henry, tsarine des consultations et édile curule du dossier Diana Gabaldon (au Compuserve Books and Writers Forum), sans qui j'aurais été beaucoup plus distraite et j'aurais couché moins de mots sur le papier, pour ses connaissances sur la chasse aux bourdons et ses commentaires pertinents sur le manuscrit...

À Susan Butler, pour son assistance logistique précieuse, sa gestion de la maison et des chiens, sa connaissance encyclopédique de la manière la plus expéditive de faire parvenir un paquet d'un point A à un point B...

À Jeremy Tolbert, Nikki Rowe, Michelle Moore, Loretta McKibben et Janice Millford, pour leurs conceptions et leur gestion en ligne... Comme je ne peux pas me cloner, heureusement qu'ils sont là...

À Lara, Suellen, Jari Backman, Wayne Sowry et les douzaines d'autres charmantes personnes qui m'ont fourni des informations et des suggestions importantes, ou qui se sont souvenues de détails que j'avais oubliés mais dont j'avais besoin…

À Vicki Pack et The Society for the Appreciation of the English Awesomesauce (le fan-club de lord John), pour leur soutien moral et un superbe tee-shirt…

À Elenna Loughlin, pour le charmant portrait de l'auteur (réalisé dans un jardin muré du XVIIIe siècle, à Culloden House, près d'Inverness)…

À Judy Lowstuter, Judie Rousselle et les Ladies of Lallybroch, pour le banc qui m'a été dédicacé, ainsi qu'à mes romans, dans le jardin de Culloden House…

À Allan Scott-Douglas, Ewen Dougan et Louise Lewis, pour différentes expressions écossaises et l'orthographe exacte de *tattie*…

À Betsy (« Betty »), Mitchell, Bedelia, Eldon Garlock, Karen Henry (« Keren-happuch ») et Guero la mule (alias « Whitey »), pour m'avoir prêté leur nom (je me hâte de préciser qu'à l'exception de Guero aucun d'eux n'a de points communs avec le personnage qui porte son nom)…

À Homer et JJ, pour leurs observations sur les chiots teckels…

Et…

À Danny Baror et Russell Galen… il n'existe pas de meilleurs agents.

———◄o►———

Suivez les Éditions Libre Expression sur le Web :
www.edlibreexpression.com

Cet ouvrage a été composé en ITC Berkeley Oldstyle 12/14,4
et achevé d'imprimer en mai 2015 sur les presses de
Marquis imprimeur, Québec, Canada

Imprimé sur du papier 100 % postconsommation,
traité sans chlore, accrédité Éco-Logo et fait à partir de biogaz.

certifié   procédé   100% post-   archives   énergie
                sans chlore   consommation   permanentes   biogaz